Héros de l'Olympe

La Marque d'Athéna

Rick Riordan

Héros de l'Olympe

La Marque d'Athéna

Traduit de l'anglais (américain)
par Mona de Pracontal

Du même auteur chez Albin Michel Wiz :

PERCY JACKSON
Le Voleur de foudre
La Mer des Monstres
Le Sort du Titan
La Bataille du Labyrinthe
Le Dernier Olympien

HÉROS DE L'OLYMPE
Le Héros perdu
Le Fils de Neptune

KANE CHRONICLES
La Pyramide rouge
Le Trône de feu

Titre original :
THE HEROES OF OLYMPUS BOOK THREE :
THE MARK OF ATHENA
(Première publication : Hyperion Books for Children, New York, 2012)

À Speedy
Les animaux errants et les vagabonds
sont souvent envoyés par les dieux.

1 ANNABETH

Avant de rencontrer la statue explosive, Annabeth se croyait prête à affronter tout et n'importe quoi.

Elle avait arpenté le pont de leur navire de guerre volant, l'*Argo II*, vérifié deux fois que les balistes étaient bien verrouillées. Elle s'était assurée que le drapeau blanc et son message pacifique « Nous venons en amis » flottait en haut du mât. Elle avait passé en revue les détails de leur plan avec le reste de l'équipage – sans oublier le plan B, et le plan C du plan B.

Et, surtout, elle avait pris à part leur chaperon, l'entraîneur sportif Gleeson Hedge, un belliqueux, et l'avait convaincu de profiter de sa matinée pour regarder des rediffusions de championnats d'arts martiaux dans sa cabine. S'il y avait une chose qu'ils devaient éviter à tout prix, maintenant qu'ils s'apprêtaient à aborder un camp romain potentiellement hostile à bord d'une trirème grecque magique, c'était d'avoir un satyre en jogging, la cinquantaine bedonnante, qui se plante sur le pont et agite un gourdin en criant : « À mort, les Romains ! »

La situation paraissait sous contrôle. Même ce mystérieux frisson glacé qui la parcourait depuis le lancement du bateau s'était dissipé, du moins pour le moment.

Le vaisseau descendait en traversant les nuages, et Annabeth ne pouvait empêcher les doutes de dernière minute de l'assaillir. Et si c'était une mauvaise idée ? Et si les Romains, pris de panique en les voyant, les attaquaient sans préambule ?

Sûr que l'*Argo II* avait un aspect peu amène : deux cents pieds de long, une coque revêtue de bronze, des arbalètes à répétition montées à l'avant et à l'arrière, une tête de dragon crachant des flammes en guise de figure de proue et, au milieu du navire, deux balistes rotatives capables d'expédier des charges explosives assez fortes pour fracasser du ciment... tout cela n'en faisait pas le moyen de transport idéal pour aller dire bonjour aux voisins.

Annabeth avait essayé de préparer le terrain. Elle avait demandé à Léo d'envoyer un manuscrit holographique – une invention à lui – pour prévenir leurs amis qui se trouvaient à l'intérieur du camp romain. Avec un peu de chance, la missive était arrivée à bon port. Léo aurait voulu peindre un message géant sur le bas de la coque – *COMMENT ÇA VA BIEN ?* assorti d'un smiley – mais Annabeth avait mis son veto : elle n'était pas certaine que les Romains aient le sens de l'humour.

Trop tard, maintenant, pour faire demi-tour.

Les nuages s'écartèrent de part et d'autre de la coque, et ils découvrirent le tapis vert et or des collines d'Oakland, à leurs pieds. Annabeth saisit un des boucliers de bronze alignés le long du bastingage tribord.

Ses trois camarades d'équipage prirent leurs postes.

Côté poupe, Léo s'activait comme un fou, vérifiant ses jauges et ses leviers. La plupart des timoniers se seraient contentés d'une barre ou d'une roue de gouvernail ; Léo, lui, avait installé un clavier, un moniteur, des commandes d'avion provenant d'un Learjet, une application Dubstep Soundboard et des détecteurs de mouvement prélevés sur une

Nintendo Wii. Il pouvait faire pivoter le bateau en tirant sur l'accélérateur, décocher des projectiles en samplant un album ou hisser les voiles en secouant très fort les manettes de sa Wii. Même pour un demi-dieu, Léo avait un « TDAH » – trouble de déficit de l'attention avec hyperactivité – hors-norme.

Piper faisait les cent pas entre le grand mât et les balistes en répétant ce qu'elle allait dire.

– Baissez vos armes, murmurait-elle, nous voulons juste vous parler.

Elle avait un pouvoir d'enjôlement si fort que lorsque ses paroles parvinrent aux oreilles d'Annabeth, celle-ci fut prise d'une envie de lâcher son poignard et d'entamer la conversation.

Pour une enfant d'Aphrodite, Piper se donnait beaucoup de mal pour cacher sa beauté. Ce jour-là, elle portait un jean déchiré, des baskets usées et un débardeur blanc avec des motifs Hello Kitty roses. (C'était peut-être du second degré ; avec Piper, Annabeth ne savait jamais.) Ses cheveux châtains, coupés dans tous les sens, étaient tressés sur le côté et ornés d'une plume d'aigle.

Il y avait aussi le petit ami de Piper, Jason. Il se tenait à l'avant du navire, sur la plate-forme surélevée de l'arbalète d'où les Romains pourraient facilement le repérer. Ses doigts qui serraient le pommeau de son épée d'or étaient blancs aux jointures. À part ça, il paraissait calme pour un gars qui s'offrait comme cible. Il avait enfilé, par-dessus son jean et le tee-shirt orange de la Colonie des Sang-Mêlé, une toge et une cape pourpres, symboles de son ancien rang de préteur. Avec ses boucles blondes ébouriffées par le vent et ses yeux bleu glacier, il avait une beauté rude et l'air parfaitement maître de lui – comme tout fils de Jupiter qui se respecte.

Parce que Jason avait grandi au Camp Jupiter, l'équipage de l'*Argo II* espérait qu'en reconnaissant son visage, les Romains hésiteraient à faire sauter le navire en plein ciel.

Elle avait beau s'efforcer de le cacher, Annabeth ne lui faisait pas encore entièrement confiance. Il avait un comportement trop « correct » – il suivait toujours les règles, optait toujours pour l'action honorable. Même son physique était d'une perfection suspecte. Une petite pensée trottait dans un coin de la tête d'Annabeth : *et si c'était une ruse et qu'il nous trahissait ? On arrive au Camp Jupiter et là, il dit : « Salut, les Romains ! Regardez un peu le super vaisseau et les prisonniers que je vous amène ! »*

Annabeth n'y croyait pas vraiment. Il n'empêche, elle ne pouvait pas regarder Jason sans qu'un goût amer ne lui vienne à la bouche. Il avait fait partie du « programme d'échange » imposé par Héra pour amener les deux camps à se rencontrer. Son Agaçantissime Majesté la Reine de l'Olympe avait convaincu les autres dieux que leurs deux groupes d'enfants, les Romains et les Grecs, devaient conjuguer leurs efforts pour sauver le monde de la maléfique déesse Gaïa qui se réveillait dans les entrailles de la Terre, et de ses abominables rejetons, les géants.

Sans prévenir, Héra avait enlevé Percy Jackson, le copain d'Annabeth, et effacé sa mémoire avant de l'envoyer au camp romain. En échange, les Grecs avaient eu droit à Jason. Ce n'était pas la faute de Jason, bien sûr, mais chaque fois qu'elle le voyait, Annabeth se rappelait à quel point Percy lui manquait.

Percy... il devait être quelque part, en dessous d'eux.

Oh, par les dieux. Elle sentit une vague de panique monter en elle. Et la repoussa. Elle ne pouvait pas se permettre de céder à l'émotion.

Je suis une enfant d'Athéna, se morigéna-t-elle. *Je dois m'en tenir à mon plan sans me laisser distraire.*

De nouveau elle le ressentit – ce frisson familier, comme si un bonhomme de neige psychotique s'était approché d'elle par-derrière, à pas de loup, et lui soufflait dans le cou. Elle se retourna : personne.

Ses nerfs devaient lui jouer des tours. Annabeth ne croyait pas qu'un vaisseau de guerre flambant neuf puisse être hanté, même dans un univers de dieux et de monstres. L'*Argo II* était bien protégé. Les boucliers de bronze céleste qui bordaient le bastingage avaient subi un traitement magique pour repousser les monstres, et le satyre de l'équipage, l'entraîneur Gleeson Hedge, aurait repéré les intrus à l'odeur, s'il y en avait eu à bord.

Annabeth aurait aimé prier sa mère et lui demander conseil, mais ce n'était plus possible, maintenant. Pas après leur horrible rencontre, le mois dernier, où elle avait reçu le pire cadeau de sa vie entière...

La sensation de froid s'accentua. Il lui sembla entendre une voix ténue qui riait dans le vent. Tous les muscles de son corps se tendirent. Il y avait de la catastrophe dans l'air.

Elle faillit donner l'ordre à Léo de faire demi-tour. À ce moment-là, dans la vallée en contrebas, des cors retentirent. Les Romains les avaient repérés.

Annabeth pensait savoir à quoi s'attendre. Jason lui avait décrit le Camp Jupiter en détail. Pourtant, elle eut du mal à en croire ses yeux. La vallée, entourée par les collines d'Oakland, était au moins deux fois plus vaste que la Colonie des Sang-Mêlé. Une petite rivière bordait un côté puis s'enroulait en dessinant un G majuscule vers le centre, où elle se jetait dans un lac d'un bleu limpide.

Juste sous le vaisseau, nichée au bord du lac, la Nouvelle-Rome étincelait au soleil. Annabeth reconnut les sites et les monuments dont Jason lui avait parlé : l'hippodrome, le Colisée, les temples et les parcs publics, le quartier des Sept-Collines avec ses rues en méandres, ses villas colorées, ses jardins en fleurs.

Elle aperçut des signes de la récente bataille qui avait opposé les Romains à une armée de monstres. Un dôme était fracassé, laissant voir un bâtiment qui était, devina-t-elle, le Sénat. La grande place du forum était percée de cratères. Certaines statues et fontaines étaient démolies.

Des dizaines de jeunes en toge affluaient en courant du Sénat pour mieux voir l'*Argo II*. D'autres Romains sortaient des magasins et des cafés et pointaient du doigt, bouche bée, vers le navire qui descendait du ciel.

À environ huit cents mètres à l'ouest, là d'où venait le son des cors, un fort romain se dressait sur une colline. Il était en tous points conforme aux illustrations qu'Annabeth avait vues dans les manuels d'histoire militaire : une tranchée défensive hérissée de piques, de hauts remparts et des tours de guet armées de balistes-scorpions. À l'intérieur, des rangées impeccables de baraquements blancs bordaient l'axe principal, appelé Via Principalis.

Une colonne de demi-dieux déboula des portes du fort et se précipita vers la ville, armures et lances rutilant au soleil. Dans ses rangs, il y avait un véritable éléphant de guerre.

Annabeth souhaitait poser l'*Argo II* avant l'arrivée de ces soldats, mais le vaisseau était encore à quelques dizaines de mètres du sol. Elle balaya la foule du regard dans l'espoir d'y apercevoir Percy.

Soudain, derrière elle, retentit un fracassant BAOUM-BAOUM !

Le souffle faillit la renverser par-dessus bord. Elle fit volte-face et se retrouva nez à nez avec une statue masculine en colère.

– Inacceptable ! cria l'homme de pierre.

Apparemment, il s'était matérialisé sur le pont pendant l'explosion. Des volutes de fumée jaune et sulfureuse tombaient de ses épaules. Des braises fusaient de ses cheveux bouclés. Au-dessous de la taille, il n'était qu'un piédestal en marbre carré. Au-dessus, c'était un homme musclé, drapé d'une toge taillée dans la pierre.

– Je ne laisserai pas entrer des armes à l'intérieur du *pomerium* ! annonça-t-il d'une voix de professeur pointilleux. Et encore moins des Grecs !

Jason lança à Annabeth un regard qui signifiait : « Je m'en occupe. »

– Terminus, dit-il. C'est moi, Jason Grace.

– Ah, je me souviens de toi, Jason ! grommela Terminus. J'aurais cru que tu avais assez de jugeote pour ne pas fréquenter les ennemis de Rome !

– Mais ce ne sont pas des ennemis...

– Exact, intervint Piper. Nous voulons seulement parler avec vous. Si nous pouvions...

– Ha ! lança la statue d'un ton sec. Ne crois pas que tu vas me faire le coup de l'enjôlement, jeune fille, pas à moi ! Et pose-moi ce poignard avant que je te l'arrache des mains.

Piper jeta un coup d'œil à son poignard en bronze. Elle avait oublié qu'elle était armée.

– Euh, d'accord. Mais comment pourriez-vous me l'arracher des mains ? Vous n'avez pas de bras.

– Quelle impertinence !

Suivirent un bruit de bouchon qui saute et un éclair jaune. Piper poussa un cri et lâcha le poignard, qui fumait et crachait des étincelles.

– Et tu as de la chance que je sorte juste d'une bataille, ajouta Terminus. Si j'étais au summum de mes forces, j'aurais fait exploser cette monstruosité volante depuis belle lurette !

– Une seconde. (Léo s'avança en agitant sa manette Wii.) J'hallucine ou vous venez de traiter mon vaisseau de monstruosité ? Dites-moi que j'hallucine.

L'éventualité que Léo attaque la statue avec sa manette de jeu suffit à sortir Annabeth de son état de choc.

– On se calme, tout le monde, intervint-elle en levant les mains pour montrer qu'elle n'était pas armée. Je suppose que vous êtes Terminus, le dieu des Frontières. Jason m'a dit que vous protégiez la Nouvelle-Rome, c'est bien ça ? Je suis Annabeth Chase, fille de...

– Oh, je sais très bien qui tu es ! (La statue la fusilla du regard vide de ses yeux de pierre.) Une enfant d'Athéna, la forme grecque de Minerve. Quel scandale ! Vous autres les Grecs, vous n'avez aucun sens des convenances. Nous les Romains, nous savons bien où est sa place, à cette déesse-là.

Annabeth serra les mâchoires. Pas facile de faire preuve de diplomatie avec cette statue.

– Que voulez-vous dire au juste, par « cette déesse-là » ? demanda-t-elle. Et qu'y a-t-il de tellement scandaleux...

– Bien ! interrompit Jason. Terminus, nous sommes venus en mission pacifique. Nous aimerions beaucoup recevoir l'autorisation d'atterrir pour pouvoir...

– Impossible ! trancha le dieu. Déposez vos armes et rendez-vous ! Quittez ma ville immédiatement !

– On se rend ou on part ? demanda Léo. Faudrait savoir !

– Les deux, rétorqua Terminus. Vous vous rendez, ensuite vous partez. Quelle question idiote, je te claque en pleine figure pour l'avoir posée. Tu le sens, nigaud ?

– Waouh ! (Léo examina Terminus avec un intérêt tout professionnel.) Vous êtes remonté très serré, man. Vous n'auriez pas besoin d'un peu plus de jeu dans certains de vos rouages ? Je peux jeter un œil, si vous voulez.

Sur ces mots, Léo troqua sa manette Wii contre un tournevis qu'il sortit de sa ceinture à outils magique, puis il tapota sur le piédestal de la statue.

– Arrête ! ordonna Terminus. (Une autre petite explosion fit sursauter Léo, qui lâcha son tournevis.) Les armes ne sont pas autorisées sur le sol romain, à l'intérieur du *pomerium*.

– Le quoi ? demanda Piper.

– Les limites de la ville, traduisit Jason.

– Et ce vaisseau tout entier est une arme ! poursuivit Terminus. Je vous interdis de vous poser !

Dans la vallée, les renforts de la légion étaient à mi-distance entre la ville et le vaisseau. La foule massée sur le forum comptait plus d'une centaine de personnes, à présent. Annabeth laissa courir son regard sur les visages et... *par les dieux.* Elle le vit. Il marchait vers le navire, bras dessus bras dessous avec deux autres jeunes, l'air potes comme cochons tous les trois : un garçon baraqué aux cheveux noirs coupés en brosse et une fille qui portait un casque de la cavalerie romaine. Percy paraissait très décontracté, très heureux. Il était drapé d'une cape pourpre identique à celle de Jason – l'insigne du préteur.

Le cœur d'Annabeth fit quelques culbutes dans sa poitrine.

– Léo, arrête ce navire, ordonna-t-elle alors.

– Pardon ?

– Tu m'as entendue. Arrête-nous pile là où nous sommes.

Léo sortit sa manette et la tira vers le haut. Les quatre-vingt-dix rames s'immobilisèrent, et le navire stoppa sa descente.

– Terminus, demanda Annabeth, il n'y a aucune loi interdisant de planer au-dessus de la Nouvelle-Rome, si ?

La statue fronça les sourcils.

– Euh... non...

– Alors, reprit Annabeth, nous pouvons laisser le navire en suspension dans le ciel et prendre une échelle de corde pour descendre au forum. De cette façon, le navire ne sera pas sur le sol romain. Techniquement parlant.

La statue parut réfléchir à la question. Annabeth se demanda si Terminus se grattait le menton avec des mains imaginaires.

– J'aime bien les subtilités juridiques, finit-il par reconnaître. Cependant...

– Nous laisserons toutes nos armes à bord du navire, promit Annabeth. Je présume que les Romains – y compris ces renforts qui avancent vers nous – devront eux aussi respecter vos règles à l'intérieur du *pomerium* si vous le leur ordonnez ?

– Bien sûr ! fit Terminus. Est-ce que je te fais l'effet d'un dieu qui tolère des entorses à la règle ?

– Euh, Annabeth, glissa Léo. Tu es sûre que c'est une bonne idée ?

Elle serra les poings pour empêcher ses mains de trembler. Le courant d'air froid était toujours là. Il flottait juste derrière elle et, maintenant que Terminus avait cessé de crier et de provoquer des explosions, Annabeth avait l'impression d'entendre la présence rire, comme si elle jubilait de la voir commettre des erreurs.

Mais Percy était en bas, dans la vallée... si près. Elle ne pouvait pas ne pas aller le retrouver.

– Tout ira bien, dit-elle. Personne ne sera armé. Nous pourrons dialoguer pacifiquement. Terminus veillera à ce que les deux parties respectent les règles. (Annabeth se tourna vers la statue de marbre.) Nous sommes bien d'accord ?

Terminus plissa le nez.

– Disons que oui. Pour le moment. Je t'autorise à descendre à la Nouvelle-Rome avec ton échelle, fille d'Athéna. S'il te plaît, évite de saccager ma ville.

2 ANNABETH

Sur le forum, une foule de demi-dieux accourus en toute hâte s'ouvrit pour laisser passer Annabeth. Certains paraissaient tendus, d'autres franchement inquiets. Certains portaient des bandages, témoins de leur récente bataille contre les géants, mais aucun d'eux n'était armé. Personne n'attaqua.

Des familles entières s'étaient ruées pour voir les nouveaux venus. Annabeth remarqua des couples avec des bébés, des tout-petits qui s'accrochaient aux jambes de leurs parents et même quelques personnes âgées habillées d'un mélange de toges romaines et de vêtements modernes. Étaient-ils tous des demi-dieux ? Annabeth supposa que oui, bien qu'elle n'ait jamais vu d'endroit comme celui-ci. À la Colonie des Sang-Mêlé, la plupart des demi-dieux étaient des adolescents. S'ils survivaient assez longtemps pour finir le lycée, soit ils restaient à la colonie en tant que conseillers, soit ils partaient pour commencer leur vie du mieux possible dans le monde des mortels. Ici, en revanche, c'était une communauté multigénérationnelle.

À l'autre bout de la foule, Annabeth repéra Tyson le Cyclope et la chienne des Enfers de Percy, Kitty O'Leary – c'était la première équipe d'éclaireurs à être arrivée au Camp Jupiter. Ils avaient l'air de bonne humeur. Tyson agitait les mains, un grand sourire aux lèvres. Il portait en bandoulière une bannière *SPQR* qui lui faisait comme un bavoir géant.

Dans un coin de sa tête, Annabeth nota la splendeur de la ville – les jardins débordant de fleurs, les fontaines cristallines, les boulangeries d'où s'échappaient de délicieuses odeurs. Et l'architecture ! Par les dieux, l'architecture... des colonnes de marbre plaquées d'or, des mosaïques époustouflantes, des arcs monumentaux, des villas en terrasses.

Devant elle, les demi-dieux s'écartaient pour livrer passage à une fille en armure romaine et cape pourpre. Des boucles brunes tombaient en cascade sur ses épaules. Ses yeux avaient l'éclat noir de l'obsidienne.

Reyna.

Jason l'avait bien décrite. Mais même sans cela, Annabeth aurait su que c'était la chef du camp. Des médailles ornaient son plastron. Elle avait une telle assurance dans son maintien que les autres demi-dieux reculaient et détournaient le regard.

Toutefois, Annabeth lut autre chose sur son visage – dans ses mâchoires serrées, dans son menton tendu comme si elle était prête à relever tous les défis. Reyna arborait une expression de courage, tout en retenant un mélange d'espoir, d'inquiétude et de peur qu'elle ne pouvait pas montrer au public.

Annabeth connaissait cette expression : elle la voyait chaque fois qu'elle se regardait dans la glace.

Les deux filles se jaugeaient. Les amis d'Annabeth se postèrent à ses côtés. Les Romains murmuraient le nom de Jason en le dévisageant avec respect.

Alors, quelqu'un se détacha de la foule, et le champ de vision d'Annabeth s'étrécit d'un coup.

Percy lui sourit. De son sourire sarcastique et annonciateur d'embrouilles qui l'avait agacée pendant des années, avant qu'elle ne finisse par le trouver attachant. Ses yeux verts étaient aussi beaux que dans son souvenir. Ses cheveux foncés étaient rejetés sur un côté comme s'il revenait d'une promenade sur la plage. Il était encore plus séduisant que six mois plus tôt – plus grand, plus bronzé et plus musclé.

Annabeth était trop émue pour pouvoir bouger. Elle avait l'impression que si elle s'approchait davantage, les molécules de son corps risquaient de fondre. Elle avait un faible secret pour Percy depuis leurs douze ans. Et l'été dernier, elle était tombée amoureuse pour de bon. Ils avaient formé un couple heureux pendant quatre mois – puis il avait disparu.

Au cours de leur séparation, les sentiments d'Annabeth avaient subi une métamorphose. Ils avaient acquis une intensité douloureuse, comme si on l'avait forcée à arrêter un traitement médical vital. Maintenant, elle ne savait pas lequel des deux était le plus pénible : vivre avec cette horrible absence, ou retrouver Percy.

Reyna la préteur se redressa. Visiblement à contrecœur, elle se tourna vers Jason.

– Jason Grace, mon ancien collègue... (Dans sa bouche, le mot « collègue » prenait des accents dangereux.) Je te souhaite la bienvenue et bon retour chez toi. Quant à tes amis...

Sans l'avoir décidé, Annabeth s'élança. Percy courut vers elle au même moment. Un souffle de tension parcourut la foule. Certains voulurent dégainer une épée qu'ils n'avaient pas.

Percy serra Annabeth dans ses bras. Ils s'embrassèrent, et, l'espace d'un instant, plus rien ne compta. Un astéroïde aurait pu s'abattre sur la planète et détruire toute forme de vie, Annabeth n'en aurait rien eu à faire.

Percy sentait l'air marin. Ses lèvres étaient salées.

Cervelle d'Algues, pensa-t-elle, tout étourdie.

Percy s'écarta et scruta son visage.

– Par les dieux, dit-il, je n'aurais jamais cru que...

Annabeth l'attrapa par le poignet et l'envoya voltiger pardessus son épaule. Il s'écrasa sur les dalles de pierre. Des exclamations fusèrent. Certains Romains s'élancèrent vers eux, mais Reyna cria :

– Arrière ! Reculez !

Annabeth planta le genou dans la poitrine de Percy et lui appuya l'avant-bras contre la gorge. Les Romains pouvaient penser ce qu'ils voulaient, elle s'en fichait. Une boule de colère brûlante se déployait dans sa poitrine – une tumeur faite d'inquiétude et d'amertume qu'elle portait en elle depuis l'automne dernier.

– Si jamais tu me quittes de nouveau, dit-elle, les larmes aux yeux, je jure devant tous les dieux...

Percy eut le culot de rire. Soudain, la boule d'émotions chauffées à blanc fondit dans la gorge d'Annabeth.

– OK, message reçu, dit Percy. Toi aussi, tu m'as manqué.

Annabeth se leva et l'aida à se redresser à son tour. Elle mourait d'envie de l'embrasser de nouveau, mais se retint.

Jason s'éclaircit la gorge.

– Ouais, ben... ça fait plaisir d'être de retour.

Il présenta Reyna à Piper, qui avait l'air un peu dépitée de ne pas avoir eu à dire les phrases qu'elle avait préparées, puis à Léo, qui sourit en faisant un rapide signe de la paix.

– Et voici Annabeth, ajouta Jason. En temps normal, elle ne fait pas de clé anglaise pour dire bonjour.

Les yeux de Reyna étincelèrent.

– Tu es sûre que tu n'es pas romaine, Annabeth ? Ou une Amazone ?

Annabeth se demanda si c'était un compliment ou non. Dans le doute, elle tendit la main.

– Mon petit ami est le seul que j'attaque comme ça, assura-t-elle. Enchantée, Reyna.

La préteur lui serra fermement la main.

– Je crois que nous avons beaucoup de choses à discuter. Centurions !

Quelques Romains du camp s'avancèrent, visiblement des officiers gradés. Deux jeunes rejoignirent Percy, et Annabeth reconnut ceux avec qui elle l'avait vu quelques instants plus tôt. L'Asiatique baraqué aux cheveux en brosse avait une quinzaine d'années. Il était pas mal, dans le genre nounours. La fille était plus jeune, treize ans, peut-être. Elle avait des yeux couleur d'ambre, un teint brun chocolat et de longs cheveux bouclés. Elle tenait son casque de cavalerie sous le bras.

Annabeth voyait à leur attitude qu'ils se sentaient proches de Percy. Ils se tenaient tout près de lui, protecteurs, comme s'ils avaient déjà vécu de nombreuses aventures ensemble. Elle lutta contre un léger sentiment de jalousie. Était-il possible que Percy et cette fille... non. L'alchimie à l'œuvre entre ces trois-là était d'un autre ordre. Annabeth avait passé sa vie à apprendre à lire les gens. C'était un talent nécessaire à sa survie. S'il lui fallait deviner, elle était prête à parier que l'Asiatique baraqué était le petit ami de la fille, mais qu'ils ne sortaient pas ensemble depuis longtemps.

Il y avait une chose qu'elle ne comprenait pas : qu'est-ce qui troublait la fille ? Elle n'arrêtait pas de froncer les sourcils en regardant dans la direction de Piper et Léo, comme si elle reconnaissait l'un d'eux et que le souvenir était douloureux.

Pendant ce temps, Reyna donnait des ordres à ses officiers.

– ... Dis à la légion de se retirer. Dakota, préviens les esprits à la cuisine. Dis-leur de préparer un festin de bienvenue. Octave...

– Tu laisses ces intrus pénétrer dans le camp ?! (Un grand type aux cheveux blond filasse s'avança en jouant des coudes.) Reyna, les risques...

– Nous ne les emmenons pas au camp, Octave. (Reyna lui décocha un regard cinglant.) Nous allons manger ici, au forum.

– Beaucoup mieux ! ironisa Octave. (Il était le seul qui ne donnait pas l'impression de considérer Reyna comme sa supérieure, pourtant il était efflanqué, pâle et se promenait, qui sait pourquoi, avec trois ours en peluche accrochés à sa ceinture.) Tu veux qu'on se détende à l'ombre de leur navire de guerre ?

– Ce sont nos invités, rétorqua Reyna en détachant chaque mot. Nous allons leur souhaiter la bienvenue et nous allons parler avec eux. D'ailleurs, en ta qualité d'augure, tu devrais brûler une offrande pour remercier les dieux de nous avoir ramené Jason sain et sauf.

– Bonne idée, intervint Percy. Va brûler tes ours, Octave.

Reyna semblait se retenir de sourire.

– Tu as mes ordres, dit-elle, vas-y.

Les officiers se dispersèrent. Octave lança à Percy un regard brûlant de haine, toisa Annabeth d'un œil méfiant, puis s'éloigna à grands pas.

Percy prit la main d'Annabeth dans la sienne.

– Ne t'inquiète pas pour Octave, dit-il. La plupart des Romains sont des gens sensés, comme Frank et Hazel, comme Reyna. Tout ira bien.

Annabeth avait l'impression qu'on lui plaquait un gant de toilette glacé sur la nuque. Elle entendit à nouveau le murmure ricanant, comme si la présence l'avait suivie depuis le navire.

Elle leva les yeux vers l'*Argo II*. Son imposante coque de bronze scintillait au soleil. Annabeth fut prise d'une très forte envie d'enlever Percy sur-le-champ, de l'emmener à bord et de décamper – tant qu'ils le pouvaient encore.

Elle ne parvenait pas à se débarrasser du pressentiment qu'une catastrophe était imminente. Et elle ne voulait à aucun prix courir le risque de perdre Percy de nouveau.

– Tout ira bien, répéta-t-elle en essayant d'y croire.

– Parfait, dit Reyna. (La préteur se tourna vers Jason et Annabeth trouva son regard terriblement exigeant.) Parlons un peu, ensuite nous pourrons tenir une réunion dans les règles.

3 ANNABETH

Annabeth regrettait de ne pas avoir faim, car les Romains savaient recevoir.

Ils apportèrent des canapés et des tables basses dans des carrioles, et en quelques instants, le forum parut transformé en dépôt de meubles. Les Romains mangeaient allongés par groupes de dix ou vingt et bavardaient en riant, tandis que des esprits des vents – des *aurai* – virevoltaient au-dessus de leurs têtes pour leur apporter des assortiments sans fin de pizzas, sandwichs, frites, sodas, cookies frais sortis du four... Des fantômes pourpres flottaient au milieu de la foule, en toges et armures de légionnaire : c'étaient les Lares. À la lisière du festin, des satyres (*non, des* faunes, se corrigea Annabeth) trottaient de table en table en quémandant de la nourriture et de la monnaie. Dans les champs voisins, l'éléphant de guerre gambadait avec Kitty O'Leary et les enfants jouaient à chat autour des statues de Terminus qui bordaient les limites de la ville.

Le tout était à la fois tellement familier et tellement nouveau pour Annabeth qu'elle en avait le vertige.

Son seul souhait, c'était d'être avec Percy, de préférence seule. Elle savait qu'elle allait devoir attendre. S'ils voulaient mener leur quête à bien, ils avaient besoin de ces Romains, ce qui nécessitait de prendre le temps de faire leur connaissance et de gagner leur confiance.

Reyna et quelques-uns de ses officiers (dont le blond, Octave, qui était de retour après avoir fait brûler un ours en peluche pour les dieux) s'installèrent en compagnie d'Annabeth et de son équipage. Percy les rejoignit avec ses deux nouveaux amis, Frank et Hazel.

Pendant qu'une tornade d'assiettes garnies se posait sur leur table, Percy se pencha à l'oreille d'Annabeth et chuchota :

– J'aimerais te faire visiter la Nouvelle-Rome. Rien que toi et moi. Elle est trop belle, cette ville.

Annabeth aurait dû être ravie. « Rien que toi et moi », c'était exactement ce qu'elle désirait. Pourtant, la rancœur la prit à la gorge. Comment Percy pouvait-il manifester un tel enthousiasme pour cette cité romaine ? Et la Colonie des Sang-Mêlé, alors ? Oubliait-il leur camp, leur maison ?

Elle se força à détacher le regard du tatouage nouvellement apparu sur le bras de Percy : les lettres SPQR, comme sur le bras de Jason. À la Colonie des Sang-Mêlé, les demi-dieux portaient un collier de cuir orné de perles, une par année d'entraînement suivi. Ici, chez les Romains, on vous tatouait, comme pour graver le message dans votre chair : *Tu nous appartiens. Définitivement.*

Annabeth ravala le commentaire mordant qui lui brûlait la langue.

– Ouais, d'accord.

– J'ai réfléchi, poursuivit Percy d'une voix tendue. J'ai eu une idée...

Il dut s'interrompre car Reyna proposait de boire à l'amitié entre les deux groupes.

Tout le monde se présenta, puis les Romains et l'équipage d'Annabeth se mirent à bavarder et à échanger des histoires. Jason narra son arrivée à la Colonie des Sang-Mêlé, totalement amnésique, puis la quête qu'il avait menée avec Piper et Léo pour délivrer la déesse Héra (ou Junon, comme vous préférez – elle avait le même pouvoir de nuisance dans ses deux versions, grecque et romaine), qui était prisonnière à la Maison du Loup, en Californie du Nord.

– Impossible ! s'écria Octave. C'est notre lieu le plus sacré. Si les géants avaient emprisonné une déesse là-bas...

– Ils voulaient l'anéantir, expliqua Piper. Puis mettre sa mort sur le dos des Grecs pour déclencher une guerre entre les deux camps. Maintenant tais-toi et laisse Jason finir.

Octave ouvrit la bouche, mais aucun son ne sortit de ses lèvres. Pas à dire, Annabeth adorait le don d'enjôlement de Piper. Elle remarqua que Reyna regardait tour à tour Jason et Piper en fronçant les sourcils, comme si elle commençait tout juste à comprendre que ces deux-là étaient ensemble.

– Et donc, reprit Jason, c'est comme ça que nous avons appris l'existence de Gaïa, la déesse de la Terre. Elle est encore dans un état de demi-sommeil, il n'empêche que c'est elle qui libère des monstres du Tartare et qui éveille les géants. Porphyrion, leur grand chef qu'on a combattu à la Maison du Loup, nous a dit qu'il allait se retirer dans les terres anciennes : en Grèce, carrément. Il a l'intention d'éveiller Gaïa et d'anéantir les dieux en... comment il a dit, déjà ? *en arrachant leurs racines.*

Percy hocha la tête, l'air songeur.

– Ici aussi, dit-il, Gaïa s'est manifestée. Nous aussi, nous avons eu droit à la Reine Face de Vase.

Et Percy leur apprit son côté de l'histoire. Il évoqua le moment où il s'était réveillé à la Maison du Loup sans aucun souvenir, si ce n'est un prénom : Annabeth.

Lorsqu'elle entendit cela, Annabeth dut se faire violence pour ne pas pleurer. Percy raconta ensuite leur expédition en Alaska : Hazel, Frank et lui y avaient vaincu le géant Alcyonée, libéré Thanatos, le dieu de la Mort, et récupéré l'aigle d'or, l'étendard perdu du camp romain. À leur retour, ils avaient trouvé la Nouvelle-Rome attaquée par l'armée des géants, qu'ils avaient écrasée.

Quand Percy se tut, Jason émit un long sifflement.

– Pas étonnant qu'ils t'aient nommé préteur, dit-il.

– Pff ! fit Octave en plissant le nez. Ça veut dire que nous avons trois préteurs, maintenant ! Le règlement stipule clairement que nous ne pouvons en avoir que deux !

– Soyons positifs, lança Percy. Jason et moi, on est tous les deux tes supérieurs, Octave. Donc on est deux à pouvoir te dire de la boucler.

Octave vira rouge betterave, ou plutôt pourpre comme un tee-shirt romain. Et Jason tapa en riant son poing contre celui de Percy.

Même Reyna sourit, mais l'orage grondait dans ses yeux.

– On réglera cette question de préteur supplémentaire plus tard, dit-elle. Pour le moment, nous avons des problèmes autrement plus graves.

– Je peux céder ma place à Jason, proposa spontanément Percy. Pas de souci.

– Pas de souci ? (Octave manqua de s'étrangler.) C'est comme ça que tu parles de la préture de Rome ?

Percy l'ignora et s'adressa à Jason.

– Alors comme ça, dit-il, t'es le frère de Thalia Grace ? C'est fou, vous vous ressemblez pas du tout.

– Ouais, je suis au courant, répondit Jason. Enfin, en tout cas, merci d'avoir aidé mon camp en mon absence. Tu as assuré grave.

– Toi aussi, mec, dit Percy.

Annabeth lui décocha un coup de pied dans le tibia. Elle ne voulait pas étouffer le début d'une belle romance, mais Reyna avait raison : ils avaient des questions graves à débattre.

– Il faudrait qu'on parle de la Grande Prophétie, dit-elle. Je crois que les Romains la connaissent aussi, n'est-ce pas ?

– Oui, acquiesça Reyna. Nous l'appelons la Prophétie des Sept. Octave, tu la connais par cœur ?

– Bien sûr. Mais, Reyna...

– Récite-la, s'il te plaît. Et pas en latin.

Octave soupira et se mit à débiter.

– *Sept Sang-Mêlé obéiront à leur sort. Sous les flammes ou la tempête le monde doit tomber...*

– *Serment sera tenu en un souffle dernier,* enchaîna Annabeth. *Des ennemis viendront en armes devant les Portes de la Mort.*

Tous les visages se tournèrent vers elle – sauf celui de Léo, qui avait fabriqué une roue crantée avec l'alu des emballages de tacos et s'amusait à attaquer les esprits des vents qui passaient.

Annabeth aurait été incapable de dire pourquoi elle avait récité la fin de la prophétie. Les mots lui étaient sortis tout seuls.

Le grand costaud, Frank, se pencha en avant et la regarda d'un air fasciné, un peu comme s'il lui était poussé un troisième œil sur le front.

– Est-ce vrai, demanda-t-il, que tu es une enfant de Min..., euh, je veux dire, d'Athéna ?

– Oui, répondit Annabeth, brusquement sur la défensive. Pourquoi ça t'étonne tellement ?

– Si tu es vraiment une enfant de la déesse de la *Sagesse*..., commença Octave d'un ton railleur.

– Ça suffit, intervint Reyna. Si elle le dit, c'est que c'est vrai. Elle vient en paix. Et en plus... (Elle adressa un regard respectueux à Annabeth.) Percy m'a dit beaucoup de bien de toi.

Annabeth mit quelques instants à décoder la légère retenue qu'elle entendait dans la voix de Reyna. Percy baissa les yeux, pris d'un intérêt soudain pour son cheeseburger.

Par les dieux... Annabeth sentit le feu lui monter aux joues. Reyna avait fait des avances à Percy. D'où cette pointe d'amertume dans sa voix, peut-être même de jalousie. Percy les avait repoussées à cause d'elle.

À ce moment-là, Annabeth pardonna à son bouffon de petit ami toutes les erreurs qu'il avait pu commettre. Elle mourait d'envie de se jeter à son cou, mais garda son sang-froid.

– Euh, merci, Reyna, dit-elle. En tout cas, une partie de la prophétie s'éclaire. Des ennemis viendront en armes devant les Portes de la Mort... cela signifie les Romains et les Grecs. Nous devons unir nos forces pour trouver ces portes.

Hazel, la fille au casque de cavalerie et aux longs cheveux bouclés, ramassa quelque chose à côté de son assiette. Ça ressemblait à un gros rubis, mais avant qu'Annabeth ne puisse s'en assurer, Hazel le glissa dans la poche de sa chemise en jean.

– Mon frère Nico est parti à la recherche des portes, dit-elle.

– Une seconde, fit Annabeth. Tu parles de Nico di Angelo ? C'est ton frère ?

Hazel hocha la tête comme si c'était une évidence. Une dizaine de nouvelles questions déferlèrent dans la tête d'Annabeth, qui tournait déjà comme la roue crantée de Léo. Elle décida de se taire pour l'instant.

– OK. Tu disais ?

– Il a disparu. (Hazel passa nerveusement la langue sur les lèvres.) Je suis inquiète. Je n'en suis pas sûre, mais je crois qu'il lui est arrivé quelque chose.

– Nous le chercherons, promit Percy. De toute façon, il faut qu'on déniche les Portes de la Mort. Thanatos nous a dit que nous trouverions les réponses aux deux questions à Rome, à la Rome d'origine, je veux dire. C'est sur le chemin de la Grèce, non ?

– Thanatos t'a dit ça ? (Annabeth avait du mal à accepter cette idée.) Le dieu de la Mort ?

Elle avait rencontré beaucoup de dieux, et elle était même allée aux Enfers. Mais entendre Percy dire qu'il avait libéré l'incarnation de la Mort lui donnait la chair de poule.

Percy avala une bouchée de cheeseburger.

– Maintenant que la Mort est libérée, répondit-il, les monstres se désintégreront et retourneront au Tartare, comme avant. Mais tant que les Portes de la Mort resteront ouvertes, ils reviendront.

Piper tripota la plume qu'elle avait dans ses cheveux.

– Comme l'eau d'un barrage qui s'échappe par une brèche, murmura-t-elle.

– Et ça nous met sur la brèche, plaisanta Percy.

– Comment ?

– Rien, je rigole. Ce qu'il y a, c'est qu'il faut qu'on trouve les Portes de la Mort et qu'on les referme avant de partir pour la Grèce. Sinon, nous n'aurons aucune chance de vaincre les géants, et surtout de les vaincre définitivement.

Reyna cueillit une pomme sur un plateau qui passait. Elle la tourna entre ses doigts en examinant sa peau rouge foncé.

– Tu proposes une expédition pour la Grèce à bord de votre navire de guerre. Es-tu conscient que les terres anciennes et la Mare Nostrum sont dangereuses ?

– L'amarre et quoi ? demanda Léo.

– Mare Nostrum, *notre mer*, expliqua Jason. C'est le nom que les Romains de l'Antiquité donnaient à la Méditerranée.

Reyna opina.

– Le territoire qui constituait autrefois l'Empire romain n'est pas seulement le berceau des dieux, dit-elle. C'est aussi le foyer ancestral des monstres, des Titans, des géants... j'en passe et des pires. Vous savez comme il est dangereux de voyager en Amérique pour des demi-dieux ? Eh bien là-bas, ça le serait dix fois plus.

– Tu nous avais dit que l'Alaska serait terrible, lui rappela Percy. On a survécu.

Reyna secoua la tête. Ses ongles se plantaient dans la pomme qu'elle faisait pivoter, en y creusant de petits croissants.

– Percy, voyager en Méditerranée, c'est carrément un autre niveau sur l'échelle du danger. Elle est interdite aux demi-dieux romains depuis des siècles. Aucun héros en pleine possession de sa santé mentale ne s'y risquerait.

– Ben c'est bon, alors ! (Léo pointa le nez au-dessus de sa roue crantée, souriant jusqu'aux oreilles.) Vu qu'on est tous cintrés ! En plus, l'*Argo II* est un navire de guerre ultra-puissant, il nous conduira à bon port.

– Il faut qu'on se dépêche, renchérit Jason. Je ne sais pas ce que les géants trament, au juste, mais Gaïa gagne en conscience d'heure en heure. Elle envahit les rêves, elle se manifeste dans des lieux bizarres, elle éveille des monstres de plus en plus puissants. Nous devons arrêter les géants avant qu'ils ne la fassent revenir complètement à elle.

Annabeth frissonna. Elle avait fait sa part de cauchemars, ces derniers temps.

– *Sept Sang-Mêlé obéiront à leur sort*, dit-elle. Il faut des héros de nos deux camps. Jason, Piper, Léo et moi, ça fait quatre.

– Et moi, dit Percy. Plus Hazel et Frank. Ça fait sept.

– Comment ? (Octave se leva d'un bond.) Et tu veux qu'on accepte ça ? Sans un vote au sénat ? Sans débat ? Sans...

– Percy !!

Tyson le Cyclope s'élançait vers eux, Kitty O'Leary sur ses talons. Sur le dos de la chienne des Enfers était perchée la harpie la plus maigre qu'Annabeth ait jamais vue – une fille chétive aux ailes couvertes de plumes rouges, aux cheveux ternes comme de l'étoupe, accoutrée d'une robe en toile à sac.

Annabeth ne savait pas d'où sortait la harpie, mais la vue de Tyson, avec son jean et sa chemise déchirés et sa bannière

SPQR enfilée à l'envers sur le torse, lui réchauffa le cœur. Elle avait connu des Cyclopes monstrueux dans sa vie, mais Tyson était un amour. C'était aussi le demi-frère de Percy (trop long à expliquer), ce qui en faisait quasiment un membre de la famille.

Tyson s'arrêta devant leur canapé et tordit ses grosses paluches. Son gros œil marron exprimait une vive inquiétude.

– Ella a peur, dit-il.

– P... p... plus de bateau, marmonna la harpie en tirant furieusement sur ses plumes. Le *Titanic*, le *Lusitania*, le *Pax*... bateaux pas bons pour les harpies.

Léo plissa les paupières. Il regarda Hazel, assise à côté de lui, et demanda :

– Je rêve ou cette volaille vient de comparer mon bateau au *Titanic* ?

– Ce n'est pas une volaille. (Hazel détourna les yeux, comme si Léo la mettait mal à l'aise.) Ella est une harpie. Elle est juste... nerveuse.

– Ella est jolie, dit Tyson. Et elle a peur. Il faut qu'on l'éloigne d'ici, mais elle ne veut pas monter sur le bateau.

– Pas de bateaux, répéta Ella, qui regarda Annabeth droit dans les yeux. Portent malchance. *La fille de la sagesse marche seule...*

– Ella ! (Frank se leva d'un bond.) Ce n'est pas le moment...

– ... *La Marque d'Athéna brûle à travers Rome*, poursuivit la harpie, qui éleva la voix en couvrant ses oreilles de ses mains. *Des jumeaux mouchent le souffle de l'ange qui détient la clé de la mort sans fin. Le fléau des géants est pâle et d'or, conquis par la douleur d'une prison de tissage.*

La tirade d'Ella fit l'effet d'une bombe. Dans un silence de plomb, tous les visages se tournèrent vers la harpie. Annabeth sentit son cœur s'emballer. *La Marque d'Athéna*... Elle résista à l'impulsion de plonger la main dans sa poche bien qu'elle sente que la pièce d'argent chauffait – ce cadeau empoisonné de sa mère. *Suis la Marque d'Athéna. Venge-moi.*

Autour d'eux, le brouhaha de la fête continuait, mais il leur parvenait assourdi et lointain, comme si leur petit groupe de canapés était entré dans une dimension de moindre intensité sonore.

Percy fut le premier à se ressaisir. Il se leva et attrapa Tyson par le bras.

– Tu sais quoi ? dit-il en feignant l'enthousiasme. Si t'emmenais Ella prendre un peu l'air ? Avec toi et Kitty O'Leary ?

– Une seconde. (Octave pétrissait un de ses ours en peluche, les mains tremblantes. Ses yeux se rivèrent sur Ella.) Qu'est-ce qu'elle a dit ? Ça ressemblait à...

– Ella lit beaucoup, intervint Frank. On l'a trouvée dans une bibliothèque.

– Livres, marmonna Ella avec bonne volonté. Ella aime les livres.

Maintenant qu'elle avait dit ce qu'elle avait à dire, la harpie semblait apaisée. Elle s'assit en tailleur sur le dos de Kitty O'Leary et se mit à lisser ses plumes.

Annabeth lança un regard interrogateur à Percy. Clairement, Frank, Hazel et lui leur cachaient quelque chose. Et tout aussi clairement, Ella avait récité une prophétie – une prophétie qui la concernait, elle.

« Au secours », lui répondit l'expression de Percy.

– C'était une prophétie, insista Octave. Ça ressemblait à une prophétie.

Personne ne souffla mot.

Annabeth ne savait pas trop ce qui se passait, mais elle comprit que de gros ennuis menaçaient Percy de façon imminente.

Elle se força à sourire.

– Vraiment, Octave ? Les harpies sont peut-être différentes ici, chez vous les Romains, mais les nôtres ont juste assez de cervelle pour nettoyer les bungalows et faire la cuisine. Les vôtres ont-elles l'habitude de prédire l'avenir ? Est-ce que vous les consultez pour vos augures ?

Ses paroles eurent l'effet escompté : les officiers romains rirent nerveusement. Certains jaugèrent Ella, puis regardèrent Octave en faisant la moue. Apparemment, les Romains trouvaient aussi ridicule que les Grecs l'idée d'une femme-poule prononçant des prophéties.

– Je... euh... (Octave en laissa tomber son nounours.) Non, mais...

– Elle recrache juste des vers qu'elle a lus dans un livre, reprit Annabeth. Comme l'a suggéré Hazel. En plus, je te rappelle que nous avons déjà une *véritable* prophétie à résoudre.

Elle se tourna vers Tyson.

– Percy a raison. Pourquoi tu n'emmènerais pas Ella et Kitty O'Leary faire un petit voyage d'ombre ? Est-ce que ça plairait à Ella ?

– Les grands chiens c'est bien, dit Ella. *Fidèle Vagabond*, 1957, scénario de Fred Gipson et William Tunberg.

Annabeth se demanda comment elle était censée prendre cette réponse, mais Percy sourit comme si le problème était réglé.

– Super ! dit-il. On vous enverra un message-Iris quand on aura fini, les gars, et on vous retrouvera plus tard.

Les Romains se tournèrent vers Reyna, attendant sa décision. Annabeth retint son souffle.

Reyna faisait très fort, dans le genre impassible. Elle regarda longuement Ella sans qu'Annabeth puisse deviner ce qu'elle pensait.

– D'accord, finit par dire la préteur. Allez-y.

– Youpi !! cria Tyson.

Là-dessus, le Cyclope fit le tour des canapés en serrant tout le monde dans ses bras – même Octave, qui n'eut pas l'air d'apprécier outre mesure. Ensuite, il s'assit à califourchon sur le dos de Kitty O'Leary avec Ella, et la chienne des Enfers quitta le forum en bondissant. Le trio plongea droit dans une ombre qui flottait sur le mur du Sénat et disparut.

– Bien. (Reyna posa la pomme, qu'elle n'avait même pas goûtée.) Octave a raison sur un point. Nous devons solliciter l'approbation du sénat avant de laisser l'un ou l'autre de nos légionnaires se lancer dans une quête, surtout dans une quête aussi dangereuse que celle que vous suggérez.

– Tout ça empeste la trahison, grommela Octave. Cette trirème n'est pas un bateau pacifique !

– Viens à bord, man ! proposa Léo. Je vais te faire visiter. Tu pourras piloter, et si tu te débrouilles vraiment bien, je te donnerai un petit chapeau de capitaine en papier.

Les narines d'Octave tremblèrent.

– Comment oses-tu...

– C'est une bonne idée, dit Reyna. Va avec lui, Octave, va voir le bateau. Le sénat tiendra une session dans une heure.

– Mais... (Octave se tut. Il avait dû lire dans le regard de Reyna qu'il ne ferait pas bon discuter davantage.) Entendu.

Léo se leva. Il se tourna vers Annabeth et son sourire se transforma. Cela se produisit tellement vite qu'Annabeth crut que son imagination lui jouait un tour, mais pendant un bref instant, elle eut l'impression que c'était un autre qui se tenait à la place de Léo, un autre au sourire froid et au regard cruel. Annabeth cligna des yeux, et Léo redevint le bon vieux Léo qu'elle connaissait, avec son habituel sourire espiègle.

– On revient vite, promit-il. Ça va être un grand moment.

Annabeth sentit une chape de froid s'abattre sur ses épaules. Lorsque Léo et Octave se dirigèrent vers l'échelle de corde, elle voulut les rappeler – mais comment justifier un ordre pareil ? En disant à tout le monde qu'elle devenait folle, qu'elle avait des visions et des frissons glacés ?

Les esprits des vents commencèrent à débarrasser.

– Euh, Reyna, dit Jason, si ça ne t'ennuie pas, j'aimerais bien emmener Piper faire un tour avant la réunion du sénat. Elle n'a jamais vu la Nouvelle-Rome.

Le visage de Reyna se durcit.

Annabeth se demanda comment Jason pouvait être aussi lourd. Était-il possible qu'il ne sache pas qu'il plaisait à Reyna ? Annabeth, elle, le voyait comme le nez au milieu du visage. Demander l'autorisation de faire visiter la ville de Reyna à sa nouvelle petite amie, c'était retourner le couteau dans la plaie.

– Bien sûr, répondit froidement Reyna.

Percy prit Annabeth par la main.

– Ouais, dit-il. Moi aussi. J'aimerais montrer à Annabeth...

– Non, rétorqua Reyna d'un ton sec.

– Pardon ? demanda Percy, l'air interloqué.

– J'aimerais m'entretenir avec Annabeth, dit Reyna. Seule. Si cela ne t'ennuie pas, camarade préteur.

Au ton de sa voix, il était clair qu'elle ne sollicitait pas vraiment l'autorisation de Percy.

La sensation de froid se déploya dans le dos d'Annabeth. Elle se demanda ce que Reyna avait en tête. Peut-être la préteur n'appréciait-elle pas que ces deux garçons qui l'avaient rejetée fassent visiter sa ville à leurs copines ? Ou peut-être souhaitait-elle lui dire quelque chose en privé. Dans un cas comme dans l'autre, Annabeth redoutait de se retrouver seule et sans arme avec la chef des Romains.

– Viens, fille d'Athéna, dit Reyna en se levant de son canapé. Marchons.

4 ANNABETH

Annabeth aurait aimé détester la Nouvelle-Rome, mais l'architecte en herbe qu'elle était ne pouvait pas ne pas admirer les jardins en terrasses, les temples et les fontaines, les rues pavées et sinueuses, les villas d'un blanc étincelant. L'été précédent, après la guerre des Titans, elle s'était vu confier la mission de ses rêves : redessiner les palais du mont Olympe. À présent qu'elle déambulait dans cette ville miniature, elle pensait à tout bout de champ : *J'aurais dû faire un dôme comme ça*, ou *J'adore cette allée de colonnes qui mène à la cour*. Les bâtisseurs de la Nouvelle-Rome avaient investi beaucoup de temps et d'amour dans le projet, et ça se voyait.

– Nous avons les meilleurs architectes et les meilleurs maçons du monde, dit Reyna, comme si elle lisait dans les pensées d'Annabeth. Tout comme Rome, dans l'Antiquité. Beaucoup de demi-dieux restent vivre ici lorsqu'ils quittent la légion. Ils font des études à l'université de la Nouvelle-Rome, fondent des familles. Percy a trouvé ça très intéressant.

Annabeth se demanda ce qu'elle entendait par ce dernier commentaire. Et sans doute fit-elle une grimace plus farouche qu'elle ne le croyait, car Reyna éclata de rire.

– T'es bien une guerrière, toi ! lança la préteur. Tu as du feu dans les yeux.

– Désolée, dit Annabeth, en s'efforçant d'adoucir son regard.

– Ne t'excuse pas. Je suis la fille de Bellone.

– La déesse romaine de la Guerre ?

Reyna fit oui de la tête. Elle se retourna et siffla comme pour héler un taxi. Un instant plus tard, deux chiens de métal accoururent au galop : des lévriers-automates, l'un argenté, l'autre doré. Ils se frottèrent contre les jambes de Reyna et fixèrent Annabeth de leurs yeux de rubis étincelants.

– Mes chouchous, expliqua Reyna. Aurum et Argentum. Ça ne te gêne pas qu'ils nous accompagnent ?

Là encore, Annabeth eut l'impression que la question était purement rhétorique. Elle remarqua les crocs des chiens, pareils à des pointes de flèche en acier. Les armes étaient peut-être interdites dans l'enceinte de la ville, il n'empêche que les chouchous de Reyna pouvaient la tailler en pièces s'ils le voulaient.

Reyna l'emmena à un café en terrasse où le garçon, visiblement, la connaissait. Avec un sourire, il lui tendit un gobelet à emporter, puis en offrit un autre à Annabeth.

– Ça te dit ? demanda Reyna. Ils font un chocolat chaud à tomber. C'est pas vraiment une boisson romaine...

– Mais le chocolat est universel, dit Annabeth.

– Exactement.

Bien que ce soit une douce après-midi de juin, Annabeth accepta le gobelet avec gratitude. Elles reprirent leur chemin, suivies des chiens d'or et d'argent de Reyna, qui folâtraient non loin derrière elles.

– Dans notre camp, dit Reyna, Athéna est Minerve. Connais-tu les différences qu'elle présente dans sa version romaine ?

Jusque-là, Annabeth n'avait pas réfléchi à la question. Elle se souvint alors du ton sur lequel Terminus avait dit « cette déesse-là », l'air choqué par l'évocation d'Athéna. Quant à

Octave, il s'était comporté comme si l'existence même d'Annabeth constituait un affront.

– Si je comprends bien, Minerve n'est pas… euh… très respectée, ici ?

Reyna souffla sur son chocolat chaud.

– Faux, nous respectons Minerve. C'est la déesse de l'Artisanat et de la Sagesse… mais ce n'est pas véritablement une déesse guerrière. Pas aux yeux des Romains. C'est aussi une déesse vierge, comme Diane, que vous autres appelez Artémis. Tu ne trouveras aucun enfant de Minerve, ici. L'idée même qu'elle puisse en avoir… je vais te le dire franchement, pour nous, c'est choquant.

– Ah.

Annabeth se sentit rougir. Elle ne voulait pas rentrer dans les détails de la conception des enfants d'Athéna, qui naissaient directement de l'esprit de la déesse, tout comme Athéna elle-même avait jailli de la tête de Zeus. Parler de cela mettait toujours Annabeth mal à l'aise et lui donnait l'impression d'être une espèce de monstre. En général, les gens lui demandaient si elle avait un nombril ou non, puisqu'elle était née par magie. Bien sûr qu'elle avait un nombril. Mais elle n'aurait pas pu dire pourquoi ni comment – et elle n'était pas trop pressée de le savoir.

– Je comprends bien que vous les Grecs ne voyiez pas les choses de la même façon que nous, poursuivit Reyna. Les Romains prennent les vœux de chasteté très au sérieux. Prends le cas des vestales, par exemple… Si elles étaient infidèles à leurs vœux et tombaient amoureuses, elles seraient enterrées vivantes. Alors l'idée qu'une déesse vierge ait des enfants…

– Je vois. (Le chocolat chaud d'Annabeth prit soudain un goût de terre dans sa bouche. Elle comprenait maintenant pourquoi les Romains la regardaient de travers.) Je ne devrais pas exister. Et même s'il y avait des enfants de Minerve dans votre camp...

– Ils ne seraient pas comme toi, enchaîna Reyna. Ce seraient des artisans ou des artistes, voire des conseillers, mais certainement pas des guerriers. Pas des chefs à la tête de quêtes dangereuses.

Annabeth fut tentée d'objecter qu'elle ne dirigeait pas leur quête, pas officiellement. Mais elle se demanda si ses camarades de l'*Argo II* seraient d'accord. Ces derniers jours, ils s'étaient tous placés d'eux-mêmes sous son commandement, même Jason, qui aurait pu faire valoir son statut de fils de Jupiter, et l'entraîneur Gleeson Hedge, qui n'obéissait jamais aux ordres de personne.

– Ce n'est pas tout. (Reyna claqua des doigts et son chien doré, Aurum, accourut à ses côtés. La préteur lui caressa les oreilles.) Ce qu'a dit cette harpie, Ella... c'était bel et bien une prophétie. Nous le savons toutes les deux, non ?

Annabeth ravala sa salive. Les yeux de rubis d'Aurum la mettaient mal à l'aise. Elle avait déjà entendu dire que les chiens sentaient la peur, qu'ils pouvaient même percevoir les changements de rythme dans la respiration ou les battements de cœur d'un humain. Elle ignorait si c'était également vrai des chiens de métal magiques, mais jugea plus prudent de ne pas mentir.

– Ça ressemblait à une prophétie, reconnut-elle. Mais je n'avais jamais vu Ella avant et je n'avais jamais entendu ces vers.

– Moi si, murmura Reyna. Du moins pour certains.

À quelques mètres d'elles, le chien d'argent aboya. Une bande de gamins déboula d'une ruelle et s'attroupa autour d'Argentum ; les enfants se mirent à caresser le chien en riant, pas du tout troublés par ses crocs pointus.

– On devrait se dépêcher, dit Reyna.

Elles gravirent la colline, suivies par les chiens qui laissèrent les enfants à leurs jeux. Annabeth jetait sans cesse des coups d'œil à Reyna. Un lointain souvenir la titillait – cette façon de passer les cheveux derrière l'oreille, cette bague en argent ornée d'une épée et d'une torche...

– On s'est déjà rencontrées, risqua-t-elle alors. Tu étais plus jeune, je crois.

Reyna la gratifia d'un sourire ironique.

– Bravo, dit-elle. Percy ne se souvenait pas de moi. Tu avais surtout eu affaire à ma sœur aînée, bien sûr, Hylla, qui est maintenant reine des Amazones. Elle est partie ce matin, juste avant votre arrivée. Toujours est-il que la dernière fois que nous nous sommes vues, j'étais une simple domestique dans la maison de Circé.

– Circé...

Annabeth se souvint de son voyage à l'île de l'enchanteresse. Elle avait treize ans. Elle et Percy s'y étaient échoués en revenant de la Mer des Monstres. Hylla les avait accueillis. Elle avait aidé Annabeth à se laver, lui avait donné une superbe robe toute neuve et offert un relookage complet. Puis Circé lui avait fait sa proposition : si Annabeth restait sur l'île, elle pourrait recevoir une formation de magicienne et acquerrait d'immenses pouvoirs. Annabeth avait été un peu tentée, il faut bien le dire, jusqu'au moment où elle s'était rendu compte que l'île était un piège et que Percy avait été changé en cochon d'Inde (après coup, c'était plutôt drôle, mais sur le moment, ça avait été l'horreur totale). Quant à Reyna... c'était une des servantes qui lui avaient peigné les cheveux.

– Tu..., commença Annabeth avec stupéfaction. Et Hylla est la reine des Amazones ? Comment avez-vous...

– C'est une longue histoire. Mais je me souviens bien de toi. Tu étais courageuse. Je n'avais encore jamais vu personne refuser l'hospitalité de Circé, encore moins déjouer ses plans. Pas étonnant que Percy tienne autant à toi.

Il y avait de la mélancolie dans sa voix. Annabeth préféra ne pas répondre.

Elles parvinrent au sommet de la colline, où était aménagée une terrasse qui surplombait la vallée entière.

– C'est mon endroit préféré, dit Reyna. Le jardin de Bacchus.

Annabeth découvrit des tonnelles de vigne. Des abeilles bourdonnaient parmi les fleurs de chèvrefeuille et de jasmin qui emplissaient l'air de l'après-midi de leurs parfums étourdissants. Au milieu de la terrasse se dressait une statue de Bacchus en posture de danse classique, vêtu d'un simple pagne, les joues gonflées et les lèvres tirées pour projeter un jet d'eau dans une fontaine.

Malgré sa tension, Annabeth eut envie de rire. Elle connaissait le dieu sous sa forme grecque, Dionysos – Monsieur D., comme ils l'appelaient à la Colonie des Sang-Mêlé. Voir le directeur bougon de leur colonie ainsi immortalisé dans la pierre, affublé d'une couche-culotte et crachant de l'eau par la bouche lui remonta un peu le moral.

Reyna s'arrêta au bord de la terrasse. La vue méritait largement l'effort de grimper la colline. La ville tout entière se déployait à leurs pieds, comme une mosaïque en 3D. Côté sud, derrière le lac, un chapelet de temples s'égrenait sur une hauteur. Côté nord, un aqueduc s'étirait vers les collines de Berkeley. Des équipes d'ouvriers réparaient un tronçon endommagé, sans doute lors de la toute dernière bataille.

– Je voulais l'entendre de ta bouche, dit Reyna.

Annabeth se retourna.

– Entendre quoi de ma bouche ?

– La vérité. Convaincs-moi que je ne commets pas une erreur en te faisant confiance. Parle-moi de toi. Parle-moi de la Colonie des Sang-Mêlé. Ton amie Piper a de la sorcellerie dans ses paroles. J'ai vécu assez longtemps avec Circé pour reconnaître l'enjôlement quand je l'entends. Je ne peux pas lui faire confiance. Et Jason... il a changé. Il a l'air distant, comme s'il n'était plus entièrement romain.

La peine qui s'entendait dans sa voix était tranchante comme un éclat de verre. Annabeth se demanda si elle aussi avait parlé comme ça, tout au long de ces mois où elle avait cherché Percy. Elle avait fini par retrouver son copain, au moins. Reyna n'avait personne. Elle dirigeait un camp entier à elle toute seule. Annabeth sentait que Reyna aurait voulu que Jason l'aime, or il avait disparu, pour revenir aujourd'hui avec une nouvelle petite amie. Pendant son absence, Percy avait accédé au rang de préteur, mais lui aussi avait éconduit Reyna. À présent, Annabeth venait le reprendre. Reyna allait de nouveau se retrouver seule, à assurer un poste de commandement conçu pour deux personnes.

À son arrivée au Camp Jupiter, Annabeth était prête à négocier avec Reyna, et même à se battre avec elle s'il le fallait. Elle n'avait pas envisagé qu'elle pourrait compatir à sa situation.

Elle garda ce sentiment pour elle. Reyna ne lui faisait pas l'effet de quelqu'un qui apprécierait la pitié.

Alors elle lui parla de sa vie. Elle lui parla de son père, de sa belle-mère et de ses deux demi-frères à San Francisco, lui dit qu'elle se sentait comme une étrangère dans sa famille. Elle lui raconta comment elle avait fugué à l'âge de sept ans seulement, comment elle avait rencontré ses amis Luke et Thalia et s'était réfugiée avec eux à la Colonie des Sang-Mêlé, à Long Island. Elle lui décrivit la colonie et les années d'enfance qu'elle y avait alors vécues. Puis la rencontre avec Percy et les aventures qu'ils avaient menées ensemble.

Reyna savait écouter.

Annabeth fut tentée de lui faire part de ses problèmes les plus récents : sa dispute avec sa mère, la pièce d'argent que celle-ci lui avait offerte, les cauchemars qui la tourmentaient – rêves d'une peur ancienne et tellement paralysante qu'elle avait failli renoncer à cette quête. Mais elle ne put se résoudre à se livrer autant.

Lorsqu'Annabeth se tut, Reyna balaya la Nouvelle-Rome du regard. Ses lévriers de métal parcouraient le jardin en reniflant, claquaient parfois des mâchoires pour tenter d'attraper les abeilles dans le chèvrefeuille. Au bout d'un moment, Reyna indiqua du doigt le complexe de temples sur la colline lointaine.

– Tu vois ce petit bâtiment rouge sur le flanc nord ? dit-elle. C'est le temple de ma mère, Bellone. (Reyna se tourna vers Annabeth.) À la différence de ta mère, Bellone n'a pas d'équivalent grec. Elle est entièrement, véritablement romaine. C'est la déesse de la Protection de la patrie.

Annabeth ne répondit pas. Elle en savait très peu sur la déesse romaine. Elle regretta de ne pas l'avoir étudiée davantage, mais le latin ne lui était jamais venu avec la même facilité que le grec. En contrebas, la coque de l'*Argo II*, en suspension au-dessus du forum, luisait comme un immense ballon de bronze.

– Lorsque nous partons en guerre, reprit Reyna, nous commençons toujours par une visite au temple de Bellone. À l'intérieur, il y a un carré de terre symbolique qui représente le sol ennemi. Nous y plantons une lance pour signifier que nous sommes en guerre, à présent. Parce que tu vois, de tout temps, les Romains ont considéré que l'attaque était la meilleure défense. Autrefois, quand nos ancêtres se sentaient menacés par leurs voisins, ils les envahissaient pour se protéger.

– Ils ont dominé tous ceux qui les entouraient, dit Annabeth. Carthage, les Gaulois…

– Et les Grecs. (Reyna se tut pour donner du poids à ce commentaire.) Là où je veux en venir, Annabeth, c'est qu'il n'est pas dans la nature de Rome de coopérer avec d'autres puissances. Chaque fois que des demi-dieux grecs et romains se sont rencontrés, ils se sont battus. Les conflits entre nos deux camps sont à l'origine de certaines des guerres les plus atroces de l'histoire humaine – en particulier les guerres civiles.

– Mais ce n'est pas une fatalité, objecta Annabeth. Nous devons travailler ensemble, sinon Gaïa nous anéantira, les uns comme les autres.

– Je suis d'accord, dit Reyna. Mais la coopération sera-t-elle possible ? Et si le plan de Junon ne tient pas ? Même les déesses peuvent faire des erreurs.

Annabeth attendit que Reyna soit frappée par la foudre ou changée en paon. Rien de tel ne se produisit.

Malheureusement, Annabeth partageait les doutes de Reyna. Héra faisait des erreurs. Cette déesse dominatrice ne lui avait attiré que des ennuis jusqu'à présent, et Annabeth n'était pas près de lui pardonner d'avoir enlevé Percy, même si c'était pour une noble cause.

– Je ne fais pas confiance à la déesse, avoua-t-elle. Mais je fais confiance à mes amis. Ce n'est pas un piège, Reyna. Nous pouvons vraiment travailler ensemble.

Reyna termina son chocolat chaud. Elle posa le gobelet sur la balustrade de la terrasse et contempla la vallée comme si elle y imaginait des lignes de combat.

– Je crois que tu es sincère, dit-elle alors. Mais si tu pars pour les terres anciennes, et surtout si tu vas à Rome, il y a quelque chose que tu dois savoir sur ta mère.

Les épaules d'Annabeth se contractèrent.

– Ma mère ?

– Quand je vivais sur l'île de Circé, dit Reyna, nous avions de nombreuses visites. Un jour, un an peut-être avant votre arrivée, à Percy et toi, un jeune homme s'est échoué sur notre rivage. Cela faisait plusieurs jours qu'il dérivait en mer, et la soif et la chaleur l'avaient rendu à moitié fou. Ses paroles étaient incohérentes, mais il affirmait qu'il était fils d'Athéna.

Reyna se tut, comme attendant une réaction. Annabeth n'avait pas la moindre idée de qui il pouvait s'agir. Elle n'avait pas connaissance d'autres enfants d'Athéna qui seraient partis pour une quête dans la Mer des Monstres. Elle se sentit toutefois envahie par une horrible appréhension. La lumière tamisée par la treille dessinait sur le sol des ombres alambiquées, qui semblaient grouiller comme des insectes.

– Qu'est devenu ce demi-dieu ? demanda-t-elle.

Reyna fit un geste de la main, comme si la question était dénuée d'intérêt.

– Circé l'a changé en cochon d'Inde, bien sûr. Ça a donné un petit rongeur bien speed, d'ailleurs. Mais avant, il n'arrêtait pas de délirer sur sa quête ratée. Il prétendait qu'il était allé à Rome en suivant la Marque d'Athéna.

Annabeth s'agrippa à la balustrade.

– Oui, dit Reyna en remarquant son malaise. Il n'arrêtait pas de parler de l'enfant de la sagesse, de la Marque d'Athéna et du fléau des géants, pâle et d'or. Les vers qu'Ella vient de réciter. Mais tu dis qu'avant aujourd'hui, tu ne les avais jamais entendus ?

– Non. Pas comme Ella les a formulés.

Annabeth s'exprimait d'une voix frêle. Elle ne mentait pas ; elle n'avait jamais entendu cette prophétie. En revanche, sa mère l'avait chargée de suivre la Marque d'Athéna, et maintenant qu'elle pensait à la pièce de monnaie dans sa poche, un soupçon abominable commença à germer dans son esprit. Elle songea aux étranges cauchemars qu'elle faisait ces derniers temps.

– Ce demi-dieu, demanda-t-elle, a-t-il expliqué sa quête ?

Reyna fit non de la tête.

– À l'époque, je ne voyais pas du tout de quoi il pouvait bien parler. Beaucoup plus tard, quand je suis devenue préteur du Camp Jupiter, j'ai commencé à me faire une petite idée.

– Quoi donc ?

– Il y a une vieille légende que les préteurs du Camp Jupiter transmettent de siècle en siècle. Si elle est vraie, ça pourrait expliquer pourquoi nos deux groupes de demi-dieux n'ont jamais pu travailler ensemble. C'est peut-être l'origine de l'animosité qui nous oppose. D'après la légende, tant que ce vieux compte ne sera pas réglé, les Romains et les Grecs ne connaîtront pas la paix. Et la légende s'articule autour d'Athéna...

Un son perçant déchira l'air. Un éclair lumineux fusa au coin de l'œil d'Annabeth.

Elle se retourna juste à temps pour voir une explosion creuser un nouveau cratère dans le forum. Un canapé en flammes retomba au sol. Les demi-dieux se dispersaient, en proie à la panique.

– Les géants ? (Annabeth voulut saisir son poignard, qui, bien sûr, n'était pas à sa taille.) Je croyais que leur armée était défaite !

– Ce ne sont pas les géants. (Les yeux de Reyna brûlaient de rage.) Vous avez trahi notre confiance.

– Comment ? Non !

À peine eut-elle dit ces mots que l'*Argo II* lança une nouvelle salve. La baliste de bâbord décocha une immense lance chargée de feu grec, qui traversa le dôme brisé du Sénat et explosa à l'intérieur, illuminant l'édifice comme une citrouille d'Halloween. S'il y avait eu quelqu'un dans la salle à ce moment-là...

– Par les dieux, non. (Annabeth fut prise d'une si forte nausée que ses genoux faillirent la lâcher.) Reyna, c'est impossible. Nous ne ferions jamais une chose pareille !

Les chiens de métal coururent auprès de leur maîtresse. Ils regardèrent Annabeth en grondant, mais se contentèrent d'arpenter le sol, comme s'ils se refusaient à l'attaquer.

– Tu dis la vérité, en conclut Reyna. Tu n'étais peut-être pas informée de cette trahison, mais quelqu'un doit payer.

En bas, le chaos s'emparait du forum. Les gens se bousculaient en tous sens, des bagarres éclataient.

– Un bain de sang, annonça Reyna.

– Nous devons l'empêcher !

Elles s'élancèrent vers le bas de la colline, et Annabeth eut l'horrible pressentiment que c'était peut-être la dernière fois que Reyna et elle agiraient d'un commun accord.

Si les armes avaient été autorisées dans l'enceinte de la ville, les amis d'Annabeth seraient morts depuis longtemps. Les demi-dieux romains présents au forum s'étaient regroupés en une foule en colère. Certains lançaient des assiettes, de la nourriture et des pierres en direction de l'*Argo II*, ce qui était vain car presque tout retombait sur la foule.

Plusieurs dizaines de Romains encerclaient Piper et Jason, qui essayaient, sans succès, de les calmer. Le don d'enjôlement de Piper ne pouvait rien dans le vacarme des cris de colère. Jason avait le front ensanglanté. Des mains rageuses avaient réduit sa cape pourpre en lambeaux. Il ne cessait de plaider : « Je suis de votre côté ! » mais son tee-shirt orange de la Colonie des Sang-Mêlé n'arrangeait pas l'affaire – pas plus que le navire de guerre au-dessus de leurs têtes, qui faisait pleuvoir des javelots enflammés sur la Nouvelle-Rome.

– Par les épaulières de Pluton, pesta Reyna. Regarde.

Des légionnaires armés couraient vers le forum. Deux unités d'artillerie avaient installé des catapultes à l'extérieur du *pomerium* et s'apprêtaient à tirer sur l'*Argo II*.

– Ça ne va faire qu'empirer les choses, dit Annabeth.

– Qui m'a fichu un boulot pareil ! grommela Reyna, qui s'élança à la rencontre des légionnaires, ses chiens sur ses talons.

Percy, pensa Annabeth, balayant désespérément la foule du regard, *où es-tu ?*

Deux Romains essayèrent de l'attraper. Elle les esquiva et plongea dans la cohue. Au cas où les Romains en colère, les canapés enflammés et les bâtiments qui explosaient n'auraient pas créé assez de désordre, des centaines de fantômes pourpres erraient à travers le forum en poussant des gémissements incohérents, traversant les corps des demidieux qu'ils croisaient comme de rien. Les faunes eux aussi profitaient du chaos. Ils prenaient d'assaut les tables, attrapaient de la nourriture, des assiettes, des tasses. L'un d'eux passa en trottant à côté d'Annabeth, les bras chargés de tacos, un ananas entier entre les dents.

Une statue de Terminus se matérialisa dans une explosion pile devant Annabeth. Le dieu vitupéra en latin, la traitant certainement de menteuse qui ne respectait pas les règles, mais elle le bouscula et continua de courir.

Enfin, elle repéra Percy. Il était debout au milieu d'une fontaine avec ses amis, Hazel et Frank, et repoussait les Romains en colère en projetant de grandes gerbes d'eau. Sa toge était en lambeaux, mais il ne semblait pas blessé.

Au moment où Annabeth l'appelait, une autre explosion secoua le forum. Cette fois-ci, l'éclair lumineux zébra le ciel juste au-dessus de leurs têtes. Une des catapultes romaines avait fait feu et l'*Argo II* pencha sur le côté avec un gémissement, tandis que des flammes couraient sur sa coque armée de bronze.

Annabeth remarqua une silhouette qui s'accrochait désespérément à l'échelle de corde et tentait de descendre. C'était Octave, la toge fumante et le visage noir de suie.

Du côté de la fontaine, Percy continuait d'arroser la foule en colère. Annabeth courut vers lui, esquivant de justesse un poing romain et une assiette de sandwichs en plein vol.

– Annabeth ! cria Percy. Qu'est-ce qui...

– Je sais pas !

– Ben moi je vais vous dire ! lança une voix au-dessus d'eux. (C'était Octave, qui atteignait le bas de l'échelle.) Les Grecs nous tirent dessus ! Votre Léo a pointé ses armes sur Rome !

Annabeth sentit sa poitrine s'emplir d'hydrogène liquide. Elle eut l'impression qu'elle allait se fracasser en milliers de débris glacés.

– Tu mens, dit-elle. Jamais Léo ne...

– J'y étais ! hurla Octave. Je l'ai vu de mes propres yeux !

L'*Argo II* riposta. Les légionnaires présents s'éparpillèrent dans le champ quand une de leurs catapultes vola en éclats.

– Tu vois ? reprit Octave, criant toujours. Romains, tuez les envahisseurs !

Annabeth poussa un grognement d'impuissance. Personne n'avait le temps de démêler le vrai du faux. Les demi-dieux de la Colonie des Sang-Mêlé se battaient à un contre cent, et même si Octave était parvenu à combiner une ruse (ce qu'elle estimait probable), ils ne pourraient jamais convaincre les Romains avant d'être réduits à leur merci et tués.

– Il faut qu'on parte, dit-elle à Percy. Tout de suite.

Il hocha la tête avec gravité.

– Hazel, Frank, vous devez choisir. Est-ce que vous venez ?

Hazel avait l'air terrifiée, mais elle mit son casque de cavalerie.

– Bien sûr qu'on vient, répondit-elle. Mais vous n'arriverez jamais au navire si on ne vous fait pas gagner un peu de temps.

– Comment ? demanda Annabeth.

Hazel siffla. Aussitôt, une forme beige et floue traversa le forum en flèche. Un cheval majestueux se matérialisa près de la fontaine. Il se cabra et dispersa la foule en hennissant. Hazel grimpa sur son dos comme si elle était née à cheval. Une épée de cavalerie romaine était attachée à la selle.

La jeune fille dégaina son arme à lame d'or.

– Envoyez-moi un message-Iris quand vous serez en route et hors de danger, dit-elle, et on se retrouvera. Arion, au galop !

Le cheval fendit la foule à une vitesse sidérale, soulevant un vent de panique parmi les Romains.

Annabeth entrevit une lueur d'espoir. Peut-être s'en sortiraient-ils vivants. À ce moment-là, à mi-chemin entre eux et le forum, elle entendit Jason crier.

– Romains ! plaidait-il. Je vous en prie !

Piper et lui se faisaient bombarder avec des assiettes et des pierres. Jason essayait de protéger Piper lorsqu'une brique l'atteignit au-dessus de l'œil. Il s'effondra et la foule se rua vers lui.

– Reculez ! hurla Piper.

Sa voix enjôleuse parcourut les rangs et fit hésiter les Romains, mais Annabeth savait que l'effet serait de courte durée. Et Percy et elle ne pouvaient pas les rejoindre assez vite pour les secourir.

– Frank, dit Percy. Ça dépend de toi. Peux-tu les aider ?

Annabeth ne voyait pas ce que Frank pouvait bien faire à lui tout seul, mais il ravala sa salive avec anxiété.

– Oh, par les dieux, fit-il. Ouais, bien sûr. Mais vous autres, grimpez à bord. Tout de suite.

Percy et Annabeth s'élancèrent vers l'échelle de corde. Octave s'agrippait encore au dernier barreau et Percy le jeta sans ménagement dans la foule.

Ils commencèrent à grimper à l'instant où des légionnaires armés déboulaient en masse dans le forum. Des flèches sifflèrent aux oreilles d'Annabeth et une explosion faillit la faire tomber de l'échelle. À mi-hauteur, elle entendit un rugissement et risqua un coup d'œil vers le sol.

Un énorme dragon chargeait, semant la panique parmi les Romains qui se dispersaient dans le forum en hurlant. Il était encore plus effrayant que la tête de dragon en bronze qui ornait la proue de l'*Argo II*, avec ses ailes de chauve-souris géante et sa peau de varan de Komodo, grise et écailleuse. Les flèches et les pierres ricochaient sur sa cuirasse sans le ralentir ; à pas lourds, il s'approcha de Jason et Piper, les cueillit entre ses pattes avant, puis se propulsa en l'air.

– C'est... ?

Annabeth était trop éberluée pour arriver à exprimer sa pensée en mots.

– Frank, confirma Percy, quelques barreaux plus haut. Il a certains talents spéciaux.

– On peut dire ça comme ça, marmonna Annabeth. Allez, grimpe !

Sans le dragon et le cheval d'Hazel pour distraire les archers, jamais ils ne seraient parvenus vivants en haut de l'échelle. En quelques instants, ils arrivèrent à la hauteur d'une rangée de rames aériennes cassées et les dépassèrent pour se hisser à bord du navire. Le gréement était en flammes. La voile de misaine déchirée par le milieu. Et le bateau gîtait dangereusement à tribord.

Ils cherchèrent du regard Hedge, l'entraîneur, mais ne le virent nulle part. En revanche, Léo se tenait au milieu du pont, seul, et rechargeait la baliste à gestes posés. L'effroi tordit le ventre d'Annabeth.

– Léo ! hurla-t-elle. Qu'est-ce que tu fais ?

– Faut les tuer... (Il se tourna vers Annabeth. Son regard était voilé, ses mouvements ceux d'un robot.) Les tuer tous.

Là-dessus, il reporta son attention sur la baliste, mais Percy se jeta sur lui et le plaqua au sol.

La tête de Léo heurta violemment le pont et ses yeux se révulsèrent, ne laissant que le blanc visible.

Le dragon gris surgit dans leur champ de vision. Il survola le navire et alla se percher à la poupe, déposant Jason et Piper qui s'écroulèrent.

– Sors-nous de là ! hurla Percy. Vite !

Avec un choc, Annabeth comprit que c'était à elle qu'il s'adressait.

Elle courut au gouvernail. Et commit l'erreur de jeter un coup d'œil par-dessus le bastingage : des légionnaires armés fermaient les rangs sur le forum et préparaient des flèches enflammées. Hazel, qui éperonnait Arion, galopait vers les portes de la ville, talonnée par une foule en colère. Des soldats poussaient des catapultes montées sur roues dans l'axe du navire. Et sur tout le tour du *pomerium*, les statues de Terminus brillaient d'un éclat pourpre, comme si elles amassaient de l'énergie en vue d'un assaut d'une forme ou d'une autre.

Annabeth regarda le tableau de bord et pesta. Léo avait-il besoin de concevoir des commandes aussi complexes ? Pas le temps de se lancer dans des manœuvres sophistiquées, elle opta pour la commande de base qu'elle connaissait : *montée*.

Elle empoigna le manche à balai et le tira d'un coup sec vers l'arrière. Le vaisseau gémit. La proue bascula dangereusement vers le ciel, les cordes d'amarrage claquèrent, et l'*Argo II* fusa vers les nuages.

5 Léo

Léo aurait tant aimé pouvoir inventer une machine à remonter le temps. Il serait reparti deux heures en arrière pour défaire tout ce qui s'était passé. Ou alors une machine à se filer des baffes pour se punir, même s'il était sûr que ça lui ferait moins mal que le regard d'Annabeth.

– Encore une fois, lui demandait-elle, que s'est-il passé au juste ?

Léo était affaissé contre le mât. Il avait des élancements à la tête, après le tacle de Percy. Son splendide navire était sens dessus dessous. Les arbalètes de poupe étaient réduites en tas de planches cassées. La misaine était en loques. Le dispositif satellitaire qui permettait d'avoir Internet et la télévision à bord avait volé en éclats, ce qui avait mis Hedge très en colère. Leur tête de dragon-figure de proue en bronze, Festus, crachait de la fumée comme si elle avait une boule de poils en travers de la gorge et Léo savait, aux grondements qui provenaient de bâbord, que plusieurs rames aériennes étaient sorties de leur axe, voire carrément cassées, ce qui expliquait que le bateau donne de la bande et tremble en volant, et que le moteur ronfle comme un train à vapeur asthmatique.

Il ravala un sanglot.

– Je ne sais pas. C'est confus.

Trop de gens le regardaient : Annabeth (Léo ne supportait pas de la mettre en colère, cette fille lui faisait peur), Hedge, l'entraîneur aux pattes de bouc velues, avec son polo orange et son éternelle batte de base-ball (était-ce bien nécessaire de la trimbaler en permanence ?) et Frank, le nouveau.

Léo ne savait pas quoi penser de Frank. Il avait l'air d'un bébé sumo, même si Léo n'était pas assez stupide pour dire ça tout haut. Ses souvenirs étaient flous, toutefois il était quasiment sûr d'avoir vu, pendant qu'il gisait à demi dans les pommes, un dragon se poser sur le pont – dragon qui s'était transformé en Frank.

Annabeth croisa les bras.

– Tu veux dire que tu ne t'en souviens pas ?

– Je... (Léo avait l'impression qu'il essayait d'avaler une bille.) Je m'en souviens, mais c'était comme si je me regardais agir. J'avais aucun contrôle sur ce que je faisais.

Gleeson Hedge tapa sa batte de base-ball contre le pont. Dans sa tenue de gym, casquette enfoncée sur ses cornes, il avait exactement la même dégaine qu'à l'École du Monde Sauvage où il avait passé un an infiltré, en se faisant passer pour le professeur d'éducation physique de Jason, Léo et Piper. À en juger par le regard noir que l'entraîneur rivait sur lui, Léo se demanda si le vieux satyre allait lui ordonner de faire des pompes.

– Écoute fiston, dit Hedge. Tu as fait de l'excellent boulot. Tu as attaqué des Romains. Bien ! Très bien ! Mais t'avais pas besoin de foutre en l'air les chaînes satellite ! J'étais au beau milieu d'un match de catch.

– M'sieur Hedge, dit Annabeth, vous ne voulez pas vérifier que tous les foyers d'incendie sont éteints ?

– Mais je l'ai déjà fait.

– Ben recommencez.

Le satyre s'éloigna en grommelant dans sa barbichette. Même Gleeson Hedge n'était pas assez fou pour tenir tête à Annabeth.

Elle s'accroupit à côté de Léo. Ses yeux étaient d'un gris métallique de roulement à billes. Ses cheveux blonds tombaient librement sur ses épaules, mais Léo ne trouvait pas cela séduisant. Il ignorait complètement d'où venait le stéréotype des « blondasses gourdasses ». Depuis ce jour de l'hiver dernier où il avait rencontré Annabeth au Grand Canyon, quand elle était venue droit sur lui avec des yeux qui disaient « Rends-moi Percy Jackson ou je te tue », Léo trouvait que les blondes étaient des filles beaucoup trop futées et beaucoup trop dangereuses.

– Léo, demanda-t-elle d'une voix calme, est-ce qu'Octave t'a embrouillé ? Est-ce qu'il est arrivé à te manipuler, ou...

– Non. (Léo aurait pu mentir et faire porter le chapeau à cet imbécile de Romain, mais il ne voulait pas empirer une situation déjà calamiteuse.) C'est un crétin, mais c'est pas lui qui a tiré sur le camp. C'est moi.

Frank, le nouveau, grimaça.

– Exprès ?

– Non ! (Léo ferma très fort les yeux.) Enfin, si... je veux dire, je ne voulais pas. Et en même temps, j'avais l'impression de vouloir. Il y avait quelque chose qui me poussait à le faire. J'avais une sensation de froid à l'intérieur...

– Une sensation de froid.

La voix d'Annabeth s'était altérée, presque comme si elle avait peur.

– Ouais, fit Léo. Pourquoi ?

D'en bas, Percy appela :

– Annabeth, on a besoin de toi.

Par les dieux, pensa Léo, *pourvu que Jason n'ait rien.*

Aussitôt à bord, Piper avait emmené Jason à l'infirmerie au second pont. La plaie qu'il avait à la tête n'était pas belle à voir. Léo connaissait Jason depuis plus longtemps que tous les autres de la Colonie des Sang-Mêlé. Ils étaient meilleurs amis. S'il lui arrivait malheur...

– T'inquiète pas pour lui, dit Annabeth, et son regard se radoucit un instant. Frank, je reviens. Tu peux... surveiller Léo. S'il te plaît.

Frank hocha la tête.

Le moral de Léo tomba dans ses chaussettes. Maintenant, Annabeth faisait plus confiance à un demi-dieu romain qu'elle connaissait depuis, allez, on va dire trois secondes, qu'à lui, Léo.

Après son départ, Léo et Frank se regardèrent en chiens de faïence. L'armoire à glace romaine avait un look assez spécial, avec sa toge-drap de lit par-dessus son pull gris à capuche et son jean, et à l'épaule l'arc et le carquois empruntés à l'arsenal du navire... Léo se rappela la fois où il avait rencontré les Chasseresses d'Artémis – une bande de jolies filles en vêtements argentés, toutes armées d'arcs. Il s'imagina Frank en train de batifoler avec elles. C'était une idée tellement ridicule qu'elle le ragaillardit un petit peu.

– Alors, dit Frank, tu t'appelles pas Sammy ?

Léo fit la grimace.

– C'est quoi, cette question ?

– Rien, s'empressa de répondre Frank. C'était juste que... rien. Pour le pilonnage du camp... Octave pourrait être responsable quand même, par magie, tu vois, un truc comme ça. Il ne voulait pas que les Romains s'entendent avec vous.

Léo aurait bien voulu croire à cette version. Et il était reconnaissant à Frank de ne pas le haïr. Mais il savait qu'Octave n'y était pour rien. C'était lui, Léo, qui s'était dirigé vers la baliste et qui avait tiré. Quelque part en lui, il savait alors que c'était mal. Il s'était demandé : *Qu'est-ce que je fous, là ?* Mais il l'avait fait quand même.

Peut-être qu'il perdait la tête. Il avait accumulé tant de stress pendant ces longs mois où il avait construit le navire... qui sait si sa raison n'avait pas fini par craquer ?

Mais il ne pouvait pas se permettre ce genre d'idées. Il avait besoin de faire quelque chose d'utile. Ses mains avaient besoin de s'occuper.

– Écoute, dit-il. Il faudrait que je parle à Festus et qu'il me fasse un rapport de pannes. Ça t'ennuie si... ?

Frank l'aida à se relever.

– C'est qui, Festus ?

– Mon ami, expliqua Léo. Il s'appelle pas Sammy non plus, au cas où tu te poserais la question. Viens, je vais te le présenter.

Heureusement, le dragon de bronze n'était pas abîmé. Enfin, en dehors du fait que l'hiver précédent, il avait tout perdu, sauf sa tête – mais ça, Léo ne le comptait pas.

Lorsqu'ils arrivèrent à la poupe du navire, la figure de proue pivota à cent quatre-vingts degrés pour les regarder. Frank sauta en arrière en étouffant un petit cri.

– Il est vivant !

Léo aurait ri s'il avait été moins abattu.

– Ouais, Frank. Je te présente Festus. Avant c'était un dragon en bronze entier, mais on a eu un accident.

– Tu as souvent des accidents, fit remarquer Frank.

– Ben ouais mon pote, tout le monde peut pas se transformer en dragon, du coup bien obligé de se fabriquer le sien, tu vois ? rétorqua Léo, qui regarda Frank en haussant les sourcils. Bref, je lui ai donné une seconde vie en en faisant notre figure de proue. On peut dire que c'est la principale interface du vaisseau, maintenant. Comment ça se présente, Festus ?

Festus cracha de la fumée par les naseaux et produisit une série de grincements et cliquetis. Au fil des derniers mois, Léo avait appris à interpréter cette langue des machines. Alors que d'autres demi-dieux maîtrisaient le latin et le grec, Léo parlait parfaitement le *bong-bong criitch !*

– Hum, fit-il. Ça pourrait être pire, mais la coque est gravement endommagée en plusieurs endroits. Et il faut réparer les rames aériennes de bâbord si on veut récupérer notre vitesse de croisière maximale. On va avoir besoin de matériaux de réparation : goudron, bronze céleste et chaux...

– Thé chaud, t'as dit ?

– Bronze céleste et *chaux*, man. Du carbonate de calcium, qu'on utilise dans la fabrication du ciment et d'un certain nombre d'autres... laisse tomber. Ce qu'il y a, c'est que ce navire pourra pas aller bien loin si on le répare pas.

Là-dessus, Festus émit un nouveau bruit que Léo ne reconnut pas. Un truc du genre *É-zoul.*

– Ah ! *Hazel*, déchiffra-t-il. La fille aux cheveux bouclés, c'est ça ?

Frank déglutit.

– Il lui est arrivé quelque chose ?

– Rien, elle va bien, répondit Léo. D'après Festus, son cheval galope à côté de nous, le long de la coque. Elle nous suit.

– Il faut qu'on se pose, alors, dit Frank.

Léo l'examina un instant.

– C'est ta copine ?

– Oui, répondit Frank, qui se mordilla la lèvre.

– T'as pas l'air sûr.

– Si, si. Complètement. Je suis sûr.

– OK, OK, parfait, fit Léo en levant les deux mains. Le problème, c'est qu'on ne pourra assurer qu'un seul atterrissage. Vu l'état de la coque et des rames, on pourra pas reprendre le ciel avant d'avoir fait les réparations, donc il faut absolument qu'on se pose à un endroit où on sera sûrs de trouver tous les matériaux dont on a besoin.

Frank se gratta la tête.

– Où est-ce que tu trouves du bronze céleste ? Ça s'achète pas chez Confo !

– Festus, lance une recherche.

– Il peut faire une recherche de bronze magique ? s'exclama Frank, sidéré. C'est dingue, tout ce qu'il peut faire !

Tu aurais dû le voir quand il avait un corps, pensa Léo. Mais il ne le dit pas. Ça lui faisait trop mal de se souvenir du Festus d'avant.

Il regarda par-dessus la poupe du navire. La vallée de la Californie centrale défilait sous eux. Léo n'avait pas grand espoir de trouver tous les matériaux nécessaires en un seul lieu, mais ils n'avaient d'autre choix que d'essayer. Il souhaitait s'éloigner le plus possible de la Nouvelle-Rome. L'*Argo II* pouvait couvrir de grandes distances rapidement, grâce à son moteur magique, mais Léo supposait que les Romains avaient eux aussi leurs moyens de transport magiques.

Derrière lui, les marches grincèrent. Percy et Annabeth débouchèrent de l'escalier, la mine grave.

Léo sentit son cœur se serrer.

– Jason... ? articula-t-il.

– Il se repose, dit Annabeth. Piper le veille, mais ça devrait aller.

Percy le toisa d'un regard cinglant et lança :

– Annabeth me dit que c'est toi qui tirais ?

– Je... je comprends pas ce qui s'est passé, man. Je suis vraiment désolé...

– *Désolé* ?

Annabeth posa une main apaisante sur le torse de son petit ami.

– On verra ça plus tard, dit-elle. Pour le moment, il faut qu'on resserre les rangs et qu'on trouve un plan. Dans quel état est le navire ?

Léo avait les jambes tremblantes. Le regard de Percy lui avait fait le même effet que lorsqu'il voyait Jason invoquer la foudre. Sa peau picotait et son instinct lui hurlait : « Aux abris ! »

Il informa Annabeth des dégâts et des matériaux dont ils auraient besoin. Ça lui faisait du bien de parler de quelque chose qui pouvait se réparer.

Il déplorait la pénurie de bronze céleste quand Festus se mit à vrombir et à cliqueter.

– Ah, parfait.

Léo poussa un soupir de soulagement.

– Qu'est-ce qui est parfait ? demanda Annabeth. Je suis prête à entendre une bonne nouvelle, telle que tu me vois.

Léo se força à sourire.

– Il a localisé tout ce dont on a besoin dans un seul endroit, expliqua-t-il. Frank, tu pourrais te transformer en oiseau et voler dire à ta copine de nous retrouver au Grand Lac Salé, dans l'Utah ?

Sur place, l'atterrissage fut tout sauf en douceur. Avec des rames endommagées et une voile de misaine en lambeaux, Léo eut le plus grand mal à contrôler la descente. Tous les autres étaient assis à l'intérieur, ceinture de sécurité bouclée. À part Gleeson Hedge, agrippé au bastingage avant, qui hurlait : « Vas-y, le lac ! Montre-toi un peu ! » Léo se tenait à l'arrière, seul à la barre, et guidait le navire du mieux qu'il pouvait.

Festus émit une série de signaux d'alerte, relayés à la poupe par l'interphone.

– Je sais, je sais, marmonna Léo, les dents serrées.

Il n'avait pas beaucoup de temps pour repérer la topographie des lieux. Au sud-est, une ville se nichait dans les contreforts d'une chaîne de montagnes, bleu et mauve dans les ombres de l'après-midi. Vers le sud s'étendait un désert plat. Juste en dessous d'eux, le Grand Lac Salé scintillait comme une feuille d'aluminium, bordé sur son rivage par des marais salants qui rappelèrent à Léo des vues aériennes de Mars.

– Accrochez-vous, M'sieur Hedge ! cria-t-il. Ça va saigner.

– Je suis né pour saigner !

SPLATCH ! Une vague d'eau salée balaya la poupe, aspergeant l'entraîneur. L'*Argo II* gîta dangereusement à tribord, puis se redressa et se balança à la surface du lac. Dans un ronronnement mécanique, les rames aériennes qui fonctionnaient encore passèrent en mode nautique.

Trois rangs d'avirons robotisés plongèrent dans l'eau et propulsèrent le navire vers l'avant.

– Bien joué, Festus, dit Léo. Emmène-nous vers la rive sud.

– OUAIS !!! (Gleeson Hedge, trempé des cornes aux sabots, agitait les poings en l'air en riant comme une chèvre folle.) Recommence !

– Euh... plus tard, peut-être, dit Léo. Vous voulez bien rester sur le pont ? Vous pouvez monter la garde, vous savez, au cas où le lac décide de nous attaquer ou quoi.

– Compte sur moi !

Léo fit sonner la cloche de fin d'alerte et se dirigea vers l'escalier. Il sursauta en entendant un violent *tagada* secouer la coque. Un étalon alezan surgit sur le pont, Hazel Levesque sur son dos.

– Comment... ? (Léo ne termina pas sa question.) On est en plein lac ! Il vole, ce bestiau, ou quoi ?

Le cheval poussa un hennissement de colère.

– Arion ne sait pas voler, dit Hazel. Mais il peut galoper sur n'importe quelle surface. Sur l'eau, sur des parois verticales, des petites montagnes... c'est pas un problème pour lui.

– Ah bon.

Hazel le regardait bizarrement, de la même façon que pendant le festin au forum – comme si elle cherchait quelque chose sur son visage. Il fut tenté de lui demander s'ils s'étaient déjà rencontrés, mais il s'abstint. Il savait bien que non. S'il avait retenu l'attention d'une jolie fille comme elle, il s'en souviendrait. Ça ne lui arrivait pas tous les quatre matins.

C'est la petite amie de Frank, se morigéna-t-il.

Frank était toujours en bas, mais Léo aurait presque souhaité que le bébé sumo les rejoigne. Le regard d'Hazel le mettait mal à l'aise.

Gleeson Hedge s'approcha sur la pointe des sabots, batte de base-ball à la main, et toisa le cheval magique avec méfiance.

– Léo Valdez, demanda-t-il, c'est considéré comme une invasion, ça ?

– Non ! dit Léo. Hazel, tu devrais venir avec moi. J'ai aménagé une écurie au second pont, si Arion souhaite...

– Oh, c'est un esprit libre, le coupa Hazel en se laissant glisser au bas de sa monture. Il va pâturer autour du lac en attendant que je l'appelle. Mais j'aimerais bien voir le bateau. Tu me fais visiter ?

L'*Argo II* était conçu comme une trirème antique, en deux fois plus grand. Le premier pont comportait un couloir central, bordé de cabines pour l'équipage. Sur une trirème normale, une grande partie de l'intérieur de la coque était occupée par trois rangées de bancs pour les quelques centaines de gars en sueur qui ramaient à la force du poignet, mais les avirons de Léo, automatisés et rétractables, prenaient très peu de place. La puissance du navire provenait de la salle des moteurs, au second pont, qui était le pont le plus bas et qui abritait également l'infirmerie, les rangements et l'écurie.

Léo s'engagea dans le couloir. Il avait équipé le bateau de huit cabines : sept pour les demi-dieux de la prophétie, une pour l'entraîneur Gleeson Hedge (sérieusement, Chiron le considérait-il vraiment comme un chaperon adulte et responsable ?). À la poupe se trouvait un vaste carré, et c'est là que Léo emmenait Hazel.

En chemin, ils passèrent devant la cabine de Jason. La

porte était ouverte. Piper était assise sur le bord de sa couchette et tenait la main de Jason, lequel ronflait, une poche de glace sur la tête.

Piper lança un coup d'œil à Léo et lui fit *chut !* en posant un doigt sur la bouche, mais elle n'avait pas l'air en colère. C'était déjà ça. Léo s'efforça de repousser son sentiment de culpabilité, et ils poursuivirent. Arrivés au carré, ils trouvèrent les autres – Percy, Annabeth et Frank – assis autour de la table, l'air abattu.

Léo s'était donné du mal pour que le carré soit le plus agréable possible, se disant qu'ils y passeraient beaucoup de temps. Le placard était garni de tasses et assiettes magiques de la Colonie des Sang-Mêlé, qui se remplissaient à la demande des plats et des boissons dont on avait envie. Il y avait aussi une glacière magique pleine de jus et de sodas en boîte, parfaits pour les pique-niques sur le rivage. Les sièges étaient de confortables fauteuils inclinables rembourrés, avec dossier massant, casque stéréo incorporé, repose-épées et repose-verres, bref tout ce qu'il faut pour la détente d'un demi-dieu. Il n'y avait pas de hublot, mais des panneaux magiques sur les murs qui diffusaient des images en temps réel de la Colonie des Sang-Mêlé – la plage, la forêt, les champs de fraisiers. Maintenant, pourtant, Léo se demandait si ça ne donnait pas le cafard aux gens, au lieu de leur faire plaisir.

Percy regardait d'un air mélancolique une vue du soleil se couchant sur la colline des Sang-Mêlé et de la Toison d'or, pendue dans les arbres du grand pin, qui scintillait sous les derniers rayons.

– Bon, dit Percy. On s'est posés. Et maintenant ?

Frank jouait avec la corde de son arc.

– On essaie de déchiffrer la prophétie ? suggéra-t-il. Je veux dire... on est d'accord que c'était une prophétie, ce qu'Ella a récité ? Tirée des livres sibyllins ?

– Les quoi ? demanda Léo.

Frank expliqua que leur copine harpie avait une mémoire photographique pour l'écrit. Dans un lointain passé, elle avait ingurgité une collection de prophéties anciennes présumées détruites à l'époque de la chute de Rome.

– C'est pour ça que vous n'avez rien dit aux Romains, devina Léo. Vous ne vouliez pas qu'ils lui mettent le grappin dessus.

– Ella est très sensible, dit Percy, les yeux toujours rivés sur l'image de la colline des Sang-Mêlé. Elle était prisonnière quand nous l'avons trouvée. Je ne voulais pas que... (Il serra le poing.) Ça n'a plus d'importance. J'ai envoyé un message-Iris à Tyson pour lui demander d'emmener Ella à la Colonie des Sang-Mêlé. Ils y seront en sécurité.

Léo avait des doutes là-dessus, autant que sur leur sécurité à eux tous, maintenant qu'il avait déclenché la hargne d'un camp romain, en plus des menaces que représentaient déjà Gaïa et les géants, mais il se tut.

Annabeth croisa les doigts.

– Je réfléchirai à la prophétie, dit-elle. Pour le moment nous avons des problèmes plus immédiats. Il faut remettre ce bateau en état. Léo, de quoi avons-nous besoin ?

– Le plus facile, c'est le goudron, répondit-il, content de changer de sujet. On peut en acheter en ville, dans un magasin qui vend du matériel de couverture, par exemple. Et puis du bronze céleste et de la chaux. D'après Festus, on pourrait trouver ces deux matériaux sur une île du lac, à l'ouest de notre position.

– Il faut qu'on se dépêche, prévint Hazel. Tel que je connais Octave, il doit être en train de nous chercher avec ses augures. Les Romains vont envoyer un commando à nos trousses. C'est une question d'honneur.

Léo sentit tous les regards peser sur lui.

– Les gars, je ne sais pas ce qui s'est passé. Honnêtement, je...

Annabeth leva la main.

– On en a parlé, dit-elle. Nous sommes tous d'accord que ça ne pouvait pas être toi, Léo. Cette sensation de froid que tu as évoquée, je l'ai eue, moi aussi. Ça devait être une forme de magie, provenant d'Octave, ou alors de Gaïa ou d'un de ses sbires. Mais tant qu'on n'aura pas compris ce qui s'est passé...

Frank émit un grognement.

– Comment pouvons-nous être sûrs que ça ne se reproduira pas ?

Léo sentit ses doigts chauffer comme s'ils allaient prendre feu. Un de ses pouvoirs, en tant que fils d'Héphaïstos, était de créer des flammes à volonté, mais il devait faire attention à ne pas activer son don par accident, surtout à bord d'un navire bourré d'explosifs et de produits inflammables.

– Je vais bien, maintenant, affirma-t-il avec plus d'assurance qu'il n'en éprouvait véritablement. On devrait peut-être recourir à un système d'équipes : personne ne va jamais nulle part tout seul. On pourrait laisser Piper et Hedge à bord avec Jason. Envoyer une équipe en ville acheter le goudron. Une autre irait à la recherche du bronze céleste et de la chaux.

– Se séparer ? fit Percy. Je trouve que c'est une super mauvaise idée.

– On gagnerait du temps, objecta Hazel. En plus, il doit bien y avoir une raison, si les quêtes sont limitées à trois demi-dieux d'habitude, non ?

Annabeth leva les sourcils, comme si elle réévaluait les mérites d'Hazel à la hausse.

– Tu as raison, dit-elle. Et c'est pour ça aussi qu'il fallait que l'*Argo II* s'éloigne du camp. Sept demi-dieux dans un même lieu, il y a de quoi attirer l'attention d'un max de monstres. Le navire est conçu pour masquer notre présence et nous protéger. À bord, on devrait être en sécurité, mais pour les expéditions, on devrait se déplacer en groupes de trois maximum. Évitons d'alerter plus de sbires de Gaïa que nécessaire.

Percy n'avait toujours pas l'air convaincu, mais il prit la main d'Annabeth dans la sienne.

– Tant que tu es ma coéquipière, dit-il, ça me va.

Hazel sourit.

– OK, c'est bon, ça marche ! s'écria-t-elle. Frank, c'était super, tout à l'heure, quand tu t'es changé en dragon. Tu pourrais le refaire pour emmener Annabeth et Percy en ville chercher le goudron ?

Frank ouvrit la bouche, comme pour protester.

– Ben... ouais, sans doute, mais toi ?

– Moi, je vais prendre Arion et partir avec Sa... avec Léo. (Hazel tripota le manche de son épée, ce qui mit Léo mal à l'aise. Elle était encore plus nerveuse et hyperactive que lui.) On ira chercher le bronze céleste et la chaux. On pourrait tous se retrouver ici à la tombée du jour.

Frank fit la grimace. Manifestement, l'idée qu'Hazel parte avec Léo ne lui plaisait pas. Allez savoir pourquoi, cela donna à Léo envie d'y aller. Il fallait qu'il prouve qu'il était digne de confiance. Il n'allait pas se remettre à envoyer des tirs de baliste au hasard.

– Léo, reprit Annabeth. Une fois qu'on aura les fournitures, il faudra combien de temps pour réparer le navire ?

– Avec un peu de chance, quelques heures seulement.

– Bien, trancha-t-elle. Nous nous retrouverons tous ici dès que possible, mais soyez prudents. On aurait bien besoin d'un peu de chance, mais ça ne veut pas dire qu'on l'aura.

6 LÉO

Monter Arion fut pour Léo le plus beau moment de sa journée – ce qui n'était pas difficile, vu la journée horribilus qu'il avait passée. Au contact des sabots du cheval, la surface du lac se transformait en brume salée. Léo posa la main sur le flanc de leur monture et sentit les muscles qui travaillaient comme une machine bien huilée. Pour la première fois, il comprit pourquoi on mesurait les moteurs d'automobiles en chevaux-vapeur. Arion était une Maserati à quatre pattes.

Devant eux se dessinait une île, bordée d'un sable si blanc qu'on aurait cru du sel de table. Derrière se dressait un paysage de dunes herbues et de rochers arrondis.

Léo était assis derrière Hazel et la tenait par la taille. Il était un peu gêné par l'intimité de ce contact, mais c'était le seul moyen s'il voulait se maintenir à bord (*ça se dit, à bord d'un cheval ?*).

Avant leur départ, Percy l'avait pris à part pour lui raconter l'histoire d'Hazel. Percy avait joué le gars sympa qui voulait juste briefer Léo, mais le message en filigrane ne lui avait pas échappé : « Si tu touches à un cheveu de ma pote, je te donne à bouffer aux requins de mes propres mains. »

D'après Percy, Hazel était la fille de Pluton. Elle était

morte dans les années 1940 et n'avait été ramenée à la vie que depuis quelques mois.

Léo trouvait cela difficile à croire. Hazel semblait pleine de vie et de chaleur, rien à voir avec les fantômes ou les autres mortels revenus d'outre-tombe à qui Léo avait eu affaire.

Elle avait l'air de savoir échanger avec les gens, contrairement à Léo qui était beaucoup plus à l'aise avec les machines. Les créatures vivantes, comme les chevaux et les filles, Léo n'avait pas la moindre idée de leur fonctionnement.

Et puis vu qu'Hazel était la petite amie de Frank, Léo savait qu'il devait garder ses distances. Il n'empêche que ses cheveux sentaient bon et que galoper avec elle faisait battre son cœur plus fort, presque malgré lui. Ce devait être la vitesse du cheval.

Arion se planta sur la plage tel un éclair. Il martela le sable de ses sabots avec des hennissements de triomphe, un peu comme Hedge poussant ses cris de guerre.

Hazel et Léo mirent pied à terre. Arion piaffait toujours.

– Il a faim, expliqua Hazel. Il aime l'or, mais...

– L'or ? demanda Léo.

– Il se contentera d'herbe. Vas-y, Arion. Merci pour le trajet. Je t'appellerai.

En un clin d'œil, le cheval disparut – ne laissant pour toute trace qu'un sillage de vapeur sur le lac.

– Rapide, ce cheval, dit Léo. Et cher à nourrir.

– Pas tellement, répondit Hazel. L'or, c'est facile pour moi.

Léo dressa les sourcils.

– L'or, c'est facile ? Dis-moi que t'as pas de lien de parenté avec le roi Midas. J'aime pas ce type.

Hazel pinça les lèvres comme si elle regrettait d'avoir évoqué le sujet.

– Laisse tomber, dit-elle.

Ce qui ne fit qu'aiguiser la curiosité de Léo, mais il se dit qu'il valait sans doute mieux ne pas insister. Il s'accroupit et préleva une poignée de sable blanc.

– En tout cas... voilà déjà un problème de réglé. C'est de la chaux.

– La plage entière ? demanda Hazel, sourcils froncés.

– Ouais. Tu vois ? Les granules sont parfaitement ronds. Ce n'est pas du sable, en fait. C'est du carbonate de calcium.

Léo sortit un sac à zip de sa ceinture à outils magique et plongea la main dans la chaux.

Soudain, il s'immobilisa. Il se souvint de toutes les fois où Gaïa, la déesse de la Terre, lui était apparue dans le sol – son visage endormi se dessinant dans la poussière, le sable ou la terre. Elle adorait le tourmenter. Il imagina ses yeux clos et son sourire rêveur prendre forme dans le calcium blanc.

Pars, petit héros, disait Gaïa. *Sans toi, ils ne pourront pas réparer le navire.*

– Léo ? appela Hazel. Ça va ?

Il reprit son souffle. Gaïa n'était pas là. Il jouait juste à se faire peur.

– Ouais, ouais, dit-il. T'inquiète, ça va.

Et il se mit à remplir la pochette plastique.

Hazel s'accroupit à côté de lui et l'aida.

– On aurait dû apporter des pelles et un seau, dit-elle.

L'idée amusa Léo, et le fit même sourire.

– On aurait fait un château de sable, renchérit-il.

– Un château de chaux.

Leurs regards se croisèrent. Une seconde de trop.

Hazel détourna les yeux.

– Tu ressembles tellement à...

– Sammy ? devina Léo.

Elle manqua de tomber à la renverse.

– Tu es au courant ?

– J'ai aucune idée de qui c'est, répondit Léo, mais Frank m'a demandé si j'étais sûr que je m'appelais pas Sammy.

– Et alors ?

– Ben non, enfin !

– Tu n'as pas un frère jumeau ou... (Hazel s'interrompit.) Est-ce que ta famille est de La Nouvelle-Orléans ?

– Non, de Houston. Pourquoi ? Sammy, c'est un garçon que tu connaissais ?

– Je... c'est pas grave. Tu lui ressembles, c'est tout.

Léo vit qu'elle était trop gênée pour en dire davantage. Mais si Hazel venait du passé, cela signifiait-il que Sammy était un gars des années 1940 ? Dans ce cas, comment Frank pouvait-il le connaître ? Et comment Hazel pouvait-elle croire que lui, Léo, était Sammy, toutes ces décennies plus tard ?

Ils achevèrent de remplir le sac en silence. Léo le glissa dans sa ceinture à outils et la pochette disparut – zéro poids, zéro masse, zéro volume – même s'il savait qu'il la retrouverait quand il plongerait la main pour la reprendre. Léo pouvait trimbaler tout ce qui entrait dans les poches. Il adorait sa ceinture à outils. Son seul regret était de ne pas pouvoir y fourrer une tronçonneuse, par exemple, ou un bazooka.

Il se releva et balaya l'île du regard. Des dunes d'un blanc éclatant, des bandes d'herbe, des rochers givrés de sel.

– Festus affirme qu'il y a du bronze céleste tout près, dit-il, mais je sais pas trop par où...

– Par là. (Hazel pointa du doigt vers le haut de la plage.) À cinq cents mètres environ.

– Comment tu le sais ?

– Les métaux précieux, expliqua-t-elle. C'est un truc de Pluton.

Léo se rappela qu'elle avait dit que trouver de l'or ne lui posait pas de problème.

– Pratique, comme talent, lança-t-il. Après vous, Miss Détecteur de Métal.

Le soleil déclinait, nimbant le ciel d'un étrange mélange de violet et de jaune. Dans une autre réalité, Léo aurait sans doute pris plaisir à marcher sur la plage avec une jolie fille, mais plus il avançait, plus il était sur des épines. Finalement, Hazel obliqua vers l'intérieur de l'île.

– Tu es sûre que c'est une bonne idée ? demanda-t-il.

– On est tout près, lui assura-t-elle. Viens.

Juste après les dunes, ils virent la femme.

Elle était assise sur un rocher, au milieu d'un champ de hautes herbes. Une moto noir et chrome était garée à côté, mais il manquait une bonne part de camembert à chaque roue, dans les rayons et le pourtour, ce qui les faisait ressembler à des Pac-Man. Dans cet état, impossible de rouler.

La femme avait des cheveux noirs et bouclés et un corps anguleux. Elle portait un pantalon de motard en cuir noir, des bottes de moto et un blouson de cuir rouge sang – un look Michael Jackson revisité par les Hells Angels. À ses pieds, le sol était jonché de débris qui ressemblaient à des coquilles. Elle était courbée sur un sac, dont elle sortait sans cesse de ces choses qu'elle cassait en deux. Étaient-ce des huîtres qu'elle ouvrait ? Léo ne savait même pas s'il y avait des huîtres dans le Grand Lac Salé ; a priori il pensait que non.

Il n'avait guère envie d'approcher. Il avait de mauvais souvenirs de dames bizarres. Son ancienne baby-sitter, Tìa Callida, s'était révélée être nulle autre qu'Héra, et elle avait la méchante habitude de lui faire faire sa sieste dans une cheminée où flambait un grand feu. Gaïa, la déesse de la Terre, avait tué sa mère dans l'incendie de son atelier quand Léo avait huit ans. Chioné, la déesse de la Neige, avait tenté de le transformer en cône glacé à Sonoma.

Mais comme Hazel avançait d'un pas décidé, il fut bien obligé de suivre.

En approchant, Léo remarqua des détails troublants. La femme avait un fouet attaché à sa ceinture. Son blouson de cuir rouge s'ornait d'un motif tout en finesse : des branches de pommier noueuses, où perchaient des squelettes d'oiseaux. Et ce qu'il avait pris pour des huîtres étaient des *fortune cookies*, ces biscuits-surprises qui contiennent un message, offerts par certains restaurants chinois.

Elle était entourée d'un tas de biscuits cassés qui lui arrivait à la cheville. Elle n'arrêtait pas d'en sortir de nouveaux de son sac ; elle les cassait en deux et lisait le petit papier à l'intérieur. Et les jetait presque tous. De temps en temps, un message lui arrachait un grognement de mécontentement. Alors elle passait le doigt sur la bande de papier, puis elle refermait le biscuit par magie et le mettait dans un panier près d'elle.

– Qu'est-ce que vous faites ? ne put se retenir de demander Léo.

La femme leva la tête. Les poumons de Léo s'emplirent si vite qu'il crut qu'ils allaient exploser.

– Tante Rosa ?

C'était absurde, mais cette femme ressemblait à sa tante trait pour trait. Elle avait le même nez épaté avec un gros grain de beauté d'un côté, la même bouche amère, les mêmes yeux durs. Mais ce ne pouvait pas être Rosa. Rosa ne s'habillerait jamais comme ça, et elle était toujours à Houston, à ce qu'en savait Léo. Elle n'avait aucune raison de casser des *fortune cookies* au milieu du Grand Lac Salé.

– C'est ça que tu vois ? demanda la femme. Intéressant. Et toi, Hazel, ma chérie ?

– Comment avez-vous... ? (Hazel recula d'un pas, effrayée.) Vous... vous ressemblez à Mme Leer. Ma maîtresse de CE2. Je vous détestais.

La femme gloussa.

– Excellent. Tu lui en voulais, hein ? Elle était injuste envers toi ?

– Vous... elle m'attachait les mains à mon bureau avec du scotch pour me punir, dit Hazel. Elle traitait ma mère de sorcière. Elle m'accusait de choses que je n'avais pas faites et... Non. Elle est forcément morte, obligé. Qui êtes-vous ?

– Oh, Léo le sait, dit la femme. Qu'est-ce que tu éprouves pour Tante Rosa, *mijo* ?

Mijo. La mère de Léo l'appelait toujours comme ça. Après sa mort, Rosa avait rejeté Léo. Elle le traitait d'enfant du diable. Elle le jugeait responsable de l'incendie qui avait tué sa sœur. Rosa avait monté toute la famille contre lui et l'avait abandonné – un chétif orphelin de huit ans – aux services d'aide à l'enfance. Léo était passé de famille d'accueil en famille d'accueil jusqu'au jour où il avait enfin trouvé un foyer à la Colonie des Sang-Mêlé. Léo ne détestait pas grand monde, mais après toutes ces années, la vue de Tante Rosa lui amenait la rancune aux lèvres.

Qu'éprouvait-il ? Il voulait lui rendre la monnaie de sa pièce. Il voulait se venger.

Son regard se porta sur la moto aux roues en Pac-Man. Où avait-il vu une forme semblable ? Au bungalow 16, à la colonie – le symbole qui ornait le dessus de la porte était une roue brisée.

– Némésis, dit-il. Vous êtes la déesse de la Vengeance.

– Tu vois ? (La déesse sourit à Hazel.) Il me reconnaît.

Némésis cassa un autre biscuit et plissa le nez.

– « Vous aurez beaucoup de chance au moment où vous vous y attendrez le moins », lut-elle. Exactement le genre de débilités que je déteste. Quelqu'un ouvre un cookie et, paf ! une prophétie qui lui promet la richesse ! C'est typique de cette cloche de Tyché. Elle passe son temps à offrir de la chance à des gens qui ne la méritent pas !

Léo regarda la montagne de bris de biscuits.

– Euh..., fit-il. Vous savez que ce ne sont pas de véritables prophéties, n'est-ce pas ? Juste des petits mots sympas glissés dans le cookie à l'usine qui les fabrique...

– Ne lui cherche pas d'excuse ! coupa Némésis. C'est du Tyché tout craché de vouloir remonter le moral aux gens. Nan, nan, il faut que je la freine. (Némésis passa le doigt sur le bout de papier et les lettres virèrent au rouge.) « Tu mourras dans d'atroces douleurs au moment où tu t'y attendras le plus. » Voilà, c'est mieux.

– Mais c'est horrible ! s'exclama Hazel. Vous voulez que quelqu'un trouve ça dans son *fortune cookie* et que ça se réalise ?

Némésis ricana. C'était vraiment sinistre de voir cette expression sur le visage de Tante Rosa.

– Ma petite chérie, n'as-tu jamais souhaité qu'il arrive des horreurs à Mme Leer pour tout ce qu'elle te faisait subir ?

– Ça ne veut pas dire que je voulais qu'elles arrivent pour de vrai !

– Bah ! (La déesse referma le biscuit et le jeta dans son panier.) Tyché doit être Fortuna pour toi, puisque tu es romaine. Comme les autres, elle est dans une posture terriblement fâcheuse en ce moment. Mais moi ? Pas de problème. Je m'appelle Némésis en grec comme en latin. Rien ne m'affecte, rien ne change, car la vengeance est universelle.

– De quoi parlez-vous ? intervint Léo. Qu'est-ce que vous faites ici ?

Némésis cassa un nouveau *fortune cookie* en deux.

– Des chiffres porte-bonheur. Ridicule ! Ce n'est même pas une prophétie ! (Elle écrasa le biscuit et éparpilla les miettes à ses pieds.) Pour répondre à ta question, Léo Valdez, les dieux sont très mal en point en ce moment. C'est toujours le cas lorsqu'il y a une guerre civile entre vous autres, les Romains et les Grecs. Les Olympiens sont déchirés entre leurs deux natures, appelés par les deux camps. Ça les rend schizophrènes, il faut bien le dire. Maux de tête abominables, grande confusion...

– Mais nous ne sommes pas en guerre, protesta Léo.

– Euh, Léo... (Hazel grimaça.) N'oublie pas que tu viens de faire sauter une grande partie de la Nouvelle-Rome.

Léo la dévisagea en se demandant de quel côté elle était et s'écria :

– Mais j'ai pas fait exprès !

– Je sais, dit Hazel. Seulement les Romains ne le savent pas. Et ils vont nous poursuivre de leurs représailles.

Némésis gloussa.

– Écoute-la, Léo. La guerre est imminente. Gaïa a tout fait pour, avec ton aide. Et devine qui les dieux jugent responsable de la panade où ils se trouvent ?

Léo eut l'impression d'avaler de la chaux.

– Moi, dit-il.

– Eh ben ! Tu as une haute idée de toi-même ! ricana la déesse. Tu n'es qu'un pion sur l'échiquier, Léo Valdez. Je te parlais du joueur qui a lancé cette quête ridicule pour rassembler les Grecs et les Romains. Les dieux sont furieux contre Héra – ou Junon, si tu préfères ! La reine des cieux a dû fuir l'Olympe pour échapper à la colère de sa famille. Ne t'attends à aucune aide de ta protectrice !

Le sang de Léo battit à ses tempes. Ses sentiments envers Héra étaient des plus ambigus. Elle s'était toujours ingérée dans sa vie, depuis qu'il était bébé, elle l'avait façonné pour qu'il serve son but dans la fameuse Grande Prophétie, mais, au moins, elle avait toujours été de leur côté. Si maintenant elle était hors jeu...

– Alors que faites-vous là ? répéta-t-il.

– Je viens vous offrir mon aide, pardi ! rétorqua Némésis avec un sourire sardonique.

Léo jeta un coup d'œil à Hazel. On aurait dit qu'elle venait de recevoir un serpent en cadeau.

– Votre aide, dit Léo.

– Bien sûr ! lança la déesse. J'aime démolir les orgueilleux et les puissants, et personne ne mérite autant de se faire démolir que Gaïa et ses géants. Mais je dois vous prévenir que je ne tolérerai aucun succès qui ne soit mérité. La chance, c'est du bidon. La roue de la fortune est une chaîne de Ponzi. Le véritable succès se paie de sacrifice.

– De sacrifice ? (La voix d'Hazel était tendue à se rompre.) J'ai perdu ma mère. Je suis morte et revenue à la vie. Maintenant mon frère a disparu. Ça ne vous suffit pas ?

Léo la recevait cinq sur cinq. Il avait envie de hurler qu'il avait perdu sa mère, lui aussi. Que sa vie entière n'avait été qu'une succession de malheurs. Il avait perdu son dragon, Festus. Il avait tellement donné de lui-même pour finir l'*Argo II* qu'il avait failli y laisser sa peau. Maintenant il venait de bombarder le camp romain, sans doute de déclencher une guerre par la même occasion, et il avait peut-être perdu la confiance de ses amis.

– Pour le moment, dit-il en s'efforçant de maîtriser sa colère, tout ce que je veux, c'est un peu de bronze céleste.

– Oh, ça c'est simple, répondit Némésis. Juste derrière la côte. Tu le trouveras avec les amoureux.

– Attendez, intervint Hazel. Quels amoureux ?

Némésis mit en bouche un *fortune cookie* et l'avala tout rond, petit billet compris.

– Tu verras, dit-elle. Peut-être que leur cas te servira de leçon, Hazel Levesque. La plupart des héros n'arrivent pas à échapper à leur nature, même si on leur donne une seconde chance. (Elle sourit.) À propos de ton frère, Nico, il ne te reste pas beaucoup de temps. Voyons... on est le 25 juin ? Oui, à partir de demain, il ne restera que six jours. Après il mourra, avec la ville de Rome tout entière.

Hazel écarquilla les yeux.

– Comment... quoi ?!

– Quant à toi, enfant du feu, enchaîna Némésis en s'adressant à Léo, tes pires épreuves sont encore à venir. Tu seras toujours le type en trop, toujours la septième roue. Tu ne trouveras pas ta place parmi tes camarades. Bientôt tu seras confronté à un problème que tu ne pourras pas résoudre... à moins que je ne t'aide, mais pour cela tu devras payer le prix.

Léo sentit une odeur de fumée. Il se rendit compte que les doigts de sa main droite s'étaient enflammés et qu'Hazel le regardait avec effroi.

Il fourra sa main dans sa poche pour éteindre les flammes et rétorqua :

– J'aime régler mes problèmes moi-même.

– Très bien, dit Némésis, en époussetant les miettes de biscuit de son blouson.

– Mais, euh, à quel genre de prix vous pensez, là ?

– Récemment, répondit la déesse sur un haussement d'épaules, un de mes enfants a donné un œil en échange de la capacité à marquer le monde de son empreinte.

L'estomac de Léo se souleva.

– Vous... réclamez un œil ?

– Dans ton cas, un autre sacrifice pourrait convenir. Mais quelque chose de tout aussi douloureux. Tiens. (Elle lui tendit un *fortune cookie*.) Si tu as besoin d'une réponse, consulte-le. Tu trouveras la solution à ton problème.

La main de Léo tremblait quand il attrapa le biscuit.

– Quel problème ? demanda-t-il.

– Tu le sauras le moment venu.

– Non merci, dit-il d'une voix ferme.

Mais sa main, comme animée d'une volonté propre, glissa le biscuit dans sa ceinture à outils.

Némésis en préleva un autre de son sac et le cassa en deux.

– « Vous serez amené à revenir sur vos décisions. » Ah, celui-là me plaît. Il n'y a rien à changer. (Elle reforma le *fortune cookie* et le jeta dans le panier.) Très peu de demi-dieux pourront vous aider dans votre quête, poursuivit-elle. La plupart sont déjà HS, et leur confusion ne va que s'accroître. Il y a une chose qui pourrait ramener l'unité à l'Olympe... un tort ancien qui serait enfin vengé. Ah, voilà qui serait beau, les plateaux de la balance enfin équilibrés ! Mais cela ne pourra se faire que si tu acceptes mon aide.

– J'imagine que vous n'allez pas nous dire de quoi vous parlez, marmonna Hazel. Ni pourquoi mon frère Nico n'a que six jours à vivre, ou pourquoi Rome va être détruite.

Némésis pouffa de rire. Elle se leva et passa son sac de biscuits en bandoulière.

– Oh, tout ça est lié, Hazel Levesque. Quant à mon offre, Léo Valdez, penses-y. Tu es un bon garçon. Un travailleur. On pourrait s'entendre. Mais je vous retarde. Vous devriez aller au miroir d'eau avant que la lumière ne tombe. Mon pauvre petit maudit est pris d'une certaine... agitation, dirais-je, quand vient l'obscurité.

Cela parut de mauvais augure à Léo, mais la déesse enfourcha sa moto. Apparemment, celle-ci roulait bel et bien, malgré les roues en forme de Pac-Man, car Némésis emballa le moteur et fila dans un gros nuage de fumée noire.

Hazel se pencha. Tous les débris de biscuits et les petits papiers avaient disparu, sauf un seul billet, roulé en boule. Elle le ramassa et le lut : « Vous verrez votre reflet et vous aurez des raisons de désespérer. »

– Trop cool, grommela Léo. Allons voir ce que ça signifie.

7 Léo

– Qui est Tante Rosa ? demanda Hazel.

Léo n'avait pas envie d'en parler. Les prédictions de Némésis tintaient encore à ses oreilles. Il lui semblait que sa ceinture à outils était plus lourde depuis qu'il y avait mis le biscuit, ce qui était impossible. Les poches de la ceinture magique pouvaient contenir n'importe quoi sans peser davantage, et même les objets les plus fragiles ne couraient aucun risque de se casser. Pourtant, Léo avait l'impression que le *fortune cookie* l'alourdissait, le tirait vers le sol, qu'il était impatient d'être ouvert.

– Trop long à raconter, répondit-il. En gros, elle m'a abandonné à la mort de ma mère et fait placer en famille d'accueil.

– Je suis désolée.

– Ouais, bon... (Léo avait hâte de changer de sujet.) Et toi ? Tu comprends ce que Némésis a dit sur ton frère ?

Hazel battit des paupières comme si elle avait du sel dans les yeux.

– Nico... il m'a trouvée aux Enfers. Il m'a ramenée au monde des mortels et il a convaincu les Romains du Camp Jupiter de m'accepter parmi eux. C'est à lui que je dois ma seconde vie. Si Némésis a raison, si Nico est en danger... il faut que je l'aide.

– C'est clair, dit Léo, même si cette pensée lui donnait la chair de poule – il se doutait bien que la déesse de la Vengeance ne prodiguait pas ses conseils par bonté d'âme. Et ce qu'elle a dit au sujet des six jours qu'il restait à ton frère, et de la destruction de Rome ? T'y piges quelque chose ?

– Non, avoua Hazel. J'ai peur que...

Mais elle se tut et garda ses pensées pour elle, puis escalada un des gros rochers pour avoir une meilleure vue. Léo voulut la suivre et perdit l'équilibre. Hazel le rattrapa par la main et le tira à sa hauteur. Ils se retrouvèrent perchés sur le rocher, face à face et main dans la main.

Les yeux d'Hazel pétillaient comme des pépites d'or.

« L'or, c'est facile », avait-elle dit. Léo n'était pas de son avis, surtout quand il la regardait. Il se demanda qui était Sammy. Il avait l'horrible impression qu'il aurait dû le savoir, mais que ça lui échappait. Quoi qu'il en soit, ce type avait de la chance, s'il était aimé par Hazel.

– Euh, merci.

Il lâcha sa main, mais ils étaient encore si près l'un de l'autre qu'il sentait la chaleur de son souffle. Elle n'avait rien, vraiment rien, d'une morte.

– Pendant qu'on parlait avec Némésis, commença Hazel d'une voix hésitante, tes mains... j'ai vu des flammes sur tes mains.

– Ouais. C'est un pouvoir d'Héphaïstos. En temps normal, je le contrôle.

– Ah.

Hazel posa une main sur sa chemise en jean, comme pour se protéger. Léo songea qu'elle voulait s'éloigner de lui, mais que le rocher était trop petit. *Super. Encore quelqu'un qui me prend pour un monstre dangereux.*

Il balaya le panorama du regard. La rive d'en face était à quelques centaines de mètres seulement. Sur cette distance, il n'y avait que des dunes et des rochers éparpillés, rien qui ressemble à un miroir d'eau.

« Tu seras toujours le type en trop, toujours la septième roue. Tu ne trouveras pas ta place parmi tes camarades. »

Némésis aurait aussi bien pu lui verser de l'acide dans les oreilles. Léo n'avait pas besoin qu'on lui dise qu'il était le type en trop. Il avait passé des mois seul dans le Bunker 9, à la Colonie des Sang-Mêlé, à travailler sur son navire pendant que ses amis s'entraînaient ensemble, partageaient leurs repas, jouaient à Capture-l'Étendard pour gagner des trophées et s'amuser. Même ses deux meilleurs amis, Piper et Jason, le traitaient souvent comme un étranger. Depuis qu'ils avaient commencé à sortir ensemble, ils n'incluaient plus Léo dans leurs moments de détente. Et son unique autre ami, Festus le dragon, avait été réduit à une figure de proue après la destruction de son disque dur, lors de leur dernière aventure. Léo n'avait pas su le réparer.

« La septième roue. » Léo connaissait l'expression « la cinquième roue du carrosse » : un élément en trop, qui ne sert à rien. La septième roue, ça devait être pareil en pire.

Il s'était imaginé que cette quête lui offrirait un nouveau départ. Qu'il serait récompensé de tout ce rude travail investi dans l'*Argo II*. Qu'il aurait six bons amis qui l'admireraient, peut-être, et l'apprécieraient, et qu'ils vogueraient tous ensemble au soleil couchant, à l'assaut des géants. Et peut-être, avait-il espéré en secret, peut-être même qu'il se ferait une petite amie parmi eux.

T'as qu'à compter, pauvre bouffon.

Némésis avait raison. Il avait beau faire partie d'un groupe de sept, il était toujours isolé. Il avait tiré sur les Romains et mis ses amis dans la panade. « Tu ne trouveras pas ta place parmi tes camarades. »

– Léo ? dit alors Hazel avec gentillesse. Tu ne peux pas prendre au sérieux ce que Némésis t'a raconté.

Il fronça les sourcils.

– Et si c'était vrai ?

– C'est la déesse de la Vengeance, lui rappela Hazel. Peut-être qu'elle est de notre côté, peut-être que non, mais de toute façon, sa raison d'être, c'est d'éveiller les rancunes et le ressentiment.

Léo aurait aimé pouvoir chasser aussi facilement ses sentiments négatifs. Il n'y parvenait pas. Mais Hazel n'y était pour rien.

– Faudrait qu'on y aille, lança-t-il. Je me demande à quoi Némésis faisait allusion en disant qu'on devait finir avant qu'il fasse noir.

Hazel jeta un coup d'œil sur le soleil, qui effleurait maintenant l'horizon.

– Et qui est son « pauvre petit maudit » ?

En contrebas, une voix dit : « Son pauvre petit maudit. »

Au début, Léo ne vit personne. Puis ses yeux s'accoutumèrent et il distingua une jeune femme debout à trois mètres du rocher. Sa robe était une tunique de style grec de la même couleur que la pierre. Ses fins cheveux étaient entre le blond, le châtain et le gris, de sorte qu'ils se fondaient dans les herbes sèches. Elle n'était pas à proprement parler invisible, mais presque parfaitement camouflée quand elle ne bougeait pas. Même en mouvement, Léo avait du mal à ne pas la perdre de vue. Elle avait un joli visage, mais sans rien de marquant. D'ailleurs, si Léo clignait des yeux, il oubliait aussitôt à quoi elle ressemblait et devait ensuite faire un effort pour la retrouver.

– Bonjour ! lança Hazel. Qui es-tu ?

– Qui es-tu ? répondit la fille d'une voix lasse, comme si elle était fatiguée de répondre à cette question.

Hazel et Léo échangèrent un regard. Avec ce boulot de demi-dieu, on ne savait jamais sur qui on allait tomber. Neuf fois sur dix, ça craignait. Une ninja en camouflage dans les tons de terre, ce n'était pas forcément la rencontre que Léo souhaitait faire, là maintenant.

– Es-tu le pauvre petit maudit dont parlait Némésis ? demanda-t-il. Mais tu es une fille.

– Tu es une fille, dit la fille.

– Pardon ?

– Pardon, dit la fille sur un ton pitoyable.

– Tu répètes... (Léo s'interrompit.) Oh, une seconde. Hazel, y avait pas un mythe sur une fille qui répétait tout ?

– Écho, dit Hazel.

– Écho, renchérit la fille.

Elle remua et sa robe changea de couleur pour coller au paysage. Ses yeux avaient la pâleur de l'eau salée du lac. Léo essaya de graver son visage dans sa mémoire ; impossible.

– J'ai oublié le mythe, avoua-t-il. Tu as été condamnée à répéter les dernières paroles que tu entends ?

– Que tu entends, dit Écho.

– La pauvre, murmura Hazel. Si je me souviens bien, c'est une déesse qui l'a voulu ?

– Une déesse qui l'a voulu, confirma Écho.

Léo se gratta la tête.

– Mais, objecta-t-il, c'était il y a des milliers d'années, que je sache. Ah... tu fais partie des mortels qui sont revenus par les Portes de la Mort. J'aimerais bien qu'on arrête de rencontrer des morts.

– Des morts, fit Écho, comme sur le ton du reproche.

Léo se rendit compte qu'Hazel regardait ses pieds.

– Euh, excuse-moi, marmonna-t-il. C'est pas ce que je voulais dire par là.

– Par là.

Écho pointa le doigt vers le rivage le plus éloigné de l'île.

– Tu veux nous montrer quelque chose ? demanda Hazel.

Elle descendit du rocher, suivie de Léo.

Même de près, Écho était difficile à voir. En fait, plus on la regardait, plus elle semblait s'effacer.

– Tu es sûre que tu es réelle ? demanda Léo. Je veux dire, en chair et en os ?

– En chair et en os.

Elle toucha le visage de Léo et il tressaillit. Elle avait les doigts chauds.

– Alors... tu es obligée de tout répéter ?

– Tout répéter.

Léo ne put s'empêcher de sourire.

– Ça pourrait être marrant, dit-il.

– Marrant.

– Éléphants roses.

– Éléphants roses.

– Embrasse-moi, idiot.

– Moi, idiot.

– Salut !

– Salut !

– Léo, intervint Hazel, arrête de la taquiner.

– D'accord, d'accord, dit Léo, mais il dut se faire violence – ce n'était pas tous les jours qu'il rencontrait quelqu'un qui avait un module de répétition automatique incorporé. Alors, reprit-il, qu'est-ce que tu voulais nous montrer ? Tu as besoin d'aide ?

– Besoin d'aide, renchérit Écho.

Là-dessus, elle leur fit signe de la suivre et se mit à dévaler la pente. Léo était obligé de se repérer aux mouvements des herbes et au scintillement de sa robe quand elle changeait de couleur.

– Dépêchons-nous, dit Hazel. Sinon on va la perdre de vue.

Ils trouvèrent bientôt le problème – si l'on peut qualifier de problème une bande de jolies filles. Écho les conduisit à une prairie en forme de cratère, avec un petit étang en son milieu. Plusieurs dizaines de nymphes se pressaient au bord de l'eau. Du moins Léo supposa-t-il que c'étaient des nymphes. Comme celles de la Colonie des Sang-Mêlé, elles étaient pieds nus et portaient des robes en gaze très légère. Elles avaient des traits délicats et la peau légèrement teintée de vert.

Léo ne comprenait pas ce qu'elles faisaient : toutes regroupées au même endroit, devant l'étang, elles jouaient des coudes pour avoir une meilleure vue. Plusieurs essayaient de prendre des photos avec leurs téléphones, par-dessus la tête de leurs camarades. Léo n'avait jamais vu de nymphes avec des téléphones. Il se demanda si elles regardaient un corps sans vie, mais alors pourquoi gigotaient-elles en gloussant, l'air tout excitées ?

– Qu'est-ce qu'elles regardent ? demanda Léo.

– Regardent, soupira Écho.

– Y a pas cinquante façons de le découvrir, dit Hazel, qui fendit la foule. Pardon. Excusez-nous.

– Hé ! se plaignit une nymphe. On était là avant !

– Ouais ! râla une autre. Tu l'intéresseras pas, de toute façon !

La deuxième nymphe avait de gros cœurs rouges peints sur les joues. Par-dessus sa robe, elle portait un tee-shirt marqué « I ‹3 N ».

– Euh, demi-dieux en mission spéciale, dit Léo en affectant un ton officiel. Laissez passer. Merci.

Les nymphes grognèrent, mais s'écartèrent, révélant un jeune homme agenouillé au bord de l'étang, les yeux rivés sur l'eau.

En général, Léo n'accordait pas beaucoup d'attention au physique des autres garçons. Sans doute, supposait-il, à force de fréquenter Jason, qui était tout ce que lui ne serait jamais : grand, blond, un visage aux traits marqués. Léo avait l'habitude que les filles ne le remarquent pas. Au moins savait-il qu'on ne l'aimerait jamais seulement pour son physique. Il espérait qu'un jour, sa personnalité et son sens de l'humour feraient craquer une fille, mais ça n'avait encore jamais marché.

Il n'empêche que Léo ne pouvait ignorer l'évidence : le type agenouillé devant l'étang était canon. Il avait des traits finement ciselés et des yeux qui combinaient beauté féminine et charme masculin. Une épaisse chevelure brune tombait en cascade sur son front. Il devait avoir entre dix-sept et vingt ans, c'était difficile à dire, et il avait une allure de danseur : de longs bras gracieux et des jambes musclées, un port impeccable, un calme majestueux. Il était habillé simplement, d'un tee-shirt blanc sur un jean, et portait un arc et un carquois dans le dos. On voyait tout de suite qu'il ne s'en servait jamais : les flèches étaient couvertes de poussière et il y avait une toile d'araignée en haut de l'arc.

En se rapprochant, Léo remarqua que le garçon avait le visage anormalement doré. Les derniers rayons du soleil couchant se reflétaient contre une grande plaque de bronze céleste qui gisait au fond de l'étang, nimbant le visage de Mister Beaugosse d'une lumière chaude.

Le gars semblait fasciné par son reflet dans le métal.

– Il est trop beau, laissa échapper Hazel.

Les nymphes, autour d'elle, tapèrent des mains en couinant.

– Oui, murmura le jeune homme d'une voix rêveuse, sans détacher le regard de l'eau. Je suis grave trop beau.

Une des nymphes montra l'écran de son iPhone.

– Son dernier clip sur YouTube a été visionné un million de fois en, genre, une heure. La moitié des visionnements, c'est moi !

Les autres nymphes gloussèrent.

– Un clip sur YouTube ? demanda Léo. Qu'est-ce qu'il fait, il chante ?

– Mais non, idiot ! Avant c'était un prince, un merveilleux chasseur et tout ça. Mais ça n'a pas d'importance. Maintenant, il fait juste... tiens, regarde !

Elle montra le clip à Léo. C'était exactement la même chose que ce qu'ils voyaient en vrai de leurs yeux : le type se mirait dans l'étang.

– Il est trop trop beau !!! soupira une autre fille, au tee-shirt marqué « Mme Narcisse ».

– Narcisse ? demanda Léo.

– Narcisse, confirma tristement Écho.

Léo avait oublié qu'elle était là. Apparemment, aucune des nymphes ne l'avait remarquée non plus.

– Oh non, encore ! s'écria Mme Narcisse en la découvrant. Pas toi !

Elle voulut pousser Écho, mais la manqua à cause de son camouflage et bouscula plusieurs autres nymphes à la place.

– Tu as eu ta chance, Écho, dit la nymphe à l'iPhone. Il t'a plaquée il y a quatre mille ans ! T'es tellement pas assez bien pour lui !

– Pour lui, répéta Écho avec amertume.

– Attendez. (Manifestement au prix d'un gros effort, Hazel détacha les yeux du beau garçon.) Qu'est-ce qui se passe ? Pourquoi Écho nous a-t-elle amenés ici ?

Une nymphe roula des yeux. Elle tenait un stylo à autographes et un poster de Narcisse chiffonné.

– Écho était une nymphe comme nous, il y a longtemps, mais c'était une vraie pipelette ! dit-elle. Elle passait son temps à ragoter, bla bla bla, elle arrêtait pas !

– Ah ouais ! cria une autre nymphe. Trop insupportable, tu vois ? Pas plus tard que l'autre jour, j'ai dit à Cléopeia – tu sais, la fille qui vit dans le rocher à côté du mien ? – je lui ai dit : « Arrête tes ragots ou tu vas finir comme Écho. » Cléopeia, c'est une bavasse de chez bavasse ! Tu sais ce qu'elle a dit sur la petite nymphe des nuages et le satyre ?

– Complètement ! embraya la nymphe au poster. Et alors, comme châtiment pour ses ragots, Héra l'a condamnée à seulement répéter ce qu'elle entendait, sans rien pouvoir dire d'autre. Nous, ça nous gênait vraiment pas, mais après Écho est tombée amoureuse de notre sublime Narcisse... c'te blague, comme s'il allait la remarquer !

– C'te blague ! renchérirent une demi-douzaine d'autres.

– Et maintenant elle s'est mise dans la tête qu'il fallait le sauver ! dit Mme Narcisse. Là je dis, stop ! C'est trop, elle devrait s'en aller.

– S'en aller, répéta Écho d'une voix morne.

– Je suis trop contente que Narcisse soit revenu à la vie, dit une autre. (Cette nymphe-là portait une robe grise et les mots NARCISSE + LAIEA s'étalaient sur ses bras en grosses lettres tracées au marqueur noir.) Il est trop top ! Et en plus il est dans mon territoire.

– Arrête ça, Laiea, lança son amie, c'est moi, la nymphe de l'étang. Toi tu n'es que la nymphe du rocher.

– Ben moi je suis la nymphe de l'herbe ! protesta une troisième.

– Il vient ici parce qu'il aime les fleurs sauvages, c'est évident ! dit une autre. Et ça, c'est moi !

Une dispute éclata parmi la bande de nymphes, que Narcisse ignora superbement, toujours plongé dans la contemplation de son reflet.

– Une seconde, mesdemoiselles ! s'écria Léo. Une seconde. J'ai besoin de demander quelque chose à Narcisse.

Peu à peu, les nymphes se calmèrent et se remirent à prendre des photos.

Léo s'accroupit à côté du beau gosse.

– Alors, Narcisse, qu'est-ce que tu racontes ?

– Tu peux t'écarter ? fit Narcisse d'une voix alanguie. Tu me gâches la vue.

Léo regarda dans l'eau. Son reflet se dessinait sur la plaque de bronze immergée, à côté de celui de Narcisse. Léo n'avait aucune envie de se contempler. Comparé à Narcisse, il avait l'air d'un troll chétif. Il n'empêche, il y avait bel et bien une plaque de bronze céleste au fond de l'eau, de forme arrondie et d'un bon mètre cinquante de diamètre.

Comment elle s'était retrouvée là, Léo n'aurait su le dire. Le bronze céleste tombait sur la surface de la Terre à de drôles d'endroits. D'après ce qu'il avait entendu dire, la plupart des morceaux provenaient des différents ateliers de son père, Héphaïstos. Quand il s'énervait contre un projet qui ne marchait pas, le dieu de la Forge balançait ses débris de métal dans le monde des mortels. Ce fragment-là avait peut-être été destiné à devenir un bouclier pour un dieu, au départ. Si Léo parvenait à le rapporter au bateau, ça lui donnerait pile la bonne quantité de bronze pour réparer le navire.

– T'as raison, la vie est super, dit Léo. Je m'écarte volontiers, mais si tu t'en sers pas, ça t'ennuie que je prenne cette plaque de bronze ?

– Pas question, répondit Narcisse. Je l'aime. Il est magnifique.

Léo jeta un coup d'œil autour de lui pour voir si les nymphes riaient. Tout ça n'était qu'une vaste blague, obligé... Mais non ! Les charmantes créatures hochaient la tête en pâmoison. Seule Hazel avait l'air consternée. Elle plissait le nez comme si elle en était venue à la conclusion que l'odeur de Narcisse était aussi nauséabonde que son visage était charmant.

– Est-ce que tu te rends compte, man, que c'est toi-même que tu regardes dans l'eau ? demanda Léo à Narcisse.

– Je suis tellement beau, soupira Narcisse, et il étira une main pleine de désir pour caresser la surface de l'étang, mais se retint. Non, il faut pas que je trouble l'eau, ça gâche l'image. Purée... ce que je suis beau.

– Ouais, marmonna Léo. Mais si je prenais le bronze, tu pourrais toujours te voir dans l'eau. Ou là... (Il plongea la main dans sa ceinture à outils et en sortit un petit miroir de poche.) Je te l'échange.

Narcisse prit le miroir à contrecœur et s'y admira.

– Toi aussi, tu as un portrait de moi sur toi ? Je te comprends, je suis magnifique. Merci. (Il posa le miroir et reporta son attention sur l'étang.) Mais j'ai un bien meilleur reflet. La couleur me flatte le teint, tu trouves pas ?

– Oh oui, par les dieux ! Épouse-moi, Narcisse ! hurla une des nymphes.

– Non, moi ! cria une autre. Tu peux me signer mon poster !

– Non, signe mon tee-shirt !

– Non, signe sur mon front !

– Non, signe sur...

– Arrêtez ! lança Hazel.

– Arrêtez, renchérit Écho.

Léo, qui avait de nouveau perdu Écho de vue, se rendit compte qu'elle était agenouillée auprès de Narcisse, de l'autre côté, et qu'elle agitait une main devant son visage, comme si elle essayait de l'arracher à sa fascination. Narcisse ne battait même pas des paupières.

Le fan-club des nymphes se resserra pour chasser Hazel, mais elle dégaina son épée et les força à reculer.

– Revenez sur Terre, les filles ! cria-t-elle.

– Il ne te signera pas ton épée ! l'avertit la nymphe au poster.

– Il ne t'épousera pas ! renchérit celle à l'iPhone. Et vous ne pouvez pas emmener son miroir de bronze. C'est ce qui le retient ici !

– Vous êtes ridicules, toutes ! dit Hazel. Il est tellement vaniteux ! Comment peut-il vous plaire ?

– Vous plaire, soupira Écho, qui agitait toujours la main devant le visage de Narcisse.

Et toutes les nymphes soupirèrent aussi.

– Je suis torride, commenta Narcisse d'un ton compréhensif.

– Narcisse, écoute-moi. (La main d'Hazel ne quitta pas le manche de son épée.) Écho nous a amenés ici pour que nous t'aidions. N'est-ce pas, Écho ?

– Écho, dit Écho.

– Qui ça ? fit Narcisse.

– Écho, la seule fille qui s'intéresse à ce qui t'arrive, apparemment, dit Hazel. Est-ce que tu te souviens de ta mort ?

Narcisse fronça les sourcils.

– Je... non. Mais ce n'est pas possible. Je suis bien trop important pour mourir.

– Tu es mort en t'admirant, insista Hazel. Ça me revient maintenant. La déesse Némésis t'a maudit pour te punir d'avoir brisé tant de cœurs. Ton châtiment était de tomber amoureux de ton propre reflet.

– Je m'aime tellement si fort, acquiesça Narcisse.

– Tu as fini par en mourir, poursuivit Hazel. Je ne sais pas quelle version de l'histoire est vraie. Soit tu t'es noyé, soit tu t'es changé en fleur au bord de l'eau. Écho, laquelle est la bonne ?

– La bonne ? répéta vainement la nymphe.

Léo se leva.

– Peu importe, dit-il. Le truc, man, c'est que tu es de nouveau vivant. Tu as une seconde chance. C'est ce que Némésis nous expliquait. Tu peux te lever et continuer ta vie. Écho essaie de t'aider. Ou tu peux rester là à te regarder jusqu'à ce que mort s'ensuive, une deuxième fois.

– Reste là ! hurlèrent toutes les nymphes en chœur.

– Épouse-moi avant de mourir ! glapit l'une d'elles.

Narcisse secoua la tête.

– Tu veux mon reflet, c'est tout. Je te comprends, mais je peux pas te le donner. C'est à moi.

Hazel poussa un soupir d'exaspération. Elle jeta un coup d'œil au soleil, qui déclinait rapidement. Alors elle pointa son épée vers le bord du cratère.

– Léo, dit-elle, je peux te parler une minute ?

– Excuse-nous, Narcisse, lança Léo. Écho, tu veux venir ?

– Veux venir, confirma Écho.

Le club des nymphes se referma sur Narcisse, le filmant et le photographiant de plus belle.

Hazel entraîna Léo et Écho à l'écart, pour qu'on ne les entende pas.

– Némésis a raison, dit-elle alors. Certains demi-dieux sont incapables de changer. Narcisse va rester là à regarder son reflet jusqu'à en mourir, de nouveau.

– Non, répondit Léo.

– Non, renchérit Écho.

– Nous avons besoin de ce bronze, reprit Léo. Si nous l'emportons, ça pourrait donner à Narcisse une occasion de s'arracher à sa fascination. Écho pourrait l'aider à s'en sortir.

– L'aider à s'en sortir, dit Écho avec reconnaissance.

Hazel planta son épée dans le sable.

– Ça pourrait aussi nous valoir la colère de dizaines de nymphes, objecta-t-elle. Sans compter que Narcisse n'a pas forcément oublié comment se servir de son arc.

Léo réfléchit. Le soleil était presque couché. Némésis avait dit que Narcisse s'agitait après la tombée du jour, sans doute parce qu'il ne pouvait plus voir son reflet. Léo n'avait pas envie de découvrir ce que la déesse entendait par « s'agiter ». De plus, il s'était déjà trouvé face à une bande de nymphes en colère, et il n'avait pas du tout envie de renouveler l'expérience.

– Hazel, demanda-t-il, ce pouvoir que tu as sur les métaux précieux... tu peux seulement les détecter, ou tu peux aussi les attirer ?

Elle fronça les sourcils.

– J'arrive quelquefois à les attirer, répondit-elle. Mais je n'ai jamais essayé avec un morceau de bronze céleste de cette taille. Je pourrais le faire sortir en passant par le sol, mais il faudrait que je sois assez près. Ça me demanderait beaucoup de concentration et ce ne serait pas rapide.

– Pas rapide, s'inquiéta Écho.

Léo pesta. Il s'était imaginé qu'ils pouvaient rentrer au vaisseau et qu'Hazel aurait téléporté le bronze céleste de là-bas, en toute sécurité.

– Bon, fit-il, on va devoir tenter un truc risqué. Hazel, tu pourrais attirer le bronze à partir d'ici ? En le faisant s'enfoncer dans le sable et cheminer jusqu'à toi ? Et après, tu l'attrapes et tu cours au vaisseau ?

– Mais Narcisse ne le quitte pas des yeux une seconde ! objecta-t-elle.

– Une seconde, renchérit Écho.

– Ça, je m'en occupe, dit Léo, qui détestait déjà son plan. Écho et moi, on va faire diversion. Je vais t'expliquer, promit-il à celle-ci. Tu es d'accord ?

– D'accord, dit Écho.

– Super, déclara Léo. En espérant qu'on ne meure pas tous.

8 Léo

Léo se prépara mentalement à un relookage radical. Il dégota des pastilles mentholées et des lunettes de soudeur dans sa ceinture à outils. Lunettes de soudeur faute de lunettes de soleil... faudrait que ça le fasse. Il roulotta les manches de son tee-shirt. Avec de la graisse de moteur, il plaqua ses cheveux en arrière. Sans trop savoir pourquoi, il fourra une clé à molette dans la poche arrière de son jean. Puis il demanda à Hazel de lui faire un tatouage au marqueur sur le biceps : les mots « CHAUD BOUILLANT », surmontés d'un crâne et deux os croisés.

– À quoi tu penses ? lui demanda-t-elle, l'air un peu perturbée.

– J'essaie de pas penser, avoua Léo. Ça pourrait m'empêcher de faire le baltringue. Toi, concentre-toi sur le bronze céleste, d'accord ? Écho, tu es prête ?

– Prête.

Léo inspira à fond. Et repartit vers l'étang d'une démarche de frimeur, en espérant très fort qu'il avait un look à tomber, et pas l'air d'un crétin fini.

– C'est Léo le plus cool ! cria-t-il.

– Léo le plus cool ! cria de plus belle Écho.

– Kiffez-moi, j'suis de la balle !

– De la balle ! enchaîna Écho.
– Place au roi !
– Place au roi !
– Narcisse est une chiffe !
– Une chiffe !

Les nymphes s'écartèrent, interloquées. Léo les chassa d'un geste hautain, comme si elles l'importunaient.

– Pas d'autographes, les filles. Je sais que vous rêvez de respirer un peu de mon air, mais je suis beaucoup trop cool pour ça. Vous avez qu'à vous raccrocher à Narcisse le laideron de la lose. Narcisse le gros nase !

– Gros nase ! répéta Écho avec enthousiasme.

Les nymphes poussèrent des grognements de colère.

– Qu'est-ce que tu racontes ? demanda l'une.

– C'est toi le gros nase ! protesta une autre.

Léo ajusta ses lunettes de soudeur et sourit. Il contracta les biceps, même s'il n'avait pas grand-chose à contracter, et exhiba son tatouage « CHAUD BOUILLANT ». Toutes les nymphes le regardaient, ne serait-ce que parce qu'elles étaient stupéfaites ; Narcisse, lui, rivait imperturbablement les yeux sur son reflet.

– Vous voulez savoir à quel point il est laid, Narcisse ? attaqua Léo. C'est simple, quand il est né, sa mère l'a pris pour un centaure à l'envers : un cul de cheval vissé à la place de la tête.

Certaines nymphes ravalèrent leur souffle. Narcisse fronça les sourcils comme s'il prenait vaguement conscience qu'un moustique bourdonnait autour de sa tête.

– Et vous savez pourquoi il a des toiles d'araignée à son arc ? poursuivit Léo. Il part à la chasse aux filles avec, mais il tire zéro flèche !

Une nymphe rit, mais ses voisines la firent taire d'un coup de coude.

Narcisse se retourna et toisa Léo d'un œil torve.

– T’es qui, toi ? demanda-t-il.

– Je suis Super Léo Macho Keum, man ! dit Léo. Léo Valdez, roi des bad boys ! Les filles adorent les bad boys.

– Adorent les bad boys ! renchérit Écho d’une petite voix aiguë et convaincante.

Léo sortit un stylo et signa son nom sur le bras d’une des nymphes.

– Narcisse, c’est la lose ! Tellement c’est une chiffe, quand il éternue, il tombe sur le cul. Tellement il est nase, tu cherches nase sur Wikipédia, tu trouves sa photo – mais la photo elle est tellement moche que personne la consulte jamais.

Narcisse fronça ses jolis sourcils. Son visage passa du bronze au rose saumon. Il avait complètement oublié l’étang, et Léo remarqua que la plaque de bronze s’enfonçait dans le sable.

– Qu’est-ce que tu racontes ? demanda Narcisse. Je suis admirable. Tout le monde le sait.

– Admirable par ta ringardise, ouais mon gars ! Si j’étais moitié aussi ringard que toi, je me noierais. Ah pardon, ça, t’as déjà fait.

Une autre nymphe pouffa de rire. Et une autre. Narcisse grogna, ce qui le rendit légèrement moins beau. Léo, en revanche, arbora un grand sourire et se mit à jouer des sourcils au-dessus de ses lunettes, les bras ouverts, en faisant signe au parterre de nymphes d’applaudir.

– Allez les « Léo » !

– Allez les « Léo » ! cria Écho, qui s’était faufilée dans le groupe.

Et comme elle était difficile à voir, les nymphes crurent que la voix émanait de l’une d’entre elles.

– Quel canon je suis, mais quel canon ! clama Léo d’une voix de stentor.

– Quel canon ! hurla Écho.

– Il est marrant, risqua une nymphe.

– Et mignon, dans le genre efflanqué.

– Efflanqué ? fit Léo. Attends, ma loute, je t'explique. J'ai *inventé* le concept d'efflanqué. Efflanqué, c'est ce qui vend du rêve aujourd'hui. Et c'est moi ! Narcisse ? Tellement nul le gars que même aux Enfers il se prenait des râteaux – y a pas une fantômette qui ait voulu de lui.

– Beurk, fit une nymphe.

– Beurk, renchérit Écho.

– Arrêtez ! (Narcisse se leva.) Ce n'est pas vrai ! Il est évident que cette personne n'est pas un canon, alors ce doit être... (Narcisse avait du mal à trouver ses mots ; cela faisait tellement longtemps qu'il n'avait pas parlé d'autre chose que de lui-même.) Il cherche à nous tromper.

Apparemment, Narcisse n'était pas complètement idiot. Une lueur de compréhension éclaira son visage. Il se rua vers l'étang.

– Le miroir de bronze a disparu ! Mon reflet ! Rendez-moi moi !

– Allez les « Léo » ! glapit une des nymphes, mais toutes les autres reportèrent leur attention sur Narcisse.

– C'est moi le beau garçon ! insista ce dernier. Il m'a volé mon miroir, et si on ne le récupère pas, je m'en vais !

Les filles hoquetèrent.

– Regardez ! cria l'une d'elles en pointant du doigt.

En haut du cratère, Hazel détalait aussi vite qu'elle le pouvait en trimbalant l'énorme plaque de bronze.

– Rapporte-le ! cria une nymphe.

Sans doute à contrecœur, Écho marmonna :

– Rapporte-le.

– Oui ! (Narcisse prit son arc et sortit une flèche de son carquois poussiéreux.) La première qui rapporte ce bronze, je l'aimerai presque autant que moi-même. Elle aura peut-être même droit à un baiser, dès que j'aurai pu embrasser mon reflet !

– Par les dieux, par les dieux ! hurlèrent les nymphes.

– Et tuez ces demi-dieux ! ajouta Narcisse en fusillant Léo d'un très charmant regard. Ils ne sont pas aussi cool que moi !

Léo pouvait courir très vite, quand on essayait de le tuer. Il avait beaucoup d'entraînement, malheureusement.

Il rattrapa Hazel, ce qui n'était pas difficile car elle était lestée de vingt-cinq kilos de bronze céleste. Il attrapa un côté de la plaque de métal et jeta un coup d'œil en arrière. Narcisse était en train d'encocher une flèche mais, comme le bois était très vieux et sec, elle se cassa et vola en éclats.

– Aïe ! Mes ongles ! s'écria-t-il avec une moue adorable.

Normalement, les nymphes sont rapides – c'était vrai en tout cas de celles de la Colonie des Sang-Mêlé. Mais celles-ci étaient encombrées de posters, tee-shirts et autres gadgets « Narcisse marque déposée ». Et puis ce n'étaient pas les reines du travail d'équipe. Elles n'arrêtaient pas de se bousculer, de se pousser les unes les autres. Écho, qui courait parmi elles, aggravait les choses en faisant le plus de croche-pieds possible.

Malgré tout, elles gagnaient du terrain.

– Appelle Arion ! dit Léo d'une voix hachée.

– C'est fait ! répondit Hazel.

Ils foncèrent vers la plage. Parvenus au bord de l'eau, ils repérèrent l'*Argo II*, mais comment y arriver ? Le navire était beaucoup trop loin pour qu'ils le rejoignent à la nage, même sans la plaque de bronze.

Léo se retourna. La bande surgissait à la crête des dunes, menée par Narcisse qui tenait son arc comme une baguette de chef d'orchestre. Les nymphes avaient dégoté les armes les plus diverses : les unes avaient des pierres à la main, d'autres des gourdins de bois ornés de guirlandes de fleurs. Certaines nymphes aquatiques brandissaient des pistolets à eau, ce qui n'était pas totalement terrifiant, certes, mais n'enlevait rien à l'éclat meurtrier de leur regard.

– Aïe aïe aïe, grommela Léo, le combat direct, c'est pas trop mon truc.

– Prends le bronze céleste, dit Hazel en dégainant son épée. Mets-toi derrière moi !

– Mets-toi derrière moi ! répéta Écho.

La nymphe en camouflage courait devant la bande, à présent. Elle s'arrêta devant Léo, fit volte-face et ouvrit grand les bras comme si elle comptait faire écran de son corps pour protéger le garçon.

– Écho ? (Léo avait du mal à parler à cause de la boule qui se formait dans sa gorge.) Écho, tu es sacrément courageuse !

– Sacrément courageuse ? répéta Écho sur le ton de la question.

– Je suis fier de te compter dans mon équipe, dit-il. Si on survit, tu devrais laisser tomber Narcisse.

– Laisser tomber Narcisse ?

– T'es beaucoup trop bien pour lui.

Sur ce, les nymphes se déployèrent en demi-cercle devant eux.

– Piégés ! s'écria Narcisse. Ils ne m'aiment pas ! Mais nous, nous m'aimons tous, n'est-ce pas ?

– Oui ! hurlèrent-elles toutes en chœur, à l'exception d'une nymphe un peu paumée, en robe jaune, qui couina « Allez les Léo ! »

– Tuez-les ! ordonna Narcisse.

Les nymphes chargèrent, mais à ce moment-là, le sable explosa devant elles. Arion, surgi de nulle part, encercla la bande à Narcisse au galop, si vite qu'il souleva une tempête de sable. Une pluie de chaux blanche tomba sur les nymphes et les aveugla.

– J'adore ce cheval ! dit Léo.

Les nymphes trébuchaient, toussaient et s'étranglaient. Narcisse titubait en agitant bêtement son arc.

Hazel monta en selle, hissa la plaque de bronze et tendit la main à Léo.

– On peut pas laisser Écho ! s'écria-t-il.

– Laisser Écho, répéta la nymphe.

Elle sourit et, pour la première fois, Léo vit distinctement son visage. Elle était vraiment jolie, avec des yeux plus bleus qu'il ne l'avait remarqué. Comment avait-il fait pour louper ça ?

– Pourquoi ? demanda Léo. Tu ne t'imagines pas que tu peux encore sauver Narcisse ?

– Sauver Narcisse, dit-elle avec confiance.

Et même si ce n'était qu'un écho de ses propres paroles, Léo sentit qu'elle le pensait. Elle avait reçu une seconde vie et elle était déterminée à s'en servir pour sauver l'homme qu'elle aimait – même si c'était un crétin irrécupérable (et très beau).

Léo voulut protester, mais Écho se pencha et l'embrassa sur la joue, puis le repoussa doucement.

– Léo, viens ! appela Hazel.

Les autres nymphes commençaient à se remettre. Elles s'essuyaient les yeux, à présent verts de colère. Léo chercha Écho du regard, mais elle s'était fondue dans le décor.

– Ouais, dit-il, la gorge sèche. Ouais, d'accord.

Il grimpa derrière Hazel et Arion partit au grand galop à la surface de l'eau. Dans leur dos, les nymphes poussaient des hurlements furieux et Narcisse criait :

– Rendez-moi moi ! Rendez-moi moi !

Tandis qu'Arion filait vers l'*Argo II*, Léo repensa aux paroles de Némésis : « Peut-être que leur cas te servira de leçon. »

Léo avait cru que la déesse faisait allusion à Narcisse, mais il se demanda si, pour lui, la leçon n'était pas plutôt Écho : invisible aux yeux de ses camarades, condamnée à aimer quelqu'un qui ne l'aimait pas. « La septième roue. » Il essaya de chasser cette idée. Et serra la plaque de bronze contre lui comme un bouclier.

Il était décidé à ne pas oublier le visage d'Écho. Elle méritait qu'au moins une personne l'ait vue et reconnaisse sa bonté. Léo ferma les yeux, mais le sourire de la nymphe s'effaçait déjà de sa mémoire.

9 Piper

Piper ne voulait pas recourir au couteau.

Mais elle se sentait seule et démunie, au chevet de Jason, à attendre qu'il se réveille.

Jason était si pâle qu'on aurait pu le croire mort. Elle se souvint du bruit horrible de la brique heurtant son front – et c'était en essayant de la protéger des Romains qu'il avait été blessé.

Même avec le nectar et l'ambroisie qu'ils étaient arrivés à lui faire avaler, Piper n'était pas certaine que Jason se réveille en bonne santé. Et s'il avait perdu la mémoire de nouveau ? Mais perdu, cette fois-ci, ses souvenirs d'elle ?

Ce serait le tour le plus cruel que les dieux lui aient encore jamais joué, et ils ne l'avaient pas épargnée, loin de là.

Elle entendit Gleeson Hedge, dans la cabine d'à côté, fredonner une marche militaire. Comme la télévision satellite était hors service, le vieux satyre devait feuilleter de vieux magazines d'armement, allongé sur son lit. Ce n'était pas un mauvais chaperon, mais c'était assurément le vieux bouc le plus belliqueux que Piper ait jamais rencontré. Elle lui était reconnaissante, bien sûr. Il avait aidé son père, la star de cinéma Tristan McLean, à se remettre du cauchemar qu'il avait vécu l'hiver précédent, quand il avait été enlevé par des géants.

Quelques semaines auparavant, Hedge avait demandé à sa petite amie, Mellie, de s'occuper de la maison de McLean à sa place pour lui permettre de se joindre à la quête. Hedge avait affirmé que revenir à la Colonie des Sang-Mêlé était son idée, mais Piper se doutait qu'il y avait anguille sous roche. Ces dernières semaines, chaque fois qu'elle avait appelé à la maison, son père et Mellie lui avaient demandé ce qui n'allait pas. Comme si quelque chose dans sa voix les alertait.

Piper ne pouvait pas parler de ses visions ; elles étaient trop troublantes. De plus, son père avait avalé une potion qui avait effacé de sa mémoire tous les secrets de demi-dieu de Piper. Mais cela ne l'empêchait pas de percevoir quand sa fille allait mal, et Piper était presque sûre que son père avait demandé à Hedge de veiller sur elle.

Il ne fallait pas qu'elle sorte son poignard de son fourreau. Cela ne ferait qu'ajouter à son malaise.

Finalement, la tentation l'emporta. Elle dégaina Katoptris. En apparence, l'arme était quelconque, une simple lame triangulaire à la poignée dépourvue d'ornements, mais elle avait appartenu jadis à Hélène de Troie. Le nom du poignard signifiait « miroir ».

Piper contempla la surface de bronze poli. Au début, elle n'y vit que son reflet. Puis une onde lumineuse parcourut le métal. Elle aperçut alors une foule de demi-dieux romains rassemblés sur le forum. Le jeune blond aux allures d'épouvantail, Octave, haranguait la foule en agitant le poing. Piper n'avait pas besoin de la bande-son pour savoir qu'il disait, en substance : « À mort les Grecs ! »

Reyna, la préteur, se tenait à l'écart, le visage tendu. Amertume ? Colère ? Piper n'aurait su le dire.

Malgré les préjugés qu'elle avait avant de la rencontrer, Piper n'avait pas pu détester Reyna. Force lui avait été d'admirer la maîtrise de soi dont la Romaine avait fait preuve pendant la fête au forum.

Reyna avait tout de suite compris la nature de la relation qui unissait Piper et Jason. Piper était fille d'Aphrodite, elle détectait ces choses-là. Pourtant, Reyna était restée calme et polie. Elle avait fait passer les besoins de son camp avant ses émotions et ses sentiments. Elle avait donné leur chance aux Romains... jusqu'à ce que l'*Argo II* attaque sa ville.

Piper s'était presque sentie coupable d'être la petite amie de Jason, ce qui était idiot, bien sûr. Jason n'avait jamais été le copain de Reyna, pas véritablement.

Bref, Reyna était peut-être quelqu'un de bien, mais ça n'avait plus d'importance, à présent. Ils avaient gâché leur occasion de faire la paix. Le pouvoir de persuasion de Piper n'avait absolument rien donné, pour une fois.

Et quelle était sa peur secrète, justement ? De ne pas y avoir mis tout son cœur. Piper savait qu'au fond d'elle-même, elle n'avait pas envie d'une amitié avec les Romains. Elle avait trop peur que Jason retourne à son ancienne vie, trop peur de le perdre. Alors peut-être qu'inconsciemment, elle n'avait pas tout donné dans son enjôlement.

Maintenant Jason était blessé et le navire gravement endommagé. Et selon son poignard, Octave, ce dingue qui étranglait des ours en peluche, attisait la rage guerrière des Romains à leur encontre.

Les images livrées par la lame de bronze changèrent. Il y eut une rapide série de scènes qu'elle avait déjà vues, mais ne comprenait toujours pas : Jason partant à cheval au combat, les yeux dorés au lieu de bleus ; une femme vêtue à l'ancienne mode du sud des États-Unis, debout parmi les palmiers dans un parc en bordure de l'océan ; un taureau à visage humain et barbu, sortant d'un fleuve ; deux géants en toge jaune tirant sur une corde à poulie pour hisser une immense amphore de bronze d'une fosse.

Vint alors la pire des visions : elle était avec Jason et Percy, tous les trois debout dans une pièce ronde et sombre, de l'eau jusqu'à la taille, comme au fond d'un puits géant. Des silhouettes spectrales se mouvaient dans l'eau qui montait à vue d'œil. Piper palpait frénétiquement les murs, cherchant un moyen de fuir, mais il n'y avait aucune issue. L'eau leur arrivait à la poitrine. Jason sombrait, happé vers le fond. Percy titubait et disparaissait.

Comment un fils du dieu de la Mer pouvait-il se noyer ? Piper ne le comprenait pas. Elle se regarda elle-même se débattre, seule dans le noir, puis l'eau recouvrit sa tête.

Piper ferma les yeux. *Ne me montre plus ça*, supplia-t-elle. *Montre-moi quelque chose d'utile.*

Elle se força à regarder la lame de nouveau.

Cette fois-ci, elle vit une autoroute vide, bordée de champs de blé et de tournesols. Un panneau indiquait : TOPEKA 32 miles. Sur le bas-côté de la route se tenait un homme en short kaki et chemise violette. Son visage était masqué par l'ombre d'un grand chapeau au bord orné de rameaux de vigne. Il tenait à la main un hanap d'argent et faisait signe à Piper. Elle comprit qu'il lui offrait quelque chose, un remède ou un antidote.

– Salut ! croassa Jason.

Piper sauta en l'air et le poignard lui glissa des mains.

– Tu es réveillé !

– Pourquoi ça t'étonne autant ? (Jason porta la main à sa tête et fronça les sourcils en sentant les pansements.) Qu'est-ce qui s'est passé ? Je me souviens des explosions, et puis...

– Tu te souviens de qui je suis ?

Jason voulut rire, mais ça le fit grimacer de douleur.

– Aux dernières nouvelles, tu étais Piper, ma copine supergéniale d'enfer, répondit-il. Ou il y a eu du nouveau pendant que j'étais dans les pommes ?

Piper fut si soulagée qu'elle faillit pleurer. Elle aida Jason à se redresser et lui donna un peu de nectar à boire, tout en le mettant au courant des derniers rebondissements. Elle lui expliquait comment Léo comptait réparer le vaisseau quand des sabots de cheval claquèrent sur le pont au-dessus de leurs têtes.

Quelques instants plus tard, Léo et Hazel déboulèrent devant la cabine, portant une grande plaque de bronze céleste à eux deux.

– Par les dieux de l'Olympe, murmura Piper en dévisageant Léo. Qu'est-ce qui t'est arrivé ?

Il avait les cheveux plaqués en arrière, des lunettes de soudeur sur le front, une marque de rouge à lèvres sur la joue et les bras et le tee-shirt couverts de tatouages qui disaient « CHAUD BOUILLANT », « BAD BOY » et « ALLEZ LES LÉO ! »

– Je t'expliquerai, fit-il. Les autres sont là ?

– Pas encore.

Léo jura. Puis il remarqua que Jason s'était redressé et son visage s'éclaira.

– Hé, man ! s'écria-t-il. Content que t'ailles mieux ! Je vais à la salle des moteurs.

Il s'éclipsa en emportant la plaque de bronze, laissant Hazel sur le pas de la porte.

– « Allez les Léo ! » ? lui demanda Piper en levant le sourcil.

– On a rencontré Narcisse, répondit Hazel, ce qui ne semblait pas avoir beaucoup de rapport. Et aussi Némésis, la déesse de la Vengeance.

– Je rate tout le fun, soupira Jason.

Un *SCHDOUNG !* résonna en provenance du pont, comme si une lourde créature venait de se poser. Annabeth et Percy arrivèrent en courant dans le couloir. Percy trimbalait un seau en plastique d'une quinzaine de litres, fumant et nauséabond. Annabeth avait une boule de matière noire et collante dans les cheveux, et le tee-shirt de Percy en était couvert.

– Du goudron de toiture ? devina Piper.

Frank débarqua à son tour, menaçant le couloir d'un embouteillage de demi-dieux. Il avait une grande traînée noire sur le côté du visage.

– On a rencontré des monstres de goudron, dit Annabeth. Hé, Jason, tu as repris connaissance, super ! Hazel, où est Léo ?

– En salle des machines, répondit-elle en pointant du doigt vers le bas.

Brusquement, le navire gîta sur bâbord. Les demi-dieux titubèrent et Percy faillit renverser son seau de goudron.

– Qu'est-ce qui se passe ? demanda-t-il.

– Euh, fit Hazel, l'air gênée. Je crois qu'on a mis en colère les nymphes qui vivent dans ce lac. Genre... toutes les nymphes.

– Super, dit Percy, qui tendit le seau à Frank et Annabeth. Allez aider Léo, moi je vais repousser les esprits de l'eau le plus longtemps possible.

– Banco ! lança Frank.

Et tous les trois partirent en courant, laissant Hazel sur le pas de la porte. Le bateau gîta de nouveau, et Hazel porta brusquement les mains à son ventre.

– Excusez-moi, dit-elle, je crois que...

Elle ravala sa salive, fit un geste vague et fila vers le fond du couloir.

Jason et Piper restèrent dans la cabine, secoués par le tangage du navire. Piper se sentait assez inutile, comme héroïne. Des vagues giflaient la coque et des éclats de voix résonnaient sur le pont. Percy criait, Hedge insultait le lac. Festus, la figure de proue, cracha du feu à plusieurs reprises. Au bout du couloir, Hazel, tapie dans sa cabine, gémissait comme une pauvre chose. Et dans la salle des machines, on aurait cru que Léo et les autres dansaient la gigue avec des enclumes aux pieds. Au bout d'un temps qui parut très long à Piper, le moteur se mit à gronder. Puis les rames grincèrent, et le navire se hissa dans le ciel.

Le roulis et le tangage cessèrent. Le silence revint à bord, exception faite du ronronnement des machines. Finalement, Léo remonta du pont inférieur. Il était couvert de sueur, de poussière de chaux et de goudron. Son tee-shirt avait l'air d'être passé sous un escalator. Du slogan « Allez les Léo ! », il ne restait plus que « lez les Lé ». Mais c'est avec un sourire extatique qu'il annonça que tout était sous contrôle.

– Réunion au mess dans une heure, ajouta-t-il. Folle journée, hein ?

Quand ils eurent tout rangé, Hedge prit la barre et les demi-dieux se rassemblèrent en bas pour dîner. C'était la première fois qu'ils se réunissaient ainsi, rien que tous les sept. Leur présence aurait dû rassurer Piper, mais le fait de les voir tous dans un même lieu lui rappela que la Prophétie des Sept s'accomplissait enfin. Finies, les journées tranquilles à la Colonie des Sang-Mêlé, à attendre que Léo achève la construction du navire. À se raconter que l'avenir était encore loin. Ils y étaient, à présent, ils étaient en route, une bande de Romains en colère derrière eux, et devant eux, les terres anciennes. Les géants les attendaient. Gaïa s'éveillait. Et s'ils ne menaient pas cette quête avec succès, le monde serait détruit.

Les autres devaient ressentir la même chose. La tension dans le mess tenait de l'orage qui couve, ce qui n'avait rien de surprenant vu les pouvoirs de Percy et Jason. Il y eut un moment gênant, quand les deux garçons essayèrent de s'asseoir au même instant sur la même chaise, en tête de table. Des étincelles jaillirent des doigts de Jason – littéralement. Après une brève confrontation silencieuse, comme si chacun pensait « Franchement, mec ? », ils cédèrent la place à Annabeth et s'assirent de part et d'autre de la table.

Chaque équipe rapporta ce qui lui était arrivé à Salt Lake City, mais même le récit comique que Léo leur fit sur la façon dont il avait berné Narcisse ne suffit pas à ramener de la bonne humeur dans le groupe.

– Alors où on va, maintenant ? demanda-t-il, la bouche pleine de pizza. J'ai mis des rustines pour qu'on puisse partir vite fait, mais il reste beaucoup de dégâts. Il faudrait vraiment qu'on se pose et qu'on finisse les réparations avant de traverser l'Atlantique.

Percy, qui mangeait, bizarrement, un gâteau fourré entièrement bleu, y compris la crème et le glaçage, prit la parole.

– Il faut qu'on mette le Camp Jupiter à bonne distance, dit-il. Frank a repéré des aigles au-dessus de Salt Lake City. Nous pensons que les Romains sont sur nos talons.

La nouvelle n'arrangea pas le moral autour de la table. Piper n'avait pas envie d'intervenir, mais elle se sentit obligée... et un peu coupable.

– Vous croyez qu'on devrait retourner essayer de convaincre les Romains de nos intentions ? Peut-être que je n'y suis pas allée assez fort, avec l'enjôlement.

Jason lui prit la main.

– C'était pas ta faute, Pip's. Ni celle de Léo, s'empressa-t-il d'ajouter. Ce qui s'est passé, c'était l'œuvre de Gaïa, pour monter les deux camps l'un contre l'autre.

Piper apprécia le soutien de Jason, mais cela ne suffit pas à dissiper son malaise.

– Pourtant, reprit-elle, peut-être que si on pouvait leur expliquer que...

– Sans preuves ? demanda Annabeth. Et sans savoir ce qui s'est véritablement passé ? Je comprends ton point de vue, Piper, et je ne veux pas avoir les Romains à dos, mais tant qu'on n'aura pas découvert ce que trame Gaïa, y retourner serait du suicide.

– Elle a raison, dit Hazel. (Très pâle, elle semblait avoir encore le mal de mer mais se forçait à grignoter des biscuits salés. Le bord de son assiette était incrusté de rubis, dont Piper aurait juré qu'ils n'y étaient pas en début de repas.) Reyna nous écouterait peut-être, mais certainement pas Octave. Les Romains doivent penser à leur honneur. Ils ont été attaqués. Ils vont tirer d'abord et discuter ensuite.

Piper baissa les yeux sur son dîner. Les assiettes magiques pouvaient se garnir d'une grande variété de plats végétariens. Elle raffolait de la quesadilla avocat-poivrons grillés, mais ce soir, l'appétit n'y était pas.

Elle pensait aux images qu'elle avait vues défiler sur la lame de son poignard : Jason avec des yeux dorés ; le taureau à tête humaine ; les deux géants en toge jaune sortant une amphore en bronze d'une fosse. Pire, elle se revit en train de se noyer dans l'eau noire.

Piper avait toujours aimé l'eau ; elle avait d'ailleurs de bons souvenirs de surf avec son père. Mais depuis qu'elle avait commencé à recevoir cette vision sur Katoptris, elle repensait de plus en plus souvent à une vieille histoire cherokee que lui racontait son grand-père pour la dissuader d'aller à la rivière qui était à côté de sa petite maison. Il lui disait que les Cherokees croyaient aux esprits des eaux bienveillants, comme les naïades des Grecs, mais qu'ils croyaient aussi à des esprits des eaux maléfiques, les cannibales aquatiques, qui chassaient les mortels avec des flèches invisibles et prenaient un plaisir particulier à noyer les petits enfants.

– Tu as raison, trancha-t-elle. Il faut qu'on continue. Et pas seulement à cause des Romains. Nous devons nous dépêcher.

Hazel hocha la tête et ajouta :

– Némésis dit que nous n'avons que six jours pour empêcher que Nico meure et que Rome soit détruite.

– Tu veux dire Rome *Rome*, demanda Jason en fronçant les sourcils, pas la Nouvelle-Rome ?

– Non, je crois bien que c'est Rome *Rome*. Mais ça nous laisse peu de temps.

– Pourquoi six jours ? s'interrogea Percy. Et comment comptent-ils détruire Rome ?

Personne ne répondit. Piper ne voulait pas ajouter aux mauvaises nouvelles, mais elle sentit qu'elle n'avait pas le choix.

– Ce n'est pas tout, dit-elle. J'ai vu des choses sur mon poignard.

Le grand baraqué, Frank, qui portait une fourchette de spaghettis à sa bouche, suspendit son geste à mi-vol.

– Genre quoi, par exemple ?

– C'est pas vraiment compréhensible, dit Piper, juste des images confuses, mais j'ai vu deux géants habillés pareil. Des jumeaux, peut-être.

Annabeth regardait la transmission vidéo magique de la Colonie des Sang-Mêlé sur l'écran mural. On y voyait pour le moment le salon de la Grande Maison : un feu de bois pétillant dans l'âtre et Seymour, la tête de léopard empaillée, qui ronflait paisiblement au-dessus du manteau de la cheminée.

– Des jumeaux, comme dans la prophétie d'Ella, dit-elle. Si nous parvenions à déchiffrer ces vers, ça nous aiderait.

– *La fille de la sagesse marche seule...*, récita Percy. *La Marque d'Athéna brûle à travers Rome*. Annabeth, il s'agit de toi, c'est obligé. Junon m'a dit que... enfin, qu'une lourde tâche t'attendait à Rome. Elle a dit qu'elle doutait que tu sois capable de l'accomplir. Mais je sais qu'elle se trompe.

Annabeth respira à fond.

– Reyna allait me raconter quelque chose quand le navire nous a tiré dessus. Elle disait qu'une vieille légende circulait chez les préteurs romains, une histoire qui a à voir avec

Athéna. Ce serait la raison pour laquelle les Grecs et les Romains n'ont jamais pu s'entendre.

Léo et Hazel échangèrent un regard.

– Némésis a fait allusion à quelque chose de ressemblant, dit Léo. Elle nous a parlé de comptes qu'il fallait régler...

– Un tort ancien qui serait enfin redressé, se souvint Hazel. La seule chose qui pourrait amener l'harmonie entre les deux natures des dieux.

Percy traça un visage aux sourcils en circonflexe dans sa chantilly bleue.

– Je n'ai été préteur que deux heures, dit-il. Jason, tu as déjà entendu parler de cette légende ?

Jason tenait toujours la main de Piper dans la sienne. Il eut soudain les doigts moites.

– Je... euh, je crois pas. Je vais y réfléchir.

– Tu vas *y réfléchir* ?

Jason ne répondit pas. Piper eut envie de lui demander ce qu'il y avait ; elle voyait bien qu'il ne voulait pas discuter de cette vieille légende. Mais elle croisa son regard et y lut : « Plus tard, s'il te plaît. »

Ce fut Hazel qui brisa le silence.

– Et les autres vers ? *Des jumeaux mouchent le souffle de l'ange qui détient la clé de la mort sans fin.*

– *Le fléau des géants est pâle et d'or*, compléta Frank. *Conquis par la douleur d'une prison de tissage.*

– « Le fléau des géants », dit Léo. Ce qui est un fléau pour les géants est bon pour nous, exact ? C'est sans doute ce qu'on doit trouver. Si ça peut aider les dieux à régler leur problème de schizo, c'est tout bénef.

Percy hocha la tête.

– On ne pourra pas tuer les géants sans l'aide des dieux.

– Mais, demanda Jason en se tournant vers Frank et Hazel, je croyais que vous aviez tué le géant sans l'aide d'aucun dieu, au Canada, juste à vous deux ?

– Alcyonée est un cas à part, expliqua Frank. Il était immortel seulement dans le territoire de sa renaissance, l'Alaska. Mais pas au Canada. Ce serait bien si on pouvait tuer tous les géants de la même façon, en les traînant de l'Alaska au Canada, mais... (Il haussa les épaules.) Percy a raison, nous aurons besoin des dieux.

Piper promena les yeux sur les murs. Elle regrettait vraiment que Léo les ait équipés de ces transmissions magiques de la Colonie des Sang-Mêlé. C'était comme être devant chez soi sans pouvoir jamais pousser la porte. Elle regarda le feu d'Hestia brûler au cœur de la verdure quand tous les bungalows éteignirent leurs lumières pour le couvre-feu.

Elle se demanda ce que les demi-dieux romains, Hazel et Frank, ressentaient en voyant ces images. Ils n'avaient jamais mis les pieds à la colonie. Est-ce que ça leur faisait bizarre ? Trouvaient-ils injuste que le Camp Jupiter ne soit pas représenté ? Est-ce que ça leur donnait le mal du pays ?

Les autres vers de la prophétie trottaient dans la tête de Piper. Que signifiait une « prison de tissage » ? Comment des jumeaux pouvaient-ils éteindre le souffle d'un ange ? La clé de la mort sans fin n'annonçait rien de très gai non plus...

– Bon. (Léo s'écarta de la table.) Si on procédait par ordre ? Il faut qu'on se pose demain matin pour faire les réparations.

– Près d'une ville, suggéra Annabeth, au cas où nous ayons besoin de fournitures. Mais en nous éloignant de notre trajectoire pour que les Romains aient du mal à nous trouver. Des idées ?

Personne ne répondit. Piper se souvint de la vision sur sa lame de poignard : le drôle de type en violet qui lui faisait signe, un verre à la main. Il était debout devant un panneau « TOPEKA 32 miles ».

– Ben, risqua-t-elle, ça vous dit, le Texas, les gars ?

10 PIPER

Piper ne trouvait pas le sommeil.

Hedge passa l'heure qui suivit le couvre-feu à s'acquitter de sa tâche nocturne, à savoir arpenter le couloir en criant : « On éteint sa lumière et on se couche ! Le premier qui resquille, je le renvoie direct à Long Island ! »

Dès qu'il entendait du bruit dans une cabine, il donnait un grand coup de batte de base-ball dans la porte et criait à tout le monde de dormir, ce qui évidemment les empêchait tous de fermer l'œil. Pour Piper, le satyre ne s'était jamais autant amusé depuis l'époque où il se faisait passer pour un prof de gym à l'École du Monde Sauvage.

Elle regardait fixement les poutres en bronze du plafond. Sa cabine était plutôt douillette. Léo avait programmé leurs quartiers pour qu'ils s'adaptent automatiquement à la température préférée de leurs occupants, de sorte qu'il n'y faisait jamais ni trop chaud ni trop froid. Le matelas et les oreillers étaient rembourrés de duvet de pégase (aucun pégase n'avait souffert pour la fabrication de ces produits, lui avait assuré Léo), autant dire qu'ils étaient ultra-confortables. La lanterne de bronze pendue au plafond éclairait selon l'intensité voulue par Piper et, comme les côtés de la cabine étaient perforés, la nuit, Piper voyait des constellations stellaires s'étirer sur ses murs.

Elle avait tant de choses en tête qu'elle pensait ne jamais pouvoir s'endormir. Pourtant le roulis du bateau et le ronflement des rames aériennes labourant le ciel avaient quelque chose d'apaisant.

Ses paupières finirent par s'alourdir, et elle sombra dans le sommeil.

Quelques secondes plus tard – lui sembla-t-il –, la sonnerie du petit déjeuner retentit.

– Yo, Piper ! cria Léo en tambourinant sur sa porte. On se pose !

– On se pose ?

Elle se redressa, encore ensuquée.

Léo ouvrit la porte et passa la tête par l'embrasure. Il avait une main sur les yeux, attention qui aurait été délicate s'il n'avait pas écarté les doigts.

– T'es visible ?

– Léo !

– Désolé. (Il sourit.) Sympa, ton pyj' Power Rangers.

– C'est pas des Power Rangers, c'est des aigles cherokees !

– Ah ouais, bien sûr. Bref, on va se poser à quelques kilomètres de Topeka, comme demandé. Et, euh... (Il jeta un coup d'œil dans le couloir, puis ramena la tête dans la cabine.) Merci de pas me détester pour avoir bombardé les Romains hier.

Piper se frotta les yeux. Le banquet à la Nouvelle-Rome, c'était seulement la veille ?

– Y a pas de souci, Léo. T'étais pas maître de toi.

– Ouais, mais quand même... T'étais pas obligée de prendre ma défense.

– Tu rigoles ? Tu es comme le petit frère casse-pieds que j'ai jamais eu, bien sûr que je vais prendre ta défense.

– Ah, trop sympa.

Sur le pont, Gleeson Hedge cria : « Mille millions de mille sabords ! Kansas droit devant ! »

– Par Héphaïstos, grommela Léo, faudrait qu'il se calme, ce marin d'eau douce. Bon, je vais aller voir.

Le temps que Piper se douche, s'habille et attrape un bagel au mess, elle entendit le train d'atterrissage du navire se déployer. Elle grimpa sur le pont et rejoignit les autres au moment où l'*Argo II* se posait au milieu d'un champ de tournesols. Les rames se rétractèrent ; la passerelle s'abaissa.

L'air du matin sentait l'eau d'irrigation, les plantes tiédies par le soleil et l'engrais. L'odeur n'était pas désagréable. Elle rappelait à Piper la maison de Grand-Pa Tom à Tahlequah, dans l'Oklahoma, quand il vivait dans la réserve.

Percy fut le premier à la remarquer. Il lui sourit, ce qui, allez savoir pourquoi, étonna Piper. Il portait un jean délavé et un tee-shirt orange de la Colonie des Sang-Mêlé impeccable, comme s'il n'avait pas été séparé de ses camarades grecs un seul instant. Ses nouveaux vêtements avaient sans doute contribué à sa bonne humeur – en plus du fait, bien entendu, qu'il se tenait au bastingage, un bras autour de la taille d'Annabeth.

Cela fit plaisir à Piper de voir l'étincelle qui éclairait les yeux d'Annabeth, car elle n'avait jamais eu d'aussi bonne amie qu'elle. Annabeth s'était rongé les sangs pendant des mois, consacrant chaque instant à chercher Percy. À présent, si dangereuse que soit la quête qui les attendait, elle avait son amoureux à ses côtés.

– Alors ! (Annabeth prit le bagel des mains de Piper et y mordit à pleines dents, mais ça n'embêta pas Piper. C'était un gag habituel, entre elles deux, à la colonie, de se piquer leur petit déjeuner.) On est arrivés. C'est quoi, le plan ?

– Je voudrais faire un repérage sur l'autoroute, déclara Piper. Trouver le panneau « Topeka 32 miles ».

Léo fit pivoter sa manette Wii et les voiles s'abaissèrent.

– Elle ne devrait pas être loin, dit-il. Festus et moi avons calculé l'atterrissage le plus précisément possible. Qu'est-ce que tu penses trouver au panneau indicateur ?

Piper leur décrivit ce qu'elle avait vu sur la lame de son poignard : l'homme en violet, un verre à la main. Elle passa sous silence les autres images, notamment la vision d'elle, Percy et Jason en train de se noyer. Elle ne comprenait pas sa signification, de toute façon. En plus, tout le monde paraissait ragaillardi ce matin, pourquoi irait-elle saper le moral des troupes ?

– Une chemise violette ? demanda Jason. Des branches de vigne sur le bord de son chapeau ? On dirait Bacchus.

– Dionysos..., marmonna Percy. Ne me dites pas qu'on a fait tout ce chemin, qu'on est venus jusqu'au Kansas, pour rencontrer Monsieur D. ?

– Je ne déteste pas Bacchus, dit Jason. Ce sont ses adeptes qui posent problème...

Piper frissonna. Quelques mois plus tôt, avec Léo et Jason, ils avaient eu affaire aux ménades et elles avaient bien failli les tailler en pièces.

– Mais le dieu lui-même est réglo, poursuivit Jason. Je lui ai rendu service, une fois, dans la région des vignobles.

Percy avait l'air consterné.

– Je sais pas, mec, dit-il. Peut-être qu'il est mieux du côté romain. Mais qu'est-ce qu'il serait venu faire au Kansas ? Je croyais que Zeus avait ordonné aux dieux de renoncer à tout contact avec les mortels ?

Frank poussa un grognement. Le grand gaillard avait mis un survêtement bleu, comme s'il s'apprêtait à faire un jogging dans les tournesols.

– C'est un ordre auquel les dieux n'obéissent pas avec beaucoup de rigueur, fit-il remarquer. En plus, s'ils sont devenus schizophrènes, comme disait Hazel...

– Et comme disait Léo, ajouta Léo.

Frank le regarda en plissant le nez.

– Et puis qui sait ce qui se passe chez les Olympiens ? ajouta-t-il. Ça pourrait être risqué d'aller voir.

– Ouais, acquiesça Léo, ça me paraît dangereux. Ben amusez-vous bien, les gars. Moi il faut que je finisse de réparer la coque. M'sieur Hedge va s'occuper de l'arbalète cassée. Et, euh, Annabeth, j'aurais bien besoin de toi. Tu es la seule autre personne qui ait le début d'une idée de ce que c'est que l'ingénierie.

Annabeth regarda Percy d'un air désolé.

– Il a raison, dit-elle, je devrais rester l'aider.

– Je reviendrai. (Il l'embrassa sur la joue.) Je te promets.

Piper eut un pincement au cœur – ils étaient tellement à l'aise, ensemble, tellement naturels !

Jason était super, bien sûr. Mais il était distant, parfois. Comme la veille, quand il avait refusé de parler de cette vieille légende romaine. Et il avait souvent l'air de penser à son ancienne vie au Camp Jupiter. Piper se demanda si elle pourrait jamais franchir cette barrière.

Leur visite au Camp Jupiter et la rencontre avec Reyna n'avaient pas arrangé les choses. Ni le fait que ce matin-là, Jason avait choisi de mettre un tee-shirt pourpre – la couleur des Romains.

Frank retira son arc de son épaule et l'appuya contre le bastingage.

– Je crois que je vais me changer en corbeau et faire un survol, guetter les aigles romains.

– Pourquoi en corbeau, man ? demanda Léo. Si tu peux te changer en dragon, pourquoi tu le fais pas chaque fois ? C'est ce qu'il y a de plus cool.

Le visage de Frank vira au rouge betterave.

– C'est comme si je te demandais pourquoi tu soulèves pas ton poids maximal chaque fois que tu vas t'entraîner. Parce que c'est dur et que tu te ferais mal. C'est pas facile de se transformer en dragon.

– Ah, fit Léo en hochant la tête. Je sais pas, la muscu c'est pas mon truc.

– Ouais. Tu devrais peut-être envisager de t'y mettre, mec...

Hazel s'interposa entre les deux.

– Je vais t'aider, Frank, dit-elle, en décochant un coup d'œil noir à Léo. Je peux appeler Arion et faire le repérage au sol.

– D'accord, répondit Frank, qui fusillait toujours Léo du regard. Ouais, merci.

Piper se demanda ce qui se jouait entre ces trois-là. Que les garçons friment et se chambrent l'un l'autre devant Hazel, ça, elle comprenait. Mais on avait presque l'impression qu'il existait un lien particulier entre Hazel et Léo. Or, à sa connaissance, ils s'étaient rencontrés la veille seulement. Elle se demanda s'il était arrivé autre chose pendant leur expédition au Grand Lac Salé – une chose dont ils ne leur avaient pas parlé.

Hazel s'adressa alors à Percy.

– Faites attention, vous autres, dit-elle. Il y a beaucoup de champs par ici, beaucoup de cultures. Il pourrait y avoir des *karpoi* qui rôdent.

– Des *karpoi* ? demanda Piper.

– Des esprits des céréales, expliqua Hazel. Vous avez intérêt à les éviter, crois-moi.

Piper ne voyait pas en quoi un esprit des céréales pouvait être si redoutable, mais le ton d'Hazel la dissuada d'en demander davantage.

– Ça fait qu'on est trois pour chercher le panneau indicateur, déclara Percy. Je le sens pas trop, de revoir Monsieur D. Il est vraiment pénible. Mais, Jason, si toi tu t'entends mieux avec lui...

– Oui, dit Jason. Si on le trouve, je lui parlerai. Piper, c'est ta vision. Tu devrais prendre le commandement.

Piper frissonna. Elle s'était vue avec Jason et Percy dans un puits sombre, tous les trois en train de se noyer. Cela se passerait-il au Kansas ? Elle n'en avait pas l'intuition, mais elle ne pouvait avoir aucune certitude.

– Bien sûr, répondit-elle d'une voix qu'elle voulait pleine d'énergie. Commençons par trouver cette autoroute.

Léo avait dit qu'ils étaient près, mais sa conception de la proximité était à revoir.

Après avoir crapahuté environ un kilomètre à travers champs, en plein cagnard, dévorés par les moustiques et fouettés au visage par des tournesols rugueux, ils atteignirent enfin la route. Un vieux panneau publicitaire pour un restauroute leur apprit qu'ils étaient à quarante miles de la première sortie de Topeka.

– Si mes calculs sont bons, ça nous fait huit miles à marcher, dit Percy. Ou je me trompe ?

Jason regarda des deux côtés de la route déserte. Il avait meilleure mine grâce aux vertus curatives du nectar et de l'ambroisie. Il avait retrouvé son teint habituel et la cicatrice s'était presque effacée de son front. Le nouveau *gladius* qu'Héra lui avait donné pendant l'hiver pendait à sa taille. La plupart des garçons auraient l'air un peu gauches avec un fourreau sur leur jean, mais Jason le portait avec un naturel parfait.

– Pas de voitures, dit-il. Remarquez, l'auto-stop ne serait sans doute pas une bonne idée.

– Non, en convint Piper, qui jeta un regard inquiet sur le ruban de bitume. On a déjà passé trop de temps à voyager au sol. La terre est le territoire de Gaïa.

– Hum... (Jason claqua des doigts.) Je peux demander à un ami de nous emmener.

Percy haussa les sourcils.

– Ah ouais ? Moi aussi, je peux appeler un copain. Voyons lequel arrivera en premier.

Jason siffla. Piper savait ce qu'il faisait, mais il n'était parvenu à faire venir Tempête que trois fois depuis leur rencontre avec l'esprit de l'orage à la Maison du Loup, l'hiver précédent. Aujourd'hui, le ciel était d'un bleu si limpide que Piper voyait mal comment cela pourrait marcher.

Percy, quant à lui, se contenta de fermer les yeux et de se concentrer.

Piper ne l'avait pas examiné de près jusqu'à maintenant. Après en avoir tant entendu parler à la Colonie des Sang-Mêlé, Percy Jackson par-ci, Percy Jackson par-là, elle le trouvait... assez banal, en fait, surtout comparé à Jason. Il était plus mince, avec quelques centimètres en moins et des cheveux un peu plus longs et beaucoup plus foncés.

Ce n'était pas vraiment le type de Piper. Si elle l'avait croisé dans un centre commercial, elle l'aurait sans doute pris pour un skater – mignon dans le genre débraillé, un peu fou, faiseur d'embrouilles à coup sûr. Piper aurait gardé ses distances ; elle avait une vie suffisamment mouvementée comme ça. Mais elle voyait pourquoi il plaisait à Annabeth, et encore mieux pourquoi Percy avait besoin d'elle. S'il y avait une personne capable de cadrer un type comme lui, c'était Annabeth.

Un coup de tonnerre gronda dans le ciel limpide. Jason sourit.

– Il arrive, dit-il.

– Trop tard.

Percy pointa du doigt vers l'est, d'où approchait une spirale noire ailée. Piper pensa d'abord qu'il s'agissait de Frank sous la forme d'un corbeau, puis elle se rendit compte que la créature était bien trop grande pour un oiseau.

– Un pégase noir ? dit-elle. Je n'en ai jamais vu.

L'étalon ailé se posa. Il trotta vers Percy et frotta les naseaux au creux de son cou, puis tourna la tête vers Piper et Jason, l'œil curieux.

– Blackjack, dit Percy, je te présente Piper et Jason. Ce sont des amis.

Le cheval hennit.

– Plus tard, répondit Percy.

Piper savait qu'étant fils de Poséidon, le seigneur des chevaux, Percy pouvait leur parler, mais elle ne l'avait jamais entendu faire.

– Que veut Blackjack ? demanda-t-elle.

– Toujours la même chose. Des donuts, dit Percy. Il peut nous transporter tous les trois si...

Soudain, la température de l'air chuta. Piper sentit ses tympans lui faire mal. À une cinquantaine de mètres, un cyclone miniature – haut comme une maison – approchait en rasant les tournesols, comme dans *Le Magicien d'Oz*. Il arriva sur la route et se posa près de Jason en prenant la forme d'un cheval – un étalon de brume au corps sillonné d'éclairs.

– Tempête, dit Jason avec un immense sourire. Ça fait un bail, vieux.

Le cheval d'orage se cabra en hennissant. Blackjack recula avec méfiance.

– Tout doux, Black, c'est un ami, lui aussi, dit Percy, qui se tourna vers Jason et ajouta, visiblement impressionné : Belle monture, Grace.

Jason haussa les épaules.

– On a sympathisé pendant les combats à la Maison du Loup. C'est un esprit libre, mais il accepte de m'aider de temps en temps.

Percy et Jason montèrent chacun sur leur cheval, et Piper hésita. Elle avait toujours un peu craint Tempête... la perspective d'un grand galop sur le dos d'un étalon susceptible de se volatiliser d'une seconde à l'autre ne la tentait guère. Elle prit quand même la main que lui tendait Jason et grimpa.

Tempête partit en flèche le long de la route, tandis que Blackjack s'élevait au-dessus de leurs têtes. Ils ne croisèrent aucune voiture – heureusement, car ça aurait été le carambolage assuré. En un rien de temps, ils arrivèrent au panneau « TOPEKA 32 miles », qui correspondait exactement à la vision qu'en avait eue Piper.

Blackjack se posa. Les deux chevaux piaffèrent. Ils avaient l'air tous les deux mécontents d'avoir dû s'arrêter abruptement, alors qu'ils venaient de prendre leur rythme.

Blackjack hennit.

– Tu as raison, dit Percy. Aucun signe du Pochetron.

– Pardon ? lança une voix qui venait des champs.

Tempête se tourna si vite que Piper faillit tomber.

Les blés s'écartèrent, laissant passer l'homme de sa vision. Il portait un chapeau à large bord orné de branches de vigne, une chemisette pourpre, un short kaki et des Birkenstock avec des chaussettes blanches. Il semblait âgé d'une trentaine d'années et avait un début de bedaine, ce qui lui donnait un air d'étudiant attardé.

– Je rêve ou quelqu'un vient de m'appeler « le Pochetron » ? demanda-t-il d'une voix traînante. Appelez-moi Bacchus, s'il vous plaît. Ou Monsieur Bacchus. Ou bien Seigneur Bacchus. Ou bien encore, dans certaines occasions, Ô terrible et impitoyable Seigneur Bacchus.

Percy pressa Blackjack, qui avança à contrecœur.

– Vous avez changé, dit-il au dieu. Vous êtes plus mince et vous avez les cheveux plus longs. Et votre chemise est moins criarde.

Le dieu du Vin regarda Percy en plissant les yeux.

– Qu'est-ce que tu racontes ? Qui es-tu, et où elle est, Cérès ?

– Les CRS ?!

– Je crois qu'il parle de la déesse de l'Agriculture, intervint Jason. Cérès. Tu dois la connaître sous le nom de Déméter. (Il se tourna vers le dieu et inclina respectueusement la tête.) Seigneur Bacchus, vous souvenez-vous de moi ? Je vous ai aidé à Sonoma, vous vous rappelez, le léopard perdu ?

Bacchus gratta l'ombre de barbe qui hérissait son menton.

– Ah... oui. John Green.

– Jason Grace.

– Pareil, trancha le dieu. C'est Cérès qui t'envoie, alors ?

– Non, Seigneur Bacchus, dit Jason. Pensiez-vous la trouver ici ?

– Ben qu'est-ce tu crois, garçon, que je suis venu au Kansas pour faire la fête ? rétorqua le dieu. Cérès m'a convoqué pour un conseil de guerre. Avec Gaïa qui s'éveille, les récoltes flétrissent. Les sécheresses se multiplient. Les *karpoi* se révoltent. Même mes vignes sont menacées. Cérès voulait que nous formions un front uni dans la guerre des plantes.

– La guerre des plantes, reprit Percy. Vous comptez armer chaque grain de raisin d'un minuscule fusil d'assaut ?

Le dieu fronça les sourcils.

– On se connaît ?

– Oui, dit Percy. De la Colonie des Sang-Mêlé. Pour moi, vous êtes Monsieur D. – Dionysos.

– Argh !!

Bacchus porta vivement les mains aux tempes. Un bref instant, son image vacilla. Piper aperçut un personnage différent : court sur pattes et plus enrobé, affublé d'une abominable chemise à imprimé léopard. Et puis Bacchus redevint Bacchus.

– Arrête ! ordonna-t-il. Arrête de penser à moi en grec !

Percy battit des paupières, surpris.

– Mais, euh...

– Tu as une idée de l'effort que ça demande de rester concentré ? Ça me donne des migraines horribles ! Je m'emmêle tout le temps les pinceaux ! Je suis tout le temps de mauvaise humeur !

– Ça ressemble à votre état normal, commenta Percy.

Les narines du dieu tremblèrent et une des feuilles de vigne de son chapeau s'enflamma.

– Si on se connaissait à la colonie des Grecs, dit-il, ça m'étonne que je ne t'aie pas déjà changé en dauphin.

– Il en a été question, le rassura Percy. Mais je crois que vous avez eu la flemme.

Piper suivait la scène avec effroi et fascination, comme elle aurait regardé un accident de voiture. Elle se rendait compte que Percy ne faisait rien pour arranger les choses, bien au contraire, et Annabeth n'était pas là pour le cadrer. Jamais, pensa-t-elle, son amie ne le lui pardonnerait si elle lui ramenait Percy transformé en mammifère marin.

Elle sauta à terre.

– Seigneur Bacchus ! s'écria-t-elle.

– Piper, fais attention, murmura Jason.

Elle lui lança un regard qui disait : « T'inquiète, je contrôle. »

– Excusez-moi de vous déranger, Seigneur, ajouta-t-elle en s'adressant au dieu, mais en fait nous sommes venus solliciter vos conseils. S'il vous plaît, faites-nous profiter de votre sagesse.

Elle avait adopté son ton de voix le plus agréable, empreint de respect.

Le dieu fronça les sourcils, mais l'étincelle rouge disparut de son regard.

– Tu t'exprimes bien, fillette, marmonna-t-il. Des conseils, hein ? Très bien. À votre place j'éviterais le karaoké. D'ailleurs les soirées à thème, c'est fini. Aujourd'hui, en ces temps de crise, les gens ont envie de réunions simples, sans prétention, avec des tapas bio, à base de produits locaux, et...

– Je ne parlais pas de fêtes, l'interrompit Piper. Même si ce sont là de précieux conseils, Seigneur Bacchus. Nous espérions que vous nous aideriez dans notre quête.

Elle lui parla alors de l'*Argo II* et du voyage qu'ils avaient entrepris pour empêcher les géants d'éveiller Gaïa. Elle lui répéta la prédiction de Némésis selon laquelle d'ici à six jours, Rome serait détruite. Et elle acheva par la vision qu'elle avait eue sur la lame de son poignard, dans laquelle Bacchus lui tendait un hanap d'argent.

– Un hanap ? reprit le dieu d'un ton dubitatif.

Il saisit au vol une cannette de Pepsi light qui s'était matérialisée dans l'air et l'ouvrit.

– Vous buvez du Coca light, d'habitude, dit Percy.

– Je sais pas ce que tu racontes, rétorqua sèchement Bacchus. Quant à ta vision d'une coupe en argent, jeune fille, je n'ai rien d'autre à t'offrir qu'un Pepsi. Les ordres de Jupiter sont très stricts ; je n'ai pas le droit de donner du vin à des mineurs. C'est nul mais c'est comme ça. Pour les géants, je les connais bien. Je me suis battu pendant la première Guerre des géants, tu sais.

– Vous savez vous battre ? demanda Percy.

Intérieurement, Piper ragea contre Percy et son incrédulité insultante.

Bacchus poussa un grognement. Son Pepsi light se transforma en un bâton d'un mètre cinquante entrelacé de lierre et coiffé d'une pomme de pin.

– Un thyrse ! s'exclama Piper, espérant détourner l'attention du dieu avant qu'il n'assomme Percy. (Elle avait eu l'occasion de voir des nymphes en délire manier des thyrses et n'avait aucun plaisir à en revoir un, mais elle s'appliqua à paraître enthousiaste.) Quelle arme redoutable !

– Absolument, acquiesça Bacchus. Je suis content de voir qu'il y a au moins un esprit brillant dans votre groupe. La pomme de pin est un outil de destruction phénoménal ! Moi-même, j'étais demi-dieu au moment de la première Guerre des géants. Fils de Jupiter !

Jason grimaça. Sans doute n'était-il pas ravi de s'entendre rappeler que le Pochetron était, techniquement, son frère aîné.

Bacchus fit tournoyer son bâton, et sa bedaine faillit le déséquilibrer.

– Bien sûr, c'était longtemps avant que j'invente le vin et que je devienne immortel. Je me suis battu aux côtés des dieux, avec un autre demi-dieu... Harry Cleese, je crois.

– Héraclès ? demanda poliment Piper.

– Ouais, si tu veux. Toujours est-il que j'ai tué le géant Éphialtès et son frère Otos. Quelle paire de butors, ces deux-là. Ça a été vite réglé, une pomme de pin en pleine poire !

Piper retint son souffle. Les idées se bousculaient dans sa tête : les visions sur son poignard, les vers de la prophétie dont ils avaient discuté la veille. Elle eut la même sensation que lorsqu'elle faisait de la plongée avec son père et qu'il lui essuyait son masque sous l'eau. Soudain, tout devenait plus clair.

– Seigneur Bacchus, dit-elle en s'efforçant de calmer sa voix. Ces deux géants, Éphialtès et Otos, étaient-ils jumeaux par hasard ?

– Hein ? (Le dieu, tout occupé à manier son thyrse, hocha distraitement la tête.) Oui, c'est ça. Des jumeaux.

Piper se tourna vers Jason. Elle vit qu'il suivait le cheminement de ses pensées : *Des jumeaux mouchent le souffle de l'ange.*

Sur la lame de Katoptris, elle avait vu deux géants en toge jaune hisser une amphore d'une fosse profonde.

– C'est la raison de notre présence ici, dit Piper au dieu. Vous faites partie de notre quête.

– Désolé, fillette, rétorqua Bacchus en fronçant les sourcils. Je ne suis plus demi-dieu. Les quêtes, c'est fini pour moi.

– Mais le seul moyen de tuer les géants, insista-t-elle, c'est si les héros et les dieux y travaillent ensemble. Vous êtes un dieu maintenant, et les deux géants que nous devons combattre sont Otos et Éphialtès. Je crois... je crois qu'ils nous attendent à Rome. Ils vont détruire la ville, d'une manière ou d'une autre. Cette coupe en argent dont j'ai eu la vision représente peut-être votre aide. Vous devez nous aider à tuer les géants !

Bacchus la gratifia d'un regard assassin et Piper se rendit compte qu'elle avait eu un choix de vocabulaire malheureux.

– Je ne dois rien du tout, fillette, dit-il froidement. De plus, je n'aide que ceux qui me paient un tribut digne de moi, ce que personne n'a fait depuis des siècles et des siècles.

Blackjack poussa un hennissement craintif.

Piper le comprenait. Cette idée d'honorer Bacchus ne lui disait rien qui vaille. Elle se souvenait des ménades, les accompagnatrices exaltées de Bacchus, qui déchiraient les non-croyants à mains nues. Et ça, c'était quand elles étaient de bonne humeur.

Percy prononça la question qu'elle avait trop peur de poser.

– Quel tribut doit-on vous payer ?

Bacchus eut un geste dédaigneux de la main.

– Pff ! C'est au-delà de tes capacités, petit Grec insolent. Mais puisque la jeune fille a un semblant de bonnes manières, je vais vous donner quelques conseils gratuits. Partez à la recherche d'un fils de Gaïa nommé Phorcys. Il a toujours détesté sa mère, et je le comprends. Il n'a jamais eu de passion pour ses frères jumeaux non plus. Vous le trouverez dans la ville qui porte le nom de cette héroïne, là... Atalanta.

Piper hésita.

– Vous voulez dire Atlanta ?

– C'est ça.

– Et ce Phorcys, intervint Jason, est-ce un géant ? Un Titan ?

Bacchus rit et répondit :

– Ni l'un ni l'autre. Cherchez l'eau de mer.

– L'eau de mer ? s'étonna Percy. À Atlanta ?

– Oui, dit Bacchus. Tu es dur de la feuille ? S'il y a quelqu'un qui peut vous parler de Gaïa et des jumeaux, c'est Phorcys. Seulement faites attention.

– Que voulez-vous dire ? demanda Jason.

Le dieu jeta un coup d'œil vers le soleil, qui avait grimpé presque au zénith.

– Ce n'est pas le genre de Cérès d'être en retard, dit-il. À moins qu'elle n'ait pressenti un danger dans cette zone. Ou...

Le visage du dieu s'affaissa d'un coup.

– Ou que ce soit un piège. Bon, je file ! Et à votre place, j'en ferais autant !

– Seigneur Bacchus, protesta Jason, attendez !

Le dieu scintilla et disparut avec un *pschuitt* de cannette de soda qu'on ouvre.

Le vent bruissa dans les tournesols. Les chevaux piaffèrent. Malgré la chaleur et la sécheresse, Piper frissonna. Une sensation de froid... Annabeth et Léo avaient évoqué tous les deux une sensation de froid...

– Bacchus a raison, déclara-t-elle, il faut qu'on parte.

Trop tard, dit une voix somnolente qui bourdonnait dans les champs et résonnait dans le sol, aux pieds de Piper.

Percy et Jason dégainèrent tous deux leurs épées. Piper, debout sur la chaussée entre les deux garçons, était pétrifiée par la peur. En un instant, le pouvoir de Gaïa avait tout envahi. Les tournesols pivotèrent la tête pour les regarder, tandis que les blés s'inclinaient comme autant de faucilles.

Bienvenue à ma fête, murmura Gaïa. Sa voix ramena à la mémoire de Piper le bruit si caractéristique du maïs qui pousse, qu'elle entendait chez Grand-Pa Tom pendant les nuits calmes de l'Oklahoma : un crépitement insistant, chaud et chuintant.

Qu'a dit Bacchus ? railla la déesse. *Une réunion simple, sans prétention, avec des tapas bio ? C'est ça. Je me contenterai de deux tapas, le sang d'une demi-déesse et le sang d'un demi-dieu. Piper, chérie, choisis le héros qui va mourir avec toi.*

– Gaïa ! hurla Jason. Arrêtez de vous cacher dans les blés. Montrez-vous.

Quel panache ! persifla Gaïa. *Mais l'autre, ce Percy Jackson, ne manque pas d'attrait non plus. Choisis, Piper McLean, ou je choisirai pour toi.*

Le cœur de Piper s'emballa. Gaïa voulait la tuer ; cela n'avait rien d'étonnant. Mais où voulait-elle en venir en lui demandant de choisir un des garçons ? Pourquoi Gaïa en épargnerait-elle un des deux ? C'était forcément un piège.

– Vous êtes folle ! cria-t-elle. Je ne choisirai rien pour vous !

Brusquement, Jason hoqueta et redressa le dos.

– Jason, appela Piper, qu'est-ce qui se passe ?

Il baissa vers elle des yeux d'un calme mortel. Des yeux qui n'étaient plus bleus, mais entièrement dorés.

– Percy, au secours ! s'écria Piper, qui recula en titubant.

Mais Percy s'éloignait au galop. Il s'arrêta au bout d'une dizaine de mètres et fit faire volte-face à son pégase. Puis il dégaina son épée et tendit la pointe dans la direction de Jason.

– *L'un des deux va mourir*, dit Percy d'une voix qui n'était plus la sienne, caverneuse et grave comme s'il chuchotait à l'intérieur d'un canon.

– *C'est moi qui choisirai*, rétorqua Jason de la même voix caverneuse.

– Non ! hurla Piper.

Tout autour d'elle, les champs bruissèrent et crépitèrent sous le rire de Gaïa, tandis que Percy et Jason s'élançaient l'un vers l'autre, l'épée à la main.

11 Piper

Sans les chevaux, Piper serait morte.

Jason et Percy chargeaient, mais Blackjack et Tempête résistèrent assez longtemps pour permettre à la jeune fille de s'ôter de leur chemin d'un bond.

Elle roula sur le bas-côté et se retourna pour regarder, horrifiée, les garçons croiser l'épée, or contre bronze. Des étincelles fusaient. Les lames se confondaient, d'attaque en parade, et le sol tremblait. Le premier échange ne dura qu'une seconde et Piper fut sidérée par la rapidité de leur jeu d'épée. Les chevaux s'écartèrent – Tempête en tapant des sabots en signe de protestation, Blackjack en battant des ailes.

– Arrêtez ! hurla Piper.

Un bref instant, Jason l'écouta et tourna vers elle ses yeux dorés. Alors Percy chargea et allongea une botte. Mais, volontairement ou non, il avait tourné son épée de manière à frapper Jason du plat de la lame, un impact en pleine poitrine et suffisamment fort pour le jeter à bas de sa monture.

Blackjack s'éloigna en trottant et Tempête se cabra, dérouté. Puis l'esprit-cheval fonça dans les tournesols et se volatilisa.

Percy avait le plus grand mal à faire tourner son pégase.

– Percy ! lui lança Piper. Lâche ton arme. Jason est ton ami !

L'épée de Percy piqua vers le sol. Piper aurait sans doute pu le ramener à la raison, malheureusement Jason se releva.

Le fils de Jupiter poussa un rugissement. Un éclair jaillit du ciel bleu, s'abattit sur la lame de son *gladius*, ricocha et foudroya Percy, qui tomba de selle.

Blackjack s'enfuit dans les champs de blé en hennissant. Jason chargea vers Percy qui gisait sur le dos, les vêtements fumants.

Piper resta un horrible instant paralysée. Elle avait l'impression que Gaïa lui chuchotait à l'oreille : *Tu dois en choisir un. Pourquoi ne pas laisser Jason le tuer ?*

– Non ! hurla-t-elle alors. Jason, arrête !

Il s'immobilisa, la pointe de son épée à quinze centimètres du visage de Percy.

Jason se tourna. La lueur dorée de son regard vacilla.

– *Je ne peux pas m'arrêter. L'un d'eux doit mourir.*

Cette voix... ce n'était pas celle de Gaïa. Ce n'était pas celle de Jason non plus. Qui qu'elle soit, la personne qui parlait s'exprimait avec hésitation, comme dans une langue qui lui était étrangère.

– Qui es-tu ? demanda Piper.

La bouche de Jason se tordit en un sourire hideux.

– *Nous sommes les eidolons. Nous revivrons.*

« Eidolons ? » Piper fouilla sa mémoire à toute vitesse. Elle avait étudié toutes sortes de monstres à la Colonie des Sang-Mêlé, pourtant ce terme-là ne lui disait rien.

– Tu es une sorte de fantôme ? insista-t-elle.

– *Il doit mourir.*

Jason reporta son attention sur Percy, mais ce dernier avait récupéré plus de forces que les deux autres ne le croyaient. Il balaya le sol d'un mouvement de jambe et faucha Jason.

La tête de Jason percuta l'asphalte avec un horrible bruit mat.

Percy se leva.

– Arrête ! hurla de nouveau Piper, mais il n'y avait aucun enjôlement dans sa voix – c'était un pur cri de désespoir.

Déjà, Percy levait Turbulence au-dessus de la poitrine de Jason.

La panique prenait Piper à la gorge. Elle voulait attaquer Percy avec son poignard, mais se rendait bien compte que ça ne servirait à rien. La créature qui contrôlait Percy disposait aussi de toute son habileté au combat ; Piper était incapable de l'emporter sur lui.

Elle fit un violent effort de concentration et déversa toute sa colère dans sa voix.

– Eidolon, arrête.

Percy suspendit son geste.

– Regarde-moi, ordonna Piper.

Le fils du dieu de la Mer tourna la tête. Ses yeux n'étaient plus verts mais dorés et son visage était devenu si blême et cruel qu'on ne reconnaissait pas Percy.

– *Tu n'as pas choisi*, dit-il. *Alors celui-ci va mourir.*

– Tu es un esprit des Enfers, devina Piper. Tu as pris possession de Percy Jackson. C'est ça ?

Percy ricana.

– *Je revivrai dans ce corps. Notre mère la Terre me l'a promis. J'irai où je veux, je contrôlerai qui je veux.*

Une vague de froid balaya Piper.

– Léo... C'est ce qui est arrivé à Léo. Il était sous l'emprise d'un eidolon.

La créature qui logeait dans le corps de Percy eut un rire dépourvu d'humour.

– *Tu le comprends trop tard. Tu ne peux faire confiance à personne.*

Jason ne bougeait toujours pas. Piper était seule et n'avait aucun moyen de le protéger.

Alors, derrière Percy, un bruissement agita les blés. Piper aperçut le bout d'une aile noire et Percy voulut se retourner vers la source du son.

– Ne t'occupe pas de ça ! s'écria-t-elle. Regarde-moi.

Percy obéit.

– *Tu ne peux pas m'arrêter. Je vais tuer Jason Grace.*

Derrière lui, Blackjack émergea du champ de blé. Il se mouvait avec une discrétion étonnante pour sa taille.

– Tu ne vas pas le tuer, ordonna Piper. (Mais ce n'était pas Percy qu'elle regardait. Elle fixa le pégase et concentra tout son pouvoir dans ses paroles, en espérant que Blackjack comprendrait.) Tu vas l'assommer.

L'enjôlement agissait sur Percy. Il piétina sur place avec indécision.

– *Je... je vais l'assommer ?*

– Ah, excuse-moi. (Piper sourit.) Je ne te parlais pas.

Blackjack se cabra et abattit un sabot sur la tête de Percy, qui s'effondra sur la chaussée, à côté de Jason.

– Par les dieux ! (Piper courut auprès des deux garçons.) Tu ne l'as pas tué, Blackjack, dis-moi ?

Le pégase renâcla. Piper ne parlait pas le cheval, mais elle supposa qu'il disait quelque chose comme : « Je t'en prie. Je connais ma force. »

Tempête avait bel et bien disparu. L'étalon de foudre avait dû repartir là où vivent les esprits d'orage par beau temps.

Piper se pencha sur Jason. Il avait le souffle régulier, mais deux coups sur le crâne en deux jours ne pouvaient pas lui avoir fait du bien. Puis elle examina la tête de Percy. Elle ne vit pas de sang, seulement une grosse bosse qui se formait là où s'était abattu le sabot du pégase.

– Il faut qu'on les ramène tous les deux au navire, dit-elle à Blackjack.

Le cheval ailé opina des naseaux. Il s'agenouilla au sol pour permettre à Piper de hisser Percy et Jason sur son dos.

À grand-peine (deux garçons inconscients, ça pesait un âne mort), elle parvint à les installer en travers de la selle de façon relativement stable, puis elle monta à son tour et Blackjack prit son envol, direction l'*Argo II*.

Les autres furent assez surpris de voir Piper rentrer à dos de pégase avec deux demi-dieux inconscients. Pendant que Frank et Hazel s'occupaient de Blackjack, Annabeth et Léo emmenèrent Piper et les garçons à l'infirmerie.

– À ce rythme-là, bougonna Hedge en soignant leurs blessures, on va vite manquer d'ambroisie. Pourquoi moi on ne m'invite jamais, quand il y a de la castagne ?

Piper s'assit au chevet de Jason. Elle se sentait mieux, après une gorgée de nectar et un verre d'eau, mais elle se faisait encore du souci pour les garçons.

– Léo, demanda-t-elle, sommes-nous prêts à partir ?

– Ouais, mais...

– Mets le cap sur Atlanta. Je t'expliquerai plus tard.

– Mais... Entendu.

Léo partit d'un pas rapide. Annabeth non plus ne discuta pas avec Piper. Elle était trop occupée à examiner la boursouflure en forme de fer à cheval, à l'arrière de la tête de Percy.

– Qu'est-ce qu'il a reçu ? demanda-t-elle.

– Un sabot de Blackjack, répondit Piper.

– Sérieux ?!

Piper s'efforça d'expliquer ce qui s'était passé, pendant qu'Hedge appliquait de la pommade sur la tête des deux garçons. Jusque-là, Piper n'avait jamais été impressionnée par les talents de guérisseur de leur entraîneur, mais soit il avait fait des progrès, soit les esprits qui avaient pris possession des garçons avaient accru leur résistance : tous deux ouvrirent les yeux en grommelant.

Au bout de quelques minutes, Jason et Percy étaient assis sur les lits de l'infirmerie et capables de former des phrases entières. Chacun avait un souvenir flou de ce qui s'était passé. Lorsque Piper raconta leur duel sur l'autoroute, Jason grimaça.

– Je me fais assommer deux fois en deux jours, marmonna-t-il. Trop de la balle, le demi-dieu. (Il adressa un regard penaud à Percy.) Désolé, mec. Je voulais pas te foudroyer.

Le tee-shirt de Percy était criblé de brûlures et ses cheveux plus ébouriffés que jamais, mais il parvint à pousser un petit rire.

– T'inquiète, dit-il, c'est pas la première fois. Ta grande sœur m'a bien roussi, à la colonie, une fois.

– Ouais mais... j'aurais pu te tuer.

– Moi aussi, j'aurais pu te tuer, rétorqua Percy.

Jason haussa les épaules.

– S'il y avait eu un océan au Kansas, peut-être.

– J'ai pas besoin d'un océan...

– Les garçons, intervint Piper. Je suis certaine que vous vous seriez entretués avec beaucoup de maestria, mais pour le moment, vous devez vous reposer.

– Manger, d'abord, réclama Percy. S'il vous plaît. Et il faut qu'on parle. Bacchus a dit des trucs qui...

– Bacchus ? (Annabeth leva la main.) OK, d'accord. Il faut qu'on parle. Réunion au mess dans dix minutes. Je vais prévenir les autres. Et Percy... sois sympa, change-toi. Tu as l'air de t'être fait piétiner par un cheval électrique.

Léo confia de nouveau le gouvernail à Hedge, après lui avoir fait promettre de ne pas les emmener à la base militaire la plus proche juste « histoire de s'en payer une tranche ».

Tous se rassemblèrent autour de la table et Piper raconta ce qui s'était passé au panneau « TOPEKA 32 miles », depuis la conversation avec Bacchus jusqu'au piège tendu par Gaïa, sans oublier les eidolons qui avaient pris possession des garçons.

– Les gars ! s'écria Hazel, qui asséna si violemment la main sur la table que Frank, surpris, faillit en lâcher son burrito. C'est exactement ce qui est arrivé à Léo !

– Alors, c'était pas ma faute, jubila Léo. Je n'ai pas déclenché la Troisième Guerre mondiale. Je me suis juste fait posséder par un esprit maléfique. Quel soulagement !

– Mais les Romains ne le savent pas, objecta Annabeth. En plus, pourquoi nous croiraient-ils sur parole ?

– On pourrait contacter Reyna, suggéra Jason. Elle nous croirait.

En entendant Jason prononcer le prénom de la préteur comme si elle était la bouée de secours qui le reliait à son passé, Piper eut un coup de mou.

Là-dessus, Jason se tourna vers elle, une lueur d'espoir dans les yeux.

– Tu saurais la convaincre, Pip's. J'en suis sûr.

Piper sentit tout son sang affluer dans ses pieds. Annabeth lui adressa un regard compréhensif, l'air de dire : « Les garçons sont complètement à côté de la plaque. » Même Hazel tiqua.

– Je pourrais essayer, dit-elle à contrecœur. Mais notre vrai souci, c'est Octave. Sur la lame de mon poignard, je l'ai vu prendre le contrôle de la foule de Rome, et je ne suis pas sûre que Reyna puisse lui faire barrage.

Jason s'assombrit. Piper ne prenait aucun plaisir à briser ses illusions, mais les deux autres Romains, Hazel et Frank, hochèrent la tête.

– Elle a raison, dit Frank. Cette après-midi, quand nous sommes partis en repérage, nous avons vu de nouveau des aigles. Ils étaient encore loin, mais ils gagnent du terrain. Octave est sur le sentier de la guerre.

Hazel fit une grimace et enchaîna :

– C'est juste l'occasion qu'Octave attend depuis toujours. Il va essayer de prendre le pouvoir. Si Reyna s'y oppose, il dira qu'elle n'est pas assez ferme avec les Grecs. Quant à ces aigles, c'est trop bizarre... à croire qu'ils sentent notre odeur !

– En fait oui, dit Jason. Les aigles romains peuvent chasser les demi-dieux en détectant leur odeur magique, encore mieux que les monstres. Ce navire nous permet de voyager incognito, mais en partie seulement. Pas pour eux.

Léo tambourina la table du bout des doigts.

– Super. J'aurais dû installer un écran de fumée qui donne au navire l'odeur d'un chicken nugget géant. Rappelez-moi d'inventer ça, la prochaine fois.

Hazel fronça les sourcils.

– C'est quoi, un chicken nugget ?

– Je rêve ! (Léo secoua la tête, stupéfait.) C'est vrai, j'oubliais que tu as loupé les soixante-dix dernières années. Eh ben sache, mon apprentie, qu'un chicken nugget...

– On s'en fiche, intervint Annabeth. Ce qu'il y a, c'est qu'on va avoir du mal à expliquer la vérité aux Romains. Et même s'ils nous croient...

– Tu as raison. (Jason se pencha en avant.) On a intérêt à poursuivre notre route. Une fois qu'on aura franchi l'Atlantique, on n'aura plus rien à craindre. Enfin, de la légion, je veux dire.

Jason avait dit cela d'un ton si triste que Piper hésitait entre avoir de la peine pour lui et lui en vouloir.

– Comment peux-tu en être aussi sûr ? demanda-t-elle. Qu'est-ce qui les empêcherait de nous suivre ?

Il secoua la tête.

– Tu as entendu Reyna parler des terres anciennes, elles sont beaucoup trop dangereuses. Ça fait des générations qu'il est interdit aux demi-dieux romains d'y aller. Même Octave ne pourrait pas contourner cette règle.

Frank avala une bouchée de burrito qui lui parut s'être changée en bout de carton dans sa bouche.

– Alors, fit-il, si nous on y va...

– On sera considérés comme des traîtres doublés de hors-la-loi, confirma Jason. Les demi-dieux romains auront tous le droit de nous tuer sans sommation. Mais je ne m'inquiéterais pas pour ça. Si on traverse l'Atlantique, ils renonceront à nous poursuivre. Ils penseront qu'on mourra tous dans la Méditerranée – la Mare Nostrum.

Percy pointa sa part de pizza dans la direction de Jason.

– T'es un joyeux luron, toi, dit-il.

Jason ne discuta pas. Les autres demi-dieux baissèrent les yeux sur leurs assiettes, l'appétit coupé, sauf Percy qui semblait toujours savourer sa pizza. Piper se demanda où il mettait toute cette nourriture ; ce gars mangeait comme un satyre.

– Ben on va faire un plan et tâcher de pas mourir, suggéra Percy. Monsieur D. – Bacchus – euh, est-ce qu'il faut l'appeler Monsieur B., maintenant ? Bref, il a parlé des jumeaux de la prophétie d'Ella. Deux géants. Otos et un autre, avec un nom en F... ?

– Éphialtès, dit Jason.

– Des géants jumeaux, comme ceux que Piper a vus sur son poignard... (Annabeth passa le doigt sur le tour de sa tasse.) Je me souviens d'une histoire de deux géants. Ils avaient essayé d'atteindre le mont Olympe en empilant des montagnes.

Frank faillit s'étrangler.

– Il nous manquait plus que ça, s'exclama-t-il, des géants qui jouent aux cubes avec les montagnes ! Et tu dis que Bacchus les a tués avec une pomme de pin montée sur une baguette ?

– C'est à peu près ça, confirma Percy. Mais je crois qu'on ne devrait pas compter sur son aide, cette fois-ci. Il exigeait un tribut tout en disant bien clairement que c'était au-delà de nos capacités.

Le silence retomba sur l'assemblée. Piper entendit Gleeson Hedge, sur le pont, chantonner *Santiano* – sauf que comme il ne connaissait pas les paroles, ça donnait surtout « didadi dadadi dadada... hisse et ho ! ».

Piper ne pouvait se défaire de l'impression que le destin voulait que Bacchus les aide. Les jumeaux géants étaient à Rome. Ils gardaient quelque chose dont les demi-dieux avaient besoin – le contenu de cette amphore de bronze. Elle n'avait aucune idée de ce que ça pouvait être, mais son intuition lui disait que c'était ce qui permettrait de sceller les Portes de la Mort – *la clé de la mort sans fin*. Elle avait aussi la certitude qu'ils ne pourraient jamais vaincre les géants sans l'aide de Bacchus. Or s'ils n'y parvenaient pas dans les cinq jours à venir, Rome serait détruite et Nico, le frère d'Hazel, périrait.

Cela étant, si la vision de Bacchus lui tendant un hanap n'avait aucune valeur prophétique, peut-être que les autres non plus ne se réaliseraient pas – notamment celle où elle se noyait avec Percy et Jason. Peut-être que tout cela était symbolique.

« Le sang d'une demi-déesse et le sang d'un demi-dieu », avait dit Gaïa. « Piper, chérie, choisis le héros qui va mourir avec toi. »

– Elle veut deux d'entre nous, murmura Piper.

Toutes les têtes se tournèrent vers elle.

Piper détestait être le centre d'attention. Cela pouvait sembler étonnant pour une enfant d'Aphrodite, mais depuis des années, elle voyait son père, la star de cinéma, aux prises avec la célébrité. Elle se souvenait du soir, au feu de camp, où Aphrodite l'avait revendiquée comme sa fille devant la colonie tout entière, en la relookant par magie en véritable reine de beauté. Jamais, de sa vie, elle n'avait été aussi gênée qu'à ce moment-là. Et même à présent, entourée de six demi-dieux seulement, elle se sentait exposée.

C'est bon, se dit-elle, *ce sont mes amis.*

Pourtant elle avait l'étrange impression d'être observée par plus de six paires d'yeux.

– Aujourd'hui, sur l'autoroute, reprit-elle, Gaïa m'a dit qu'elle avait besoin du sang de deux demi-dieux seulement, d'une fille et d'un garçon. Elle m'a demandé de choisir quel garçon allait mourir.

Jason serra fort la main de Piper dans la sienne.

– Mais aucun de nous deux n'est mort, dit-il. Tu nous as sauvés.

– Je sais. Seulement... pourquoi voulait-elle ça ?

Léo émit un petit sifflement.

Les gars, vous vous souvenez de notre princesse des glaces chérie, à la Maison du Loup ? Chioné ? Elle avait parlé de répandre le sang de Jason pour souiller les lieux sur plusieurs générations. Peut-être que le sang de demi-dieu a un pouvoir particulier.

– Ah...

Percy reposa sa troisième part de pizza dans son assiette, se renfonça dans son siège et regarda dans le vide, comme si le coup de sabot qu'il avait reçu faisait effet avec un temps de retard.

– Percy ? demanda Annabeth en lui attrapant le bras.

– Oh, c'est mauvais, marmonna-t-il. Mauvais, mauvais. (Il regarda Hazel et Frank, de l'autre côté de la table.) Dites, vous vous souvenez de Polybotès ?

– Le géant qui avait envahi le Camp Jupiter, répondit Hazel. L'anti-Poséidon à qui tu as asséné une statue de Terminus sur la tête. Oui, je crois que je m'en souviens.

– Pendant qu'on faisait route vers l'Alaska, raconta Percy, j'ai rêvé de Polybotès. Il parlait aux gorgones et il leur disait... il disait qu'elles devaient me capturer, mais sans me tuer. Il disait : « Je le veux enchaîné à mes pieds, celui-là, pour le tuer au moment voulu. Son sang rincera les pierres du mont Olympe et éveillera la Terre Nourricière ! »

Piper se demanda si le chauffage de la pièce était déréglé, car, soudain, elle ne pouvait s'empêcher de trembler. C'était la même sensation de froid que sur l'autoroute, aux abords de Topeka.

– Tu penses que les géants se serviraient de notre sang... du sang de deux d'entre nous...

– Je ne sais pas, l'interrompit Percy. Mais tant qu'on n'aura pas compris ce que ça veut dire, je propose qu'on essaie tous de ne pas se faire capturer.

– D'accord là-dessus, bougonna Jason.

– Mais comment on va déchiffrer tout ça ? demanda Hazel. La Marque d'Athéna, les jumeaux, la prophétie d'Ella... où est le lien ?

– Piper, dit alors Annabeth, appuyant les mains contre le bord de la table, tu as dit à Léo de mettre le cap sur Atlanta.

– Exact. Bacchus nous a conseillé de chercher... Comment s'appelle-t-il, déjà ?

– Phorcys, dit Percy.

Annabeth parut surprise, comme s'il était rare que son petit ami ait les réponses.

– Tu le connais ? lui demanda-t-elle.

Percy haussa les épaules.

– J'ai pas reconnu son nom tout de suite, dit-il. Et puis Bacchus a parlé d'eau de mer, et ça a fait tilt. Phorcys est une vieille divinité de la Mer d'avant l'ère de mon père. Je ne l'ai jamais rencontré, mais il est censé être un fils de Gaïa. Je ne vois toujours pas ce que ferait un dieu de la Mer à Atlanta.

– Que fait un dieu du Vin dans le Kansas ? rétorqua Léo. Les dieux sont bizarres. En tout cas, on devrait arriver à Atlanta d'ici demain midi, sauf s'il y a *encore* un problème.

– Parle pas de ça, marmonna Annabeth. Il est tard. On a tous besoin de dormir.

– Attendez, dit Piper.

Une fois de plus, tout le monde la regarda.

Elle sentit son courage l'abandonner, le doute l'envahir, mais se força à parler.

– Il reste une chose à régler, dit-elle. Les eidolons – les esprits possesseurs. Ils sont encore là, dans cette pièce.

12 PIPER

Piper aurait été incapable de dire comment elle le savait. Les histoires de fantômes et d'âmes suppliciées lui avaient toujours donné la chair de poule. Son père prenait à la légère les légendes cherokees de Grand-Pa Tom du temps où ils vivaient à la réserve, et il aimait plaisanter quand il les racontait à Piper, dans leur grande maison de Malibu, avec vue sur la plage et le Pacifique, mais Piper en était toujours troublée, et elles lui restaient dans la tête.

Les esprits cherokees étaient agités. Ils se perdaient souvent en route, quand ils partaient pour le Pays des Morts, ou bien s'attardaient parmi les vivants par pur entêtement. Ils refusaient parfois de se rendre compte qu'ils étaient morts.

Plus elle en apprenait sur sa condition de demi-dieu, plus Piper voyait de points communs entre les légendes cherokees et les mythes grecs. Ces eidolons se comportaient comme les esprits des histoires de son père.

Piper savait, d'instinct, qu'ils étaient encore là – tout simplement parce que personne ne leur avait dit de partir.

Quand elle se tut, les autres la regardèrent avec perplexité. Sur le pont, Hedge chantonnait une version customisée de *C'est nous les gars de la Marine*, et Blackjack piaffait et hennissait en signe de protestation.

Finalement, Hazel poussa un gros soupir.

– Piper a raison, dit-elle.

– Comment peux-tu en être si sûre ? lui demanda Annabeth.

– J'ai déjà rencontré des eidolons. Aux Enfers. Quand j'étais... tu sais.

Morte.

Piper avait oublié qu'Hazel en était à sa seconde chance. À sa façon, Hazel était elle aussi une revenante.

– Donc... (Frank passa la main sur ses cheveux en brosse comme si des fantômes lui avaient envahi le cuir chevelu.) Donc tu penses que ces créatures sont tapies quelque part dans le navire ou...

– Tapies à l'intérieur de certains d'entre nous, l'interrompit Piper. On ne peut pas le savoir.

Jason serra les poings.

– Si c'est le cas..., commença-t-il.

– Il faut agir. Je crois que je peux le faire, dit Piper.

– Faire quoi ? demanda Percy.

– Écoutez-moi, tous, d'accord ? (Piper respira à fond.) Écoutez-moi bien.

Piper les regarda dans les yeux, tour à tour.

– Eidolons, dit-elle en usant de son pouvoir d'enjôlement, levez la main.

S'ensuivit un silence tendu.

Léo rit nerveusement.

– Tu croyais vraiment que ça allait... ?

Sa voix s'éteignit. Son visage se figea comme un masque. Et il leva la main.

Jason et Percy en firent autant. Leurs yeux étaient devenus entièrement dorés. Hazel retint son souffle. Frank, assis à côté de Léo, se leva en repoussant bruyamment sa chaise et s'appuya contre le mur.

– Oh, par les dieux. (Annabeth regarda Piper d'un air implorant.) Tu peux les guérir ?

Piper aurait voulu se réfugier sous la table, mais il fallait qu'elle aide Jason, elle n'avait pas le choix. Dire qu'elle avait tenu la main à un... non, elle refusait d'y penser.

Elle se concentra sur Léo parce que c'était le moins intimidant.

– Y en a-t-il d'autres comme vous à bord ? demanda-t-elle.

– *Non*, répondit Léo d'une voix caverneuse. *Notre mère la Terre nous a envoyés tous les trois. Les trois plus forts, les trois meilleurs. Nous allons revivre.*

– Non, pas ici, rétorqua Piper d'une voix grave. Écoutez-moi bien, tous les trois.

Jason et Percy se tournèrent vers elle. Leurs yeux dorés étaient déstabilisants, mais voir ses trois camarades ainsi sous emprise galvanisait la colère de Piper.

– Vous allez quitter ces corps, ordonna-t-elle.

– *Non*, dit Percy.

– *Nous devons vivre*, renchérit Léo d'une voix rauque et chuintante.

– Par Mars tout-puissant ! s'écria Frank, qui agrippa son arc, ça fout les jetons ! Allez-vous-en, fantômes ! Laissez nos amis tranquilles !

Léo se tourna face à lui :

– *Tu ne peux pas nous donner d'ordre, fils de guerre. Ta propre vie est trop fragile. Ton âme peut s'enflammer d'un instant à l'autre.*

Piper ne comprit pas ce qu'il voulait dire mais Frank, comme frappé en plein ventre, tituba. Les mains tremblantes, il sortit une flèche de son carquois.

– J'ai... j'ai affronté des créatures pires que toi, rétorqua-t-il. Si tu veux la bagarre...

– Frank, non.

Hazel s'était levée.

À côté d'elle, Jason dégaina son *gladius*.

– Arrêtez ! lança Piper – mais sa voix flanchait.

Elle perdait confiance en son plan. Elle avait forcé les eidolons à se monter, mais ensuite ? Si elle ne parvenait pas à les convaincre de se retirer et qu'il y avait du sang versé, ce serait sa faute. Elle entendait presque Gaïa ricaner à l'arrière de sa tête.

– Écoutez Piper, dit Hazel.

Elle tendit le bras vers l'épée de Jason. La lame d'or parut s'alourdir dans sa main ; il la laissa tomber bruyamment sur la table et s'écroula sur sa chaise.

Percy gronda d'une voix qui ne lui ressemblait en rien :

– *Tu contrôles peut-être les pierres et les métaux, fille de Pluton, mais tu ne contrôles pas les morts.*

Annabeth tendit la main, comme pour le calmer, mais Hazel l'écarta d'un geste.

– Écoutez, eidolons, dit-elle d'un ton solennel. Votre place n'est pas ici. Je ne vous commande peut-être pas, mais Piper oui. Obéissez-lui.

Là-dessus, elle se tourna vers Piper, lui adressant un regard qui disait clairement : « Essaie de nouveau. Tu en es capable. »

Piper rassembla tout son courage. Elle regarda Jason droit dans les yeux – droit dans les yeux de cet être qui s'était emparé de lui.

– Vous allez quitter ces corps, répéta-t-elle avec encore plus de force que la première fois.

Le visage de Jason se contracta, et la sueur perlait à son front quand il articula :

– *Nous... nous allons quitter ces corps.*

– Jurez sur le Styx de ne jamais revenir à bord de ce navire, poursuivit Piper, et de ne jamais tenter de nouveau de posséder un membre de cet équipage.

Léo et Percy protestèrent d'un sifflement rageur.

– Jurez sur le Styx, insista Piper.

Il s'ensuivit un moment de tension. Piper sentait leurs volontés lutter contre la sienne. Puis les trois eidolons se prononcèrent à l'unisson :

– *Nous le jurons sur le Styx.*

– Vous êtes morts, dit Piper.

– *Nous sommes morts*, admirent-ils.

– Maintenant, partez.

Les trois garçons s'écroulèrent. Percy piqua du nez vers son assiette de pizza.

– Percy ! s'écria Annabeth en le redressant.

Piper et Hazel rattrapèrent par les bras Jason qui glissait de sa chaise.

Léo, quant à lui, eut moins de chance. Il tomba vers Frank, qui ne fit aucun effort pour le retenir, et heurta brutalement le sol.

– Aïe, gémit-il.

– Ça va ? demanda Hazel.

Léo se releva, un spaghetti en forme de 3 inscrusté dans le front.

– Ça a marché ? lança-t-il.

– Oui, ça a marché, répondit Piper, assez sûre de son fait. Je crois qu'ils ne reviendront pas.

Jason cligna des yeux.

– Est-ce que ça veut dire que je peux arrêter de prendre des coups sur la tête ?

Piper éclata de rire, libérant toute sa tension.

– Viens, Flash Gordon, dit-elle. Je t'emmène prendre un bol d'air frais.

Piper et Jason arpentaient le pont. Comme Jason était encore faible sur ses jambes, Piper l'avait convaincu de s'appuyer sur elle.

Léo, à la barre, échangeait avec Festus par interphone ; il avait appris à laisser Jason et Piper seuls. La connexion satellite était revenue, et Hedge, tout content, s'était replié dans sa cabine pour regarder ses matchs d'arts martiaux en cage. Blackjack, le pégase de Percy, s'était envolé. Les autres demi-dieux s'apprêtaient à se coucher.

L'*Argo II* fonçait vers l'est, à quelques centaines de mètres au-dessus du sol. Les petites villes et les villages défilaient sous eux comme des îlots de lumière dans l'océan noir de la grande prairie.

Piper se rappela l'hiver passé, quand ils avaient survolé la ville de Québec sur le dos de Festus. Elle n'avait jamais rien vu de si beau jusqu'alors, ni ne s'était sentie aussi heureuse, entourée par les bras de Jason.

Mais ce soir-là, c'était encore mieux. L'air nocturne était doux. Le navire voguait avec plus de souplesse qu'un dragon et, surtout, ils s'éloignaient le plus rapidement possible du Camp Jupiter. Si dangereuses que puissent s'avérer les terres anciennes, Piper était impatiente d'y parvenir. Elle espérait que Jason avait vu juste en annonçant que les Romains ne se lanceraient pas dans une traversée de l'Atlantique pour les poursuivre.

Jason s'arrêta au milieu du navire et s'appuya au bastingage.

– Merci, Pip's, dit-il. Tu m'as sauvé la vie une deuxième fois.

Il lui passa le bras autour de la taille. Elle repensa à la fois où ils étaient tombés dans le Grand Canyon – et où elle avait découvert que Jason pouvait contrôler l'air. Il l'avait serrée si fort dans ses bras qu'elle avait senti son cœur battre. Puis ils s'étaient suspendus dans leur chute et avaient flotté dans l'air. Le petit copain le plus classe qu'elle ait jamais eu.

Elle avait envie de l'embrasser, à présent, mais quelque chose la retenait.

– Je me demande si Percy me fera toujours confiance, dit-elle. Sachant que j'ai demandé à son cheval de l'assommer.

– T'inquiète pas pour ça, répondit Jason en riant. Percy est sympa, mais j'ai l'impression qu'il a besoin d'un coup sur la tête de temps en temps.

– Tu aurais pu le tuer.

Le sourire de Jason disparut.

– Ce n'était pas moi, protesta-t-il.

– Mais j'ai failli te laisser faire, insista Piper. Quand Gaïa m'a dit que je devais choisir, j'ai hésité et...

Elle cligna des yeux, furieuse de pleurer.

– Ne sois pas aussi sévère avec toi-même, dit Jason. Tu nous as sauvés tous les deux.

– Mais s'il faut vraiment que deux d'entre nous meurent, un garçon et une fille...

– Je ne le permettrai pas. Nous allons stopper Gaïa. Nous reviendrons vivants tous les sept. Je te le promets.

Piper eut un pincement au cœur. L'idée d'une promesse lui faisait seulement penser à la Prophétie des Sept : *Serment sera tenu en un souffle dernier.*

S'il te plaît, pensa-t-elle en se demandant si sa mère, la déesse de l'Amour, pouvait l'entendre. *Fais que ce ne soit pas le dernier souffle de Jason. Si l'amour a un sens, ne me le prenez pas.*

À peine Piper eut-elle formulé ce vœu qu'elle se sentit coupable. Comment pourrait-elle supporter de voir Annabeth souffrir si Percy mourait ? Comment pourrait-elle se regarder dans le miroir si l'un des sept demi-dieux, quel qu'il soit, venait à mourir ? Ils avaient tous tellement subi d'épreuves. Même les deux nouveaux Romains, Hazel et Frank, que Piper connaissait à peine, lui semblaient déjà faire partie de la famille. Au Camp Jupiter, Percy leur avait raconté leur voyage en Alaska, apparemment aussi éprouvant que les pires aventures de Piper. Et à en juger par la façon dont ils avaient tenté de l'aider pendant l'exorcisme, elle voyait bien qu'Hazel et Frank étaient des gens de valeur.

– Dis-moi, demanda-t-elle, pourquoi ne voulais-tu pas parler de la légende qu'Annabeth a évoquée, sur la Marque d'Athéna ?

Elle craignait que Jason ne la rembarre, mais il se contenta de baisser la tête, comme s'il s'était attendu à cette question.

– Je ne sais pas faire la part du vrai et du faux dans cette histoire, Pip's, dit-il. Ça pourrait être très dangereux.

– Pour qui ?

– Pour nous tous. D'après la légende, les Romains auraient volé aux Grecs quelque chose d'important dans les anciens temps, à la période où ils conquéraient les villes grecques.

Piper attendit, mais Jason était perdu dans ses pensées.

– Qu'ont-ils volé ? demanda-t-elle.

– Je ne sais pas. Et je ne sais pas si quelqu'un l'a jamais su à la légion. Mais selon la légende, ils ont emporté cette chose à Rome et l'ont cachée là-bas. Les enfants d'Athéna, des demi-dieux grecs, nous haïssent depuis ce moment-là. Ils ont toujours monté leurs frères contre les Romains. Mais comme je te le disais, je ne sais pas dans quelle mesure c'est vrai.

– Et pourquoi ne pas en parler à Annabeth, tout simplement ? Elle ne va pas se mettre à te haïr du jour au lendemain.

Jason semblait avoir du mal à regarder Piper.

– J'espère que non, dit-il. Mais d'après la légende, ça fait des millénaires que les enfants d'Athéna cherchent ce truc. À chaque génération, la déesse en choisit quelques-uns à qui elle confie la quête. Apparemment ils sont guidés jusqu'à Rome par un symbole... la Marque d'Athéna.

– Si Annabeth fait partie du groupe qui mène cette quête, on devrait l'aider.

Jason hésita.

– Peut-être. Lorsqu'on approchera de Rome, je lui dirai le peu que je sais, sûr de sûr. Mais toujours d'après la légende, en tout cas de ce que j'en ai entendu, si les Grecs trouvaient ce que nous leur avons volé, ils ne nous le pardonneraient jamais. Ils détruiraient Rome et la légion pour toujours. Ajoute à cela ce que Némésis a dit à Léo, que Rome allait être détruite d'ici à cinq jours...

Piper scruta le visage de Jason. C'était sans l'ombre d'un doute le garçon le plus courageux qu'elle ait jamais rencontré, mais elle se rendit compte qu'il avait peur. Cette légende – la pensée qu'elle puisse démanteler leur groupe et raser une ville – le terrifiait.

Piper se demanda ce que les Romains avaient pu voler de si important aux Grecs. Elle n'arrivait pas à imaginer quelque chose qui puisse éveiller un brusque désir de vengeance chez Annabeth.

Cela dit, Piper n'aurait jamais imaginé préférer la vie d'un demi-dieu à celle d'un autre, or quelques heures plus tôt, sur l'autoroute, pendant un bref instant, Gaïa l'avait presque tentée...

– À propos, excuse-moi, dit Jason.

Piper essuya la dernière larme sur sa joue.

– Pour quoi ? C'est l'eidolon qui a attaqué...

– Pas pour ça. (La petite cicatrice qui barrait la lèvre supérieure de Jason était d'un blanc brillant sous le clair de lune. Piper avait toujours adoré cette cicatrice ; cette imperfection rendait le visage de Jason plus intéressant.) C'était idiot de ma part de te demander de contacter Reyna. Je n'avais pas réfléchi.

– Ah.

Piper leva les yeux vers les nuages en se demandant si sa mère, Aphrodite, n'était pas en train d'exercer son influence. Jason qui s'excusait, c'était trop beau pour être vrai.

Mais continue, pensa-t-elle. Et à haute voix, elle ajouta :

– T'inquiète. Y a pas de souci.

– C'est juste que... j'ai jamais eu ces sentiments-là pour Reyna, poursuivit Jason. Alors j'ai pas pensé que ça pourrait te gêner. Tu n'as vraiment pas à t'inquiéter, Pip's.

– Je voulais la détester, reconnut Piper. J'avais tellement peur que tu retournes au Camp Jupiter.

Jason eut l'air surpris.

– Je ne ferais jamais ça, protesta-t-il. Sauf si tu venais avec moi. Je te le promets.

Piper lui prit la main. Elle parvint à sourire, mais songea : *Encore une promesse. « Serment sera tenu en un souffle dernier. »*

Elle s'efforça de chasser ces pensées. Elle savait qu'elle aurait dû savourer ce moment paisible partagé avec Jason. Mais lorsqu'elle regarda au-delà du bastingage, elle ne put s'empêcher de se rappeler à quel point la prairie, de nuit, ressemblait à une étendue d'eau noire – sombre comme le puits où elle s'était vue se noyer sur la lame de son poignard.

13 PERCY

Ce n'était pas la vraie priorité, l'écran de fumée arôme chicken nugget. Ce que Léo devait inventer, estimait Percy, c'était un bonnet anti-rêves.

Cette nuit-là, il fit des cauchemars horribles. Le premier le ramena en Alaska, pendant leur quête de l'aigle de la légion. Il marchait le long d'une route de montagne, mais à un moment donné, il s'en écartait et il était aussitôt avalé par le marécage – la tourbière, comme l'appelait Hazel. Il s'étouffait dans la vase, ne pouvait ni bouger, ni voir, ni respirer. Pour la première fois de sa vie, il comprenait ce qu'on pouvait ressentir en se noyant.

Ce n'est qu'un rêve, se dit-il. *Je vais me réveiller.*

Ce n'en était pas moins terrifiant pour autant.

Percy n'avait jamais eu peur de l'eau. C'était l'élément de son père. Mais depuis l'épisode de la tourbière, il avait contracté une peur de l'étouffement. Il ne l'aurait jamais avoué à personne, mais cela lui donnait même une réticence à entrer dans l'eau. Il savait que c'était idiot : il ne pouvait pas se noyer. Mais il soupçonnait aussi que s'il ne maîtrisait pas sa peur, elle en viendrait à le dominer.

Il repensa à son amie Thalia, qui avait le vertige alors qu'elle était fille du dieu du Ciel. Son frère, Jason, pouvait voler en faisant appel aux vents. Thalia en était incapable, peut-être parce qu'elle avait trop peur pour essayer. Si Percy commençait à croire qu'il pouvait se noyer...

La tourbe pesait sur sa poitrine. Ses poumons menaçaient d'éclater.

Arrête de paniquer, se dit-il. *Ce n'est pas pour de vrai.*

Au moment où il n'en pouvait plus de retenir son souffle, le rêve changea.

Il se trouvait maintenant dans un espace vaste et lugubre qui ressemblait à un parking souterrain. Des rangées de piliers s'étiraient dans toutes les directions, soutenant un plafond situé à six mètres de haut. Des braseros jetaient une lueur rouge et diffuse sur le sol.

Le regard de Percy ne pouvait pas s'enfoncer très loin dans la pénombre, mais il distingua, fixés au plafond, plusieurs poulies ainsi que des sacs de sable et des rangées de projecteurs de théâtre. Tout autour de la pièce étaient empilées des boîtes en bois portant des inscriptions telles que ACCESSOIRES, ARMES ou COSTUMES. l'une d'elles annonçait : LANCE-ROQUETTES ASSORTIS.

Percy entendit des grincements de machine dans l'obscurité, des bruits de rouages énormes, de l'eau coulant dans des tuyaux.

C'est alors qu'il aperçut le géant... du moins supposa-t-il que c'était un géant.

Il mesurait bien trois mètres cinquante, taille honorable pour un Cyclope, mais de moitié inférieure à celle des géants que Percy avait rencontrés par le passé. Il paraissait plus humain que n'importe quel géant, aussi, car il n'avait pas les pattes de dragon de ses frères plus grands. Sa coiffure était typique, en revanche, trouva Percy : de longues dreadlocks violettes entremêlées de pièces d'or et d'argent, rassemblées en queue-de-cheval. Il avait un javelot de trois mètres attaché dans le dos – une arme de géant, là aussi.

Pour ce qui était de sa tenue, il arborait le plus grand col roulé noir que Percy ait jamais vu, un pantalon noir et des chaussures en cuir noir, au bout pointu et recourbé comme celles d'un bouffon du roi. Il faisait les cent pas devant une plate-forme, examinant une amphore en bronze à peu près de la taille de Percy.

– Non, non, non, marmonna le géant à part soi. Où est le peps ? Où est le charme ?

Et il cria dans le noir :

– Otos !

Percy entendit des bruits de pas au loin. Un autre géant surgit de la pénombre. Il était habillé exactement de la même façon, jusqu'aux chaussures à bout recourbé. La seule différence entre les deux géants était que celui-ci avait les cheveux verts et non violets.

Le premier géant jura.

– Otos, pourquoi tu me fais le coup tous les jours ? Je t'ai dit que c'était moi qui mettais le col roulé noir aujourd'hui. Tu pouvais mettre n'importe quoi, sauf le col roulé noir !

Otos cligna des yeux comme s'il venait à peine de se réveiller.

– Je croyais que tu mettais la toge jaune, aujourd'hui.

– Ça, c'était hier ! Quand tu t'es pointé en toge jaune !

– Ah, c'est vrai. Excuse-moi, Éphie.

Son frère grimaça. Ils étaient forcément jumeaux, car ils avaient des visages d'une égale laideur.

– Et ne m'appelle pas Éphie, ordonna Éphie. Appelle-moi Éphialtès. C'est comme ça que je m'appelle. Ou alors, sers-toi de mon nom de scène : Le GRAND F !

Otos fit la grimace.

– Je suis toujours pas convaincu, pour ton nom de scène.

– Tu as tort, il est parfait ! Bon, où en sont les préparatifs ?

– Ça avance, répondit Otos sans enthousiasme. Les tigres mangeurs d'homme, les lames tournoyantes... mais je persiste à penser que ce serait bien d'avoir quelques danseuses.

– Non ! Pas de danseuses ! trancha Éphialtès. Et ce truc ? (Il agita dédaigneusement la main dans la direction de l'amphore de bronze.) Tu peux me dire ce que ça apporte ? C'est ennuyeux.

– En même temps, tout le spectacle tourne autour de ça. Il meurt si les autres ne le sauvent pas. Et s'ils arrivent à la date prévue...

– Y a intérêt ! dit Éphialtès. Le 1er juillet, les calendes de juillet, un jour sacré pour Junon. C'est là que mère veut massacrer ces imbéciles de demi-dieux et bien river son clou à Junon. En plus, j'ai pas l'intention de payer des heures sup' à ces fantômes-gladiateurs !

– Bon, alors ils meurent tous, dit Otos, et nous commençons à détruire Rome. Comme mère le désire. Ce sera parfait. La foule va adorer. Les fantômes romains adorent ce genre de trucs.

Éphialtès n'avait pas l'air emballé.

– Mais cette cruche est posée là, bêtement. On ne pourrait pas l'accrocher au-dessus d'un feu, la dissoudre dans un bassin d'acide... je sais pas, moi, trouver une idée ?

– On a besoin de le maintenir en vie quelques jours encore, rappela Otos. Sinon les Sept ne mordront pas à l'hameçon et ils ne se précipiteront pas ici pour essayer de le sauver.

– Mouais, tu as sans doute raison. Il n'empêche, je trouve que ça manque de cris. C'est ennuyeux, cette mort lente. Enfin. Et notre talentueuse amie ? Est-elle prête à recevoir son visiteur ?

Otos fit la grimace.

– Vraiment, j'aime pas lui parler, à celle-là. Elle me fiche les jetons.

– Mais est-ce qu'elle est prête ?

– Oui, répondit Otos à contrecœur. Ça fait des siècles qu'elle est prête. Voilà une statue que personne ne va enlever.

– Excellent. (Éphialtès se frotta les mains.) C'est la chance de notre vie, frérot. J'y crois à mort.

– C'est ce que tu as dit pour notre dernier numéro, grommela Otos. Je suis resté six mois suspendu à un bloc de glace au-dessus du Léthé et il n'y a pas un seul média qui nous ait remarqués.

– Là c'est différent ! insista Éphialtès. Nous allons révolutionner le spectacle ! Si mère est satisfaite, à nous la gloire et la fortune !

– Si tu le dis, soupira Otos. Mais je persiste à penser que ces costumes de ballerines du *Lac des cygnes* seraient du meilleur...

– Pas de ballet !

– 'scuse.

– Viens, reprit Éphialtès. Allons voir les tigres. Je veux être sûr qu'ils soient affamés !

Les géants s'éloignèrent à pas lourds dans la pénombre et Percy se tourna vers l'amphore.

Il faut que je voie ce qu'il y a dedans, pensa-t-il.

Par la force de sa volonté, il poussa son rêve vers l'avant, jusqu'à entrer en contact avec la surface de l'urne. Et il traversa.

À l'intérieur, ça sentait la mauvaise haleine et le métal sale. L'unique source de lumière était l'éclat rougeoyant d'une épée noire, dont la lame de fer stygien reposait contre la paroi du récipient. Un garçon était recroquevillé juste à côté, l'air abattu. Il portait un jean déchiré, un tee-shirt noir et un blouson d'aviateur. À sa main droite luisait une bague ornée d'un crâne en argent.

– Nico, appela Percy.

Mais le fils d'Hadès ne pouvait pas l'entendre.

L'urne était hermétiquement scellée. L'air y devenait toxique. Nico avait les yeux fermés, le souffle court. Il donnait l'impression de méditer. Son visage était plus maigre et plus émacié que dans le souvenir de Percy.

Sur la paroi intérieure de l'urne, Nico avait tracé trois traits avec la pointe de son épée – était-il enfermé là-dedans depuis trois jours ? Mais comment aurait-il pu survivre aussi longtemps ? Cela semblait impossible. Même en rêve, Percy commençait à suffoquer et à paniquer.

Il remarqua alors, aux pieds de Nico, une rangée de petits objets luisants pas plus gros que des dents de bébé.

Des grains, comprit Percy. Des grains de grenade. Trois d'entre eux avaient déjà été mâchés et recrachés. Il en restait cinq garnis de pulpe rouge grenat.

– Nico, dit Percy, où est cet endroit ? On va venir te sauver...

L'image s'estompa et une voix de fille murmura :

– Percy.

Percy crut d'abord qu'il était toujours endormi. Quand il avait perdu la mémoire, il avait passé des semaines à rêver d'Annabeth, l'unique personne de son passé dont il se souvienne. Lorsqu'il ouvrit les yeux et reprit ses esprits, il se rendit compte qu'elle était vraiment là.

Elle était debout à côté de son lit et lui souriait.

Ses cheveux blonds étaient épars sur ses épaules. Une lueur amusée brillait dans ses yeux couleur d'orage. Il se rappela son premier jour à la Colonie des Sang-Mêlé, cinq ans plus tôt. Il s'était réveillé après un long passage à vide et il avait trouvé Annabeth debout à son chevet. Elle lui avait dit : « Tu baves dans ton sommeil. »

Une grande sentimentale.

– Qu'est-ce qui se passe ? bafouilla-t-il. On est arrivés ?

– Non, répondit-elle à mi-voix. On est en pleine nuit.

– Tu veux dire que... (Le cœur de Percy s'emballa. Il prit conscience qu'il était dans son lit, en pyjama. Il avait sans doute bavé, ou du moins émis des bruits bizarres en rêvant. Il avait certainement les cheveux en pétard et l'haleine pas fraîche.) Tu es entrée clandestinement dans ma cabine ?

Annabeth leva les yeux au plafond.

– Percy, tu vas avoir dix-sept ans dans deux mois. Ne me dis pas que tu as peur de te faire engueuler par Hedge ?

– Ben, euh... t'as vu sa batte de base-ball ?

– Écoute, Cervelle d'Algues, je me suis juste dit qu'on pouvait faire un petit tour. On s'est pas encore vus seuls tous les deux. J'ai envie de te montrer quelque chose – mon endroit préféré du navire.

Percy avait toujours le cœur en surrégime, mais ce n'était pas par crainte d'enfreindre le règlement.

– Euh, ça t'ennuie si je me brosse les dents vite fait ?

– Carrément pas, dit Annabeth. De toute façon, sans ça, je t'embrasse pas. Et coiffe-toi, tant que tu y es.

Le bateau était immense, pour une trirème, mais aux yeux de Percy, c'était quand même un lieu confortable et intime, comme son dortoir à Yancy ou à n'importe laquelle des pensions dont il s'était fait renvoyer. Annabeth et lui descendirent sur la pointe des pieds au deuxième pont, dont Percy n'avait encore visité que l'infirmerie.

Ils longèrent la salle des moteurs, qui ressemblait à une salle de gym très dangereuse et entièrement mécanisée, avec des tuyaux, des pistons et des tubes rattachés à une sphère de bronze en plein milieu. Des câbles semblables à des nouilles métalliques géantes s'étiraient sur le sol et le long des murs.

– Comment ça marche, cet engin ? demanda Percy.

– Aucune idée, dit Annabeth. Pourtant je suis la seule, en dehors de Léo, à savoir le faire fonctionner.

– C'est rassurant.

– Ça devrait aller. Il n'a menacé d'exploser qu'une seule fois.

– Tu plaisantes, j'espère.

– Allez, viens, répondit Annabeth en souriant.

Ils continuèrent, dépassant les réserves et l'arsenal. Vers la poupe, ils arrivèrent devant une porte en bois à double battant qui donnait sur une vaste écurie. Une odeur de foin frais et de couverture de laine flottait dans l'air. Le long du mur de gauche s'alignaient trois boxes vides, identiques à ceux qu'ils avaient à la colonie pour les pégases. Le mur de droite présentait deux cages vides, assez spacieuses pour accueillir des bêtes de zoo de grande taille.

Par terre, au milieu, il y avait une dalle en verre transparent de deux mètres carrés. Ils virent défiler, très loin sous leurs pieds, le paysage nocturne : des kilomètres de campagne plongée dans l'obscurité, sillonnée par les rubans lumineux des routes qui dessinaient une toile d'araignée.

– C'est un bateau à fond de verre ? demanda Percy.

Annabeth prit une couverture dans le box le plus proche et l'étala sur une partie de la dalle.

– Viens t'asseoir.

Ils s'installèrent confortablement sur la couverture, comme pour un pique-nique, et regardèrent le monde passer.

– Léo a conçu cette écurie pour permettre aux pégases d'aller et venir facilement, dit Annabeth. Mais il ne s'est pas rendu compte que les pégases préfèrent vagabonder librement, alors les écuries sont toujours vides.

Percy se demanda où était Blackjack – il devait courir quelque part dans le ciel ; avec un peu de chance, il suivait leur itinéraire. Percy avait toujours des élancements causés par son coup de sabot, mais il ne lui en voulait pas.

– Comment ça, aller et venir facilement ? demanda-t-il. Il resterait quand même deux étages à descendre aux pégases, non ?

Annabeth tambourina sur le verre.

– Ce sont des portes, dit-elle, comme sur un bombardier.

Percy fit *gloups*.

– Tu veux dire qu'on est assis sur des portes ? Et si elles s'ouvrent ?

– Ben on tombe dans le vide et on meurt. Mais y a pas de raison qu'elles s'ouvrent. En principe.

– Super.

Annabeth rit.

– Tu sais pourquoi j'aime cet endroit ? reprit-elle. Pas seulement pour la vue. Ça te rappelle rien, ici ?

Percy promena le regard autour de lui : les cages et les boxes, la lampe de bronze céleste pendue à une poutre du plafond, l'odeur du foin et, bien sûr, Annabeth assise près de lui, le visage énigmatique, si jolie dans la douce lumière ambrée.

– Le camion du zoo, déclara-t-il. Quand on est allés à Las Vegas.

Au sourire d'Annabeth, il comprit qu'il avait donné la bonne réponse.

– Ça fait si longtemps, continua Percy. On était dans une vraie galère, tu te souviens ? On essayait de traverser le pays pour trouver ce fichu éclair et on était coincés dans un camion avec une bande d'animaux maltraités. Comment tu peux être nostalgique de ça ?

– Parce que, Cervelle d'Algues, c'est la première fois qu'on s'est vraiment parlé, toi et moi. Je t'ai parlé de ma famille, et...

Annabeth retira son collier, un lacet de cuir où elle avait enfilé la chevalière d'étudiant de son père, avec le logo de son université, et une perle d'argile colorée pour chacune des années passées à la Colonie des Sang-Mêlé. Il y avait maintenant un autre pendentif : un corail rouge que Percy lui avait donné quand ils avaient commencé à sortir ensemble. Il le lui avait rapporté du palais sous la mer de son père.

– Et puis, reprit Annabeth, ça me rappelle depuis combien de temps on se connaît. On avait douze ans, Percy, tu te rends compte ?

– C'est fou, admit-il. Et, euh... tu as su à ce moment-là que je te plaisais ?

Annabeth eut un sourire moqueur.

– Je pouvais pas te sacquer au début, dit-elle. Tu m'agaçais. Ensuite, pendant quelques années, je t'ai supporté. Et puis...

– Bon, ça va.

Elle se pencha et l'embrassa : un bon, un vrai baiser, sans personne autour, sans Romains qui regardent, sans un satyre-chaperon qui hurle.

Elle se dégagea.

– Tu m'as manqué, Percy.

Percy aurait voulu lui en dire autant, mais ça lui paraissait trop faible. Tout le temps qu'il était chez les Romains, la seule chose, quasiment, qui lui avait permis de rester en vie, c'était de penser à Annabeth. « Tu m'as manqué » était bien loin de traduire cela.

Il repensa au moment de la soirée où Piper avait forcé l'eidolon à se retirer de lui. Percy ne s'était pas rendu compte de la présence de l'esprit avant que Piper n'use de son enjôlement. Après le départ de l'eidolon, il avait eu l'impression qu'on lui avait retiré une aiguille chauffée à blanc du front. Il n'avait pris conscience de la douleur qu'il éprouvait qu'à cet instant. Ses pensées s'étaient alors éclaircies. Son âme avait repris confortablement possession de son corps.

Ce qu'il ressentait maintenant, assis à côté d'Annabeth, était similaire. Les mois qu'il venait de vivre auraient pu être un de ses étranges rêves. Les événements du Camp Jupiter semblaient aussi vagues et irréels que son combat contre Jason, lorsqu'ils étaient tous les deux sous l'emprise des eidolons.

Pourtant, il ne regrettait pas son long séjour au Camp Jupiter. À bien des égards, ça lui avait ouvert les yeux.

– Annabeth, dit-il d'une voix mal assurée, à la Nouvelle-Rome, les demi-dieux peuvent vivre toute leur vie en paix.

Une expression de méfiance se peignit sur le visage d'Annabeth.

– Mais, Percy, protesta-t-elle, ta place est à la Colonie des Sang-Mêlé. Cette autre vie...

– Je sais. Mais quand j'étais là-bas, j'ai vu tellement de demi-dieux qui vivaient sans avoir peur : des jeunes qui font des études, des couples qui se marient et ont des enfants. Tout ça, ça n'existe pas à la Colonie des Sang-Mêlé. Je n'arrêtais pas de penser à nous deux, de me dire qu'un jour, peut-être, quand cette guerre contre les géants serait terminée...

– Ah.

C'était difficile à dire dans la lumière dorée de la lampe de bronze, mais Percy eut l'impression qu'Annabeth avait rougi. Il eut peur de s'être trop avancé. Il l'avait peut-être effrayée, avec ses grands rêves d'avenir. En général, c'était elle qui faisait des projets. Percy se maudit intérieurement.

Il avait beau connaître Annabeth depuis toutes ces années, il avait encore l'impression de la comprendre si peu. Et même si elle remontait déjà à plusieurs mois, leur relation lui semblait toujours neuve et fragile comme une sculpture de verre. Il était terrifié à l'idée de commettre une erreur et de la briser.

– Excuse-moi, dit-il. C'est juste que... il fallait que je me raconte ça pour tenir. Pour garder l'espoir. Oublie ce que je t'ai dit...

– Non ! s'écria-t-elle. Non, Percy. Par les dieux, c'est délicieux. Seulement... c'est peut-être déjà trop tard, ce que tu dis, pour nous. Si on n'arrive pas à arranger les choses avec les Romains... enfin, tu sais que les deux familles de demi-dieux ne se sont jamais entendues. C'est pour ça que les dieux nous avaient tenus à l'écart. Je ne sais pas si on pourra jamais avoir notre place là-bas, nous deux.

Percy n'eut pas envie de discuter, mais il ne pouvait renoncer à cet espoir. C'était important, et pas seulement pour Annabeth et lui, pour tous les autres demi-dieux aussi. Il fallait que ce soit possible d'avoir sa place dans deux mondes différents à la fois. Après tout, c'était ça, être un demi-dieu : ni tout à fait à sa place dans le monde des mortels, ni tout à fait au mont Olympe, mais s'efforçant constamment de réconcilier les deux versants de son identité.

Voilà, malheureusement, qui amena Percy à penser aux dieux, à la guerre qui se préparait et à son rêve sur les jumeaux Otos et Éphialtès.

– Je faisais un cauchemar quand tu m'as réveillé, avoua-t-il.

Et il raconta ce qu'il avait vu à Annabeth.

Même les passages les plus troublants n'eurent pas l'air de l'étonner. Elle secoua tristement la tête en apprenant que Nico était enfermé dans une amphore de bronze. Une lueur de colère s'alluma dans son regard quand Percy lui raconta que les géants organisaient un immense spectacle autour de la destruction de Rome, avec leur mort lente et cruelle en guise d'ouverture.

– Nico sert d'appât, murmura-t-elle. Les sbires de Gaïa ont dû le capturer. Mais nous ignorons où, au juste, ils l'ont enfermé.

– Quelque part dans la Nouvelle-Rome, déclara Percy. Dans un lieu souterrain. D'après ce qu'ils disaient, Nico aurait encore quelques jours à vivre, mais je vois mal comment il va pouvoir tenir si longtemps sans oxygène.

– Encore cinq jours, d'après Némésis, dit Annabeth. Les calendes de juillet. Au moins, on comprend à quoi rime cette échéance, maintenant.

– C'est quoi, les calendes ?

Annabeth eut un petit sourire satisfait, comme si elle était contente de retomber dans leur schéma habituel : Percy dans le rôle de l'ignorant et elle qui explique les choses.

– C'est juste un terme romain pour désigner le premier jour du mois. C'est de là que vient le mot « calendrier ». Mais comment Nico pourra-t-il survivre aussi longtemps ? Il faut qu'on en parle à Hazel.

– Maintenant ?

Annabeth hésita.

– Non. Je crois que ça peut attendre demain matin. Je ne me sens pas de lui asséner cette nouvelle en pleine nuit.

– Les géants ont fait allusion à une statue, se souvint Percy. Et à une amie talentueuse qui la gardait. Je ne sais pas qui est cette amie, mais elle fait peur à Otos. Et pour faire peur à un géant...

Annabeth suivait du regard une autoroute qui serpentait entre des collines sombres.

– Percy, demanda-t-elle, tu as vu Poséidon récemment ? Ou tu as reçu un signe de sa part ?

Il secoua la tête.

– Nan. Pas depuis... la vache, j'y avais pas réfléchi. Pas depuis la fin de la guerre des Titans. Je l'ai vu à la Colonie des Sang-Mêlé, mais c'était fin août. (Il se sentit pris d'une angoisse.) Pourquoi ? Tu as vu Athéna, toi ?

Annabeth évita son regard.

– Il y a quelques semaines, avoua-t-elle. Ce... ça s'est mal passé. Je ne l'ai pas trouvée dans son état normal. C'est peut-être à cause de cette schizophrénie Grec/Romain dont parlait Némésis. Je ne sais pas. Elle a eu des propos blessants. Elle a dit que je l'avais déçue.

– Toi ? (Percy n'en croyait pas ses oreilles. Annabeth était la parfaite enfant demi-dieu. Elle avait toutes les qualités qu'on pouvait attendre d'une fille d'Athéna.) Mais qu'est-ce que tu aurais...

– Je ne sais pas, dit-elle d'un ton piteux. Et en plus, moi aussi, je fais des cauchemars en ce moment. Ils ne sont pas aussi cohérents que les tiens.

Percy attendit, mais Annabeth n'en révéla pas davantage. Il aurait aimé la réconforter et lui dire que tout irait bien, mais il savait qu'il ne le pouvait pas. Il aurait voulu arranger les choses pour eux deux, pour que leur histoire finisse bien. Après toutes ces années, même les dieux les plus cruels devaient admettre qu'ils le méritaient.

Mais son intuition lui disait qu'il ne pouvait rien faire pour aider Annabeth cette fois-ci, à part être là, présent. *La fille de la sagesse marche seule.*

Il se sentait aussi impuissant et prisonnier que la fois où il était tombé dans la tourbière.

Annabeth se força à sourire.

– T'as vu la soirée romantique ? On arrête les mauvaises nouvelles jusqu'à demain matin. (Elle l'embrassa de nouveau.) On mettra tout à plat. Je t'ai retrouvé. Pour le moment, c'est la seule chose qui compte.

– D'accord, dit Percy. On ne parle plus de Gaïa qui s'éveille, de Nico pris en otage, de la fin du monde, des géants...

– La ferme, Cervelle d'Algues. Prends-moi dans tes bras.

Ils restèrent enlacés, à savourer leur chaleur partagée. Et sans que Percy ne s'en rende compte, le ronronnement du moteur, l'éclairage tamisé, le bien-être que lui procurait la présence d'Annabeth tout contre lui alourdirent ses paupières. Peu à peu, il sombra dans le sommeil.

Lorsqu'il se réveilla, la lumière du jour entrait par le sol de verre et une voix de garçon disait :

– Les gars... ça craint !

14 Percy

Percy avait vu Frank encerclé par des ogres cannibales, il l'avait vu affronter un géant impossible à tuer et même libérer de ses chaînes Thanatos, le dieu de la Mort, mais il ne l'avait jamais vu aussi terrifié qu'à présent, en les découvrant tous les deux endormis dans l'écurie.

– Qu'est-ce qu'il y a ? demanda Percy en se frottant les yeux. On s'est endormis, c'est tout.

Frank ravala sa salive. Il était en baskets avec un pantalon cargo sombre, un tee-shirt des JO de Vancouver et son insigne de centurion romain épinglé au cou – ce que Percy trouva triste ou optimiste, vu qu'ils étaient considérés comme des renégats. Frank détourna le regard comme si la vue d'Annabeth et Percy ensemble allait le réduire en cendres.

– Tout le monde croit que vous vous êtes fait kidnapper, dit-il. On a fouillé tout le navire. Quand M'sieur Hedge va apprendre... oh, par les dieux, vous avez passé *toute la nuit* ici ?

– Frank ! s'écria Annabeth, les oreilles cramoisies. On est juste descendus bavarder un peu. Et puis on s'est endormis. *Accidentellement*. C'est tout.

– On s'est embrassés deux trois fois, glissa Percy.

– Y avait besoin de dire ça ? lui lança Annabeth en le fusillant du regard.

– Je crois que..., dit Frank en pointant la porte du doigt. Euh... on a rendez-vous au petit déjeuner. Je vous laisse expliquer ce que vous avez fait, ou pas fait, plutôt ? Parce que j'ai pas trop envie de me faire incendier par ce faune, par ce satyre, je veux dire.

Sur ces mots, Frank détala.

Une fois tous réunis au mess, les choses se passèrent bien mieux que ne l'avait craint Frank. Jason et Piper étaient soulagés, plus que tout. Léo, un sourire narquois scotché sur le visage, n'arrêtait pas de marmonner : « Typique, typique. » Seule Hazel avait l'air choquée, peut-être parce que c'était une fille des années 1940. Elle s'éventait le visage d'une main et évitait le regard de Percy.

Gleeson Hedge piqua une crise, comme de bien entendu, mais Percy eut du mal à se sentir sérieusement menacé par le satyre, qui plafonnait à un mètre cinquante.

– Jamais vu ça de ma vie ! tonna Hedge. (Il fit un moulinet avec sa batte de base-ball et faucha une corbeille de pommes.) Vous êtes des irresponsables ! C'est contraire au règlement !

– M'sieur, dit Annabeth, on n'a pas fait exprès. On bavardait et on s'est endormis.

– En plus, enchaîna Percy, vous commencez à ressembler à Terminus, là.

– C'est une insulte, Jackson ? Tu vas voir, je vais t'en coller, des terminus, moi !

Percy se retint de rire.

– Ça ne se reproduira plus, M'sieur Hedge, je vous promets. Bon, maintenant on n'a pas d'autres questions à voir ?

– Très bien, concéda Hedge d'un ton bougon. Mais je t'ai à l'œil, Jackson. Et toi, Annabeth Chase, je croyais que tu avais plus de jugeote...

Jason s'éclaircit la gorge.

– Bon, dit-il, à table, tout le monde. On va commencer.

La réunion tenait du conseil de guerre avec beignets à volonté. Ce qui mit Percy très à l'aise, car à la Colonie des Sang-Mêlé, ils avaient l'habitude de débattre des sujets les plus graves autour de la table de ping-pong de la salle de jeux, en mangeant des crackers et des Apéricube.

Il raconta son rêve : les géants jumeaux qui les attendaient dans un parking souterrain bardé de lance-roquettes ; Nico di Angelo enfermé dans une amphore en bronze, qui s'asphyxiait à petit feu, des grains de grenade à ses pieds.

Hazel étouffa un sanglot.

– Nico ? Par les dieux. Les grains.

– Tu sais ce que c'est ? demanda Annabeth.

Hazel hocha la tête.

– Il me les avait montrés. Ils viennent du jardin de notre belle-mère.

– Votre belle... ah ! fit Percy. Tu veux dire Perséphone.

Percy avait eu l'occasion de rencontrer l'épouse d'Hadès. Dans le genre souriant et chaleureux, elle arrivait en bas de liste. Il avait aussi vu son jardin des Enfers : un lieu sinistre, planté d'arbres de cristal et de fleurs aux corolles rouge sang ou blanc fantôme.

– Les grains sont des aliments de dernier recours, expliqua Hazel. (Percy vit qu'elle était gagnée par l'inquiétude car l'argenterie disposée sur la table commençait à converger vers elle.) Les enfants d'Hadès sont les seuls à pouvoir en manger. Nico en avait toujours sur lui au cas où il se retrouverait coincé quelque part. Mais s'il est vraiment prisonnier...

– Les géants essaient de nous attirer, dit Annabeth. Ils sont persuadés qu'on va tenter de le sauver.

– Ils ont raison ! (Hazel balaya la table du regard, visiblement prise de doutes.) On va y aller, vous êtes d'accord ?

– Oui ! cria Gleeson Hedge, la bouche pleine de serviettes en papier. Du moment qu'il y a de la castagne, je suis pour !

– Bien sûr qu'on va l'aider, Hazel, dit Frank. Mais combien de temps on a avant que... euh, je veux dire, combien de temps Nico peut-il tenir ?

– Un jour par grain, répondit Hazel d'une petite voix. À condition qu'il se mette en transe de mort.

– Transe de mort ? (Annabeth fit la grimace.) Ça a pas l'air cool.

– Ça l'empêche de consommer tout son air, expliqua Hazel. Comme s'il hibernait ou était dans le coma. Un grain lui apporte le minimum alimentaire d'une journée.

– Il lui reste cinq grains, dit Percy. Ce qui lui fait cinq jours en comptant aujourd'hui. Les géants ont dû faire exprès pour qu'on soit obligés d'arriver le 1er juillet au plus tard. En supposant que Nico est caché à Rome...

– Ça ne nous laisse pas beaucoup de temps, résuma Piper, qui mit la main sur l'épaule d'Hazel. Nous le trouverons. Au moins, maintenant, on sait ce que signifient les vers de la prophétie. *Des jumeaux mouchent le souffle de l'ange qui détient la clé de la mort sans fin.* Le nom de famille de ton frère est di Angelo. Angelo, ça veut dire « ange » en italien.

– Par les dieux, murmura Hazel. Nico...

Percy était plongé dans la contemplation de son donut à la gelée de raisin. Sa relation avec Nico avait connu des moments difficiles. Une fois, ce dernier l'avait emmené par ruse au palais d'Hadès et Percy s'était retrouvé au fond d'une geôle. Malgré tout, en général, Nico était du bon côté. Il ne méritait pas de mourir lentement asphyxié dans une amphore de bronze, et Percy ne supportait pas de voir Hazel souffrir.

– Nous le sauverons, lui promit-il. Nous devons le faire. La prophétie dit qu'il détient la clé de la mort sans fin.

– C'est vrai, renchérit Piper. Hazel, ton frère était parti à la recherche des Portes de la Mort aux Enfers, n'est-ce pas ? Il doit les avoir trouvées.

– Il pourra nous dire où elles se trouvent et comment les refermer, ajouta Percy.

– Bon, dit Hazel, qui poussa un gros soupir.

– Juste un truc, les gars. (Léo gigota sur sa chaise.) Les géants ont tablé qu'on réagirait comme ça, vous êtes d'accord ? Donc on va droit dans le piège qu'ils nous tendent ?

Hazel regarda Léo comme s'il venait de faire un geste obscène.

– On n'a pas le choix ! s'exclama-t-elle.

– Ne le prends pas mal, Hazel, mais ton frère, Nico, connaissait les deux camps, exact ?

– Euh, oui.

– Il faisait des allers-retours entre la Colonie des Sang-Mêlé et le Camp Jupiter, reprit Léo, et il ne le disait ni aux uns ni aux autres.

Jason se redressa, le visage grave.

– Tu te demandes si nous pouvons lui faire confiance, lança-t-il. Moi aussi.

Hazel se leva d'un bond.

– Comment pouvez-vous dire des choses pareilles ! C'est mon frère, par les dieux ! Il m'a ramenée des Enfers et vous ne voulez pas l'aider ?

– Personne n'a dit ça, intervint Frank, qui posa une main apaisante sur son épaule.

Il jeta un regard assassin à Léo et ajouta :

– Personne n'a intérêt à dire ça.

– Écoutez, tout ce que je dis, c'est que...

– Hazel, intervint Jason, Léo soulève une question légitime. Je me souviens de Nico au Camp Jupiter. Maintenant j'apprends qu'il fréquentait aussi la Colonie des Sang-Mêlé. Je trouve ça... pas très net, disons. Est-ce qu'on sait vraiment de quel côté il est ? Il faut être prudent, c'est tout.

Les bras d'Hazel tremblèrent. Un plat en argent vola vers elle et s'écrasa contre le mur à sa gauche dans une explosion d'œufs brouillés.

– Toi, le grand Jason Grace ! s'exclama-t-elle. Le préteur que j'admirais ! Tu étais censé être un si bon chef, tellement équitable et juste, et maintenant tu... tu...

Elle tapa du pied et sortit de la pièce en trombe.

– Hazel, cria Léo. Ah, misère. Je vais...

– T'en as fait suffisamment comme ça, grommela Frank.

Il se leva pour rattraper Hazel, mais Piper lui fit signe d'attendre.

– Donne-lui un peu de temps, lui conseilla-t-elle, avant de se tourner vers Jason et Léo en fronçant les sourcils. Dites, les garçons, c'était brutal.

– Brutal ? protesta Jason, l'air choqué. Je suis prudent, c'est tout !

– Son frère est en train de mourir, intervint Piper.

– Je vais lui parler, insista Frank.

– Non, dit Piper. Laisse-la se calmer d'abord. Fais-moi confiance sur ce coup. J'irai la voir dans quelques minutes.

– Mais... (Frank se renfrogna.) D'accord. Je vais attendre.

À ce moment-là, un bruit qui ressemblait au vrombissement d'une grosse perceuse leur parvint d'en haut.

– C'est Festus, dit Léo. Je l'ai mis en pilotage automatique, mais on doit approcher d'Atlanta. Il va falloir que je monte. Euh... si on sait où on veut se poser.

Tous les yeux se tournèrent vers Percy. Jason leva un sourcil et lui lança :

– Que suggère notre capitaine Haddock ?

Y avait-il une pointe de ressentiment dans sa voix ? Percy se demanda si Jason lui en voulait pour le duel au Kansas. Il avait plaisanté là-dessus, mais Percy pensait qu'ils avaient tous les deux un peu de mal à digérer l'épisode. Impossible de dresser deux demi-dieux l'un contre l'autre sans qu'ils se demandent lequel est le plus fort.

– Je sais pas trop, répondit-il. Un endroit en hauteur pour qu'on ait une bonne vue sur la ville. Peut-être un parc avec des arbres ? Je nous vois pas atterrir en navire de guerre en plein centre. Je crois que même la Brume ne pourrait pas cacher un engin aussi énorme.

– Ça roule, opina Léo, qui partit en flèche vers l'escalier.

Frank se rassit à contrecœur. Percy eut de la peine pour lui. Pendant leur quête en Alaska, il avait vu Hazel et Frank se rapprocher, et il connaissait l'instinct protecteur de Frank à l'égard d'Hazel. Le regard noir que le garçon avait lancé à Léo ne lui avait pas échappé non plus. Il se dit que ce serait une bonne idée de l'éloigner quelque temps du navire.

– Lorsqu'on aura atterri, je partirai en repérage à Atlanta, dit Percy. Tu pourrais m'aider, Frank ?

– Tu veux que je me change en dragon de nouveau ? Franchement, Percy, j'ai pas trop envie de passer toute la quête à jouer les taxis volants.

– Non, répondit Percy. Je voudrais que tu m'accompagnes parce que tu as du sang de Poséidon, toi aussi. Tu pourrais peut-être m'aider à deviner où trouver de l'eau de mer. Sans compter que tu assures dans les combats.

Frank se radoucit, visiblement amadoué.

– Ouais, si tu veux.

– OK, super, dit Percy. Et il nous faut un troisième. Annabeth, est-ce que...

– Ah non ! aboya Gleeson Hedge. Vous êtes consignée à bord, jeune demoiselle.

Annabeth dévisagea le satyre comme s'il parlait une langue étrangère.

– Pardon ? fit-elle.

– Pas question de vous laisser partir ensemble, Jackson et toi ! (L'entraîneur fusilla Percy du regard, le mettant au défi de protester.) C'est moi qui vais faire équipe avec Frank et Joli-Cœur Jackson. Tous les autres, restez à bord et surveillez Annabeth, qu'elle ne fasse pas de nouvelles infractions au règlement !

Formidable, songea Percy. *Une sortie entre garçons avec Frank et un satyre assoiffé de sang, à chercher de l'eau de mer dans une ville enclavée dans les terres.*

– On va trop se marrer, dit-il à voix haute.

15 PERCY

En débouchant sur le pont supérieur, Percy eut le souffle coupé.

Ils avaient atterri près du sommet d'une colline boisée. Un ensemble de bâtiments blancs, qui faisait penser à une université ou à un musée, était niché dans une pinède, sur leur gauche. La ville d'Atlanta s'étalait en contrebas : un bouquet de gratte-ciel bruns et argentés se dressait à trois kilomètres de là, au milieu d'un patchwork de maisons et de zones boisées qui s'étendait à perte de vue, sillonné d'autoroutes et de voies de chemin de fer.

Hedge prit une bonne bouffée d'air matinal.

– Bel endroit, Valdez, dit-il. Bien choisi.

Léo haussa les épaules.

– J'ai juste cherché une colline élevée. Là-bas, c'est un complexe administratif. D'après Festus, en tout cas.

– Ça, je sais pas ! aboya Hedge. Mais vous vous rendez compte de ce qui s'est passé sur cette colline ? Frank Zhang, tu devrais le savoir !

– Ah bon ? demanda Frank, sourcils froncés.

– Un fils d'Arès a foulé ce sol ! s'écria Hedge avec indignation.

– Je suis romain. Pour moi, c'est Mars, en fait.

– Peu importe ! C'est un site célèbre de la guerre de Sécession, un grand moment de l'histoire des États-Unis !

– Je suis canadien, en fait.

– Peu importe ! Le général Sherman, grande figure de l'armée de l'Union, a regardé la ville d'Atlanta brûler du haut de cette colline. D'ici jusqu'à la mer, il a tout détruit sur son passage, tout incendié, pillé, saccagé ! Voilà un demi-dieu digne de ce nom !

Percy n'était pas très féru d'histoire, mais il se demandait si ce n'était pas de mauvais augure d'avoir atterri à cet endroit. Il avait entendu dire que la plupart des guerres civiles entre simples mortels avaient démarré par un affrontement entre demi-dieux grecs et romains. Et les voilà, à présent, sur le site d'une de ces batailles. La ville qui s'étendait à leurs pieds avait été entièrement rasée par ordre d'un enfant d'Arès.

Percy n'avait pas de mal à imaginer certains des jeunes de la Colonie des Sang-Mêlé donner un ordre pareil. Clarisse La Rue, par exemple, n'hésiterait pas une seconde. En revanche, il ne voyait pas Frank se montrer aussi dur.

– D'accord, dit-il, mais cette fois-ci, on va essayer de ne pas mettre le feu à la ville.

L'entraîneur eut l'air déçu.

– Bon d'accord, soupira-t-il. Mais on va où ?

– En cas de doute, déclara Percy en tendant le bras vers le centre-ville, toujours commencer par le milieu.

Il leur fut plus facile de trouver un moyen de transport qu'ils ne l'avaient cru. Ils allèrent tous les trois au complexe administratif, le centre Jimmy Carter pour être plus précis, et demandèrent à l'accueil si on pouvait leur appeler un taxi ou leur indiquer un arrêt de bus. Bien sûr, Percy aurait pu faire appel à Blackjack, mais il ne se sentait pas de le déranger si peu de temps après leur épisode malencontreux au Kansas.

Frank, quant à lui, n'avait pas envie de se transformer. En plus, Percy aimait bien l'idée de voyager comme un simple mortel, pour une fois.

Une des employés, qui s'appelait Esther, proposa de les conduire elle-même en ville. Elle insista avec une telle gentillesse que Percy la soupçonna d'être un monstre en camouflage, mais Hedge le prit à part et lui garantit qu'Esther avait une odeur d'humain normal.

– Avec une pointe de pot-pourri, ajouta-t-il. Clous de girofle et pétales de rose. Très plaisant au nez !

Ils s'entassèrent dans la grosse Cadillac noire d'Esther, et se mirent en route pour le centre-ville. Esther était si menue qu'elle dépassait à peine de son volant, mais ça n'avait pas l'air de la gêner. Elle négociait la circulation avec audace, tout en les abreuvant d'anecdotes sur les vieilles familles et les habitants les plus fous d'Atlanta : les propriétaires des vieilles plantations, les fondateurs de Coca-Cola, les stars du sport, les gens de la télé. Elle avait l'air d'en savoir si long sur sa ville que Percy décida de tenter sa chance.

– Euh, Esther, lança-t-il, j'ai une colle pour vous. Si je vous dis « eau de mer à Atlanta », qu'est-ce qui vous vient spontanément à l'esprit ?

La vieille dame gloussa.

– Oh, mon poussin, c'est facile, ça. Les requins-baleines !

Frank et Percy échangèrent un regard.

– Vous avez des requins-baleines à Atlanta ? demanda Frank.

– À l'aquarium, poussin. Nous avons un aquarium célèbre, en plein centre-ville. C'est là que vous vouliez aller ?

Un aquarium. Percy réfléchit. Il ne voyait pas ce qu'un vieux dieu grec de la Mer pouvait faire dans un aquarium de Géorgie, mais il n'avait pas d'autre idée.

– Oui, répondit-il, c'est là que nous allons.

Esther les déposa devant l'entrée principale, où une queue se formait déjà. Elle insista pour leur donner son numéro de portable en cas d'urgence, de l'argent pour revenir en taxi au centre Jimmy Carter et un bocal de pêches au sirop maison, dont elle avait une caisse entière dans son coffre. Frank mit le bocal dans son sac à dos et remercia Esther, qui ne l'appelait déjà plus « poussin » mais « mon grand ».

– Ils sont tous aussi gentils, à Atlanta ? demanda-t-il en regardant la voiture s'éloigner.

– J'espère que non, bougonna Hedge. Je peux pas me battre contre eux s'ils sont gentils. Allons casser du requin-baleine ! Ça, ça doit être du lourd !

Il n'était pas venu à l'esprit de Percy qu'ils allaient devoir payer leur entrée, ni faire la queue avec des familles et des groupes d'enfants.

En regardant les écoliers du primaire dans leurs tee-shirts de couleurs vives des différents centres aérés de la ville, Percy eut un pincement au cœur. Si la situation avait été normale, il aurait été à la Colonie des Sang-Mêlé en ce moment même, en train de s'installer dans son bungalow pour l'été ; il aurait donné des cours d'escrime dans l'arène, joué des tours aux autres conseillers. Ces gamins d'Atlanta ne pouvaient pas soupçonner le degré de dinguerie qu'atteignaient parfois les activités d'été pour jeunes.

Il soupira.

– On est obligés de faire la queue, dit-il. Quelqu'un a de l'argent ?

Frank fouilla dans ses poches.

– Trois denarii du Camp Jupiter. Cinq dollars canadiens.

Hedge tapota son short de gym et extirpa tout ce qu'il y trouva :

– Trois pièces de 25 cents, deux de dix, un élastique et... bingo ! Une tige de céleri.

Il se mit à grignoter le céleri en zyeutant l'élastique et les pièces de monnaie comme s'il allait les manger en dessert.

– On va pas aller loin, avec ça, dit Percy, dont les poches n'avaient rien à offrir, à part son stylo-épée, Turbulence.

Il était en train de se demander s'ils pouvaient s'introduire dans le bâtiment en resquillant quand une jeune femme qui portait une chemisette bleu et vert ornée du logo « Georgia Aquarium » s'approcha d'eux, tout sourire.

– Ah, des visiteurs VIP ! s'exclama-t-elle.

Elle avait des fossettes espiègles, des lunettes à grosse monture, un appareil dentaire et des cheveux noirs frisés relevés en couettes, ce qui lui donnait l'air d'une écolière appliquée, alors qu'elle approchait de la trentaine – un look à la fois mignon et bizarre. Elle portait un pantalon foncé et des baskets noires avec son polo de travail, et marchait d'un pas élastique et sautillant, comme si elle avait du mal à contenir son énergie. Son badge annonçait « KATE ».

– Je vois que vous avez l'appoint, lança-t-elle. Parfait !

– Comment ? dit Percy.

Kate fondit sur les denarii de Frank et les empocha.

– Oui, c'est bon. Venez par ici !

Elle fit volte-face et partit vers l'entrée principale.

Percy regarda Frank et Gleeson Hedge.

– C'est un piège ?

– Je crois que oui, dit Frank.

– Ce n'est pas une mortelle, ajouta Hedge en reniflant l'air. Sans doute une sinistre créature du Tartare qui se nourrit de chèvres et extermine les demi-dieux.

– Certainement, acquiesça Percy.

– Génial, conclut Hedge en souriant jusqu'aux oreilles. On y va.

Kate n'eut aucun mal à les faire passer devant tout le monde et entrer dans l'aquarium.

– Par ici, dit-elle en gratifiant Percy d'un grand sourire. Nous avons de véritables merveilles, vous ne serez pas déçus. C'est tellement rare que nous ayons des visiteurs de marque.

– Euh, fit Frank, vous voulez dire des demi-dieux ?

Kate lui décocha un clin d'œil coquin et porta un doigt sur ses lèvres.

– Par ici, c'est le secteur des eaux froides ; vous trouverez les pingouins, les baleines blanches, tout ça. Et là-bas... eh bien ce sont des poissons, c'est clair.

Pour quelqu'un qui travaillait dans un aquarium, Kate ne semblait pas en savoir long sur les poissons de petite taille, ni s'y intéresser. Ils passèrent devant un immense réservoir de poissons tropicaux, et quand Frank pointa du doigt un spécimen et demanda ce que c'était, Kate se contenta de répondre :

– Ah, ceux-là, ce sont les petits jaunes.

Ils arrivèrent devant la boutique du musée. Frank ralentit le pas pour regarder une table où étaient exposés des vêtements et des jouets en solde.

– Sers-toi, lui dit Kate.

– Vraiment ? fit Frank en écarquillant les yeux.

– Bien sûr ! Tu es un visiteur de marque !

Après une brève hésitation, Frank fourra quelques tee-shirts dans son sac à dos.

– Qu'est-ce qui te prend, mec ? lui demanda Percy.

– Elle a dit que je pouvais, chuchota Frank. Et puis j'ai besoin de vêtements, j'en ai pas emporté assez.

Il ajouta une boule de neige à son butin, ce que Percy n'aurait pas classé spontanément dans la catégorie « vêtements ». Puis il attrapa une sorte de cylindre tressé de la longueur d'une barre chocolatée, qu'il examina en plissant les yeux.

– C'est quoi, ça ?

– Un piège à doigts chinois, expliqua Percy.

Frank, qui était sino-canadien, eut l'air offensé.

– Tu peux me dire ce qu'il y a de chinois là-dedans ?

– Je sais pas mais ça s'appelle comme ça. On dit aussi « menottes siamoises ». C'est un truc de farces et attrapes.

– Venez, les garçons ! appela Kate, déjà à l'autre bout du hall.

Frank glissa les menottes dans son sac à dos et ils repartirent.

Ils s'engagèrent dans un tunnel d'eau. Des poissons nageaient au-dessus de leurs têtes, de l'autre côté de la paroi transparente, et Percy sentit une peur irrationnelle le prendre à la gorge.

C'est idiot, se dit-il. *J'ai été sous l'eau des millions de fois. Et là, je ne suis même pas dans l'eau.*

Le véritable danger, c'était Kate. Hedge avait déjà perçu qu'elle n'était pas humaine. D'un instant à l'autre, elle pouvait se changer en créature monstrueuse et les attaquer. Malheureusement, Percy ne voyait pas d'autre solution que de jouer son jeu de la visite de VIP jusqu'à ce qu'ils aient trouvé le dieu marin Phorcys. Quitte à s'enfoncer plus avant dans un piège.

Ils débouchèrent dans une salle inondée de lumière bleue. Le mur du fond était occupé par le plus grand aquarium que Percy ait vu de sa vie. Des dizaines de poissons y décrivaient des cercles, notamment un couple de requins tachetés qui faisaient chacun deux fois la taille de Percy. Ils étaient gros et lents et nageaient la bouche ouverte, laissant voir des gencives sans dents.

– Des requins-baleines, gronda Hedge. Maintenant on va cogner dur !

Kate gloussa.

– Imbécile de satyre ! Les requins-baleines sont pacifiques, ils ne mangent que du plancton.

Percy fronça les sourcils. Comment Kate savait-elle que l'entraîneur était un satyre ? Il portait la tenue de camouflage que les satyres adoptent pour se mêler aux humains incognito : un pantalon et des chaussures spécialement conçues pour contenir les sabots, plus une casquette, en l'occurrence de base-ball, pour couvrir les cornes. Plus Kate riait et se montrait amicale, plus Percy se méfiait. Gleeson Hedge, au contraire, n'avait pas du tout l'air sur ses gardes.

– Des requins pacifiques ? dit-il d'un ton écœuré. Quel intérêt ?

Frank lut les informations sur la plaque.

– Ce sont les seuls requins-baleines en captivité au monde, dit-il. Étonnant...

– Oui, et ils sont petits, ceux-ci, embraya Kate. Vous devriez voir certains de mes bébés qui vivent en pleine nature.

– Vos bébés ? demanda Frank.

À en juger par la lueur mauvaise qui brillait dans les yeux de Kate, Percy se dispenserait de faire la connaissance des « bébés » de Kate. Il décida qu'il était temps de mettre les pieds dans le plat. Il ne tenait pas à s'enfoncer davantage dans cet aquarium si ce n'était pas nécessaire.

– Dites-moi, Kate, attaqua-t-il, on cherche un gars... je veux dire, un dieu, qui s'appelle Phorcys. Est-ce que vous le connaissez, par hasard ?

– Si je le connais ? rétorqua Kate d'un ton hautain. C'est mon frère. C'est là qu'on va, imbéciles. Les spécimens rares sont juste là, de l'autre côté.

Elle tendit le bras vers le mur du fond. La surface noire et dure ondula et un nouveau tunnel apparut, aménagé dans un aquarium violet.

Kate s'y engagea. Percy n'avait aucune envie de la suivre, mais si Phorcys était réellement de l'autre côté, s'il détenait réellement des informations utiles pour leur quête... Il respira à fond et emboîta le pas à ses amis, qui s'avançaient déjà vers le tunnel.

À peine entré, Gleeson Hedge émit un long sifflement.

– Alors ça, c'est intéressant !

Au-dessus de leurs têtes glissaient des méduses multicolores grosses comme des poubelles, avec des centaines de longs tentacules qui ressemblaient à des barbelés soyeux. L'une d'elles avait capturé un espadon de trois mètres de long et se refermait lentement sur sa proie.

Kate tourna un visage rayonnant vers Hedge.

– Tu vois ? lui dit-elle. Oublie les requins-baleines ! Et ce n'est pas tout !

Kate les conduisit à une salle encore plus vaste, tapissée d'aquariums. Sur un mur, un panneau annonçait en lettres rouges et lumineuses : « MORT DANS LES GRANDS FONDS ! *sponsorisé par Monster Donut... Des Monstres de Beignets !* ».

Percy dut s'y prendre à deux fois pour déchiffrer l'inscription à cause de sa dyslexie, puis relire une nouvelle fois pour intégrer le message.

– Monster Donut ? fit-il alors, interloqué.

– Oui, oui, dit Kate. C'est un de nos gros sponsors.

Percy accusa le coup. Il avait eu affaire à Monster Donut, et il en gardait un souvenir pénible, où se mêlaient têtes de serpents cracheuses d'acide, hurlements et coups de canon.

Dans un autre aquarium, des hippocampes se laissaient flotter sans but. Percy avait vu de nombreux « chevaux de mer » sauvages, dans les océans ; il en avait même monté quelques-uns, mais il n'en avait jamais vu en captivité. Il essaya de leur parler, mais ils continuèrent à se laisser porter par l'eau en se cognant de temps à autre contre la paroi de verre de l'aquarium. Ils semblaient absents, mentalement.

– Il y a quelque chose qui cloche, murmura Percy.

Il tourna la tête et découvrit bien pire. Au fond d'un bassin plus petit, deux Néréides, des esprits des mers féminins, étaient assises en tailleur l'une en face de l'autre et jouaient aux 7 familles. Elles avaient l'air en proie à un ennui incommensurable. Leurs longs cheveux verts pendaient tristement autour de leurs visages. Elles avaient les yeux mi-clos.

Percy faillit s'étrangler de colère.

– Comment pouvez-vous les laisser là ? demanda-t-il à Kate, le regard noir.

– Je sais, soupira Kate. Elles ne sont pas très intéressantes. On a bien essayé de leur apprendre quelques tours, mais sans grand succès. Je crois que l'aquarium suivant te plaira davantage.

Percy protesta, mais Kate s'éloignait déjà.

– Sainte mère des chèvres ! s'écria Gleeson Hedge. Vise un peu ces merveilles !

L'entraîneur était planté bouche bée devant deux serpents de mer : des monstres de dix mètres de long dotés d'écailles bleu fluo et de mâchoires qui auraient pu sectionner un requin-baleine en deux. Dans un autre aquarium, un calamar gros comme un dix-tonnes émergeait de sa caverne de ciment, ouvrant un bec tranchant comme un coupe-boulon.

Le troisième aquarium abritait une dizaine de créatures humanoïdes au corps de phoque luisant, à la tête de chien et aux mains d'humains. Assises sur le fond sablonneux, elles jouaient aux Lego mais semblaient aussi abruties que les Néréides.

– Est-ce que ce sont des... ? Percy n'arrivait pas à prononcer le mot.

– Des Telchines ? Absolument ! répondit Kate. Ce sont les seuls en captivité au monde.

– Mais ils étaient du côté de Cronos pendant la dernière guerre ! protesta Percy. Ils sont dangereux !

Kate leva les yeux au plafond.

– Comment veux-tu qu'on monte une expo intitulée « Mort dans les grands fonds » sans présenter des créatures dangereuses ? T'inquiète pas, on leur donne des calmants.

– Des calmants ? demanda Frank. C'est pas illégal ?

Kate ignora la question et reprit la visite. Percy s'attarda un instant devant les Telchines. L'un d'eux était encore jeune. Il essayait de fabriquer une épée en Lego, mais il était dans un état trop comateux pour arriver à assembler les pièces. Percy, qui n'avait jamais aimé les démons des mers, se surprit à avoir de la peine pour lui.

– Et ces monstres marins que vous voyez là, disait Kate, peuvent atteindre quinze mètres de long dans les profondeurs océanes. Ils ont plus de mille dents ! Et vous voyez ceux-là, là-bas ? Leurs proies de prédilection sont les demi-dieux...

– Les demi-dieux ? l'interrompit Frank d'un ton horrifié.

– Mais ils mangent aussi des baleines et des petits bateaux. (Kate se tourna vers Percy et rougit.) Excuse-moi, je suis une vraie dingue de monstres marins ! Je suis sûre que tu sais déjà tout ça, toi qui es fils de Poséidon.

Percy entendait des sonnettes d'alarme tinter à ses oreilles. Kate en savait trop long à son sujet... et il n'aimait pas non plus sa façon de balancer des informations énormes, du genre « Je drogue les créatures en captivité » ou « Mes bébés dévorent des demi-dieux » comme si de rien n'était.

– Mais qui es-tu ? lui demanda-t-il. « Kate », c'est une couverture pour un autre nom ?

– Kate ? (Elle parut déroutée un court instant, puis regarda son badge.) Ah ! reprit-elle en riant, non, c'est...

– Hello ! lança une nouvelle voix, qui résonna dans l'aquarium.

Un petit homme surgit de la pénombre. Il marchait de côté sur des jambes arquées comme des pattes de crabe, le dos voûté, les bras levés comme s'il portait des assiettes invisibles.

Il était moulé dans une combinaison de plongée d'un horrible dégradé de verdâtres. Des mots s'étiraient en lettres argentées sur son flanc : « LE PORKY'S SHOW ». Il avait un casque micro planté sur une chevelure grasse et emmêlée, des yeux d'un bleu laiteux, l'un plus haut que l'autre, et malgré son sourire, il n'avait pas l'air aimable – plutôt l'air de s'être fait démonter le visage par une violente bourrasque.

– Des visiteurs ! s'écria-t-il, d'une voix amplifiée par son micro, une voix de DJ, grave et sonore, qui ne s'accordait pas du tout avec son physique. Bienvenue au Phorcys' Show !

Il fit un ample mouvement latéral des bras, comme pour attirer leur attention sur... rien. Il ne se passa rien.

– Peste, grommela-t-il. C'était le signal, les Telchines ! J'envoie les bras, vous faites un bond énergique dans votre aquarium, double vrille synchronisée et hop ! réception en pyramide. On l'a travaillé, pourtant !

Aucune réaction de la part des démons de mer.

Hedge se pencha vers l'homme-crabe et renifla sa combinaison.

– Hum... jolie tenue, commenta-t-il.

Il n'avait pas l'air de plaisanter, mais le satyre n'était pas connu pour son bon goût vestimentaire.

– Merci ! s'écria l'homme, ravi. Je me présente, Phorcys.

Frank passa d'un pied sur l'autre et demanda :

– Pourquoi c'est marqué « Porky » sur votre combinaison ?

Phorcys plissa le nez.

– Ces imbéciles de fabricants d'uniforme ! Ils comprennent tout de travers.

Kate tapota son badge.

– Je leur ai dit que je m'appelais Keto, et vous voyez ce que ça donne ! Mon frère s'appelle Porky, maintenant... comme un petit cochon !

– Que je ne suis pas ! protesta l'homme. Ça ne me correspond, mais alors, pas du tout. En plus ça ne colle pas avec

« show ». Vous imaginez un spectacle qui s'appellerait le « Porky's show » ? Mais vous n'êtes pas venus écouter nos lamentations. Contemplez, visiteurs, la somptueuse majesté du grand calamar mangeur d'hommes !

D'un geste spectaculaire, il désigna l'aquarium. Cette fois-ci, des feux d'artifice éclatèrent devant la paroi de verre pile-poil au bon moment, projetant des gerbes d'étincelles dorées. Les haut-parleurs déversèrent des torrents de musique. L'éclairage monta et révéla la somptueuse majesté de l'absence du calamar.

Apparemment, ce dernier s'était replié dans sa grotte.

– Peste ! jura de nouveau Phorcys, qui s'en prit à sa sœur. Keto, c'était à toi d'entraîner le calamar. Un numéro de jonglerie, j'avais dit. Et pour clore en beauté, lui faire déchiqueter une proie, peut-être. C'est trop demander ?

– Il est timide, rétorqua Keto, sur la défensive. En plus, chacun de ses tentacules a soixante-deux pointes qu'il faut aiguiser tous les jours. (Elle se tourna vers Frank.) Savais-tu que le calamar monstrueux est le seul animal recensé qui puisse manger les demi-dieux tout entiers, armure comprise, sans être malade ? Authentique !

Frank s'écarta d'elle en titubant, les deux mains sur le ventre comme pour vérifier qu'il était toujours en un seul morceau.

– Keto ! (Porky agita un doigt sévère.) Tu vas ennuyer nos visiteurs avec toutes ces informations. Moins d'instruction, plus de ludique ! On en a déjà parlé.

– Mais...

– Il n'y a pas de « mais » ! Nous sommes là pour présenter « Mort dans les grands fonds » ! Sponsorisé par Monster Donut !

Les derniers mots résonnèrent dans la pièce avec un écho redoublé. Des lumières clignotèrent. Et du sol montèrent des nuages de fumée qui prirent une forme d'anneau en diffusant une véritable odeur de beignets.

– Disponible à notre cafétéria, glissa Phorcys. Mais vous avez donné des denarii gagnés à la sueur de votre front pour bénéficier de la visite VIP, et vous allez l'avoir. Venez avec moi !

– Hum... une seconde, dit Percy.

Le sourire de Phorcys se mua en grimace hideuse.

– Plaît-il ?

– Vous êtes un dieu de la Mer, n'est-ce pas ? demanda Percy. Un fils de Gaïa ?

L'homme-crabe soupira.

– Cinq mille ans plus tard, je suis toujours considéré comme le petit garçon à sa Gaïa..., dit-il. Et tant pis si je suis l'un des plus anciens dieux de la Mer. Plus vieux que ton arriviste de père, soit dit en passant. Je suis le dieu des profondeurs secrètes ! Le seigneur des terreurs aquatiques ! Père de mille monstres ! Mais non... personne ne me connaît. Pour une pauvre petite erreur, parce que j'ai eu le malheur de me mettre du côté des Titans pendant leur guerre, on me chasse des océans et on m'exile où ça ? À Atlanta, les gars !

– On a cru que les Olympiens disaient Atlantis, expliqua Keto. Vous voyez un peu leur sens de l'humour, de nous envoyer ici à la place ?

Percy plissa les yeux.

– Vous êtes une déesse ? demanda-t-il.

– Keto, oui ! répondit-elle joyeusement. La déesse des Monstres Marins, bien sûr ! Baleines, requins, calamars et autres géants de la mer, mais j'ai toujours eu une préférence pour les monstres. Saviez-vous que les jeunes serpents de mer peuvent régurgiter la chair de leurs victimes et s'en nourrir de nouveau pendant six ans ? Authentique !

Frank se tenait toujours le ventre comme s'il allait vomir.

– Six ans ? (Gleeson Hedge poussa un long sifflement.) C'est fascinant !

– N'est-ce pas ? renchérit Keto, ravie.

– Et comment le calamar mangeur d'hommes s'y prend-il, au juste, pour déchiqueter ses victimes ? demanda Hedge. J'adore la nature.

– Eh bien...

– Arrêtez ! ordonna Phorcys. Vous gâchez le spectacle ! Et maintenant, voyez nos gladiatrices néréides s'affronter dans un duel à mort !

Une boule à miroirs descendit dans l'aquarium des Néréides, fragmentant l'eau en autant de facettes multicolores. Deux épées tombèrent en cliquetant sur le sable du fond. Les Néréides les ignorèrent et poursuivirent leur partie de cartes.

– Peste !

Phorcys tapa latéralement des pieds.

Keto fit une petite moue et s'adressa à l'entraîneur.

– Faites pas attention à Porky, il parle, il parle... Viens avec moi, aimable satyre. Je vais te montrer des planches en couleurs sur les habitudes de chasse des monstres.

– Formidable !

Avant que Percy ne puisse objecter, Keto entraîna Hedge dans un dédale d'aquariums de verre et Frank et Percy se retrouvèrent seuls avec le dieu-crabe.

Percy sentit une goutte de sueur lui couler le long de la nuque. Il échangea un regard inquiet avec Frank. Ce qui venait de se passer ressemblait à du « diviser pour régner ». Il ne voyait pas comment cette rencontre pouvait bien se terminer et il était presque tenté d'attaquer Phorcys tout de suite – au moins auraient-ils pour eux l'avantage de la surprise. Seulement, ils ne lui avaient encore soutiré aucun renseignement utile. Et Percy n'était pas sûr de pouvoir retrouver Gleeson Hedge. Il n'était même pas sûr de retrouver la sortie, d'ailleurs.

Phorcys lut son inquiétude sur son visage.

– Tout va bien ! assura le dieu. Keto est un peu barbante, certes, mais elle s'occupera bien de votre ami. Et vous n'avez pas encore vu le meilleur de la visite !

Percy s'efforça de réfléchir, mais il commençait à avoir mal à la tête. Il ne savait pas si c'était à cause de la blessure de la veille, des effets spéciaux de Phorcys ou des laïus de sa sœur sur les répugnantes habitudes des monstres marins.

– Alors..., parvint-il à dire. C'est Dionysos qui nous envoie.

– Bacchus, corrigea Frank.

– C'est ça. (Percy essaya de maîtriser son agacement. Il avait déjà du mal à se souvenir du nom de chaque dieu, s'il fallait qu'il en apprenne un deuxième, c'était pas gagné.) Pareil. Le dieu du Vin. (Il regarda Phorcys.) Bacchus a dit que vous sauriez peut-être ce que trame votre mère Gaïa, et aussi ce que fabriquent vos jumeaux, Otos et Éphialtès. Et si par hasard vous savez quelque chose sur cette Marque d'Athéna...

– Bacchus pensait que j'allais vous aider ? demanda Phorcys.

– Ben oui, dit Percy. Vous êtes Phorcys, quand même. Tout le monde parle de vous.

Phorcys inclina la tête, ce qui amena presque ses deux yeux à la même hauteur.

– Vraiment ?

– Et comment donc ! Pas vrai, Frank ?

– Si, bien sûr, renchérit ce dernier. Les gens n'arrêtent pas de parler de vous.

– Qu'est-ce qu'ils disent ?

Frank parut embarrassé.

– Eh bien, que vous êtes très fort en feux d'artifice. Et que vous avez une très belle voix d'animateur. Et aussi, euh, une boule à miroirs.

– C'est vrai ! (Phorcys fit claquer ses doigts avec excitation.) J'ai aussi la plus grande collection de monstres marins en captivité du monde !

– Et vous savez des choses, embraya Percy. Par exemple sur les jumeaux et leurs projets.

– Les jumeaux ! lança Phorcys d'une voix tonitruante, et des gerbes d'étincelles fusèrent devant l'aquarium des serpents de mer. Oui, je sais tout sur Éphialtès et Otos. Ces minus... Ils n'ont jamais trouvé leur place parmi les géants. Trop chétifs. Et puis ces pieds en serpents !

– Des pieds en serpents ?

Percy se souvint des longues chaussures aux pointes recourbées que portaient les jumeaux dans son rêve.

– Oui, oui, dit Phorcys avec impatience. Ils voyaient bien qu'ils ne pouvaient pas se faire un nom en s'appuyant sur leur force, alors ils ont opté pour le spectacle – la prestidigitation, les illusions scéniques, enfin tu vois. Le truc, c'est que Gaïa a façonné ses enfants-géants en fonction de ses ennemis. Chaque géant a été conçu pour tuer un dieu en particulier. Éphialtès et Otos, à eux deux, c'était une sorte d'anti-Dionysos.

Percy essaya de comprendre ce que ça impliquait, concrètement.

– Alors... ils veulent remplacer le vin par de la grenadine, c'est ça ?

Le dieu marin renifla.

– Mais non, pas du tout ! Éphialtès et Otos ont toujours voulu faire mieux, plus clinquant, plus spectaculaire ! Oui, bien sûr, ils veulent tuer Dionysos. Mais avant ça, ils veulent l'humilier en ridiculisant ses festivités.

Frank jeta un coup d'œil aux cierges magiques.

– En se servant de feux d'artifice et de boules à miroirs ?

Le visage de Phorcys se fendit de nouveau de ce vilain sourire de bourrasque.

– Exactement ! C'est moi qui ai appris aux jumeaux tout ce qu'ils savent. J'ai essayé, du moins, parce qu'ils n'écoutaient jamais. Leur premier grand numéro, vous savez ce que c'était ? Essayer de grimper jusqu'à l'Olympe en empilant des montagnes l'une sur l'autre. C'était une illusion, évidemment. Je leur ai fait remarquer que c'était ridicule. « Commencez petit », je leur disais, « commencez par vous scier en deux, faites sortir des gorgones d'un chapeau, ce genre de numéros. Et puis des costumes à paillettes assortis. C'est incontournable pour des jumeaux ! »

– Ce sont de bons conseils, acquiesça Percy. Et maintenant, les jumeaux...

– Oh, ils préparent leur grand show de la fin du monde à Rome, dit Phorcys d'un ton dédaigneux. Encore une idée idiote de maman. Ils ont enfermé un prisonnier dans une amphore en bronze. (Il se tourna vers Frank.) Tu es un enfant d'Arès, n'est-ce pas ? Tu as cette odeur. Les jumeaux ont enfermé ton père de la même façon, une fois.

– Un enfant de Mars, rectifia Frank. Une seconde, vous dites que ces géants ont enfermé mon père dans une amphore en bronze ?

– Oui, encore un numéro idiot. Comment peux-tu exhiber ton prisonnier s'il est à l'intérieur d'une amphore en bronze ? C'est zéro comme divertissement. Pas comme mes adorables spécimens !

D'un geste, il montra les hippocampes, qui se cognaient toujours mollement la tête contre le verre.

Percy fit un effort pour réfléchir. Il avait l'impression que la léthargie des créatures marines déteignait sur lui.

– Vous dites que c'était l'idée de Gaïa, ce spectacle de la fin du monde ?

– À vrai dire, les plans de maman ont toujours plusieurs strates. (Il rit.) La terre a des strates ! Normal !

– Hum... et donc, son plan...

– Elle a promis une prime globale pour un groupe de demi-dieux, continua Phorcys. Peu lui importe qui les tue, du moment qu'ils sont tués. En fait, je retire. Elle a bien précisé que deux d'entre eux devaient être maintenus en vie. Un garçon et une fille. Le Tartare seul sait pourquoi. En tout cas les jumeaux ont monté leur petit spectacle et ils espèrent attirer ces demi-dieux à Rome. Je crois que le prisonnier de l'amphore est un ami à eux. Ça, ou alors ils s'imaginent que les demi-dieux en question seraient assez bêtes pour venir dans leur territoire chercher la Marque d'Athéna. (Phorcys donna un coup de coude à Frank.) Si c'est le cas, on leur souhaite bonne chance, hein !

Frank rit nerveusement.

– Ouais. Ha, ha ! Ce serait vraiment bête, parce que...

Phorcys plissa les yeux.

Percy glissa la main dans sa poche. Ses doigts se refermèrent sur Turbulence. Même ce vieux dieu de la Mer devait être assez intelligent pour deviner qu'ils étaient ces demi-dieux dont la tête était mise à prix.

Mais Phorcys se contenta de sourire et donna un nouveau coup de coude à Frank.

– Ha, bien dit, fils de Mars ! T'as raison, c'est pas la peine de discuter. Même s'ils trouvaient la carte à Charleston, les demi-dieux n'arriveraient jamais vivants à Rome !

– Oui, LA CARTE À CHARLESTON, lança Frank d'une voix forte.

Et il regarda Percy en écarquillant les yeux pour être sûr qu'il n'ait pas raté l'info. Il n'aurait pas été moins discret s'il avait brandi un grand panneau marqué « INDICE !! ».

– Mais assez de commentaires éducatifs barbants ! s'écria Phorcys. Vous avez payé pour la prestation VIP, laissez-moi donc finir la visite. Les trois denarii de l'entrée ne sont pas remboursables, vous savez.

Percy ne brûlait pas d'envie de découvrir d'autres feux d'artifice, d'autres nuages de fumée arôme beignet ou d'autres créatures marines captives en dépression, mais il jeta un coup d'œil à Frank et se dit qu'il valait mieux ne pas contredire le vieux dieu-crabe, du moins pas avant d'avoir retrouvé l'entraîneur et rejoint la sortie sains et saufs.

– Après, demanda-t-il, on pourra vous poser des questions ?

– Bien sûr ! Je vous dirai tout ce que vous avez besoin de savoir.

Phorcys tapa deux fois dans les mains. Sur le pan de mur où était accroché le panneau en néon rouge s'ouvrit un nouveau tunnel, qui menait à un autre bassin.

– Faites comme moi ! dit Phorcys, qui s'engagea dans le tunnel en trottinant de côté.

Frank se gratta la tête :

– Il faut vraiment qu'on marche en crabe ?

– N'exagérons rien, dit Percy. Viens.

16 PERCY

Le tunnel s'étirait sous un bassin de la taille d'un gymnase. À part l'eau et quelques décorations minables, il était somptueusement vide. Percy estima qu'ils devaient avoir deux cent mille litres d'eau au-dessus de leurs têtes. Si pour une raison ou une autre, le tunnel cédait...

Pas grave, se dit-il. *Je me suis retrouvé entouré d'eau des milliers de fois. C'est mon élément.*

Pourtant, son cœur s'emballait. Il se souvint de la tourbière où il avait coulé, en Alaska – la vase froide et noire qui lui couvrait les yeux, le nez, la bouche...

Phorcys s'arrêta au milieu du tunnel et écarta fièrement les bras.

– Magnifique, non ?

Percy essaya de se détendre en se concentrant sur les détails. Dans un coin du bassin, il y avait une maisonnette en plastique grandeur nature avec une cheminée d'où montait un chapelet de bulles. Dans l'angle d'en face, un scaphandrier à la mode d'antan était agenouillé devant un coffre qui s'ouvrait toutes les dix secondes, crachait quelques bulles et se refermait.

– Qu'est-ce que vous gardez là ? demanda Frank. Une carpe carnivore géante ?

Phorcys leva les sourcils.

– Ah, ce serait chouette ! Mais non, Frank Zhang, descendant de Poséidon. Ce bassin n'est pas pour les carpes.

En entendant « descendant de Poséidon », Frank tressaillit. Il recula d'un pas et saisit son sac à dos de manière à pouvoir le faire tournoyer comme une massue.

Percy sentit la panique couler dans sa gorge comme du sirop contre la toux. C'était une sensation tristement familière.

– D'où connaissez-vous le nom de famille de Frank ? demanda-t-il. Comment savez-vous qu'il descend de Poséidon ?

– Eh ben... (Phorcys haussa les épaules, jouant au modeste.) Ça devait être dans le descriptif de Gaïa. Tu sais, pour la prime, Percy Jackson.

Percy retira le capuchon de son stylo. Aussitôt, Turbulence apparut dans sa main.

– Pas de coup en traître, Phorcys, dit-il. Vous nous avez promis des réponses.

– Après la visite VIP, oui, acquiesça Phorcys. J'ai promis de vous dire tout ce que vous avez besoin de savoir. Seulement le truc, c'est que vous n'avez pas besoin de savoir grand-chose. (Son visage se fendit d'un sourire grotesque.) Parce que vous voyez, même si vous arriviez à Rome, ce qui est des plus improbable, vous ne pourriez jamais vaincre mes frères géants sans un dieu à vos côtés. Et quel dieu accepterait de vous aider, hein ? J'ai un bien meilleur plan pour vous. Je vous garde. Vous êtes des VIP : Visiteurs Indéfiniment Prisonniers !

Percy s'élança en pointant son épée. Frank lança son sac à la tête du dieu de la Mer. Lequel se volatilisa, carrément.

– Oui, c'est bien ! C'est bien, battez-vous ! résonna sa voix, amplifiée par les haut-parleurs de l'aquarium. Vous voyez, maman ne m'a jamais confié de grande mission, mais elle m'a accordé l'autorisation de garder toutes mes captures. Vous serez une attraction de premier choix, tous les deux :

les seuls demi-dieux descendants de Poséidon en captivité ! « Les Demi-Dieux de la Terreur ». Oui, ça sonne bien ! On a déjà un projet de partenariat en cours avec Bargain Mart. Vous pourriez vous battre en duel tous les jours à 11 heures et à 13 heures, plus une séance en soirée à 19 heures.

– Vous êtes malade ! hurla Frank.

– Ne te sous-estime pas ! rétorqua Phorcys. Vous serez notre numéro le plus vendeur !

Frank courut vers la sortie... et heurta de plein fouet un panneau de verre. Percy fonça dans l'autre direction, pour trouver l'issue barrée, là aussi. Le tunnel s'était transformé en bulle de verre. Il posa la main sur la paroi et se rendit compte qu'elle était en train de mollir, comme de la glace qui fond. Bientôt, l'eau déferlerait sur leurs têtes.

– Comptez pas sur nous pour coopérer, Phorcys ! cria-t-il.

– Oh, je suis optimiste ! tonna la voix du dieu. Si vous refusez de vous battre en duel, pas de problème ! Je peux vous envoyer de nouveaux monstres marins tous les jours. Une fois que vous vous serez habitués à la nourriture, on vous donnera tous les calmants qu'il vous faut et vous suivrez docilement les instructions. Crois-moi, vous serez bien, ici !

Le dôme de verre, au-dessus de Percy, se fissura et commença à fuir.

– Je suis le fils de Poséidon ! déclara Percy d'une voix dont il s'efforça de chasser toute trace de peur. Vous ne pouvez pas m'emprisonner dans l'eau. C'est là que je suis le plus fort.

Le rire de Phorcys résonna en son surround.

– Quelle coïncidence ! Moi aussi, c'est là que je suis le plus fort. Ce bassin a été spécialement conçu pour accueillir des demi-dieux. Maintenant amusez-vous bien, tous les deux. Je vous verrai à l'heure du repas !

Et le dôme de verre se fracassa, libérant des tonnes d'eau.

Percy retint son souffle le plus longtemps possible. Lorsqu'il laissa finalement l'eau emplir ses poumons, il constata qu'il respirait toujours normalement. La pression de l'eau ne le gênait pas. Ses vêtements n'étaient même pas mouillés. Ses capacités sous-marines étaient demeurées intactes.

C'est juste une phobie stupide, se dit-il. *Je ne vais pas me noyer.*

Alors il se souvint de Frank et fut aussitôt saisi par une bouffée de panique et de culpabilité. Il s'était tellement inquiété pour lui-même qu'il avait oublié que son ami n'était qu'un descendant éloigné de Poséidon. Contrairement à Percy, Frank ne pouvait pas respirer sous l'eau.

Mais où était-il ?

Percy décrivit un grand cercle. Rien. Il leva la tête. Une carpe géante flottait au-dessus de lui. Frank s'était transformé – lui, ses vêtements et son sac à dos – en une carpe koï de la taille d'un adolescent.

Hé, mec. Percy projeta ses pensées dans l'eau, comme il le faisait pour parler avec les autres créatures marines. *Une carpe koï ?*

La voix de Frank lui revint :

J'ai paniqué. On parlait de carpes, alors ça m'est venu à l'esprit. Désolé.

J'ai une conversation télépathique avec une koï géante, dit Percy. *C'est énorme. Tu pourrais te changer en quelque chose de plus... utile ?*

Silence. Peut-être Frank se concentrait-il ; c'était impossible à dire, vu le peu d'expression dont sont dotées les carpes.

Désolé, je suis coincé. (Frank semblait gêné.) *Ça m'arrive quelquefois quand je panique.*

OK. (Percy serra les dents.) *Cherchons un moyen de sortir d'ici.*

Frank fit le tour du bassin à la nage et ne trouva aucune issue. Le haut était couvert d'un grillage de bronze céleste qui ressemblait aux rideaux métalliques des magasins d'un centre commercial. Percy essaya d'y ouvrir une brèche avec Turbulence ; il n'arriva même pas à entamer le métal. Il tenta alors de casser la paroi de verre en tapant dessus avec le pommeau de son épée, sans plus de succès. Il renouvela ses efforts avec plusieurs des armes qui jonchaient le fond du bassin et parvint seulement à casser trois tridents, une épée et un fusil à harpon.

Enfin, il essaya de prendre le contrôle de l'eau. Il voulait lui demander de se dilater et de briser le bassin, ou de faire exploser le dessus. L'eau n'obéit pas. Peut-être était-elle enchantée ou sous le pouvoir de Phorcys. Percy se concentra à s'en faire vibrer les tympans, mais, pour seul résultat, il ne parvint qu'à faire sauter le couvercle du coffre en plastique.

Ben voilà, se dit-il, abattu. *Je vais passer le restant de mes jours dans une maisonnette en plastique, à affronter mon copain changé en carpe koï géante et à attendre les repas.*

Phorcys leur avait assuré qu'ils y prendraient goût. Percy pensa aux Telchines, aux Néréides et aux hippocampes, tous dans le coaltar. La pensée de finir comme eux n'abaissa pas son niveau d'angoisse.

Il se demanda si Phorcys disait vrai. En admettant qu'ils parviennent à s'échapper, comment pourraient-ils vaincre les géants si les dieux étaient tous hors d'état d'agir ? Bacchus, peut-être, pouvait les aider. Il avait déjà tué les jumeaux géants par le passé, mais il ne se joindrait au combat que s'il recevait un tribut qu'il avait déclaré hors de sa portée. Qui plus est, la pensée de payer un tribut quel qu'il soit à Bacchus donnait à Percy l'envie de s'étouffer avec un Monster Donut.

Regarde ! dit Frank.

De l'autre côté de la paroi de verre, Keto traversait l'amphithéâtre avec Hedge en l'abreuvant d'informations ; le satyre hochait la tête et admirait les gradins.

M'sieur Hedge ! hurla Percy, avant de se rendre compte que c'était vain. L'entraîneur ne pouvait pas entendre ses appels télépathiques.

Frank tapa sa tête de carpe contre le verre.

Hedge ne remarqua rien. Keto le faisait avancer d'un pas vif. Elle n'avait même pas jeté un coup d'œil au bassin, sans doute parce qu'elle le croyait vide. Elle tendit le doigt vers l'autre côté de l'amphithéâtre comme si elle disait : « Viens. Il y a d'autres horribles monstres par là. »

Percy se rendit compte qu'il ne disposait que de quelques secondes avant qu'Hedge ne disparaisse, entraîné par Keto. Il nagea dans leur direction mais, contrairement à ce qui se passait d'habitude, l'eau ne l'aida pas. En fait, elle semblait même le repousser. Il lâcha Turbulence et se servit de ses deux bras.

Gleeson Hedge et Keto n'étaient plus qu'à un mètre cinquante de la sortie.

Percy attrapa une énorme boule de marbre et la projeta en la prenant par-dessous, comme une boule de bowling.

Elle heurta le panneau de verre avec un son mat – bien trop faible pour attirer l'attention.

La gorge de Percy se noua.

C'était compter sans l'ouïe de satyre d'Hedge. Ce dernier jeta un coup d'œil par-dessus son épaule. Lorsqu'il aperçut Percy, son visage passa par plusieurs expressions en quelques fractions de seconde – l'incompréhension, la surprise, la colère – puis se figea en masque impassible.

Avant que Keto n'ait le temps de les remarquer, Hedge pointa du doigt vers le haut de l'amphithéâtre avec une expression de vive surprise, l'air de crier : « Par les dieux de l'Olympe, qu'est-ce que c'est ? »

Keto tourna la tête. En un clin d'œil, l'entraîneur retira son faux pied et lui asséna son sabot de chèvre à l'arrière de la tête, façon ninja. Keto s'écroula.

Percy grimaça. Ayant récemment pâti d'un traitement similaire, il en eut mal au crâne par solidarité, même s'il n'avait jamais été aussi heureux d'avoir un chaperon fan d'arts martiaux en cage.

Hedge courut à la paroi de verre. Il leva les mains, comme pour demander : « Qu'est-ce que tu fiches là, Jackson ? »

Percy tapa du poing sur le verre en articulant les mots : « Cassez-le ! »

Hedge hurla une question, sans doute : « Où est Frank ? »

Percy montra du doigt la carpe géante.

Frank agita sa nageoire dorsale gauche.

Ça gaze ?

Derrière Hedge, la déesse de la Mer commençait à bouger. Percy tendit frénétiquement le doigt.

Hedge secoua la jambe comme s'il s'apprêtait à réitérer, mais Percy agita les bras : « Non. » Ils n'allaient pas passer leur vie à assommer Keto. Comme elle était immortelle, elle reprendrait connaissance chaque fois, et ce n'est pas ça qui les sortirait de ce bassin. De plus, Phorcys n'allait pas tarder à venir voir ce qu'ils devenaient.

À trois, articula Percy, qui tendit trois doigts d'une main et désigna le verre de l'autre. *On tape tous en même temps.*

Percy n'avait jamais été un bon mime, pourtant Hedge hocha la tête d'un air entendu – taper faisait partie des choses qu'il comprenait facilement.

Percy souleva une autre boule de marbre.

Frank, on va avoir besoin de toi. Tu peux changer de corps, ou c'est trop tôt ?

Je crois que je pourrais reprendre ma forme humaine.

Ce serait parfait ! Retiens ton souffle, c'est tout ! Si ça marche...

Keto s'agenouilla. Il n'y avait plus une seconde à perdre.

Percy compta sur ses doigts. Un, deux, trois !

Frank redevint humain et donna un puissant coup d'épaule contre la paroi. Gleeson Hedge effectua un coup de pied circulaire à la Chuck Norris. Et Percy lança la boule de toutes ses forces, mais il fit plus. Il somma l'eau de lui obéir, et cette fois-ci, il était décidé à ne pas essuyer un refus. Il sentait toute la pression contenue dans le bassin, et il y fit appel. L'eau aimait la liberté. À force de temps, elle pouvait venir à bout de toutes les barrières, et elle détestait être enfermée, exactement comme Percy. Il s'imagina retrouvant Annabeth. Il s'imagina détruisant cette horrible prison pour créatures marines. Il s'imagina enfonçant le micro de Phorcys dans son horrible gorge. Et deux cent mille litres d'eau répondirent à sa colère.

La paroi de verre se fissura. Des fentes rayonnèrent en toile d'araignée à partir du point d'impact, puis, soudain, le bassin explosa. Percy fut projeté par un torrent d'eau. Il culbuta sur le sol de l'amphithéâtre avec Frank, quelques grosses boules de marbre et une touffe d'algues en plastique. Alors même que Keto se redressait, la statue du scaphandrier lui tomba dessus, comme s'il voulait l'embrasser.

Gleeson Hedge recracha de l'eau de mer.

– Mille flûtes de Pan, Jackson ! Qu'est-ce que vous fabriquiez là-dedans ?

– Phorcys ! Un piège ! crachouilla Percy. Faut fuir !

Ils partirent en courant, dans le vacarme des alarmes qui se déclenchaient. Ils longèrent le bassin des Néréides, puis celui des Telchines. Percy aurait voulu les libérer, mais comment ? Ils étaient abrutis par les calmants et c'étaient des créatures marines. Si Percy ne trouvait pas un moyen de les reconduire à l'océan, elles mourraient rapidement.

De plus, Percy était quasiment certain que si Phorcys les rattrapait, son pouvoir s'avérerait supérieur au sien. Et Keto allait se lancer à leurs trousses, elle aussi, prête à les donner en pâture à ses monstres marins.

Je reviendrai, promit Percy.

Les créatures prisonnières dans les bassins ne donnèrent aucun signe en retour.

La voix de Phorcys retentit, couvrant la sono :

– Percy Jackson !

Des flashs et des cierges magiques crépitaient çà et là. Les salles se remplissaient de nuages de fumée arôme beignet. Une musique cacophonique – cinq ou six pistes simultanément – se déversa des haut-parleurs. Des ampoules éclataient et s'enflammaient tandis que tous les effets spéciaux du bâtiment se déclenchaient en même temps.

Percy, Hedge et Frank déboulèrent du tunnel de verre et se retrouvèrent dans la salle des requins-baleines. La zone visiteurs de l'aquarium était pleine de gens qui hurlaient : des familles et des groupes de centres aérés couraient dans tous les sens, malgré les employés de l'établissement qui s'efforçaient de les convaincre que c'était juste une défaillance du système d'alarme.

Percy et ses amis n'hésitèrent pas une seconde. Ils se mêlèrent à la foule et coururent vers la sortie.

17 ANNABETH

Annabeth essayait de faire rire Hazel en lui racontant les plus belles bourdes de Percy quand Frank fit irruption dans sa cabine.

– Où est Léo ? hoqueta-t-il. Faut décoller ! Faut décoller !

Les deux filles se levèrent d'un bond.

– Et Percy, où est-il ? demanda Annabeth. Et Hedge ?

Frank posa les deux mains sur ses genoux pour reprendre son souffle. Ses vêtements étaient humides et raides comme s'il les avait trempés dans de l'amidon.

– Sur le pont. Ils vont bien. On est suivis !

Annabeth sortit en trombe dans le couloir et grimpa l'escalier quatre à quatre, Hazel sur ses talons. Frank suivait avec effort, encore pantelant. Percy et Hedge étaient allongés sur le pont, à bout de forces. Hedge n'avait plus ses chaussures. Il regardait le ciel avec un sourire extatique et répétait : « Énorme. Énorme. » Percy était couvert d'égratignures, comme s'il avait sauté à travers un carreau. Il ne prononça pas un mot, mais attrapa faiblement la main d'Annabeth, l'air de dire : « J'arrive, promis. Dès que ça cesse de tourner. »

Léo, Piper et Jason, qui déjeunaient dans le mess, montèrent en courant.

– Qu'est-ce qui se passe ? cria Léo, un croque-monsieur à la main. On peut plus bouffer tranquille ? Y a un blème ?

– On est suivis ! hurla de nouveau Frank.

– Suivis par qui ? demanda Jason.

– Ch'ai pas, haleta Frank. Des baleines ? Des monstres marins ? Kate et Porky ?

Annabeth eut envie de l'étrangler, mais elle n'était pas sûre de pouvoir faire le tour de son cou épais avec ses mains.

– Ça ne veut rien dire, ce qu'il raconte, lança-t-elle. Léo, décolle dès que tu peux.

Léo cala son croque au coin de la bouche, façon pirate, et courut au gouvernail.

Quelques instants plus tard, l'*Argo II* montait dans le ciel. Annabeth était postée à l'arbalète de poupe. Elle ne voyait aucun signe de poursuivants, baleines ou autres, mais Percy, Frank et Hedge ne retrouvèrent un état à peu près normal qu'une fois Atlanta avalée par la brume, loin derrière eux.

– Charleston, dit Percy, qui se mit à arpenter le pont en boitillant comme un vieillard, visiblement secoué. Il faut mettre le cap sur Charleston.

– Charleston ? répéta Jason, d'une voix qui laissait à penser que ce nom lui rappelait de mauvais souvenirs. Qu'est-ce que vous avez trouvé à Atlanta, au juste ?

Frank ouvrit son sac à dos et se mit à exhiber ses souvenirs.

– Des pêches au sirop. Quelques tee-shirts. Une boule de neige. Et, euh, ces menottes, chinoises, paraît-il.

Annabeth prit sur elle pour garder son calme.

– Si tu commençais par le commencement, Frank ?

Ils se rassemblèrent à la poupe du navire pour que Léo puisse entendre tout en pilotant. Frank et Percy se relayèrent pour raconter ce qui était arrivé à l'aquarium ; de temps à autre, Hedge lançait un « C'était du lourd ! » ou « Et je lui ai collé mon sabot sur le crâne ! »

L'avantage, c'était que le chaperon semblait avoir oublié qu'Annabeth et Percy s'étaient endormis dans l'écurie la veille. Mais à en juger par le récit de Percy, ils étaient face à des problèmes autrement plus graves que risquer une punition d'Hedge.

Lorsque Percy leur parla des créatures marines en captivité à l'aquarium, elle comprit pourquoi il était aussi bouleversé.

– C'est terrible, dit-elle. Il faut qu'on les aide.

– On le fera, affirma-t-il. Au moment voulu. Mais il faut que je trouve comment. J'aimerais... (Il secoua la tête.) Laisse tomber. Là, il faudrait déjà qu'on décide quoi faire pour cette histoire de mise à prix.

Gleeson Hedge s'était désintéressé de la conversation, sans doute parce qu'il n'était plus question de lui ; il s'était éloigné vers la proue du vaisseau pour travailler ses coups de pieds circulaires et se félicitait tout seul de sa technique.

Annabeth serra la main sur le manche de son poignard.

– Nos têtes mises à prix... Comme si on n'attirait pas assez les monstres comme ça !

– Est-ce qu'il y a des avis de recherche sur nous ? demanda Léo. Et nos primes, elles sont échelonnées ou quoi ?

– Qu'est-ce que tu racontes ? fit Hazel en plissant le nez.

– Je serais curieux de savoir combien je vaux au jour d'aujourd'hui, expliqua Léo. Je veux dire, je pourrais comprendre que mon cours n'atteigne pas celui de Percy ou de Jason, à la rigueur, mais est-ce que je suis coté à, je sais pas, deux Frank ? Trois Frank ?

– Hé ! protesta l'intéressé.

– Arrête ton numéro, Léo, lança sèchement Annabeth. Au moins, on sait que notre prochaine étape doit être Charleston, pour chercher cette carte.

Piper s'appuya contre le tableau de bord. Elle avait tressé des plumes blanches dans sa natte, ce qui mettait en valeur ses cheveux châtain foncé. Annabeth se demandait quand elle trouvait le temps de se faire des coiffures pareilles ; elle-même avait parfois du mal à se rappeler de se passer un coup de peigne.

– Une carte, dit Piper. Mais une carte de quoi ?

– De l'emplacement de la Marque d'Athéna, répondit Percy, qui regarda Annabeth avec circonspection, comme s'il craignait de s'être trop avancé – elle avait dû exprimer muettement, par sa seule attitude, qu'elle n'avait pas envie de parler de ça. Même si on sait pas ce que c'est, poursuivit-il. Tout ce qu'on en sait, c'est qu'elle mène à quelque chose d'important à Rome, qui pourrait mettre fin au désaccord entre Romains et Grecs.

– *Le fléau des géants*, ajouta Hazel.

Percy hocha la tête.

– Et dans mon rêve, les deux géants faisaient allusion à une statue.

– Hum... (Frank tripotait ses menottes « chinoises ».) D'après Phorcys, il faudrait être fou pour essayer de la trouver. Mais qu'est-ce que c'est ?

Tout le monde regarda Annabeth. Elle sentit son cuir chevelu picoter comme si les pensées luttaient pour sortir de son crâne : une statue... Athéna... grec et romain... ses cauchemars... Et sa dispute avec sa mère. Elle voyait comment les pièces s'assemblaient mais elle n'arrivait pas à y croire. La réponse était trop énorme, trop forte et beaucoup trop effrayante pour être vraie.

Elle remarqua que Jason l'examinait comme s'il savait *exactement* à quoi elle pensait et qu'il en ait la même crainte. Une fois de plus, elle ne put s'empêcher de se demander : *Pourquoi ce type me met-il à cran ? Est-ce qu'il est vraiment de mon côté ?* Mais peut-être était-ce sa mère qui parlait en elle...

– Je... j'approche d'une réponse, dit-elle. J'en saurai davantage si nous trouvons la carte. Jason, tu as eu l'air de réagir quand Percy a dit « Charleston ». Tu y es déjà allé ?

Jason jeta un coup d'œil gêné à Piper, ce qui intrigua Annabeth.

– Ouais, reconnut-il. Reyna et moi avons fait une quête là-bas il y a environ un an. On a récupéré des armes en or sur le *Hunley*.

– Le quoi ?

– Sérieux ? s'écria Léo. Le *Hunley*, c'est le tout premier sous-marin militaire. Il date de la guerre de Sécession. J'ai toujours rêvé de le voir.

– Il avait été conçu par des demi-dieux romains, expliqua Jason. Il contenait une cache d'armes secrètes – des torpilles en or impérial. On les a retrouvées et on les a rapportées au Camp Jupiter.

Hazel croisa les bras.

– Alors les Romains se sont battus du côté des confédérés ? En tant que petite-fille d'une esclave, est-ce que je peux juste dire que... c'est pas cool ?

Jason ouvrit les bras, paumes tournées vers le ciel.

– Personnellement, j'étais pas vivant, à l'époque. Et il n'y avait pas tous les Romains d'un côté et tous les Grecs de l'autre. Mais tu as raison, c'est pas cool. Quelquefois les demi-dieux commettent des erreurs. (Il regarda Hazel d'un air penaud.) Des fois, par exemple, on est trop méfiants. Et on parle sans réfléchir.

Hazel le dévisagea. Lentement, elle eut l'air de comprendre qu'il lui présentait des excuses.

Jason donna un coup de coude à Léo.

– Aïe ! glapit Léo. Je veux dire, ouais... des erreurs. Comme de se méfier des frères des gens qui pourraient avoir besoin d'être sauvés, genre. Par exemple.

Hazel pinça les lèvres.

– Je vois, fit-elle. Revenons à Charleston. Est-ce que tu veux dire qu'on devrait aller explorer ce sous-marin de nouveau ?

Jason haussa les épaules.

– Disons que je peux penser à deux endroits où chercher là-bas. Le musée où est exposé le *Hunley,* ça en fait un. Il y a de nombreux vestiges de la guerre de Sécession, la carte pourrait être cachée avec. Je connais la disposition du musée, je pourrais emmener une équipe.

– Je viens, dit Léo. Ça me branche bien.

Jason hocha la tête, puis se tourna vers Frank, qui essayait vainement de retirer les doigts du piège chinois.

– Tu devrais venir aussi, Frank. On pourrait avoir besoin de toi.

L'intéressé eut l'air surpris.

– Pourquoi ? J'ai pas franchement brillé à l'aquarium.

– Pas d'accord, dit Percy. T'as assuré. On était trois pour casser ce mur de verre.

– En plus, tu es un fils de Mars, ajouta Jason. Les fantômes des causes perdues sont obligés de te servir. Et le musée de Charleston est plein de fantômes de confédérés. On ne sera pas de trop pour les tenir à distance.

Frank ravala sa salive. Annabeth se rappela que Percy avait raconté qu'il s'était changé en carpe géante et elle se retint de sourire. Elle ne pourrait plus jamais regarder Frank sans penser à une carpe koï.

– OK, d'accord, concéda le garçon. (Il fixa ses doigts prisonniers en fronçant les sourcils.) Euh, vous savez comment...

Léo gloussa.

– T'en avais jamais vu, de ces menottes, man ? Il y a un truc tout bête pour les retirer.

Frank tira de nouveau, sans succès. Même Hazel faisait un effort pour ne pas rire.

La concentration le faisait grimacer. Soudain, il disparut. Sur le pont, à l'endroit où il se tenait un instant plus tôt, il y avait un iguane vert, à côté d'un piège à doigts chinois vide.

– Beau travail, Frank Zhang, dit Léo d'un ton acerbe, imitant Chiron, le centaure de la Colonie des Sang-Mêlé. C'est tout à fait comme cela qu'on fait pour se libérer d'un piège à doigts chinois. On se change en iguane.

Ils éclatèrent tous de rire. Frank reprit sa forme humaine, ramassa les menottes et les fourra dans son sac à dos. Il eut un petit sourire embarrassé.

– Bon, lança-t-il, visiblement désireux de changer de sujet. Le musée, ça fait un premier lieu à explorer. Mais tu as dit qu'il y en avait deux, Jason ?

Ce dernier perdit son sourire. Annabeth ne savait pas à quoi il pensait, mais ça ne devait pas être agréable.

– Ouais, répondit-il. L'autre endroit, c'est un jardin public, juste à côté du port. La Batterie, ça s'appelle. La fois où on est allés à Charleston, avec Reyna... (Il jeta un coup d'œil à Piper, puis poursuivit rapidement.) On a vu quelque chose dans le square. Un spectre lumineux qui flottait dans l'air, un genre de fantôme qui ressemblait à une élégante de Louisiane du temps de la guerre de Sécession. On a essayé de l'aborder, mais chaque fois qu'on s'approchait, elle disparaissait. Et puis Reyna a eu l'intuition qu'elle ne voulait peut-être parler qu'à une fille. Elle y est allée toute seule et, effectivement, le fantôme lui a parlé.

Tout le monde attendit.

– Et alors ? demanda Annabeth.

– Reyna a refusé de me répéter ce qu'elle lui avait dit, avoua Jason. Mais ça devait être important parce qu'elle avait l'air secouée. C'était peut-être une prophétie ou une mauvaise nouvelle. En tout cas, elle n'a plus jamais été la même avec moi, après ça.

Annabeth réfléchit. Après leur rencontre avec les eidolons, elle n'était pas très tentée d'aborder un fantôme, et encore moins un fantôme qui changeait les gens en leur donnant de mauvaises nouvelles ou des prophéties. D'un autre côté, sa mère était la déesse de la Connaissance, et la connaissance était la plus puissante des armes. Annabeth était incapable d'ignorer une source possible d'information.

– Une mission pour filles, alors, dit-elle. Je pourrais y aller avec Piper et Hazel.

Elles opinèrent toutes les deux de la tête, mais Hazel semblait appréhensive. Son séjour aux Enfers lui avait certainement procuré assez de rencontres avec des fantômes pour deux vies. Piper, quant à elle, avait une lueur de défi dans le regard – *si Reyna l'a fait, moi aussi je peux le faire.*

Annabeth se rendit compte que s'ils partaient tous les six pour ces deux quêtes, Percy se retrouverait seul à bord avec Gleeson Hedge, ce qui n'était peut-être pas une situation dans laquelle une petite amie attentionnée devait mettre son copain. En même temps, elle n'était pas pressée de le voir s'éloigner de nouveau, alors qu'ils avaient été séparés de longs mois. Et Percy semblait si ébranlé d'avoir vu ces créatures marines emprisonnées qu'elle se dit qu'il avait peut-être besoin de repos. Elle croisa son regard et l'interrogea silencieusement. Il hocha la tête, comme pour dire : « C'est bon, ça va aller. »

– Bien, annonça-t-elle, alors on fait comme ça. (Elle se tourna vers Léo, penché sur son tableau de bord, qui écoutait Festus grincer et cliqueter dans l'interphone.) Dans combien de temps on arrive à Charleston, Léo ?

– Bonne question, marmonna-t-il. Festus vient de repérer un grand groupe d'aigles derrière nous – avec le radar à longue portée, pas encore dans le champ de vision.

Piper se pencha sur le tableau de bord.

– Tu es sûr qu'ils sont romains ?

Léo roula les yeux.

– Non, Pip's. Ça pourrait être une bande d'aigles géants volant par hasard en parfaite formation. Bien sûr qu'ils sont romains ! J'imagine qu'on pourrait faire demi-tour et les affronter...

– Ce serait une très mauvaise idée, interrompit Jason. Ça dirait clairement que nous sommes les ennemis de Rome.

– J'ai une autre idée, rebondit Léo. Si on va directement à Charleston, on peut y être en quelques heures. Mais les aigles nous dépasseraient et ça compliquerait les choses. Par contre, on pourrait envoyer un leurre pour les tromper. Et nous, on ferait un détour et on arriverait à Charleston demain matin seulement...

Hazel voulut protester, mais Léo leva la main.

– Je sais, je sais. Nico est en danger et on doit faire vite.

– On est le 27 juin, dit Hazel. À partir de demain, il ne reste que quatre jours. Ensuite il meurt.

– Je sais ! Mais ça pourrait nous permettre de semer les Romains. Et il devrait nous rester assez de temps pour arriver à Rome.

Hazel grimaça.

– Quand tu dis « Il *devrait* nous rester assez de temps »...

Léo haussa les épaules.

– Et si je te disais « Il devrait nous rester tout juste assez de temps » ? reprit-il.

Hazel plongea le visage dans ses mains deux ou trois secondes, puis releva la tête et lança :

– Je dirais « Comme d'habitude ».

Annabeth estima que c'était un feu vert.

– Bon, Léo, intervint-elle, à quoi tu penses, comme leurre ?

– Ah, enfin tu me demandes ! s'écria joyeusement le garçon.

Il pianota sur son tableau de bord, fit pivoter la platine et appuya à plusieurs reprises, très vite, sur le bouton A de sa manette Wii, tout en parlant dans l'interphone :

– Buford ? Buford est appelé sur le pont.

Frank recula d'un pas.

– Il y a quelqu'un d'autre à bord ? Qui est Buford ?

Un jet de vapeur fusa de l'escalier, et la table automatique de Léo grimpa sur le pont.

Annabeth n'avait pas beaucoup vu Buford depuis le début de la quête. Il restait la plupart du temps dans la salle des machines – Léo prétendait qu'il était amoureux du moteur. C'était un guéridon à trois pieds avec un plateau d'acajou. Sa base en bronze comportait plusieurs tiroirs, des engrenages et des évents à vapeur. Buford trimbalait une espèce de sacoche de facteur attachée à un de ses pieds. Exhalant un sifflement de locomotive, il s'écroula devant le gouvernail.

– Je vous présente Buford, déclara Léo.

– Tu baptises tes meubles, maintenant ? lui lança Frank.

– La vérité, man, c'est que t'aimerais trop avoir des meubles aussi cool, hein ? contre-attaqua Léo. Buford, es-tu prêt pour l'opération Action Guéridon ?

Buford cracha un jet de vapeur puis s'approcha du bastingage. Son plateau d'acajou se divisa en quatre quartiers égaux, lesquels s'allongèrent pour former des pales en bois. Elles se mirent à tourner, et Buford décolla.

– Un guéridon-hélico, dit Percy. C'est énorme, il faut le reconnaître. Et qu'est-ce qu'il y a dans le sac ?

– Du linge sale de demi-dieu, répondit Léo. J'espère que ça t'ennuie pas, Frank.

Frank faillit s'étrangler d'indignation.

– Quoi ?!

– Ça va écarter les aigles de notre piste.

– Mais c'était mon seul pantalon de rechange !

Léo haussa les épaules.

– J'ai demandé à Buford de le laver-plier quand il aura fini. Avec un peu de chance, il le fera. (Il se frotta les mains en souriant.) Ben voilà ce que j'appelle du bon boulot ! Je vais établir notre itinéraire de déviation, maintenant. Je vous retrouve tous au dîner. Tchô les gars !

Percy se coucha tôt et Annabeth se retrouva sans rien de spécial à faire de sa soirée, à part contempler son ordinateur.

Car elle avait emporté l'ordinateur de Dédale, bien sûr. Deux ans plus tôt, elle avait hérité du portable du plus grand inventeur de tous les temps ; le disque dur était bourré d'idées d'inventions, de schémas et de diagrammes qu'Annabeth était encore en train d'essayer de comprendre, pour la plupart. Un portable ordinaire aurait déjà été dépassé, au bout de deux ans, mais Annabeth estimait que celui de Dédale avait une bonne cinquantaine d'années d'avance. Il pouvait prendre l'ampleur d'un ordinateur de bureau ou rétrécir à la taille d'une tablette et même d'un rectangle de métal plus petit et plus fin qu'un téléphone mobile. Il tournait plus vite que tous les ordinateurs qu'elle avait jamais essayés, se connectait aux satellites et aux chaînes de Télé-Héphaïstos du mont Olympe et comportait une gamme de logiciels capables d'à peu près tout à part, peut-être, de nouer les lacets – il pouvait y avoir une application pour ça, mais Annabeth ne l'avait pas encore trouvée.

Elle s'assit sur son lit et se servit d'un des programmes 3D de Dédale pour étudier une maquette du Parthénon, à Athènes. Elle avait toujours rêvé de le visiter, aussi bien parce qu'elle adorait l'architecture que parce que c'était le plus célèbre des temples bâtis en l'honneur de sa mère.

Elle allait peut-être voir son vœu exaucé, à présent, s'ils vivaient assez longtemps pour arriver en Grèce. Mais plus elle pensait à la Marque d'Athéna et à l'ancienne légende romaine à laquelle Reyna avait fait allusion, plus elle était inquiète.

Malgré elle, Annabeth se rappela sa dispute avec sa mère. Plusieurs semaines s'étaient écoulées depuis lors, mais les paroles qu'avait prononcées la déesse lui faisaient encore mal.

Ce jour-là, Annabeth était dans le métro, à New York. Elle revenait de chez la mère de Percy, Sally Jackson. Durant les longs mois d'absence de Percy, Annabeth lui avait rendu visite au moins une fois par semaine, tant pour les tenir informés des recherches, elle et son compagnon Paul, que pour un soutien mutuel : Annabeth et Sally avaient besoin de s'encourager et de se convaincre l'une l'autre que Percy reviendrait sain et sauf.

Le printemps avait été particulièrement difficile. Annabeth avait de bonnes raisons d'espérer que Percy soit encore en vie, dans la mesure où le plan d'Héra semblait impliquer de l'envoyer au camp romain, mais elle n'avait aucun moyen de savoir où il se trouvait. Jason s'était à peu près souvenu de l'emplacement de son ancien camp, cependant aucun recours à la magie grecque – et même les pensionnaires du bungalow d'Hécate s'y étaient mis – n'avait pu déterminer si Percy était là-bas ou ailleurs. En fait, Percy semblait s'être volatilisé de la surface de la planète. Rachel, leur oracle, avait tenté de lire l'avenir ; bien qu'elle n'ait pas vu grand-chose, elle avait eu la certitude qu'il fallait que Léo achève la construction de l'*Argo II* pour qu'ils puissent contacter les Romains.

Malgré cela, Annabeth avait passé tous ses moments libres à explorer des pistes susceptibles de lui rapporter des rumeurs sur Percy. Elle s'était entretenue avec des esprits de la nature, avait lu des légendes sur Rome, cherché des indices dans le disque dur de Dédale et dépensé des centaines de drachmes d'or en messages-Iris adressés à tous les spectres, demi-dieux et monstres bienveillants qu'elle connaissait. Tout ça sans succès.

Ce jour-là, en partant de chez la mère de Percy, Annabeth se sentait particulièrement découragée. Elles avaient commencé par pleurer, Sally et elle, puis s'étaient ressaisies, mais elles étaient restées fragilisées. Annabeth était partie et elle avait pris la ligne de métro de Lexington Avenue, qui menait à la gare de Grand Central.

Il y avait d'autres chemins possibles pour regagner son foyer pour lycéens, depuis le quartier de l'Upper East Side où vivait Sally Jackson, mais Annabeth aimait bien passer par la gare. L'architecture majestueuse de Grand Central et son hall immense lui rappelaient le mont Olympe. Elle se sentait à l'aise dans les monuments, peut-être parce que ces bâtiments qui traversaient les époques lui apportaient un sentiment de permanence rassurant.

Elle arrivait devant *Douceurs d'Amérique*, le magasin de bonbons où avait travaillé la mère de Percy à une époque, et se demandait si elle n'allait pas entrer en acheter des bleus en souvenir de ce bon vieux temps, lorsqu'elle aperçut Athéna qui examinait le plan de métro affiché au mur.

– Maman ! s'écria Annabeth.

Elle n'en croyait pas ses yeux. Cela faisait des mois qu'elle n'avait pas vu sa mère – depuis que Zeus avait fermé les portes de l'Olympe et banni toute communication entre dieux et demi-dieux.

Malgré l'interdiction, Annabeth avait invoqué sa mère à plusieurs reprises, en la suppliant de lui donner des conseils, et elle n'avait pas manqué, lors des repas au réfectoire de la colonie, de lui faire brûler des offrandes. Elle n'avait jamais reçu de réponse. Or, maintenant, la déesse Athéna était là devant elle, en jean, épaisse chemise rouge et chaussures de marche, ses cheveux bruns et ondulés épars sur les épaules. Elle avait un sac à dos et un bâton de marche, comme si elle s'apprêtait à partir pour un long voyage.

– Faut que je rentre chez moi, marmonnait Athéna, les yeux rivés sur le plan. L'itinéraire est compliqué. Quel dommage qu'Ulysse ne soit pas là, il aurait su, lui.

– Maman ! appela Annabeth. Athéna !

La déesse se retourna. Elle regarda Annabeth sans avoir l'air de la reconnaître.

– C'était mon nom, autrefois, dit-elle d'un ton rêveur. Avant qu'ils mettent ma ville à sac, me privent de mon identité et me réduisent à ça. (Elle regarda ses vêtements avec répulsion.) Il faut que je rentre chez moi.

Annabeth recula d'un pas, en état de choc.

– Tu... tu es Minerve ?

– Ne m'appelle pas comme ça ! (Une lueur de colère embrasa les yeux gris de la déesse.) J'avais une lance et un bouclier. Je tenais la victoire au creux de la main. J'étais tellement plus que *ça*.

– Maman, reprit Annabeth d'une voix tremblante. C'est moi, Annabeth. Ta fille !

– Ma fille..., répéta Athéna. Oui, mes enfants me vengeront. Ils doivent exterminer les Romains. Ces affreux copieurs, ces honteux individus. Héra prétendait que nous devions maintenir les deux camps séparés. Moi je disais que non, combattons-les. Que mes enfants exterminent les usurpateurs.

Le cœur d'Annabeth battit plus fort.

– C'est ce que tu voulais, vraiment ? demanda-t-elle. Mais tu es la sagesse. Tu comprends l'art de la guerre bien mieux que...

– Autrefois ! interrompit la déesse. Ils m'ont remplacée. Attaquée. Emmenée comme un trophée, loin de ma patrie bien-aimée. J'ai tant perdu. J'ai juré de ne jamais pardonner. Ni moi ni mes enfants. (Elle regarda Annabeth plus attentivement.) Tu es ma fille ?

– Oui.

La déesse repêcha un objet au fond de sa poche de chemise, un ancien jeton du métro de New York, et le fourra dans la main d'Annabeth.

– Suis la Marque d'Athéna, dit-elle. Venge-moi.

Annabeth regarda le jeton. Sous ses yeux, il se transforma en drachme en argent antique, comme en utilisaient jadis les Athéniens. Elle représentait une chouette, l'animal sacré d'Athéna, avec un rameau d'olivier sur une face et une inscription sur l'autre.

La Marque d'Athéna.

À l'époque, Annabeth n'avait aucune idée de ce que ça pouvait bien signifier. Elle ne comprenait pas l'attitude de sa mère. Minerve ou pas, elle n'aurait pas dû, lui semblait-il, être aussi désemparée.

– Maman, dit-elle en s'efforçant d'adopter le ton le plus posé possible. Percy a disparu. J'ai besoin de ton aide.

Là-dessus, elle entreprit d'exposer le plan d'Héra, à savoir réunir les deux camps de demi-dieux pour combattre Gaïa et ses géants, mais la déesse frappa violemment le sol de marbre avec sa canne.

– Jamais ! dit-elle. Quiconque aide Rome devra périr. Si tu te ranges à leurs côtés, tu n'es plus mon enfant. Tu m'as déjà trahie.

– Maman !

– Je n'en ai rien à faire, de ton Percy. S'il est passé chez les Romains, qu'il meure. Tue-le. Tue tous les Romains. Suis la Marque, remonte jusqu'à sa source. Témoigne du sort indigne que m'a infligé Rome et jure de me venger.

– Athéna n'est pas la déesse de la Vengeance, objecta Annabeth en enfonçant les ongles dans la paume de sa main – il lui sembla sentir la pièce d'argent chauffer. Percy est tout pour moi.

– Et la vengeance est tout pour moi, rétorqua méchamment la déesse. Laquelle de nous est la plus sage ?

– Je ne te reconnais pas. Qu'est-ce qui s'est passé ?

– Rome, voilà ce qui s'est passé ! dit la déesse avec amertume. Tu vois ce qu'ils ont fait, tu vois comment ils m'ont transformée en Romaine ? Ils me veulent pour déesse ? Eh bien qu'ils goûtent à leur propre mal. Tue-les, mon enfant.

– Non !

– Alors tu n'es plus rien. (La déesse reporta son attention sur le plan de métro. Son expression se radoucit ; elle parut indécise et troublée.) Si je trouvais le chemin pour rentrer chez moi... dans ce cas, peut-être que... Mais non. Venge-moi ou quitte-moi. Tu n'es plus mon enfant.

Annabeth sentit les larmes lui monter aux yeux. Une centaine de réponses acérées lui vinrent à l'esprit, mais elle fut incapable d'en prononcer une seule. Elle tourna les talons et s'enfuit en courant.

Depuis cette rencontre, elle avait essayé de jeter la pièce d'argent à plusieurs reprises, mais elle réapparaissait chaque fois dans sa poche, exactement comme le faisait Turbulence pour Percy. Malheureusement, la drachme d'Annabeth était dépourvue de pouvoirs magiques – rien d'utile, en tout cas. Elle lui donnait des cauchemars, c'était tout, et malgré ses efforts, Annabeth ne pouvait pas s'en débarrasser.

À présent, assise dans sa cabine de l'*Argo II*, elle sentait la drachme chauffer dans sa poche. Elle regarda la maquette du Parthénon sur l'écran de son ordinateur et repensa à sa dispute avec Athéna. Des phrases qu'elle avait entendues au cours des derniers jours lui tournaient dans la tête : « Une amie talentueuse, prête pour son visiteur », « Personne ne récupérera cette statue », « La fille de la sagesse marche seule ».

Elle avait peur de comprendre enfin le sens de tout cela, mais pria les dieux qu'elle se trompe.

On frappa à la porte et elle sursauta.

Elle aurait aimé que ce soit Percy, mais Frank Zhang passa le nez dans l'embrasure.

– Euh, dit-il. Excuse-moi, est-ce que je pourrais...

Annabeth était si surprise de le voir qu'elle mit un moment à comprendre qu'il souhaitait entrer.

– Oui, fit-elle, bien sûr.

Il referma la porte derrière lui et balaya la cabine du regard. Il n'y avait pas grand-chose à voir. Sur le bureau d'Annabeth, une pile de livres, un journal intime et un stylo, une photo de son père aux manettes de son biplan Sopwith Camel, qui tendait le pouce triomphalement, un grand sourire aux lèvres. Annabeth aimait bien cette photo. Elle lui rappelait l'époque où elle s'était sentie le plus proche de lui, quand il avait dérouillé une armée de monstres avec des mitrailleuses en bronze céleste rien que pour la protéger – sans doute le plus beau cadeau qu'une fille puisse souhaiter de son père.

Au mur, accrochée à un portemanteau, pendait sa casquette de base-ball des New York Yankees, le cadeau de sa mère auquel elle tenait le plus. Avant, la casquette avait le pouvoir de rendre invisible celui ou celle qui la portait, mais depuis la dispute d'Annabeth avec Athéna, elle avait perdu sa force magique. Sans savoir pourquoi, Annabeth s'était entêtée à l'emporter. Tous les matins, elle l'essayait en espérant qu'elle marcherait de nouveau. Jusqu'à présent, elle n'avait servi qu'à lui rappeler la colère de sa mère.

En dehors de ces quelques objets, la cabine était vide. Annabeth la maintenait propre et sobre car ça l'aidait à réfléchir. Percy avait du mal à le croire à cause des excellentes notes qu'elle avait toujours, mais Annabeth, comme tous les demi-dieux, souffrait du trouble de déficit de l'attention. Trop de distractions dans son espace personnel l'empêchaient de se concentrer.

– Alors, Frank, demanda-t-elle, qu'est-ce que je peux faire pour toi ?

De tous les membres de leur équipe, Frank était le dernier qu'elle aurait imaginé lui rendre visite. Sa perplexité fut loin de diminuer quand il sortit le piège à doigts chinois de sa poche en rougissant.

– Ça m'énerve de pas piger ce truc, marmonna-t-il. Tu pourrais me montrer comment ça marche ? J'ose demander à personne d'autre.

Annabeth comprit ses paroles avec un temps de retard. Une seconde... Frank lui demandait de l'aider ? À elle ? Et puis ça fit tilt : il était gêné, bien sûr. Léo l'avait charrié sans pitié. Personne n'aime être le bouffon de la bande. À en juger par son expression, Frank avait bien l'intention que ça ne se reproduise pas. Il voulait pouvoir résoudre le casse-tête sans recourir au coup de l'iguane.

Annabeth se sentit étrangement flattée. Frank lui faisait confiance pour ne pas se moquer de lui. En plus, Annabeth avait toujours eu un faible pour les gens qui veulent s'instruire – même sur quelque chose d'aussi simple que des pièges à doigts chinois.

– Pas de problème, répondit-elle en tapotant le lit. Viens t'asseoir.

Frank s'assit au bord du matelas, comme pour pouvoir fuir rapidement. Annabeth prit le piège à doigts et le porta à la hauteur de son ordinateur.

Elle appuya sur une touche qui commandait un scanner à infrarouges. Quelques secondes plus tard, un modèle du piège à doigts chinois apparut en 3D sur l'écran. Elle tourna l'ordinateur vers Frank pour le lui montrer.

– Comment tu as fait ? demanda-t-il, épaté.

– Technologie de pointe de la Grèce antique, répondit-elle. Bon, regarde. La structure est une tresse cylindrique biaxiale, qui offre donc une excellente résilience. (Elle manipula l'image de façon à la serrer et la desserrer comme un accordéon.) Quand tu mets tes doigts à l'intérieur, elle se détend. Mais quand tu essaies de les retirer, le pourtour se contracte parce que la tresse grippe et se resserre. C'est impossible de te dégager en forçant.

Frank la regarda d'un œil vide :

– Ben alors comment on fait ?

– Eh bien...

Elle lui montra certains de ses calculs : comment les menottes pouvaient résister à des tensions extrêmement fortes, selon le matériau utilisé pour le tressage.

– Incroyable, pour une structure tissée, tu trouves pas ? dit-elle. Les médecins s'en servent pour les mises en traction et les électriciens...

– Ouais, l'interrompit Frank, mais comment on fait ?

Annabeth rit.

– Tu n'opposes pas de résistance au piège. Tu enfonces davantage tes doigts, au lieu d'essayer de les sortir. Ça détend le tressage.

– Ah.

Frank essaya. Ça marchait.

– Merci, dit-il. Mais euh... tu aurais pas pu me le montrer directement avec le piège à doigts, sans le modèle 3D et les calculs ?

Annabeth hésita. La sagesse pouvait émaner des sources les plus étonnantes, et même de la bouche d'une carpe géante.

– Tu as sans doute raison, reconnut-elle. C'était idiot. Moi aussi j'ai appris quelque chose.

Frank essaya de nouveau les menottes.

– C'est facile quand on connaît la solution, dit-il en les retirant.

– La plupart des pièges sont simples, répondit Annabeth. Il suffit de réfléchir, en espérant que ta victime, elle, ne fasse pas marcher son cerveau.

Frank hocha la tête. Il avait l'air de vouloir s'attarder.

– Tu sais, dit Annabeth, Léo ne cherche pas à blesser, c'est juste une grande gueule. Quand les gens le mettent mal à l'aise, il se défend en faisant de l'humour.

– Je vois pas en quoi je le mettrais mal à l'aise, rétorqua Frank en fronçant les sourcils.

– Tu es deux fois plus baraqué que lui. Tu peux te changer en dragon, expliqua Annabeth, qui pensa aussi *Et Hazel te kiffe*, mais le garda pour elle.

Frank n'eut pas l'air convaincu.

– Léo peut faire naître du feu. (Il tripota le piège à doigts.) Annabeth... est-ce que, à l'occasion, tu pourrais m'aider sur un autre problème qui n'est pas aussi simple ? J'ai... je crois qu'on pourrait qualifier ça de talon d'Achille.

Annabeth eut l'impression qu'elle venait de boire un chocolat chaud à la romaine. Elle n'avait jamais bien saisi le concept de « douillet », mais maintenant, elle aurait eu envie de l'employer pour décrire ce qu'elle ressentait en présence de Frank. Il était comme un grand ours en peluche. Elle voyait ce qu'Hazel lui trouvait.

– Volontiers, dit-elle. Est-ce que quelqu'un est au courant de ce talon d'Achille ?

– Percy et Hazel, c'est tout. Percy, c'est un type vraiment super. Je le suivrais n'importe où. Je voulais que tu le saches.

Annabeth lui tapota le bras.

– Percy a un vrai talent pour se choisir de bons amis. Comme toi. Mais tu peux faire confiance à tout le monde à bord de ce vaisseau, Frank. Même à Léo. On est une équipe. On doit tous se faire confiance.

– Ouais, tu as sans doute raison.

– Alors, quel est ce point faible qui t'inquiète ?

La cloche du dîner sonna, et Frank sursauta.

– Écoute... une autre fois, peut-être, dit-il. J'ai du mal à en parler. Mais je te remercie, Annabeth. (Il leva les menottes siamoises.) Et n'oublie pas : inutile de compliquer.

18 ANNABETH

Annabeth ne fit pas de cauchemars, cette nuit-là, ce qui l'inquiéta tout autant au réveil : c'était comme le calme avant la tempête.

Léo amarra le vaisseau au port de Charleston, à un appontement situé tout près de la digue. Le quartier historique de la ville bordait la côte : de grandes demeures aux portails en fer forgé, des palmiers, des canons anciens pointés vers la mer.

Le temps qu'Annabeth débarque sur l'appontement, Jason, Frank et Léo étaient déjà partis pour le musée. D'après Hedge, ils avaient promis de rentrer avant le coucher du soleil. Piper et Hazel étaient prêtes, mais Annabeth se tourna d'abord vers Percy, accoudé au bastingage de tribord, qui balayait la baie du regard.

– Qu'est-ce que tu vas faire pendant notre absence ? demanda-t-elle en lui prenant la main.

– Sauter dans le port, dit-il le plus naturellement du monde, comme un autre aurait dit « casser une petite graine ». Je veux essayer de communiquer avec les Néréides locales. Elles pourront peut-être me donner des conseils pour libérer celles qui sont prisonnières à Atlanta. Et puis je crois que la mer me fera du bien. Je me sens sale, tu sais, après cet aquarium.

Ses cheveux châtain foncé étaient en bataille, comme d'habitude, mais Annabeth repensa à la mèche grise qu'il avait eue sur un côté. Lorsqu'ils avaient tous les deux quatorze ans, ils s'étaient relayés (contre leur gré) pour porter le ciel. L'effort leur avait valu des cheveux blancs à tous les deux. Au cours de l'année passée, pendant la disparition de Percy, leurs mèches grises respectives avaient fini par partir, ce qui attristait et inquiétait un peu Annabeth – elle avait l'impression qu'ils avaient perdu un lien symbolique.

Annabeth embrassa Percy.

– Bonne chance, Cervelle d'Algues, dit-elle. Mais reviens-moi entier, d'accord ?

– Je te le promets, répondit Percy. Et toi aussi.

Annabeth essaya de faire taire l'inquiétude qui la gagnait. Elle se tourna vers Piper et Hazel.

– Venez, les filles. Allons chercher le fantôme de la Batterie.

Plus tard, Annabeth regretta de ne pas avoir sauté dans le port avec Percy. Elle aurait même préféré le musée plein de fantômes.

Non qu'elle n'aime pas la compagnie d'Hazel et de Piper, loin de là. Au début, leur promenade le long de la Batterie fut plutôt agréable. D'après les panneaux, le jardin public en bord de mer s'appelait White Point Gardens. La brise marine chassait la chaude moiteur de cette après-midi d'été et il régnait une fraîcheur agréable à l'ombre des palmiers nains. La route était bordée de canons anciens datant de la guerre de Sécession et de statues en bronze de personnages historiques, ce qui donna froid dans le dos à Annabeth. Elle repensa aux statues de New York, pendant la guerre des Titans, qui avaient repris vie, actionnées par la séquence de commandes numéro 23 de Dédale. Elle se demanda combien d'autres statues, de par le pays, étaient des automates en veille n'attendant que d'être réactivés.

Le port de Charleston scintillait au soleil. Des langues de terre s'étiraient au nord et au sud comme des bras qui entouraient la baie et, au milieu du port, à peut-être un kilomètre et demi au large, il y avait une île où se dressait un fort en pierre. Annabeth avait le lointain souvenir que ce fort avait joué un rôle dans la guerre de Sécession, mais elle n'y réfléchit pas plus que ça.

Elle préféra respirer l'air marin à pleins poumons en pensant à Percy. Plaise aux dieux qu'elle n'ait jamais à rompre avec lui. Elle serait incapable de revoir la mer sans avoir le cœur brisé de nouveau. Ce fut avec soulagement qu'elle s'écarta de la digue avec ses camarades pour explorer l'intérieur du parc.

Il n'y avait pas beaucoup de promeneurs. Annabeth se dit que la plupart des habitants de la ville devaient être partis pour les vacances, ou alors repliés chez eux pour la sieste. Elles longèrent South Battery Street, une rue bordée de maisons coloniales à trois étages. Les murs de briques étaient couverts de lierre, et les façades ornées de fines colonnes blanches, comme des temples romains. Les jardins donnant sur la rue débordaient de rosiers en fleurs, de chèvrefeuille, de bougainvillées. Comme si Déméter avait mis toutes les plantes à pousser quelques décennies plus tôt, et oublié de revenir voir où elles en étaient.

– Ça me fait un peu penser à la Nouvelle-Rome, dit Hazel. Toutes ces grandes maisons et ces jardins. Les colonnes et les arcades.

Annabeth hocha la tête. Elle se souvenait d'avoir lu que le Sud s'était souvent comparé à Rome, avant la guerre de Sécession. À l'époque, la société du Sud tournait autour de la splendeur architecturale, des codes d'honneur et des valeurs chevaleresques. La face sombre de la médaille étant l'esclavage. « Il y avait bien des esclaves dans la Rome antique », disaient certains sudistes. « Pourquoi pas chez nous ? »

Annabeth frissonna. Elle adorait cette architecture. Les maisons et les jardins étaient très beaux, d'une inspiration très romaine. Elle se demanda pourquoi les belles choses devaient toujours s'accompagner d'une histoire cruelle. À moins que ce ne soit l'inverse ? C'était peut-être de la cruauté de l'histoire que naissait le besoin de créer de belles choses, pour masquer la face sombre de la réalité.

Elle secoua la tête. Percy détestait la voir philosopher. Quand elle essayait de discuter de ce genre de questions avec lui, son regard se voilait.

Les deux autres filles parlaient peu.

Piper regardait constamment autour d'elle, comme si elle craignait une embuscade. Elle leur avait dit qu'elle avait vu ce jardin public sur la lame de son poignard, mais n'en avait pas raconté davantage. Annabeth pensait qu'elle avait eu peur de le faire. Après tout, la dernière fois que Piper avait essayé d'interpréter une des visions apparues sur la lame de son poignard, Percy et Jason avaient failli s'entretuer au Kansas.

Hazel avait l'air inquiète, elle aussi. Peut-être qu'elle cherchait à prendre la mesure des lieux, ou alors elle se faisait du souci pour son frère. S'ils n'arrivaient pas à le retrouver et à le libérer dans les quatre jours, Nico mourrait.

Annabeth sentait elle aussi le poids de cette échéance sur ses épaules. Elle avait toujours eu des sentiments mitigés envers Nico di Angelo. Elle le soupçonnait d'avoir un faible pour elle depuis qu'ils les avaient sauvés, lui et sa grande sœur Bianca, de l'Académie militaire du Maine, mais Annabeth n'avait jamais ressenti la moindre attirance pour Nico. Il était trop jeune et trop mélancolique. Il avait une part d'ombre qui la dérangeait.

Il n'empêche qu'elle se sentait responsable de lui. À l'époque, quand ils s'étaient rencontrés, aucun d'eux ne connaissait l'existence de sa demi-sœur Hazel. Bianca était toute la famille qu'ait Nico. À sa mort, Nico était devenu un orphelin sans foyer, à la dérive et seul au monde. Une expérience qui résonnait en Annabeth.

Elle était tellement plongée dans ses pensées qu'elle aurait pu continuer à déambuler dans le jardin public, si Piper ne l'avait pas attrapée par le bras.

– Regarde.

Elle pointa du doigt vers l'autre bout du port. À une centaine de mètres d'elles, une forme blanche et scintillante flottait sur l'eau. Annabeth crut d'abord que c'était une bouée ou un petit bateau qui faisait des reflets au soleil, mais la forme dégageait indéniablement de la lumière et elle se déplaçait avec plus de souplesse qu'un bateau, avançant en ligne droite vers elle. Quand elle se rapprocha davantage, Annabeth vit que c'était une silhouette de femme.

– Le fantôme, souffla-t-elle.

– Ce n'est pas un fantôme, dit Hazel. Il n'existe pas d'esprits qui dégagent une lumière si vive.

Annabeth la crut sur parole. Elle n'arrivait pas à s'imaginer à la place d'Hazel, qui était morte si jeune et revenue des Enfers en en sachant plus long sur les morts que sur les vivants.

Piper, quant à elle, avançait vers le bord de la digue dans un état quasi somnambulique. Elle traversa la rue et évita de justesse une calèche à cheval.

– Piper ! appela Annabeth.

– Suivons-la, dit Hazel.

Le temps qu'Annabeth et Hazel rattrapent Piper, l'apparition spectrale n'était plus qu'à quelques mètres.

Piper la fixait comme si sa vue la choquait.

– C'est elle, marmonna-t-elle.

Annabeth regarda le fantôme en clignant des yeux, mais la lueur qui s'en dégageait était trop vive pour permettre de distinguer des détails. Alors l'apparition enjamba la digue et s'arrêta devant elles. Le halo s'éteignit.

Annabeth eut le souffle coupé. C'était une femme d'une beauté renversante et étrangement familière. Son visage était indescriptible, car il changeait constamment, adoptant les traits d'une star de cinéma prestigieuse, puis d'une deuxième, ni tout à fait la même ni tout à fait une autre. Ses yeux pétillaient joyeusement, passant du vert au bleu, puis au noisette. Ses longs cheveux blonds et lisses se changèrent en boucles brun chocolat.

Annabeth en fut instantanément jalouse. Elle avait toujours regretté de ne pas être brune. Elle avait l'impression que personne ne la prenait au sérieux parce qu'elle était blonde. Elle devait travailler deux fois plus pour se faire respecter comme stratège, architecte, conseillère – toute activité faisant appel au cerveau.

La femme était habillée à la mode des élégantes de Louisiane du XIXe siècle, comme l'avait décrite Jason. Sa robe se composait d'un corset de soie rose décolleté et d'une jupe à trois cerceaux festonnés de dentelle blanche. Elle portait de longs gants blancs et pressait contre sa poitrine un éventail de plumes roses et blanches.

Tout en elle semblait calculé pour donner à Annabeth le sentiment d'être une balourde : l'aisance gracieuse avec laquelle elle portait sa robe, son maquillage à la fois parfait et discret, le charme si féminin et irrésistible qu'elle irradiait.

Annabeth se rendit compte que sa jalousie était irrationnelle. C'était cette femme qui l'éveillait en elle. Elle avait déjà vécu cela, aussi la reconnut-elle malgré le fait que son visage continuait à changer, embellissant de seconde en seconde.

– Aphrodite, dit-elle.

– Vénus ? demanda Hazel, stupéfaite.

– Maman, enchaîna Piper sans enthousiasme.

– Les filles ! s'écria la déesse en leur ouvrant grand les bras à toutes les trois.

Les demi-déesses s'abstinrent de répondre à ses élans, et Hazel recula même sous un palmier.

– Je suis tellement contente que vous soyez venues, dit Aphrodite. La guerre approche. Le carnage est inévitable. Il n'y a plus qu'une chose à faire.

– Ah oui..., avança Annabeth. Qu'est-ce que c'est ?

– Prendre le thé et papoter, bien sûr ! Venez avec moi.

Aphrodite savait offrir le thé.

Elle les emmena au pavillon central du parc, un kiosque à colonnades blanches où une table était dressée. Tasses de porcelaine et petites cuillères en argent, une théière fumante, évidemment, dont l'odeur changeait avec la même aisance que l'aspect d'Aphrodite – menthe, cannelle, jasmin... Il y avait aussi des assiettes chargées de scones, de petits gâteaux, de viennoiseries, de beurre frais et de confitures de toutes sortes – rien que des choses qui faisaient grossir, se dit Annabeth, sauf quand on était la déesse immortelle de l'Amour.

Aphrodite s'assit dans un fauteuil paon en rotin – plus exactement se mit à trôner. Elle servit le thé et les pâtisseries sans faire la moindre tache sur ses vêtements, avec des gestes toujours gracieux, un sourire étincelant.

Annabeth sentait son aversion envers elle croître de minute en minute.

– Oh mes chéries, dit la déesse, j'adore Charleston ! Quand je pense à tous les mariages auxquels j'ai assisté sous ce kiosque, j'en ai les larmes aux yeux. Et les bals élégants du vieux Sud ! Quel régal... Beaucoup de ces maisons ont encore ma statue dans leur jardin, même s'ils m'appelaient Vénus, à l'époque.

– Laquelle êtes-vous ? demanda Annabeth. Aphrodite ou Vénus ?

La déesse but quelques gorgées de thé. Une étincelle malicieuse pétilla dans son regard.

– Tu es devenue une bien jolie jeune fille, Annabeth Chase, dit-elle pour toute réponse. Mais il faudrait vraiment que tu t'occupes de tes cheveux. Et toi, Hazel Levesque, tes vêtements...

– Mes vêtements ?

Hazel regarda son jean d'un air plus interloqué que vexé, comme si elle n'arrivait pas à voir ce qu'on pouvait lui reprocher.

– Maman ! s'exclama Piper. Tu me gênes !

– Je ne vois pas pourquoi, rétorqua la déesse. Ce n'est pas parce que tu ne comprends rien à mes conseils vestimentaires, Piper, que les autres n'apprécient pas. Je pourrais relooker Annabeth et Hazel en vitesse, avec des robes de bal en soie comme la mienne, peut-être...

– Maman !

– D'accord, d'accord, soupira Aphrodite. Pour répondre à ta question, Annabeth Chase, je suis à la fois Aphrodite et Vénus. Contrairement à mes confrères et consœurs de l'Olympe, je n'ai quasiment pas changé d'une époque à l'autre. En fait, j'aime à dire que je n'ai pas pris un jour ! (Elle fit courir délicatement ses doigts sur son visage.) L'amour est toujours l'amour, après tout, qu'on soit grec ou romain. Cette guerre civile ne va pas m'affecter autant que les autres.

Merveilleux, se dit Annabeth. Sa propre mère, la divinité la plus sage et la plus pondérée de l'Olympe, était transformée en une méchante excentrique qui délirait dans une station de métro. Et de tous les dieux susceptibles de les aider, les seuls à ne pas être touchés par le schisme entre Grecs et Romains semblaient être Aphrodite, Némésis et Dionysos. L'amour, la vengeance et le vin. Tu parles d'un secours !

Hazel grignota le coin d'un biscuit.

– Nous ne sommes pas encore en guerre, ma reine, dit-elle.

– Hazel, ma petite chérie ! (La déesse replia son éventail.) Tu es très optimiste, pourtant des jours terribles t'attendent. Bien sûr que la guerre approche ! L'amour et la guerre vont toujours main dans la main. Ce sont les deux sommets des émotions humaines ! Le bien et le mal, la beauté et la laideur.

Elle sourit à Annabeth comme si elle connaissait les pensées qui avaient occupé son esprit quelques instants plus tôt.

Hazel posa son biscuit. Elle avait des miettes sur le menton et semblait ne pas s'en rendre compte ou s'en moquer, ce qui plaisait à Annabeth.

– Qu'est-ce que vous entendez par « des jours terribles » ? demanda-t-elle.

La déesse rit comme si Hazel était un mignon petit chiot.

– Annabeth pourrait t'éclairer ! répondit-elle. Je lui ai promis un jour de mettre du piquant dans sa vie amoureuse, et j'ai tenu parole, n'est-ce pas ?

Annabeth faillit casser net la poignée de sa tasse. Elle avait eu le cœur déchiré pendant des années. Ça avait commencé par Luke Castellan, son amour d'enfance, qui la considérait seulement comme sa petite sœur, puis qui était passé dans le camp du mal et avait fini par décider qu'il était amoureux d'elle – juste avant de mourir. Ensuite il y avait eu Percy, exaspérant et tellement attachant tout à la fois, mais qui avait eu l'air de craquer pour cette autre fille, Rachel... et puis qui avait failli mourir à plusieurs reprises. Et quand Annabeth avait enfin eu Percy pour elle seule, il avait perdu la mémoire et disparu pendant six mois.

– Du piquant, oui, je m'en serais passée, lança sèchement Annabeth.

– Enfin, tu ne peux pas me mettre tous tes problèmes sur le dos, hein, dit la déesse. Mais c'est vrai que j'adore les rebondissements dans les histoires d'amour. Ah, vous êtes toutes des histoires excellentes ! Des filles excellentes, je veux dire. Je suis fière de vous.

– Mère, intervint alors Piper, y a-t-il une raison particulière qui t'amène ici ?

– Hum ? Tu veux dire, à part le thé ? Je viens souvent ici. J'adore la vue, la nourriture, l'ambiance. On sent qu'il y a des siècles de romances et de ruptures dans l'air, vous ne trouvez pas ? (Aphrodite tendit le bras vers une maison voisine.) Vous voyez ce toit-terrasse ? Nous avons donné une grande réception ici le soir où la guerre de Sécession a commencé. Le bombardement de Fort Sumter.

– Voilà ! se souvint Annabeth. L'île dans la baie du port. C'est là qu'ont eu lieu les premiers combats de la guerre de Sécession. Les sudistes ont bombardé les troupes nordistes et pris le fort.

– Ah quelle belle fête ! poursuivit Aphrodite. Un quatuor à cordes, et les hommes très élégants dans leurs uniformes d'officier tout neufs. Et il fallait voir les robes des femmes ! J'ai dansé avec Arès – ou était-ce Mars ? J'étais un peu grise. Et puis les superbes déflagrations qui illuminaient le port, le grondement des canons qui donnait une excuse aux hommes pour enlacer leurs chéries effrayées...

Le thé d'Annabeth avait refroidi. Elle n'avait rien avalé mais elle sentit son estomac se soulever.

– Vous parlez du début de la guerre la plus sanglante de l'histoire des États-Unis, dit-elle à la déesse. Plus de six cent mille personnes sont mortes, c'est-à-dire plus de victimes américaines que pendant les deux guerres mondiales réunies.

– Et les boissons ! continua Aphrodite. Elles étaient divines ! Ah, et le général Beauregard en personne est venu. Quelle fripouille, celui-là ! Il en était déjà à sa deuxième femme, mais il fallait voir comment il regardait Lisbeth Cooper...

– Maman !

Piper lança son scone aux pigeons.

– Oui, excuse-moi, se ressaisit la déesse. Pour dire les choses franchement, je suis venue vous aider, les filles. Je ne pense pas que vous aurez beaucoup d'occasions de rencontrer Héra ; votre petite quête lui a pratiquement fermé les portes de la salle du trône. Et comme vous le savez, les autres dieux sont assez peu dispo, déchirés comme ils le sont entre leurs personnalités grecque et romaine. Certains plus que d'autres. (Le regard d'Aphrodite se posa sur Annabeth.) Je suppose que tu as parlé à tes amis de ta petite brouille avec ta mère ?

Annabeth sentit le rouge lui venir aux joues. Piper et Hazel tournèrent des yeux curieux vers elle.

– Quelle brouille ? demanda Hazel.

– On s'est disputées, dit Annabeth. Rien de grave.

– Rien de grave ! répéta Aphrodite. Je n'en suis pas si sûre. Athéna était la plus grecque de toutes les déesses. La protectrice d'Athènes, je vous rappelle. Quand les Romains ont pris le dessus, ils ont adopté Athéna, bien sûr, mais à leur façon. Elle est devenue Minerve, déesse de l'Intelligence et des Artisans. Mais les Romains avaient d'autres dieux de la guerre plus proches de leur sensibilité, plus romains dans l'âme, Bellone par exemple...

– La mère de Reyna, murmura Piper.

– Effectivement, acquiesça la déesse. J'ai eu une conversation charmante avec Reyna ici même, dans ces jardins, il y a quelque temps. Et les Romains avaient Mars, bien sûr. Plus tard est venu Mithras, qui n'était même pas grec ni romain, mais les légionnaires raffolaient de son culte. Personnellement, je l'ai toujours trouvé vulgaire et terriblement « nouveau-dieu ». En tout cas, tout cela fait que les Romains ont mis la pauvre Athéna sur la touche. Ils l'ont dépouillée de presque tout son pouvoir militaire. Les Grecs n'ont jamais pardonné cet affront aux Romains, et Athéna non plus.

Les oreilles d'Annabeth bourdonnèrent.

– La Marque d'Athéna, dit-elle. Elle mène à une statue, n'est-ce pas ? Elle mène à... à *la* statue.

Aphrodite sourit.

– Tu es intelligente, comme ta mère. Mais tu dois comprendre que tes frères et sœurs, les enfants d'Athéna, la cherchent depuis des siècles. Aucun d'eux n'est encore parvenu à récupérer la statue. Et entre temps, ils n'ont pas cessé d'attiser le conflit avec les Romains. Toutes les guerres civiles, avec leurs cortèges de morts et de souffrances, ont été en grande partie orchestrées par des enfants d'Athéna.

– C'est... – « impossible », voulut dire Annabeth, mais elle se souvint des propos amers d'Athéna à Grand Central, de la haine qui brûlait dans son regard, et elle se tut.

– Romantique ? suggéra Aphrodite. Si on veut.

– Mais... (Annabeth essayait de clarifier ses pensées.) Comment ça marche, la Marque d'Athéna ? Est-ce une série d'indices, ou une piste laissée par Athéna...

– Hum, l'interrompit Aphrodite sur un ton d'ennui poli. Je ne pourrais pas dire. Je ne crois pas qu'Athéna ait délibérément créé la Marque. Si elle savait où était sa statue, elle vous dirait simplement où la trouver. Non, je pense que la Marque serait plutôt l'équivalent spirituel des cailloux blancs du Petit Poucet. C'est un lien entre la statue et les enfants de la déesse. La statue veut être retrouvée, tu comprends, mais elle ne peut être libérée que par les plus valeureux d'entre eux.

– Et en plusieurs millénaires, dit Annabeth, personne n'y est arrivé.

– Une seconde, intervint Piper. De quelle statue s'agit-il ?

La déesse rit.

– Oh, je suis sûre qu'Annabeth pourra te renseigner. En tout cas, l'indice dont vous avez besoin est tout près : une sorte de plan laissé par les enfants d'Athéna en 1861 – un souvenir qui vous mettra sur la bonne voie à votre arrivée à

Rome. Mais comme tu le disais, Annabeth Chase, personne n'est encore parvenu à suivre la Marque d'Athéna jusqu'au bout. Là, tu seras confrontée à ta plus grande peur, la peur de tous les enfants d'Athéna. Et si jamais tu survis, quel usage feras-tu de ta récompense ? La mettras-tu au service de la guerre ou de la paix ?

Heureusement pour Annabeth, la nappe cachait ses jambes qui tremblaient sous la table.

– Et où est-il, ce plan ? demanda-t-elle.

– Regardez ! s'écria alors Hazel en pointant le doigt vers le ciel.

Deux grands aigles décrivaient des cercles au-dessus des palmiers nains. Plus haut dans le ciel, un char volant tiré par des pégases piquait vers eux. Manifestement, la diversion de Léo avec Buford l'action-guéridon n'avait pas marché, du moins pas assez longtemps.

Aphrodite beurrait un scone comme si elle avait tout son temps.

– Oh, le plan est à Fort Sumter, bien sûr, dit-elle en montrant l'île au milieu de la baie du bout de son couteau. On dirait que les Romains veulent vous couper la route. À votre place, je me dépêcherais de regagner le vaisseau. Vous voulez emporter quelques gâteaux ?

19 Annabeth

Elles n'y arrivèrent pas.

Au milieu de l'appontement, alors qu'elles fonçaient vers le vaisseau, trois aigles géants se posèrent devant elles. Du dos de chacun sauta un commando en jean et tunique pourpre, équipé d'une armure dorée rutilante, d'une épée et d'un bouclier. Les aigles reprirent leur envol et le Romain du milieu, plus efflanqué que les autres, releva la visière de son casque.

– Rendez-vous, c'est un ordre de Rome ! cria Octave.

Hazel dégaina son épée de cavalerie et marmonna :

– Tu rêves, Octave.

Annabeth jura à mi-voix. Seul, le frêle augure ne lui aurait pas posé problème, mais les deux autres avaient l'air de guerriers expérimentés et ils étaient bien trop baraqués pour qu'Annabeth veuille en découdre avec eux, d'autant plus que Piper et elle avaient de simples poignards pour toutes armes.

Piper leva les mains dans un geste apaisant.

– Octave, ce qui s'est passé au camp était un coup monté. On peut tout vous expliquer.

– Je ne t'entends pas ! hurla Octave. On a de la cire dans les oreilles, c'est la procédure normale quand on affronte des sirènes ennemies. Maintenant jetez vos armes par terre et tournez-vous lentement pour que je vous ligote les poignets.

– Laissez-moi l'embrocher, murmura Hazel. S'il vous plaît.

Le vaisseau n'était qu'à une quinzaine de mètres, mais Annabeth ne voyait Gleeson Hedge nulle part sur le pont. Il devait être en bas, à regarder ses stupides combats d'arts martiaux en cage. Le groupe de Jason ne devait rentrer qu'au coucher du soleil et Percy était sans doute sous l'eau, loin de soupçonner l'arrivée des commandos. Si Annabeth parvenait à monter à bord, elle pourrait actionner les balistes, mais elle ne voyait pas comment contourner les trois Romains.

Le temps était compté. Les aigles décrivaient des cercles dans le ciel en poussant des cris, comme pour avertir leurs frères ailés : « Hé, par ici, il y a de bons demi-dieux grecs à dévorer ! » Annabeth ne voyait plus le char volant, mais il ne devait pas être loin. Il fallait qu'elle trouve une solution avant que d'autres Romains ne leur tombent dessus.

Elle avait besoin de renforts... envoyer un signal de détresse à Gleeson Hedge, peut-être ? Ou bien, encore mieux, à Percy.

– Alors ? fit Octave.

Ses deux compagnons brandirent leurs épées.

Très lentement, en se servant de deux doigts seulement, Annabeth sortit son poignard de son fourreau. Au lieu de le laisser tomber par terre, elle le lança le plus loin possible dans l'eau.

Octave poussa un couinement d'indignation.

– C'est quoi l'idée ? J'ai pas dit « lancer », j'ai dit « jeter par terre ». Ça aurait pu nous servir de preuve, ou de butin de guerre !

Annabeth tenta un sourire de blonde idiote, l'air de dire : « Oh je suis bête ! »

Personne la connaissant ne se serait laissé berner, mais Octave n'y vit que du feu. Il poussa un soupir exaspéré.

– Vous deux, là, dit-il en pointant son épée sur Hazel et Piper. Déposez vos armes au sol. Et pas d'entourl...

Tout autour des Romains, le port de Charleston explosa en un millier de gerbes, façon Versailles. Lorsque le mur d'eau de mer retomba, les trois Romains étaient dans la baie et se débattaient en crachotant désespérément pour ne pas couler, lestés par leurs armures. Percy se tenait sur le pont, le poignard d'Annabeth à la main.

– Tu as perdu ça, dit-il, parfaitement pince-sans-rire.

Annabeth lui sauta au cou.

– Percy, je t'adore !

– Les gars, interrompit Hazel avec un petit sourire en coin. Il faut qu'on se dépêche !

Dans l'eau, Octave criait :

– Sortez-moi de là ! Je vais vous tuer !

– C'est tentant, rétorqua Percy d'une voix forte.

– Comment ? hurla Octave.

Il se retenait à un de ses gardes, qui avait le plus grand mal à ne pas couler.

– Rien ! cria Percy. Allons-y.

Hazel fronça les sourcils et dit :

– On ne va pas les laisser se noyer, quand même ?

– T'inquiète pas, la rassura Percy. J'ai créé un tourbillon d'eau autour de leurs pieds. Dès qu'on sera assez loin, je les ferai cracher sur le rivage.

– Joli ! lança Piper en souriant.

Ils grimpèrent à bord de l'*Argo II* et Annabeth courut à la barre.

– Piper, dit-elle, descends à la coquerie. Sers-toi de l'évier pour envoyer un message-Iris à Jason et demande-lui de revenir tout de suite !

Piper opina d'un rapide coup de tête et s'engouffra dans l'escalier.

– Hazel, va voir Hedge et dis-lui de ramener son derrière velu sur le pont fissa !

– OK !

– Et, Percy, nous deux, il faut qu'on conduise ce vaisseau à Fort Sumter.

Percy hocha la tête et courut vers le mât. Annabeth prit le gouvernail en espérant qu'elle en savait assez pour piloter à peu près correctement. Ses mains pianotèrent sur les commandes.

Elle avait déjà vu Percy contrôler de grands voiliers à la seule force de sa volonté. Cette fois encore, il fut à la hauteur. D'eux-mêmes, les cordages se dégagèrent des bittes d'amarrage et levèrent l'ancre. Les voiles se déployèrent et prirent le vent. Pendant ce temps, Annabeth lançait le moteur. Les rames sortirent avec un crépitement de mitrailleuse et l'*Argo II* se détacha de l'appontement, puis mit le cap vers l'île.

Les trois aigles survolaient toujours le secteur mais ils ne firent aucune tentative pour se poser sur le navire, sans doute parce que Festus, la figure de proue, crachait des flammes dès qu'ils approchaient. D'autres aigles volaient en formation vers Fort Sumter. Ils étaient une bonne douzaine, et si chacun transportait un demi-dieu romain, cela faisait un bon paquet d'ennemis...

Gleeson Hedge surgit bruyamment de l'escalier, Hazel sur ses sabots.

– Où est-ce qu'ils sont ? Qui dois-je tuer ? aboya-t-il.

– Vous ne tuez personne ! ordonna Annabeth. Vous défendez le vaisseau, point barre !

– Mais ils ont interrompu un film de Chuck Norris !

Piper émergea à son tour.

– J'ai envoyé un message à Jason, annonça-t-elle. C'est un peu vague, mais ils sont déjà en route. Ils devraient... Oh, regardez !

Un aigle d'Amérique géant volait au-dessus de la ville, droit dans leur direction. Il ne ressemblait pas du tout aux aigles romains, qui avaient le plumage doré.

– Frank ! s'écria Hazel.

Léo était pendu aux serres de l'aigle, et même depuis le vaisseau, Annabeth l'entendit hurler et jurer.

En dessous d'eux venait Jason, qui se laissait porter par le vent.

– Première fois que je vois Jason voler, bougonna Percy. On dirait Superman en blond.

– C'est pas le moment ! le tança Piper. Regardez, ils ont des ennuis !

Effectivement, le char volant avait surgi de derrière un nuage et plongeait droit vers eux. Jason et Frank firent une embardée et grimpèrent dans l'air pour éviter de se faire piétiner par les pégases. Les conducteurs du char bandèrent leurs arcs. Une volée de flèches siffla sous les pieds de Léo, qui hurla et jura de plus belle. Jason et Frank furent obligés de dépasser l'*Argo II* et de poursuivre leur vol dans la direction de Fort Sumter.

– Je vais les dégommer ! cria Gleeson Hedge.

Ni une ni deux, il fit pivoter la baliste de bâbord. Avant qu'Annabeth ait fini de crier : « Faites pas l'imbécile ! », Hedge avait tiré. Un javelot enflammé fusa vers le char.

Il explosa au-dessus de la tête des pégases, qui paniquèrent. Malheureusement, au passage il brûla aussi les ailes de Frank, qui dégringola en chute libre. Léo perdit prise. Le char fonça vers Fort Sumter et percuta Jason de plein fouet.

Horrifiée, Annabeth regarda Jason, visiblement sonné et meurtri par le choc, plonger, rattraper Léo, puis s'efforcer de reprendre de l'altitude. Il ne réussit qu'à ralentir leur chute. Les deux garçons disparurent derrière les remparts du fort. Frank sombra à leur suite. Alors le char tomba à son tour et s'écrasa quelque part à l'intérieur. Il y eut un *CRAC !* retentissant, puis une roue cassée rebondit en l'air.

– M'sieur Hedge ! hurla Piper.

– Qu'est-ce qu'il y a ? protesta le satyre. C'était un simple tir de sommation !

Annabeth emballa les moteurs. La coque vibra quand le navire prit de la vitesse. Les pontons de l'île n'étaient plus qu'à une centaine de mètres, maintenant, mais une douzaine d'aigles supplémentaires volaient au-dessus d'eux, et chacun d'eux transportait un demi-dieu romain dans ses serres.

Entre les Romains et l'équipage de l'*Argo II*, ce serait au bas mot du trois contre un.

– Percy, dit Annabeth, on va se poser très brutalement. J'ai besoin que tu contrôles l'eau pour éviter qu'on s'écrase contre les pontons. Quand on sera arrivés, il faudra que tu repousses les attaquants. Les autres, aidez-le à défendre le navire.

– Et Jason ? demanda Piper.

– Et Frank et Léo ? ajouta Hazel.

– Je les retrouverai, promit Annabeth. Mais il faut que je dégote ce plan. Et je suis presque sûre d'être la seule à pouvoir le faire.

– Le fort grouille de Romains, l'avertit Percy. Tu vas devoir te battre pour y entrer, plus retrouver nos amis – en espérant qu'ils ne soient pas blessés, trouver ce plan et ramener tout le monde à bord sain et sauf. Et tout ça toute seule ?

– La routine, quoi, répondit Annabeth, qui l'embrassa. Quoi qu'il arrive, Percy, ne les laisse pas prendre le vaisseau !

20 Annabeth

Une nouvelle guerre civile avait commencé.

Par miracle, Léo était sorti indemne de sa chute. Annabeth le vit louvoyer de portique en portique en tirant à chaque percée sur les aigles qui fondaient sur lui. Les demi-dieux romains qui essayaient de le rattraper butaient contre les piles de boulets de canon, esquivant à grand-peine les touristes qui hurlaient et couraient dans tous les sens.

Les accompagnateurs des groupes n'arrêtaient pas de crier : « C'est une reconstitution ! » mais ils manquaient de conviction – la Brume avait beau pouvoir dissimuler beaucoup de choses aux yeux des mortels, il y avait tout de même une limite à son effet.

Au milieu de la cour, un éléphant de taille adulte – était-ce Frank, vraiment ? – dispersait les soldats romains en piétinant furieusement le sol autour de lui. Cinquante mètres plus loin, Jason, épée à la main, était engagé dans un duel avec un centurion trapu qui avait les lèvres tachées d'un liquide rouge cerise, comme du sang. Un vampire en herbe ? Un accro du Kool-Aid ?

Stupéfaite, Annabeth entendit Jason crier :

– Je suis vraiment désolé pour ce que je vais faire, Dakota !

Là-dessus, Jason se propulsa par-dessus la tête du centurion comme un acrobate et lui asséna le manche de son *gladius* sur la nuque. Le Romain s'effondra.

– Jason ! appela Annabeth.

Il balaya le champ de bataille du regard et s'arrêta sur elle.

Annabeth tendit le bras vers le ponton où était amarré l'*Argo II*.

– Fais monter les autres à bord ! Repliez-vous !

– Et toi ? cria-t-il.

– Ne m'attends pas !

Sans lui laisser le temps de protester, Annabeth partit en flèche.

Elle eut du mal à se frayer un chemin entre les grappes de touristes. Qu'avaient tous ces gens à vouloir visiter Fort Sumter par une étouffante après-midi d'été ? se demanda Annabeth – mais elle se rendit compte que la foule les avait sauvés. Sans le chaos causé par tous ces mortels pris de panique, les Romains auraient eu vite fait d'encercler leur petit groupe.

Annabeth se glissa dans une étroite pièce qui avait dû faire partie de la garnison. Elle s'efforça de calmer sa respiration. Puis tenta de s'imaginer à la place d'un soldat nordiste sur cette île, en 1861. Cerné par l'ennemi. Avec des vivres et des munitions qui s'épuisaient, et sans aucun espoir de renforts.

Les partisans de l'Union avaient compté des enfants d'Athéna dans leurs rangs. Ils avaient caché un plan important ici pour l'empêcher de tomber entre les mains ennemies. Si Annabeth avait été l'un de ces demi-dieux, comment l'aurait-elle dissimulé ?

Soudain, les murs luisirent. L'air tiédit. Annabeth se demanda si elle hallucinait. Au moment où elle voulut courir vers la sortie, la porte claqua. Les joints entre les pierres se mirent à boursoufler. Les cloques éclatèrent, et des milliers de minuscules araignées noires s'en échappèrent.

Annabeth se sentit paralysée. Son cœur semblait s'être arrêté. Les araignées recouvraient les murs, rampaient l'une sur l'autre, débordaient sur le sol et, peu à peu, l'encerclaient. C'était impossible. Ce ne pouvait pas être réel.

La terreur la plongea dans ses souvenirs. Elle avait sept ans et elle était seule dans sa chambre, à Richmond, en Virginie. Les araignées étaient venues la nuit. Elles étaient sorties en grouillant de son placard et s'étaient massées dans l'ombre. Annabeth avait appelé son père en hurlant, mais il était en déplacement pour son travail. Elle avait l'impression qu'il était toujours en déplacement.

C'est sa belle-mère qui était venue.

« Ça m'est égal de jouer les gendarmes », avait-elle dit un jour au père d'Annabeth, pensant que celle-ci ne les entendait pas.

– C'est toi qui les imagines, avait dit sa belle-mère au sujet des araignées. Tu fais peur à tes petits frères.

– Ce ne sont pas mes frères, avait riposté Annabeth, et le regard de sa belle-mère s'était durci.

Ses yeux étaient presque aussi effrayants que les araignées.

– Rendors-toi, maintenant, lui avait-elle dit. Arrête de hurler.

Les araignées étaient revenues aussitôt sa belle-mère sortie de la chambre. Annabeth avait essayé de se cacher sous les couvertures, en vain. Elle avait fini par s'endormir d'épuisement. Elle s'était réveillée le lendemain matin la peau couverte de morsures, les yeux, le nez et la bouche obstrués par des toiles d'araignée.

Les morsures avaient disparu avant même qu'elle s'habille, de sorte qu'elle n'avait rien pu montrer comme preuve, à part des toiles d'araignée, et sa belle-mère y vit une supercherie habile de la part d'Annabeth.

– Arrête de raconter des histoires d'araignées, avait dit sa belle-mère. Tu es une grande fille, maintenant.

Les araignées étaient revenues la nuit suivante. La belle-mère d'Annabeth avait continué de jouer les gendarmes. Elle avait interdit à Annabeth d'appeler son père et de le déranger pour ces bêtises. Non, avait-elle dit, il n'allait pas rentrer de bonne heure.

La troisième nuit, Annabeth fugua.

Plus tard, à la Colonie des Sang-Mêlé, elle avait appris que tous les enfants d'Athéna avaient peur des araignées. Jadis, Athéna avait donné une leçon cruelle à une tisseuse, une mortelle du nom d'Arachné : elle l'avait changée en araignée pour la punir de sa vanité, lors d'un concours qu'elle avait perdu. Depuis, les araignées détestaient les enfants d'Athéna.

Mais savoir cela ne l'avait pas aidée à surmonter sa phobie. Elle avait failli tuer Connor Alatir, à la colonie, la fois où il lui avait mis une tarentule dans son lit. Des années plus tard, dans un parc de loisirs aquatiques à Denver où elle était avec Percy, elle avait cédé à une crise de panique quand ils s'étaient fait attaquer par des araignées mécaniques. Et ces dernières semaines, Annabeth avait rêvé d'araignées presque toutes les nuits : elles grouillaient sur son corps, l'étouffaient, l'emprisonnaient dans leurs toiles.

À présent, dans la caserne de Fort Sumter, elle était encerclée. Ses cauchemars étaient devenus réalité.

Une voix somnolente parla dans sa tête. *Bientôt, ma chérie. Tu vas bientôt rencontrer la tisseuse.*

– Gaïa ? murmura Annabeth.

Elle redoutait la réponse, mais demanda :

– Qui... qui est la tisseuse ?

Les araignées s'agitèrent ; elles se mirent à grouiller sur les murs, à tournoyer autour des pieds d'Annabeth en formant un vortex noir et luisant. La seule chose qui empêchait la jeune fille de s'évanouir de peur, c'était l'espoir que ce soit une illusion.

J'espère que tu vas survivre, petite, dit la voix de femme. *Je préférerais t'avoir en sacrifice. Mais nous devons laisser la tisseuse exercer sa vengeance...*

La voix de Gaïa s'éteignit. Sur le mur d'en face, au milieu de l'essaim d'araignées, un symbole rouge s'anima en luisant : le dessin d'une chouette, semblable à celui qui figurait sur la drachme d'argent, regarda Annabeth droit dans les yeux. Alors, exactement comme dans ses cauchemars, la Marque d'Athéna parcourut les murs en brûlant toutes les araignées sur son passage, et il ne resta bientôt plus rien dans la pièce, si ce n'est une écœurante odeur de cendres.

Pars, dit une nouvelle voix – celle de la mère d'Annabeth. *Venge-moi. Suis la Marque.*

Le symbole incandescent de la chouette s'estompa. La porte de la caserne s'ouvrit brusquement. Annabeth resta debout au milieu de la pièce, encore sous le choc, sans savoir si elle avait assisté à quelque chose de réel ou eu une vision.

Une explosion secoua le bâtiment. Annabeth se rappela que ses amis étaient en danger. Elle était restée bien trop longtemps dans cette pièce.

Elle se força à bouger. Les jambes encore chancelantes, elle sortit. L'air marin l'aida à retrouver ses esprits. Elle regarda, de l'autre côté de la cour – au-delà des touristes en proie à la panique et des demi-dieux en train de se battre –, les créneaux, où était posté un grand mortier tourné vers la mer.

C'était peut-être un jeu de son imagination, mais Annabeth crut voir que la vieille pièce à tir rougeoyait. Elle fonça. Un aigle piqua vers elle, mais elle l'esquiva et continua sa course. Rien ne pouvait lui faire aussi peur que ces araignées.

Les demi-dieux romains avaient formé des rangs et avançaient vers l'*Argo II*, mais une tempête miniature s'était levée au-dessus de leurs têtes. Dans le ciel bleu et limpide, le tonnerre grondait et des éclairs fusaient au-dessus des Romains. Le vent et la pluie les repoussaient.

Annabeth ne prit pas le temps de réfléchir au phénomène.

Elle arriva au mortier et posa la main sur la gueule du canon. La Marque d'Athéna se mit à luire sur la bonde qui bouchait l'ouverture – dessinant le contour rougeoyant d'une chouette.

– Dans le mortier, dit-elle. Bien sûr.

Elle tira sur la bonde. En vain. Pestant, elle sortit son poignard. Dès que le bronze céleste toucha la bonde, celle-ci se ratatina ; Annabeth put la retirer et enfoncer la main dans le canon.

Ses doigts se posèrent sur un objet froid, lisse et métallique. Elle sortit un petit disque de bronze de la taille d'une soucoupe, délicatement gravé de lettres et d'illustrations. Décidant de l'examiner plus tard, elle le glissa dans son sac à dos et se retourna.

– Pressée de partir ? demanda Reyna.

La préteur se tenait à trois mètres, en armure, un javelot d'or à la main. Ses deux lévriers métalliques grondaient à ses pieds.

Annabeth balaya le secteur du regard. Elles étaient seules, ou presque. La plupart des combats s'étaient déplacés vers les pontons. Avec un peu de chance, ses amis étaient tous parvenus à bord, mais ils allaient devoir appareiller immédiatement s'ils ne voulaient pas être rattrapés. Annabeth devait faire vite.

– Reyna, dit-elle, ce qui est arrivé au Camp Jupiter était la faute de Gaïa. Des eidolons, des esprits possesseurs...

– Garde tes explications pour le procès, interrompit Reyna.

Les chiens avancèrent en dégageant les babines. Peu semblait leur importer, cette fois-ci, qu'Annabeth dise la vérité. Elle essaya de monter un plan de fuite. Elle ne pensait pas pouvoir vaincre Reyna en duel. Et avec ces chiens métalliques, elle n'avait aucune chance.

– Si tu laisses Gaïa diviser nos camps, dit-elle alors, les géants ont déjà gagné. Ils extermineront les Romains, les Grecs, les dieux et tout le monde des mortels.

– Tu crois que je ne le sais pas ? rétorqua Reyna d'une voix de fer. Quel choix m'as-tu laissé ? Octave sent l'odeur du sang. Il a excité la colère de la légion et je ne peux rien y faire. Rends-toi. Je te ramènerai à la Nouvelle-Rome pour que tu sois jugée. Ce ne sera pas un procès équitable. Tu auras une exécution douloureuse. Mais cela suffira *peut-être* à arrêter les violences. Octave ne sera pas satisfait, bien sûr, mais je crois que je pourrai convaincre les autres de baisser les armes.

– Ce n'était pas moi !

– Mais peu importe ! riposta Reyna. Quelqu'un doit payer pour ce qui s'est passé. Autant que ce soit toi. Il vaut mieux ça.

Annabeth eut la chair de poule.

– Mieux ça que quoi ?

– Sers-toi donc de ta fameuse sagesse, répondit Reyna. Si vous nous échappez aujourd'hui, nous ne vous poursuivrons pas. Je te l'ai dit, même un fou ne traverserait pas l'océan pour gagner les terres anciennes. Si Octave ne peut pas se venger de votre vaisseau, il se retournera contre la Colonie des Sang-Mêlé. La légion marchera sur votre territoire. Nous raserons la colonie et salerons le sol.

Les paroles de sa mère revinrent à l'esprit d'Annabeth. « Tue les Romains. Ils ne seront jamais tes alliés. »

Annabeth eut envie de pleurer. La Colonie des Sang-Mêlé était le seul véritable foyer qu'elle ait jamais connu et, dans un geste d'amitié, elle avait révélé à Reyna son emplacement exact. Elle ne pouvait pas la laisser à la merci des Romains et partir à l'autre bout du monde.

Mais leur quête et tout ce qu'elle avait enduré pour retrouver Percy serait réduit à néant, si elle n'allait pas aux terres anciennes. De plus, la Marque d'Athéna ne devait pas obligatoirement mener à la vengeance.

« Si je trouvais le chemin pour rentrer chez moi... » avait dit sa mère.

« Quel usage feras-tu de ta récompense ? » avait demandé Aphrodite. « La mettras-tu au service de la guerre ou de la paix ? »

Il y avait bel et bien une réponse. Et la Marque d'Athéna pouvait l'y conduire – si elle survivait.

– Je pars, déclara-t-elle à Reyna. Je vais suivre la Marque d'Athéna à Rome.

La préteur secoua la tête.

– Tu n'as aucune idée de ce qui t'attend, dit-elle.

– Si, je sais, répondit Annabeth. Cette querelle qui oppose nos deux camps... je peux la régler.

– Notre querelle remonte à des millénaires. Comment une personne pourrait-elle la régler à elle seule ?

Annabeth aurait aimé pouvoir donner une réponse convaincante à Reyna, lui montrer un diagramme en 3D ou un schéma brillant, mais elle ne le pouvait pas. Elle savait seulement qu'elle devait essayer. Elle se souvenait seulement de l'expression perdue qu'avait prise le visage de sa mère. « Il faut que je rentre chez moi. »

– La quête doit réussir, dit-elle. Tu peux essayer de m'arrêter, auquel cas nous devrons nous battre à mort. Ou tu peux me laisser partir et j'essaierai de sauver nos deux camps. S'il faut que tu marches sur la Colonie des Sang-Mêlé, essaie au moins de repousser un peu l'offensive. De ralentir Octave.

Reyna plissa les yeux.

– D'une fille d'une déesse de la Guerre à une autre, dit-elle, j'admire ton audace. Mais si tu pars maintenant, tu voues ton camp à la destruction.

– Ne sous-estime pas la Colonie des Sang-Mêlé, la mit en garde Annabeth.

– Tu n'as jamais vu la légion au combat, répliqua Reyna.

Du côté de l'appontement, une voix familière s'éleva par-dessus les mugissements du vent :

– Tuez-les ! Tuez-les tous !

Octave avait survécu à son plongeon dans le port. Accroupi derrière ses gardes, il lançait des encouragements aux autres demi-dieux romains qui crapahutaient péniblement vers le navire en levant leurs boucliers, comme s'ils pouvaient les protéger de la tempête qui faisait rage tout autour d'eux.

Sur le pont de l'*Argo II*, Percy et Jason se tenaient côte à côte, épées croisées. Annabeth sentit un frisson lui parcourir l'échine quand elle comprit que les garçons conjuguaient leurs pouvoirs pour mettre le ciel et la mer à leur service. L'eau et le vent se mêlaient dans un même tourbillon ; des vagues s'écrasaient sur les remparts et des éclairs s'abattaient. Des aigles géants tombaient du ciel, foudroyés. Les débris du char volant brûlaient sur l'eau et Gleeson Hedge, armé d'une arbalète, tirait au jugé sur les oiseaux romains qui sillonnaient le ciel.

– Tu vois ? dit Reyna avec amertume. Le javelot est lancé. C'est la guerre.

– Pas si je réussis, affirma Annabeth.

La même expression se peignit sur le visage de Reyna que lorsqu'elle s'était rendu compte, au Camp Jupiter, que Jason avait rencontré une autre fille. La préteur était trop seule et trop meurtrie par les trahisons pour croire qu'il pouvait encore lui arriver de belles choses. Annabeth attendit qu'elle l'attaque.

Au lieu de quoi, Reyna rappela ses chiens de métal d'un geste.

– Annabeth Chase, dit-elle, lorsque nous nous reverrons, nous serons des ennemies sur le champ de bataille.

La préteur tourna les talons et franchit les remparts, suivie de ses lévriers.

Annabeth eut peur que ce soit un stratagème, mais elle n'avait pas le temps de se poser la question. Elle fonça vers le navire.

Les vents qui s'acharnaient sur les Romains semblèrent l'épargner.

Annabeth fendit en courant les rangs ennemis.

– Arrêtez-la ! hurla Octave.

Une lance siffla à son oreille. L'*Argo II* se détachait déjà du ponton. Piper était devant la passerelle et tendait le bras.

Annabeth bondit et saisit sa main. La passerelle tomba dans les vagues et les deux filles s'écroulèrent sur le pont.

– Départ ! hurla Annabeth. Départ, départ !

Sous ses pieds, les moteurs vrombirent. Les rames brassèrent l'eau. Jason changea le sens du vent et Percy leva une monumentale lame de fond qui hissa le navire au-dessus des remparts du fort et l'emporta au large. Le temps que l'*Argo II* grimpe à sa vitesse maximale, Fort Sumter n'était plus qu'un point lointain derrière eux, et ils fendaient les vagues en faisant cap sur les terres anciennes.

21 Léo

Après leur raid sur un musée bourré de fantômes sudistes, Léo voyait mal comment sa journée pouvait empirer. Il manquait d'imagination.

Ils n'avaient rien trouvé dans la section « Guerre de Sécession » du musée, ni dans les autres salles : juste quelques touristes âgés, un gardien qui somnolait sur sa chaise, et – lorsqu'ils avaient voulu examiner les pièces exposées de plus près – un bataillon entier de zombies phosphorescents en uniformes gris.

Et cette idée que Frank allait pouvoir contrôler les esprits ? Le bide de l'année. Quand le message-Iris de Piper les avertissant de l'attaque des Romains leur était parvenu, ils étaient déjà à mi-chemin du navire et s'étaient fait courser dans tout Charleston par une meute de sudistes confédérés aussi morts que furieux.

Et puis – le veinard ! – Léo s'était fait héliporter par Frank l'Aigle Qui Vous Veut du Bien pour pouvoir se battre contre un groupe de Romains. La rumeur avait dû circuler que c'était Léo qui avait tiré sur leur petite ville, parce que ces Romains-là avaient l'air particulièrement décidés à le tuer.

Ce n'était pas tout ! Hedge, leur entraîneur, leur avait tiré dessus en plein vol ; Frank l'avait lâché (ce n'était pas un accident) et ils s'étaient écrasés sur Fort Sumter.

Maintenant que l'*Argo II* fendait les vagues, Léo devait faire appel à tout son talent pour que le vaisseau reste entier. Jason et Percy levaient des tempêtes terribles et ils y allaient vraiment fort.

À un moment donné, Annabeth vint le trouver et lui cria à l'oreille, contre les rugissements du vent :

– Percy dit qu'il a parlé avec une Néréide dans le port de Charleston !

– Tu m'en vois ravi ! répondit Léo, hurlant de même.

– La Néréide pense qu'on devrait demander de l'aide aux frères de Chiron.

– Qu'est-ce que ça veut dire ? Les Poneys Fêtards ?

Léo n'avait jamais rencontré les parents foldingues de Chiron, mais on lui avait raconté des histoires de duels à l'épée Nerf, de concours de descente de root-beer et autres batailles au pistolet à chantilly.

– Pas sûr. Mais j'ai des coordonnées. Est-ce que tu peux entrer une latitude et une longitude dans ton système ?

– Je peux entrer des cartes du ciel et te commander un cappuccino, si tu veux. Évidemment que je peux faire latitude et longitude !

Annabeth débita les numéros. Léo se débrouilla pour les taper d'une main tout en tenant la barre de l'autre. Un point rouge s'alluma sur l'écran de bronze.

– C'est au beau milieu de l'Atlantique, dit Léo. Est-ce que les Poneys Fêtards ont un yacht ?

Annabeth haussa les épaules avec impuissance.

– Écoute, tiens le navire jusqu'à ce qu'on soit vraiment loin de Charleston. Jason et Percy vont continuer à balancer des vents forts !

– On va trop se marrer !

Léo eut l'impression que la tempête n'allait jamais s'arrêter, mais la mer finit par se calmer et les vents retombèrent.

– Valdez, dit Gleeson Hedge avec une gentillesse étonnante. Laisse-moi prendre la barre. Ça fait deux heures que tu pilotes.

– Deux heures ?

– Ouais. Donne-moi la barre.

– M'sieur ?

– Ouais, petit ?

– J'arrive pas à desserrer les mains.

C'était vrai. Les doigts de Léo s'étaient comme pétrifiés. Ses yeux brûlaient d'avoir trop fixé l'horizon. Il avait les genoux en guimauve. Avec effort, Gleeson Hedge parvint à le détacher du gouvernail.

Léo jeta un dernier coup d'œil au tableau de bord, tandis que Festus débitait son rapport en ronronnant. Léo avait l'impression d'oublier quelque chose. Il fixa les commandes en réfléchissant de toutes ses forces, rien à faire. Il n'arrivait presque plus à voir droit.

– Guettez bien les monstres, dit-il à l'entraîneur. Et faites attention au stabilisateur endommagé. Et...

– T'inquiète pas, je maîtrise, lui promit Hedge. Maintenant, va-t'en !

Léo hocha la tête avec lassitude. Il se dirigea en titubant vers ses amis, à l'autre bout du pont.

Percy et Jason étaient assis dos contre le mât, épuisés, la tête pendante. Annabeth et Piper essayaient de leur faire boire un peu d'eau.

Hazel et Frank se tenaient à l'écart et se disputaient – ça se voyait à leurs grands gestes de bras et hochements de tête. Léo n'aurait pas dû s'en réjouir, mais il ne put s'empêcher d'en ressentir un certain plaisir, doublé d'une part égale de mauvaise conscience.

La dispute s'interrompit abruptement quand Hazel aperçut Léo. Tous les demi-dieux se réunirent au mât.

Frank grimaça comme s'il faisait un gros effort pour se changer en bull-dog.

– Pas de poursuivants en vue, dit-il.

– Pas de terre en vue non plus, enchaîna Hazel.

Elle avait le teint verdâtre et Léo se demanda si c'était à cause du roulis du navire ou de sa dispute.

Il balaya l'horizon du regard. L'océan s'étendait à perte de vue, sans rien qui vienne l'interrompre. Léo n'aurait pas dû s'en étonner ; il avait passé six mois à construire un bateau destiné à traverser l'Atlantique. Mais jusqu'à ce jour, leur voyage pour les terres anciennes ne lui avait pas semblé réel. Léo n'avait jamais quitté les États-Unis de sa vie, à part une rapide virée au Québec en dragon. À présent ils étaient en plein océan, complètement seuls, et voguaient vers la Mare Nostrum, d'où étaient sortis tous les monstres effrayants et les géants ennemis. Peut-être que les Romains avaient cessé de les pourchasser, effectivement, mais ils ne pouvaient plus compter sur le moindre secours de la Colonie des Sang-Mêlé.

Léo porta la main à la taille pour vérifier qu'il avait toujours sa ceinture à outils. Malheureusement, ça ne fit que lui rappeler le *fortune cookie* de Némésis, fourré au fond d'une des poches.

La voix de la déesse persistait dans ses pensées. « Tu seras toujours le type en trop, toujours la septième roue. »

Oublie-la, se dit Léo. *Concentre-toi sur les problèmes que tu peux régler.*

Il se tourna vers Annabeth.

– Tu as trouvé le plan que tu voulais ?

Elle fit oui de la tête, mais elle était très pâle. Léo se demanda ce qu'elle avait pu voir à Fort Sumter pour être aussi secouée.

– Je vais devoir l'étudier, dit-elle, comme pour clore le sujet. À quelle distance sommes-nous des coordonnées que je t'ai données ?

– Environ une heure à la vitesse de rames maximale. Tu as une idée de ce qu'on cherche ?

– Non, avoua Annabeth. Percy ?

Percy leva la tête. Ses yeux verts étaient injectés de sang et gonflés.

– La Néréide a dit que les frères de Chiron seraient là-bas et qu'il faudrait leur parler de l'aquarium d'Atlanta. Je ne sais pas ce qu'elle voulait dire, mais... (Il s'interrompit, comme si ces quelques paroles avaient épuisé toute son énergie.) Elle m'a aussi conseillé d'être prudent. Keto, la déesse qui était à l'aquarium, est la mère des monstres marins. Elle a beau être coincée à Atlanta, elle peut lâcher ses enfants contre nous. D'après la Néréide, on devrait se préparer à une attaque.

– Merveilleux, marmonna Frank.

Jason essaya de se lever, ce qui s'avéra une mauvaise idée. Piper le rattrapa par le bras pour l'empêcher de tomber à la renverse, et il se laissa glisser contre le mât.

– Est-ce qu'on peut décoller ? demanda-t-il. Si on pouvait naviguer par voie...

– Ce serait super, le coupa Léo. Sauf que Festus me dit que le stabilisateur aérien de bâbord a été réduit en miettes quand le vaisseau a heurté l'appontement de Fort Sumter.

– On était pressés, expliqua Annabeth. On essayait de vous sauver.

– Et c'est certes une noble cause, acquiesça Léo. Tout ce que je veux dire, c'est que ça va prendre un moment à réparer. D'ici là, pas question de voler.

Percy remua les épaules en grimaçant.

– Ça me va. L'océan, c'est bien.

– Parle pour toi, dit Hazel. (Elle jeta un coup d'œil au soleil de fin de journée, qui touchait presque l'horizon.) Il faut qu'on se dépêche. On a grillé une journée de plus, et il n'en reste que trois à Nico.

– On y arrivera, promit Léo. (Il espérait qu'Hazel lui avait pardonné son manque de confiance envers son frère – hé, c'était un soupçon légitime, trouvait Léo, mais il ne voulait pas rouvrir la plaie.) On peut rallier Rome d'ici à trois jours, à supposer, évidemment, qu'on n'ait pas d'imprévus.

Frank grogna. Il avait plus que jamais l'air de travailler à sa métamorphose en bull-dog.

– Y aurait pas une bonne nouvelle, au moins ?

– En fait si, dit Léo. D'après Festus, Buford, notre guéridon volant, est revenu à bord sain et sauf pendant qu'on était à Charleston, donc les aigles ne l'ont pas capturé. Malheureusement il a perdu le sac de linge sale avec ton jean.

– Ah mince alors ! aboya Frank, ce qui devait être le summum de la grossièreté pour lui.

Frank aurait certainement continué à pester – en enchaînant les « crotte de bique ! » et « nom d'un chien ! » – mais, soudain, Percy se plia en deux en gémissant.

– Est-ce que la terre vient de se renverser ? demanda-t-il.

Jason appuya les mains contre ses tempes.

– Ouais, ça tourne, dit-il. Et tout est jaune. C'est normal que tout soit jaune ?

Annabeth et Piper échangèrent un regard inquiet.

– Ça vous a vraiment vidés de vos forces de lever cette tempête, dit Piper aux garçons. Il faut vous reposer.

Annabeth opina d'un coup de menton.

– Frank, ajouta-t-elle, tu peux nous aider à les emmener dans leurs cabines ?

Frank jeta un coup d'œil à Léo, clairement réticent à le laisser seul avec Hazel.

– C'est bon, man, dit Léo. Essaie juste de pas les faire tomber dans l'escalier.

Une fois tous les autres en bas, Hazel et Léo se retrouvèrent face à face et un peu gênés. Ils étaient seuls sur le pont arrière, à part Gleeson Hedge qui tenait la barre en chantant sur l'air des *Pokémon*. L'entraîneur avait changé les paroles et fredonnait « Faut tous les tuer » – Léo préférait ne pas savoir pourquoi.

La chanson n'avait pas l'air d'arranger la nausée d'Hazel.

– Ouh !

Elle se pencha par-dessus bord, les mains sur le ventre. Elle avait de beaux cheveux, frisés et d'un brun roux comme du caramel. Ce qui rappela à Léo un endroit, à Houston, qui faisait des churros d'enfer. Rien que d'y penser, il avait faim.

– Ne te penche pas, lui conseilla-t-il. Et ne ferme pas les yeux. Ça augmente la nausée.

– C'est vrai ? Toi aussi, tu as le mal de mer ?

– Non, mais j'ai mal au cœur en voiture et...

Il se tut. Il voulait ajouter « et quand je parle à une fille », mais il décida de garder ça pour lui.

– En voiture ? (Hazel se redressa péniblement.) Tu pilotes des bateaux et tu montes à dos de dragon, mais tu as mal au cœur en voiture ?

– Ouais, je sais. (Léo haussa les épaules.) C'est mon petit côté spécial. Écoute, garde les yeux sur l'horizon. C'est un point fixe. Ça aide.

Hazel prit une grande inspiration et porta le regard au loin. Elle avait les yeux dorés et brillants, comme les disques de bronze et de cuivre à l'intérieur de la tête mécanique de Festus.

– Ça va mieux ? demanda Léo.

– Peut-être un peu.

Il eut l'impression qu'elle disait ça par politesse. Elle regardait toujours l'horizon, mais Léo sentit qu'elle cherchait à sonder son état d'esprit et réfléchissait à ce qu'elle allait dire.

– Frank n'a pas fait exprès de te lâcher, lança-t-elle alors. C'est pas le genre. Il est juste un peu maladroit, des fois.

– « Oups », dit le garçon dans sa meilleure imitation de Frank Zhang. « J'ai lâché Léo au milieu d'un escadron de soldats ennemis. Mince alors ! »

Hazel se retint difficilement de sourire. *Sourire, c'est mieux que de vomir*, se dit Léo.

– Mets la pédale douce avec lui, reprit-elle. Tu l'impressionnes avec tes boules de feu.

– Ce type peut se changer en éléphant et je l'impressionne ?!

Hazel gardait les yeux rivés sur le lointain. Elle n'avait plus l'air aussi malade, même si Gleeson Hedge, au gouvernail, chantait toujours sa version de la chanson des *Pokémon*.

– Léo, dit-elle, pour ce qui s'est passé au Grand Lac Salé...

Nous y voilà, songea Léo.

Il se rappela leur rencontre avec la déesse de la Vengeance, Némésis. Le *fortune cookie* se mit à peser plus lourd dans sa ceinture à outils. La nuit précédente, après leur départ d'Atlanta, Léo, allongé dans sa cabine, avait réfléchi à la peine qu'il avait faite à Hazel. Il avait cherché des moyens de se rattraper.

« Bientôt tu seras confronté à un problème que tu ne pourras pas résoudre », avait dit Némésis, « à moins que je ne t'aide, mais pour cela tu devras payer le prix. »

Léo avait sorti le *fortune cookie* de sa ceinture à outils et l'avait retourné entre ses doigts en se demandant quel serait le prix à payer, s'il l'ouvrait.

Le moment était peut-être venu.

– Je suis prêt à le faire, dit-il à Hazel. Je pourrais me servir du *fortune cookie* pour retrouver ton frère.

Hazel eut l'air stupéfaite.

– Comment ? Mais non ! Je veux dire... je ne te demanderai jamais ça. Pas après ce que Némésis a dit sur le prix à payer. On se connaît à peine !

Le « on se connaît à peine » fit un peu mal à Léo, mais il savait que c'était vrai.

– Alors c'est pas de ça que tu voulais parler ? demanda-t-il. Euh, tu voulais parler du moment où on s'est pris la main sur le rocher ? Parce que...

– Non ! s'empressa-t-elle de dire, en s'éventant le visage avec la main, ce petit geste mignon qu'elle avait quand elle était troublée. Non, je repensais à la façon dont tu avais roulé Narcisse et les nymphes dans la farine...

– Ah, oui. (Léo jeta un coup d'œil gêné à son bras, où était encore visible la trace du tatouage « CHAUD BOUILLANT ».) Sur le coup, ça m'a paru une bonne idée.

– Tu as été formidable, dit Hazel. J'y ai beaucoup repensé, c'est fou comme tu me rappelais...

– Sammy, devina Léo. J'aimerais bien que tu me dises qui c'est.

– Qui c'était, corrigea Hazel. (La soirée était douce, pourtant elle frissonna.) J'ai réfléchi... je pourrais peut-être te le montrer.

– Tu veux dire, en photo par exemple ?

– Non. Il m'arrive d'avoir des sortes de flash-back. Je n'en ai pas eu depuis longtemps et je n'ai jamais essayé d'en provoquer un. Mais j'en ai partagé un une fois avec Frank, alors j'ai pensé que...

Hazel le regarda droit dans les yeux. Léo se sentit nerveux comme s'il venait de recevoir une injection de café. Si ce flash-back était quelque chose qu'elle avait partagé avec Frank... eh bien soit Léo ne voulait rien avoir à faire avec ça, soit il voulait à tout prix l'essayer. L'un ou l'autre, il ne savait pas.

– Qu'est-ce que tu entends par flash-back, au juste ? (Il ravala sa salive.) Est-ce que c'est risqué ?

Hazel lui tendit la main.

– Je ne te demanderais pas de le faire si je n'étais pas convaincue que c'est important. Je ne crois pas que notre rencontre soit un simple hasard, c'est impossible. Si ça marche, nous pourrons peut-être enfin savoir ce qui nous relie.

Léo jeta un coup d'œil vers le gouvernail. Il avait toujours la désagréable impression d'oublier quelque chose, mais Gleeson Hedge semblait se débrouiller très bien. Le ciel était dégagé. Nulle menace à l'horizon.

En plus, un flash-back devait être quelque chose de relativement court. Il n'y avait pas de risque à laisser le satyre seul aux commandes quelques minutes, si ?

– D'accord, accepta-t-il. Fais-moi voir.

Il prit la main que lui tendait Hazel, et le monde s'évanouit.

22 Léo

Ils étaient dans la cour d'un vieil édifice qui ressemblait à un monastère. Les murs de briques rouges étaient couverts de vigne vierge. Les racines de plusieurs grands magnolias avaient fissuré le dallage. Le soleil était de plomb et l'humidité frisait les cent pour cent – une chaleur encore plus moite qu'à Houston. Léo sentit une odeur de poisson frit. Au-dessus de leurs têtes, la couverture nuageuse était épaisse et grise, striée comme une peau de tigre.

La cour faisait bien la taille d'un terrain de basket-ball. Un vieux ballon de foot dégonflé traînait au pied d'une statue de la Sainte Vierge.

Les corps de bâtiment qui encadraient la cour avaient plusieurs fenêtres ouvertes. Léo entrevoyait du mouvement à l'intérieur, mais il régnait un silence troublant. Il ne vit rien qui ressemble à une clim et n'osa imaginer la chaleur qu'il devait faire là-dedans.

– Où sommes-nous ? demanda-t-il.

– À mon ancienne école, dit Hazel, debout près de lui. L'Académie Sainte Agnès pour Enfants de Couleur et Indiens.

– Qu'est-ce que c'est que ce nom ?

Il se tourna vers Hazel et sauta en l'air. Hazel était devenue un fantôme, une silhouette vaporeuse dans l'air moite.

Léo baissa les yeux et vit que son corps s'était changé en brume, lui aussi.

Tout ce qui l'entourait paraissait solide et réel, mais lui-même était un esprit. Après avoir été possédé par un eidolon pendant trois jours, il ne goûtait guère cette sensation.

Alors qu'il allait poser des questions, une cloche sonna : pas une sonnerie électronique moderne, mais bel et bien le tintement d'un battant contre une paroi de métal.

– C'est un souvenir, dit Hazel. Donc personne ne va nous voir. Regarde, nous voici.

– *Nous ?*

De toutes les portes, des dizaines d'enfants déboulèrent dans la cour en se bousculant et en criant. C'étaient en majorité des Africains-Américains, plus quelques gamins de type latino, dans une gamme d'âge allant du jardin d'enfants au lycée. Léo voyait que c'était dans le passé à la tenue des filles, toutes en robes et chaussures de cuir à boucle. Les garçons portaient des chemises blanches et des pantalons retenus par des bretelles. Ils étaient nombreux à arborer des casquettes style jockey. Certains enfants avaient une gamelle à déjeuner, beaucoup n'avaient rien. Leurs vêtements étaient propres, mais usés et délavés. Certains avaient des trous aux genoux de leur pantalon, ou des chaussures qui perdaient le talon.

Un petit groupe de filles se mit à sauter à la corde avec un vieux fil à linge. Les garçons les plus âgés s'échangeaient un ballon de base-ball tout râpé. Les gamins qui avaient un déjeuner s'assirent ensemble et se mirent à manger en bavardant.

Personne ne remarqua Hazel-en-fantôme ni Léo.

C'est alors qu'arriva Hazel – Hazel-du-passé. Léo n'eut aucun mal à la reconnaître, même si elle avait l'air plus jeune que maintenant, d'environ deux ans. Elle avait les cheveux attachés en chignon. Ses yeux dorés parcoururent craintivement la cour. Contrairement aux autres filles dans leurs robes de coton blanc ou à imprimé pastel, elle portait une robe noire qui la faisait ressortir comme une veuve à un mariage.

Serrant un sac en toile contenant son déjeuner, elle rasa le mur comme si elle voulait à tout prix passer inaperçue.

Ça ne marcha pas. Un garçon cria : « Hé, la sorcière ! », s'avança à pas lourds et l'accula dans un coin. Il pouvait avoir quatorze ans comme dix-neuf, c'était difficile à dire, tant il était grand et baraqué, de loin le plus grand gabarit de tous les garçons présents dans la cour. Léo imagina qu'il avait dû redoubler plusieurs fois. Il portait une chemise sale comme un chiffon de garagiste, un pantalon de lainage élimé (qui ne devait pas être agréable par cette chaleur) et il était pieds nus, carrément. Peut-être qu'il faisait trop peur à ses professeurs pour qu'ils exigent qu'il mette des chaussures, ou peut-être, simplement, qu'il n'en avait pas.

– C'est Rufus, dit Hazel-en-fantôme avec répulsion.

– Sérieux ? Me dis pas que ce mec s'appelle Rufus ! commenta Léo.

– Viens, dit Hazel-en-fantôme.

Elle s'approcha en flottant du lieu de la confrontation. Léo suivit. Il n'avait pas l'habitude de flotter, mais il avait fait du Segway une fois et c'était un peu pareil. Il se penchait dans la direction qu'il voulait prendre et se laissait glisser.

Le dénommé Rufus avait le visage plat, comme s'il passait sa vie à s'étaler sur le trottoir. Ses cheveux étaient coupés en une brosse non moins plate, qui aurait pu servir de piste d'atterrissage à des modèles réduits d'avion.

Rufus tendit la main.

– Ton déj'.

Hazel-du-passé ne protesta pas. Elle lui donna son sac en toile comme si c'était une chose qui se répétait tous les jours.

Quelques-unes des filles les plus grandes vinrent voir, histoire de s'amuser. L'une d'elles regarda Rufus en gloussant et lança :

– Tu ne devrais pas manger ça, c'est sans doute du poison.

– Tu as raison, dit Rufus. C'est ta mère la sorcière qui l'a préparé, Hazel Levesque ?

– Ce n'est pas une sorcière, marmonna Hazel.

Rufus jeta le sac par terre et l'écrasa sous les talons de ses pieds nus.

– Tiens, tu peux le ravoir. Mais je veux un diamant, par contre. On m'a dit que ta mère pouvait les fabriquer par magie. Donne-moi un diam.

– Je n'ai pas de diamants, répondit Hazel. Va-t'en.

Rufus serra les poings. Léo avait connu assez d'écoles difficiles et de foyers pour sentir venir le coup fourré. Il aurait voulu aller à la rescousse d'Hazel, mais il était un fantôme. En plus, tout ça remontait à plusieurs dizaines d'années.

Alors un autre garçon déboula dans la cour.

Léo ravala son souffle. Le nouveau venu lui ressemblait trait pour trait.

– Tu vois ? demanda Hazel-en-fantôme.

Faux Léo avait la même taille que Léo Normal – autrement dit, il était petit. Il avait la même énergie nerveuse ; ses doigts couraient en tambourinant sur son pantalon, donnaient des chiquenaudes sur sa chemise de coton blanc, rajustaient sa casquette de jockey (franchement, trouvait Léo, quand on est petit, il vaut mieux éviter les casquettes de jockey, sauf si on est jockey). Faux Léo avait le sourire sarcastique qui accueillait Léo Normal chaque fois qu'il se regardait dans un miroir, une expression qui poussait les professeurs à crier tout de suite : « Vous, je vous ai à l'œil ! » et à le coller au premier rang.

Apparemment, Faux Léo venait de se faire punir. Il tenait à la main un bonnet d'âne, un cône en carton véritable marqué « ÂNE ». Léo pensait que ces engins-là n'existaient que dans les bandes dessinées.

Léo comprenait pourquoi il ne le portait pas. C'était déjà navrant d'avoir une dégaine de jockey, mais avec ce cône sur la tête, il aurait eu l'air d'un nain de jardin.

Certains gamins reculèrent quand Faux Léo fit son entrée en scène ; d'autres échangèrent des coups de coude et se rapprochèrent, s'attendant visiblement à ce qu'il y ait du spectacle.

Pendant ce temps, Rufus Crâne-Plat essayait toujours d'extirper un diamant à Hazel, ignorant l'arrivée de Faux Léo.

– Allez, fillette. (Rufus, poings serrés, dominait Hazel de toute sa hauteur.) Crache le caillou.

Hazel s'aplatit contre le mur. Soudain le sol s'ouvrit à ses pieds avec un craquement de brindille sèche. Un diamant parfait, gros comme une pistache, scintillait entre ses pieds.

– Ha ! aboya Rufus en le voyant.

Il voulut se pencher pour le ramasser, mais Hazel s'écria : « Non, s'il te plaît ! » comme si elle s'inquiétait sincèrement pour cette grosse brute.

C'est alors que s'avança Faux Léo.

Voilà la castagne, pensa Léo. *Faux Léo va balancer quelques mouvements de jiu-jitsu, façon Gleeson Hedge, et sauver la donne.*

Au lieu de quoi, Faux Léo porta la pointe du bonnet d'âne devant sa bouche comme un mégaphone et cria : « COUPEZ ! »

Il le dit avec une telle autorité que tout le monde s'immobilisa un instant. Même Rufus se redressa et recula de quelques pas, troublé.

Un des petits garçons murmura en riant sous cape : « Sacré Sammy. »

Sammy... Léo frissonna. *Mais c'était qui, ce mec ?*

Sammy/Faux Léo fonça vers Rufus, son bonnet d'âne à la main, l'air furieux.

– Non, non et non !

Il agita violemment sa main libre vers les autres, qui se rapprochaient pour voir le spectacle.

Sammy se tourna vers Hazel.

– Mademoiselle Lamarr, votre dialogue, c'est... (Sammy regarda autour de lui, l'air exaspéré.) Scripte ! C'est quoi, le dialogue de Mlle Lamarr !

– « Non, je vous en supplie, scélérat ! » lança un des garçons.

– Merci, dit Sammy. Mademoiselle Lamarr, vous êtes censée dire : « Non, je vous en supplie, scélérat ! » Et vous, Clark Gable...

Toute la cour éclata de rire. Léo savait vaguement que Clark Gable était un acteur d'autrefois, mais rien de plus. Apparemment, pourtant, l'idée que Rufus Crâne-Plat puisse être Clark Gable les faisait tous mourir de rire.

– Monsieur Gable...

– Non, s'écria une des filles, fais-lui faire Gary Cooper.

Nouvelle vague de rires. Rufus avait l'air sur le point d'exploser. Il serrait les poings comme s'il voulait frapper quelqu'un, mais il ne pouvait pas attaquer toute l'école. Il détestait qu'on se moque de lui, c'était clair, toutefois son petit cerveau était trop lent pour comprendre ce que tramait Sammy.

Léo hocha la tête en connaisseur. Sammy lui ressemblait, c'était clair. Depuis des années, Léo faisait subir le même genre de moqueries aux sales brutes à qui il avait affaire.

– D'accord ! cria Sammy d'un ton impérieux. Vous, monsieur Cooper, vous dites : « Oh, mais ce diamant est à moi, ma traîtresse chérie ! » Et vous ramassez le diamant comme ça !

– Sammy, non ! protesta Hazel, mais Sammy saisit la pierre et l'empocha d'un seul geste fluide.

Il fit volte-face et se planta sous le nez de Rufus.

– Je veux de l'émotion ! Je veux que les dames se pâment dans l'assistance ! Mesdames, est-ce que M. Cooper vous a fait tomber en pâmoison, à l'instant ?

– Non, répondirent plusieurs voix.

– Là, vous voyez ? s'écria Sammy. On reprend du début ! hurla-t-il dans son bonnet d'âne. Action !

Rufus commençait à reprendre ses esprits. Il s'avança vers Sammy et dit :

– Valdez, je vais...

La cloche sonna. Les écoliers coururent vers les portes. Sammy tira Hazel de côté tandis que les petits du jardin d'enfants – qui se comportaient comme s'ils étaient au service de Sammy – encerclaient Rufus et l'entraînaient à l'intérieur.

Sammy et Hazel se retrouvèrent seuls dans la cour, à part les fantômes.

Le garçon ramassa le déjeuner piétiné d'Hazel, épousseta le sac en toile avec des gestes pompeux et le lui tendit en faisant une grande révérence, comme si c'était sa couronne.

– Mademoiselle Lamarr.

Hazel-du-passé prit les vestiges de son déjeuner. Elle avait l'air au bord des larmes, mais Léo ne savait pas si c'était de soulagement, de tristesse ou d'admiration.

– Sammy... Rufus va te tuer.

– Mais non, il n'est pas assez bête pour se frotter à moi.

Sammy planta le bonnet d'âne sur sa casquette de jockey. Il se redressa et bomba son torse chétif. Le bonnet d'âne tomba.

– Tu es ridicule, dit Hazel en riant.

– Hum, merci, mademoiselle Lamarr.

– De rien, « mon traître chéri ».

Le sourire de Sammy s'estompa. L'air se chargea d'émotion. Hazel regarda par terre.

– T'aurais pas dû toucher ce diamant, dit-elle. C'est dangereux.

– Mais non, écoute, rétorqua Sammy. Pas pour moi !

Hazel le regarda avec méfiance, comme si elle souhaitait le croire.

– Il pourrait arriver des malheurs, ajouta-t-elle. Tu ne dois pas...

– Je ne le vendrai pas, dit Sammy. Je te le promets. Je le garderai juste en gage de ta saveur.

Hazel se força à sourire.

– Je crois que tu veux dire « en gage de ma faveur ».

– C'est cela même ! Il faudrait qu'on y aille. C'est l'heure de la scène suivante : « Hedy Lamarr manque de mourir d'ennui en cours d'anglais. »

Et Sammy lui tendit le bras en gentleman, mais Hazel le repoussa par taquinerie.

– Merci pour tout, Sammy, dit-elle.

– Mademoiselle Lamarr, vous pourrez toujours compter sur moi ! rétorqua-t-il joyeusement.

Et tous deux s'engouffrèrent en courant dans le bâtiment.

Léo se faisait plus que jamais l'effet d'un fantôme. Peut-être avait-il été un eidolon toute sa vie, en réalité, parce que le garçon qu'il venait de voir aurait dû être le véritable Léo. Il était plus futé, plus cool et plus drôle. Et il flirtait si bien avec Hazel qu'il avait manifestement conquis son cœur.

Pas étonnant qu'Hazel ait regardé Léo si bizarrement à leur première rencontre. Pas étonnant qu'elle ait dit « Sammy » avec tant d'émotion dans la voix. Mais Léo n'était pas Sammy, pas plus que Rufus Crâne-Plat n'était Clark Gable.

– Hazel, dit-il. Je... je ne...

La cour d'école disparut, et le décor changea.

Hazel et Léo étaient toujours des fantômes, mais ils se trouvaient maintenant devant une maison délabrée, en bordure d'un fossé d'écoulement envahi par les mauvaises herbes. Un bosquet de bananiers prenait la poussière au fond du jardin. En haut des marches du perron, un vieux transistor diffusait du *conjunto* ; sur la galerie ombragée, un vieil homme maigre regardait l'horizon, assis dans son rocking-chair.

– Mais où sommes-nous ? demanda Hazel.

Elle était toujours une simple silhouette de vapeur, mais sa voix trahissait l'inquiétude.

Léo avait l'impression que son personnage spectral s'étoffait, en revanche, devenait plus réel. Le lieu lui était étrangement familier.

– On est à Houston, dit-il. Je connais cette vue. Ce fossé d'écoulement... C'est l'ancien quartier de ma mère, là où elle a grandi. L'aéroport d'Hobby est par là.

– On est dans ta vie ? s'étonna Hazel. Je comprends pas ! Comment... ?

– C'est à moi que tu le demandes ?

Soudain, le vieil homme murmura :

– Ah, Hazel...

Un frisson électrique parcourut l'échine de Léo. L'homme avait toujours les yeux tournés vers l'horizon. Comment savait-il qu'ils étaient là ?

– Je crois que nous avons manqué de temps, reprit le vieil homme d'un ton rêveur. Enfin...

Il n'acheva pas sa pensée.

Hazel et Léo se tenaient parfaitement immobiles. L'homme ne donna aucun autre signe de les avoir vus ou entendus. Il vint à l'esprit de Léo que le type avait parlé tout seul. Mais alors, pourquoi avait-il prononcé le nom d'Hazel ?

Il avait la peau burinée, des cheveux blancs et bouclés et des mains noueuses, comme s'il avait travaillé toute sa vie dans un atelier d'usinage. Il portait une chemise jaune pâle impeccable, un pantalon gris avec des bretelles et des souliers noirs cirés.

Malgré son âge, il avait le regard vif et clair. Il témoignait dans sa posture d'une dignité tranquille. Il semblait paisible – amusé, même, comme s'il pensait : « Bon sang, j'ai vécu si longtemps ? C'est cool ! »

Léo était presque certain de n'avoir jamais vu cet homme. Alors pourquoi lui paraissait-il tellement familier ? Il se rendit soudain compte que l'homme tambourinait le bras de son fauteuil du bout des doigts, mais ce n'était pas au hasard. Il tapait du morse, exactement comme la mère de Léo le faisait avec lui... et le vieil homme composait le même message : « Je t'aime. »

La porte de la maison s'ouvrit. Une jeune femme sortit. Elle portait un jean et un chemisier bleu turquoise. Ses cheveux noirs étaient coupés en carré plongeant. Elle était jolie, mais pas dans le registre fragile et délicate. Elle avait des bras musclés et des mains calleuses. Comme ceux du vieil homme, ses yeux pétillaient joyeusement. Elle tenait dans ses bras un bébé enveloppé d'une couverture bleue.

– Regarde, *mijo*, dit-elle au bébé. C'est ton *bisabuelo*. *Bisabuelo*, tu veux le prendre ?

Quand il entendit sa voix, Léo ne put retenir ses larmes.

C'était sa mère – plus jeune que dans ses souvenirs, mais bien vivante. Ce qui voulait dire que le bébé dans ses bras...

Le vieil homme eut un immense sourire. Il avait des dents parfaites, aussi blanches que ses cheveux. Son visage se plissa de mille fines rides.

– Un garçon ! Mi *bebito*, Léo !

Le vieil homme prit bébé Léo dans ses bras avec des petits claquements de langue et le caressa sous le menton – et Léo-en-fantôme comprit enfin ce qu'il voyait.

Le pouvoir d'Hazel à retourner dans le passé les avait amenés au seul événement qui reliait leurs deux vies – au point où le temps de Léo touchait celui d'Hazel.

Ce vieil homme...

– Oh...

Hazel parut comprendre de qui il s'agissait au même moment. Sa voix s'étrangla, trembla sous les larmes qui affluaient.

– Oh, Sammy, non...

– Ah, petit Léo, dit Sammy Valdez, qui devait avoir largement dépassé le cap des soixante-quinze ans. Tu vas devoir être ma doublure-cascade, hein ? Je crois que ça s'appelle comme ça. Dis-le-lui pour moi. J'espérais être encore en vie mais, *ay*, la malédiction s'y oppose !

Hazel sanglota.

– Gaïa... Gaïa m'a dit qu'il était mort d'une crise cardiaque dans les années 1960. Mais ce n'est pas... ça ne peut pas être...

Sammy Valdez parlait toujours au bébé, sous le regard attristé de la mère de Léo, Esperanza ; elle était peut-être inquiète d'entendre le *bisabuelo* de Léo perdre légèrement les pédales, divaguer un peu.

– Cette dame, doña Callida, m'a prévenu. (Sammy Valdez secoua tristement la tête.) Elle m'a dit qu'Hazel serait confrontée au plus grand danger de sa vie après ma mort. Mais je lui ai promis qu'elle pourrait toujours compter sur moi. Il faudra que tu lui dises que je regrette, Léo. Aide-la si tu peux.

– *Bisabuelo*, intervint Esperanza, tu dois être fatigué.

Elle tendit les bras pour prendre le bébé, mais le vieil homme le retint quelques instants de plus. Bébé Léo avait l'air parfaitement content dans ses bras.

– Dis-lui que je regrette d'avoir vendu le diamant, hein ? poursuivit Sammy. J'ai rompu ma promesse. Lorsqu'elle a disparu en Alaska... ah, ça fait si longtemps ! J'ai fini par vendre ce diamant et je me suis installé au Texas, comme j'en avais toujours rêvé. J'ai monté mon atelier d'usinage. J'ai fondé une famille ! J'ai eu une belle vie, mais Hazel avait raison. Le diamant était maudit. Je ne l'ai jamais revue.

– Oh, Sammy, dit Hazel. Non, ce n'est pas une malédiction qui m'a empêchée de revenir. Je voulais revenir, mais je suis morte !

Le vieil homme ne l'entendit pas. Il regarda le bébé en souriant et l'embrassa sur la tête.

– Je te donne ma bénédiction, Léo. Mon premier arrière-petit-fils ! J'ai l'intuition que tu es spécial, comme l'était Hazel. Tu es plus qu'un simple bébé, hein ? Tu vas prendre le relais. Un jour tu la verras. Tu lui diras bonjour de ma part.

– *Bisabuelo*, dit à nouveau Esperanza, d'un ton un peu plus insistant.

– Oui, oui. (Sammy eut un petit rire de gorge.) *El viejo loco* radote. Je suis fatigué, Esperanza. Tu as raison. Mais je vais bientôt me reposer. J'ai eu une belle vie. Élève-le bien, *nieta*.

La scène s'éteignit.

Léo était debout sur le pont de l'*Argo II* et tenait Hazel par la main. Le soleil s'était couché et le navire n'était plus éclairé que par des lanternes en bronze. Hazel avait les yeux gonflés d'avoir pleuré.

Ce qu'ils avaient vu était trop fort. L'océan tout entier se soulevait sous eux, et pour la première fois, Léo eut le sentiment qu'ils étaient complètement à la dérive.

– Bonjour, Hazel Levesque, dit-il d'une voix âpre.

Hazel avait le menton qui tremblait. Elle tourna la tête et ouvrit la bouche pour parler, mais brusquement le bateau fit une embardée sur le côté.

– Léo ! hurla Gleeson Hedge.

Festus émettait des vrombissements alarmants et crachait des flammes dans le ciel nocturne. La sonnerie du vaisseau retentit.

– Tu sais, ces monstres qui t'inquiétaient ? cria Hedge. Il y en a un qui nous a trouvés !

23 Léo

Léo méritait un bonnet d'âne.

S'il avait eu toute sa tête, il aurait basculé le système de détection du navire du mode radar au mode sonar aussitôt après leur départ de Charleston. C'était ça, le truc qu'il avait oublié. Il avait conçu la coque de façon qu'elle sonde la Brume à intervalles réguliers, toutes les quelques secondes, et alerte Festus, le cas échéant, de la proximité de monstres, mais cela ne marchait qu'en un mode à la fois : eau ou air.

Il avait été tellement secoué par l'escarmouche avec les Romains, puis par la tempête, puis par Hazel, qu'il avait complètement oublié. Et maintenant, ils avaient un monstre juste en dessous de leur navire.

L'*Argo II* gîta sur tribord. Hazel s'accrocha au gréement.

– Valdez, hurla Hedge, c'est quel bouton pour faire sauter les monstres ? Prends la barre !

Léo remonta le pont du navire couché et parvint à agripper le bastingage de bâbord. Il se mit à crapahuter latéralement vers le gouvernail, mais quand il aperçut le monstre, il en resta cloué sur place.

La créature faisait la longueur de leur navire. Dans la lueur du clair de lune, elle avait l'air d'une crevette géante croisée avec un cafard : une carapace rose et chitineuse, une queue plate d'écrevisse, des jambes de mille-pattes qui ondulaient sur un rythme horriblement fascinant pour hisser la bête contre la coque de l'*Argo II*.

La tête émergea en dernier : une face de poisson-chat, rose et visqueuse, avec des yeux mornes et vitreux, une gueule béante dépourvue de dents et, dans chaque narine, une épaisse forêt de tentacules – ce qui en faisait le nez le plus touffu que Léo ait jamais eu le déplaisir de contempler.

Il se souvint d'un menu du vendredi soir que sa mère et lui prenaient souvent, dans un petit restaurant de fruits de mer de Houston : crevettes et poisson-chat. Rien que d'y penser, maintenant, ça lui soulevait l'estomac.

– Dépêche-toi, Valdez ! cria Hedge. Prends la barre, que j'aille chercher ma batte de base-ball !

– Qu'est-ce que vous voulez faire avec une batte ! dit Léo, qui poursuivit quand même son chemin vers le gouvernail.

Derrière, ses camarades émergeaient de l'escalier.

– Qu'est-ce qui se passe ? hurla Percy en déboulant sur le pont. Ahhh ! Homardzilla !!

Frank courut auprès d'Hazel. Elle se retenait au gréement, encore sous le coup de son flash-back, mais fit signe que ça allait.

Le monstre éperonna de nouveau le vaisseau. La coque gémit. Annabeth, Piper et Jason roulèrent à tribord et faillirent tomber à la mer.

Léo atteignit enfin le gouvernail. Ses mains coururent sur les commandes. Festus, dans l'interphone, envoyait force cliquetis et claquements l'informant des fuites au niveau des ponts inférieurs, cependant le navire ne semblait pas en danger de couler – du moins pas encore.

Léo bascula la manette des rames. Elles pouvaient se changer en javelots, ce qui devait suffire à faire fuir le monstre. Malheureusement, elles étaient bloquées. Homardzilla avait dû détruire leur alignement en éperonnant le navire ; en plus, vu sa proximité, Léo ne pouvait pas recourir aux balistes sans mettre le feu à l'*Argo II*.

– Comment a-t-il pu se rapprocher autant ? cria Annabeth, tout en se hissant sur un des boucliers qui bordaient le bastingage.

– Je sais pas ! grommela Hedge.

L'entraîneur cherchait sa batte, qui avait roulé à l'arrière du bateau.

– Je suis bête ! se gourmanda Léo. Je suis trop bête ! J'ai oublié le sonar !

Le navire gîta encore davantage vers tribord. De deux choses l'une : le monstre essayait soit de leur faire un câlin entre ses mille pattes, soit de les couler.

– Le sonar ? demanda Hedge. Par mille flûtes de Pan, Valdez ! Peut-être que si tu étais pas resté des heures à regarder Hazel dans le blanc des yeux, main dans la main...

– Quoi ? éructa Frank.

– C'était pas du tout ça ! protesta Hazel.

– On s'en fiche, là ! intervint Piper. Jason, tu peux déclencher la foudre ?

Jason se leva avec effort.

– Je...

Il ne parvint qu'à secouer la tête. Créer une tempête au sortir du port de Charleston l'avait littéralement vidé de ses forces. Léo ne le voyait même pas déclenchant une bougie d'allumage, dans l'état où il était.

– Percy ! dit Annabeth. Est-ce que tu peux parler à cette créature ? Tu sais ce que c'est ?

Le fils du dieu de la Mer fit non de la tête, visiblement perplexe.

– Peut-être qu'il est juste curieux. Peut-être que...

Les tentacules du monstre s'abattirent si vite sur le pont que Léo n'eut même pas le temps de crier : « Attention ! »

L'un faucha Percy en pleine poitrine et l'expédia dans l'escalier. Un autre s'enroula autour des jambes de Piper et la traîna vers le bastingage, sourd à ses hurlements. Des dizaines d'autres tentacules s'enroulaient autour des mâts, ficelaient les arbalètes, tiraient sur le gréement.

– Haro sur les poils de nez ! cria bravement Hedge, qui venait de récupérer sa batte et passait à l'action – en vain ; ses coups ne faisaient que rebondir sur les tentacules.

Jason dégaina son épée. Il tenta de libérer Piper, mais il était trop faible. Sa lame d'or avait beau trancher les tentacules facilement, ils étaient remplacés par d'autres plus vite qu'il ne pouvait les éliminer.

Annabeth tira son poignard de son fourreau et s'élança dans la forêt de tentacules en esquivant les assauts et en pourfendant tout ce qu'elle pouvait. Frank banda son arc. Il visa le flanc de la créature et parvint à planter des flèches dans les interstices de sa carapace ; malheureusement, cela ne servit qu'à agacer le monstre, qui poussa un énorme rugissement et secoua le navire. Le mât grinça dangereusement, menaçant de se briser d'un instant à l'autre.

Il leur fallait une plus grande force de frappe, mais ils ne pouvaient pas se servir des balistes. Ils avaient besoin d'une déflagration qui ne détruise pas leur navire. Mais comment... ?

Les yeux de Léo se posèrent sur une caisse, aux pieds d'Hazel.

– Hazel ! hurla-t-il. Ouvre la petite boîte !

Elle hésita, puis vit la boîte dont il parlait. Elle portait une étiquette marquée : « ATTENTION. NE PAS OUVRIR. »

– Ouvre-la ! hurla de nouveau Léo. M'sieur Hedge, prenez la barre ! Tournez-nous face au monstre, sinon on va chavirer.

Agile sur ses sabots de bouc, Hedge se fraya un chemin entre les tentacules en assénant des coups de batte enthousiastes. Il rejoignit la barre d'un pas élastique et prit les commandes.

– J'espère que t'as un plan ! cria-t-il à Léo.

– Ouais, un plan qui craint.

Sur ces mots, Léo courut vers le mât.

Le monstre donna un nouveau coup de butoir dans la coque, et le navire gîta de quarante-cinq degrés. Ils avaient beau tous redoubler d'efforts, les tentacules étaient trop nombreux. De plus, ils s'allongeaient à volonté. Ils n'allaient pas tarder à paralyser complètement l'*Argo II* dans leur étreinte. Percy, propulsé dans l'escalier, n'avait toujours pas réapparu sur le pont. Les autres se battaient au péril de leur vie contre les poils de nez géants.

– Frank ! cria Léo en courant vers Hazel. On a besoin de temps ! Tu peux te changer en requin ?

Frank tourna la tête vers Léo en grimaçant. À cet instant, un tentacule s'abattit sur lui et l'envoya par-dessus bord.

Hazel poussa un cri. Elle avait ouvert la boîte et faillit lâcher les deux fioles en verre qu'elle en avait sorties.

Léo les attrapa. Elles faisaient chacune la taille d'une pomme et contenaient un liquide fluorescent d'une inquiétante teinte verdâtre. Le verre était tiède au toucher. Léo était bouleversé, malade de culpabilité. Il venait de causer à Frank une distraction qui l'avait peut-être précipité vers sa mort. Mais il n'avait pas le temps d'y penser. Il devait sauver le navire.

– Tiens ! dit-il en tendant un des flacons à Hazel. On peut tuer le monstre et sauver Frank !

Il espérait que ce n'était pas un mensonge. Rejoindre le bastingage de bâbord tenait plus de l'escalade que de la marche, mais ils y arrivèrent.

– C'est quoi, ce truc ? demanda Hazel, qui tenait soigneusement sa fiole dans une main.

– Du feu grec !

Elle écarquilla les yeux :

– T'es malade ! Si elles se cassent, tout le navire va brûler !

– Sa bouche ! dit Léo. Balance-la dans sa...

Brusquement, Léo se sentit projeté contre Hazel et bascula sur le côté. Quand ils grimpèrent tous les deux dans l'air, il comprit qu'ils avaient été happés par un même tentacule. il avait les bras libres, mais il avait le plus grand mal à ne pas lâcher sa fiole de feu grec. Hazel gigotait furieusement. Le tentacule lui plaquait les bras contre le corps, ce qui signifiait que la fiole serrée entre ses doigts pouvait se briser à tout instant... ce serait extrêmement mauvais pour leur santé.

Ils s'élevèrent de trois mètres, six mètres, dix mètres au-dessus du monstre. Léo entrevit ses amis, pris dans un combat perdu d'avance, qui pourfendaient les poils de nez du monstre avec des cris farouches. Il vit Gleeson Hedge qui luttait pour empêcher le navire de chavirer. La mer était sombre, mais à la faveur du clair de lune, il crut distinguer une masse luisante qui flottait près du monstre – peut-être le corps inconscient de Frank Zhang.

– Léo, hoqueta Hazel. Je peux plus... mes bras...

– Hazel, est-ce que tu me fais confiance ?

– Non !

– Moi non plus, avoua Léo. Écoute, quand ce truc va nous lâcher, retiens ta respiration. Et quoi qu'il arrive, essaie de jeter la fiole le plus loin possible du vaisseau, d'accord ?

– Mais pourquoi veux-tu qu'il nous lâche ?

Léo baissa les yeux sur la tête du monstre. C'était un coup difficile, mais il n'avait pas le choix. Il leva sa main gauche, qui tenait la fiole. Et il appuya sa main droite contre le tentacule en faisant naître du feu au creux de sa paume – une déflagration très vive et très ciblée, qui ne manqua pas de faire réagir la créature.

Un tremblement parcourut le tentacule entier, dont la chair cloquait sous la main de Léo. Le monstre leva la gueule, poussa un mugissement de douleur et Léo lui balança son feu grec au fond de la gorge.

Après cela, tout devint flou. Léo sentit le tentacule les lâcher. Ils tombèrent. Il entendit une explosion étouffée et vit un éclair de lumière verte illuminer de l'intérieur le corps rose du monstre. L'eau frappa le visage de Léo avec la dureté d'une brique enveloppée de papier de verre, et il sombra dans les profondeurs obscures. Il serra les lèvres en s'efforçant de ne pas respirer, mais il se sentait perdre connaissance.

À travers la morsure salée de l'eau de mer, il distingua la forme floue de la coque du navire au-dessus de lui – un ovale sombre encerclé d'une couronne de flammes vertes, mais il n'arriva pas à voir si le vaisseau lui-même brûlait.

Tué par une crevette géante, pensa-t-il avec amertume. *Pourvu que l'*Argo II *survive, au moins. Pourvu que mes amis s'en sortent indemnes.*

Sa vue se troubla. Ses poumons étaient en feu.

Au moment où il allait abandonner la partie, un visage étrange surgit au-dessus de lui : celui d'un homme qui ressemblait à Chiron, leur instructeur à la Colonie des Sang-Mêlé. Il avait les mêmes cheveux bouclés, la même barbe hirsute, les mêmes yeux intelligents – un look quelque part entre le hippie et le professeur paternel. La différence, c'était que cet homme avait la peau vert petit pois. Il brandissait silencieusement un poignard. L'expression de son regard était grave et pleine de reproche, comme pour dire : « Arrête donc de gigoter, si tu veux que je te tue correctement. »

Léo s'évanouit.

Quand il revint à lui, il se demanda s'il était redevenu un fantôme pris dans un autre flash-back, car il flottait en apesanteur. Lentement, ses yeux se firent à la pénombre.

– Pas trop tôt, dit Frank Zhang d'une voix qui résonnait trop, comme s'il parlait à travers plusieurs épaisseurs de film plastique.

Léo se redressa... plus exactement se laissa glisser à la verticale. Il était sous l'eau, dans une grotte de la taille d'un garage à deux places. Le plafond était couvert d'une mousse phosphorescente qui baignait les lieux d'une lumière bleu-vert. Le sol était tapissé d'oursins, ce qui n'aurait pas été confortable pour marcher, et Léo s'estima heureux de flotter. Il ne comprenait pas comment il pouvait respirer dans cet espace sans air.

Frank lévitait à côté de lui, assis en position du lotus. Avec son visage poupin et son air grognon, il avait l'air d'un bouddha qui aurait atteint l'illumination et n'en serait pas du tout ravi.

L'unique sortie était barrée par une immense coquille d'ormeau dont la surface de nacre faisait des reflets roses et dorés. Si cette grotte était une prison, au moins avait-elle une porte superbe.

– Où on est ? demanda Léo. Où sont tous les autres ?

– Tous les autres ? grogna Frank. Je ne sais pas. À ma connaissance, ici il n'y a que toi, Hazel et moi. Les hommes poisson-cheval ont emmené Hazel il y a une heure, environ, en me laissant seul avec toi.

Le ton de Frank ne laissait aucun doute sur ce qu'il pensait de ces dispositions. Il ne semblait pas blessé, mais Léo remarqua qu'il n'avait plus ni son arc ni son carquois. Pris de panique, il porta les mains à la taille : sa ceinture à outils avait disparu.

– Ils nous ont fouillés, dit Frank. Ils ont pris tout ce qui pouvait servir d'arme.

– Qui ça ? demanda Léo. Qui sont ces hommes-poissons ?

– Poisson-cheval, précisa Frank, ce qui demeurait assez peu clair. Ils ont dû nous capturer quand on est tombés dans l'océan et ils nous ont traînés dans ce... cette espèce d'endroit.

Léo se souvint de la dernière image qu'il avait eue avant de perdre connaissance : le visage vert petit pois du barbu au poignard.

– La crevette géante. L'*Argo II*... dans quel état est le navire ?

– Je sais pas, dit Frank d'un ton lugubre. Les autres sont peut-être en danger, ou blessés, ou même pire. Mais je suppose que ton navire passe avant tes amis pour toi.

Léo eut l'impression de heurter l'eau en pleine figure pour la deuxième fois.

– C'est quoi, ton délire, là ? s'écria-t-il.

Brusquement, il comprit pourquoi Frank était en colère : le flash-back. Tout s'était enchaîné si vite à partir de l'attaque du monstre que Léo l'avait presque oublié. Gleeson Hedge avait eu la bêtise de dire qu'Hazel et Léo s'étaient tenus longuement par la main, les yeux dans les yeux. Et pour ne rien arranger, Frank avait été jeté par-dessus bord juste après par la faute de Léo.

Soudain, Léo eut du mal à regarder Frank en face.

– Écoute, man, dit-il. Je suis désolé de nous avoir mis dans cette galère. (Il reprit son souffle avec une aisance étonnamment normale, dans la mesure où il était sous l'eau.) Hazel et moi main dans la main... c'est pas ce que tu crois. Elle me montrait un flash-back de son passé pour essayer de comprendre mon lien avec Sammy.

L'expression butée de Frank s'adoucit légèrement, remplacée par la curiosité.

– Et elle... et vous avez trouvé ?

– Ouais, dit Léo. Enfin, en gros. On n'a pas pu en discuter après à cause d'Homardzilla, mais Sammy était mon arrière-grand-père.

Là-dessus, il raconta à Frank ce qu'ils avaient vu. Il n'avait pas encore pris la mesure de l'étrangeté de cette histoire, mais maintenant qu'il essayait de l'expliquer à voix haute,

Léo avait du mal à y croire. Hazel avait été amoureuse de son *bisabuelo*, un gars qui était mort quand Léo était encore bébé. Léo n'avait pas fait le rapport avant, mais il se souvenait vaguement que les membres les plus âgés de sa famille appelaient son grand-père Sam Junior. Ce qui signifiait que Sam Senior était Sammy, le *bisabuelo* de Léo. À un moment donné, Tìa Callida – Héra en personne – avait parlé à Sammy ; elle l'avait consolé et lui avait donné un aperçu de l'avenir, ce qui voulait dire qu'Héra avait déterminé la vie de Léo des générations avant sa naissance. Si Hazel était restée dans les années 1940, si elle avait épousé Sammy, Léo aurait pu être son arrière-petit-fils.

– Je me sens pas trop bien, là, man, ajouta Léo quand il eut fini son récit. Mais je te le jure sur le Styx, c'est ce qu'on a vu.

Présentement, Frank avait la même expression que le monstre à tête de poisson-chat : la bouche ouverte, les yeux ronds et vitreux.

– Hazel... Hazel était amoureuse de ton arrière-grand-père ? C'est pour ça qu'elle a un faible pour toi ?

– Frank, je sais que c'est bizarre. Il faut que tu me croies. Mais Hazel m'intéresse pas – enfin, pas comme ça. Je drague pas ta copine.

– Vraiment ? fit Frank en fronçant les sourcils.

Léo espéra qu'il n'avait pas rougi. En vérité, il ne comprenait pas les sentiments qu'il avait pour Hazel. Elle était géniale et super-mignonne, or Léo avait un faible pour les filles géniales et super-mignonnes. Mais le flash-back avait compliqué ses sentiments, et pas qu'un peu.

En plus, son navire était menacé.

« Je suppose que ton navire passe avant tes amis », avait dit Frank.

C'était vrai, non ? Héphaïstos, le père de Léo, avait reconnu un jour qu'il avait du mal à échanger avec les formes de vie organiques. Et Léo devait bien reconnaître qu'il avait toujours été plus à l'aise avec les machines qu'avec les gens. N'empêche qu'il aimait vraiment ses amis. Piper et Jason... c'étaient eux qu'il connaissait depuis le plus longtemps, mais les autres comptaient aussi pour lui. Même Frank. C'était comme une famille.

L'ennui, c'était que Léo avait été privé de famille depuis tant d'années qu'il ne se souvenait plus comment ça marchait. Certes, l'hiver précédent, il avait été nommé conseiller en chef du bungalow d'Héphaïstos, mais il avait passé le plus clair de son temps à bâtir le vaisseau. Il aimait bien ses camarades de bungalow. Il savait comment travailler avec eux – mais les connaissait-il vraiment ?

Si Léo avait une famille, c'étaient les demi-dieux de l'*Argo II* – et peut-être aussi Gleeson Hedge, même si Léo n'était pas près de le reconnaître ouvertement.

« Tu seras toujours le type en trop », l'avertit la voix de Némésis, mais Léo chassa ce souvenir de ses pensées.

– Bon, alors... (Il regarda autour de lui.) Il nous faut un plan. Comment se fait-il qu'on respire ? Si on est sous l'eau, on ne devrait pas être écrasés par la pression ?

Frank haussa les épaules.

– Ça doit être de la magie poisson-cheval, dit-il. Je me souviens que le type vert m'a touché la tête avec la pointe d'un poignard et qu'après ça, j'ai pu respirer.

Léo examina la porte nacrée.

– Tu pourrais la faire sauter ? En te changeant en requin-marteau, par exemple ?

Frank secoua la tête, l'air abattu.

– Mon pouvoir de transformation ne marche pas, je sais pas pourquoi. Peut-être qu'ils m'ont jeté un sort, ou alors je suis trop nase pour me concentrer.

– Hazel pourrait être en danger, dit Léo. Il faut qu'on sorte d'ici.

Il nagea jusqu'à la porte et passa les doigts sur la surface. Il ne sentit pas le moindre mécanisme ni verrou. Soit la porte ne s'ouvrait que par magie, soit il fallait recourir à la force brute – or ni l'une ni l'autre n'étaient des spécialités de Léo.

– J'ai déjà essayé, dit Frank. Même si on sort, on n'a pas d'armes.

– Hum... (Léo leva la main.) Je me demande un truc.

Il se concentra et de petites flammes se formèrent sur ses doigts. Léo fut excité un quart de seconde car il ne s'était pas attendu à ce que ça marche sous l'eau. Mais alors son plan se mit à trop bien marcher. Les flammes coururent le long de son bras, gagnèrent son corps et l'enveloppèrent tout entier d'un fin voile de feu. Il voulut respirer, mais inhala de la chaleur à l'état pur.

– Léo !

Frank bascula en arrière comme s'il tombait à la renverse d'un tabouret de bar. Au lieu de courir aider Léo, il se plaqua contre le mur, le plus loin de lui possible.

Léo se força à rester calme. Il comprenait ce qui se passait. Le feu lui-même ne pouvait pas le blesser. Il intima l'ordre aux flammes de s'éteindre et compta jusqu'à cinq. Il respira prudemment. L'oxygène lui revint aux poumons.

Frank arrêta d'essayer de se fondre dans le mur de la grotte.

– Ça... ça va ?

– Ouais, grommela Léo. Merci pour ton aide.

– Je... excuse-moi. (Frank avait l'air tellement horrifié et honteux que Léo ne put rester fâché davantage.) C'est juste que... Qu'est-ce qui s'est passé ?

– C'est intelligent, leur magie, dit Léo. Chacun de nous deux est entouré d'une fine couche d'oxygène. Comme une seconde peau, tu vois. Elle est sans doute autorégénératrice.

C'est pour ça qu'on respire et qu'on reste secs. L'oxygène a nourri le feu, seulement le feu m'a étouffé.

– Je... j'aime vraiment pas ça, glapit Frank. Ton truc de faire naître des flammes.

Il reprit sa relation privilégiée avec le mur.

Malgré lui, Léo éclata de rire.

– Je vais pas t'attaquer, man !

– Le feu, répéta Frank, comme si ça expliquait tout.

Léo se rappela ce qu'Hazel lui avait dit : son pouvoir sur le feu mettait Frank sur des épines. De fait, il avait déjà remarqué l'expression d'inquiétude sur son visage, mais il ne l'avait pas prise au sérieux. Frank paraissait tellement plus fort et plus redoutable que lui !

Il lui vint alors à l'esprit que Frank avait peut-être vécu une épreuve douloureuse liée au feu. Lui-même avait perdu sa mère dans l'incendie d'un atelier d'usinage. On en avait rejeté la faute sur Léo. Toute son enfance, il s'était fait traiter d'incendiaire et d'anormal parce que, quand il se mettait en colère, des choses s'enflammaient.

– Excuse-moi d'avoir ri, dit Léo, et il était sincère. Ma mère est morte dans un incendie. Je comprends qu'on ait peur du feu. Est-ce que... est-ce qu'il t'est arrivé quelque chose du même genre ?

Frank semblait réfléchir à ce qu'il allait révéler.

– La maison où j'habitais, répondit-il. La maison de ma grand-mère... elle a brûlé. Mais c'est pas tout. (Il regarda fixement le parterre d'oursins.) Annabeth m'a dit que je pouvais faire confiance à toute l'équipe. Même à toi.

– Même à moi, hein ? (Léo se demanda comment ça avait bien pu venir dans la conversation.) Waouh, c'est grand comme compliment.

– Mon point faible, commença Frank comme si les mots lui faisaient mal aux lèvres. Il y a ce tison...

À ce moment-là, la porte de nacre se releva.

Léo se retourna et se trouva face à l'Homme Petit Pois, lequel, en fait, n'était pas du tout un homme. Maintenant que Léo le voyait distinctement, ce type était de loin la créature la plus bizarre qu'il ait jamais croisée, ce qui n'était pas peu dire.

À partir de la taille, il était plus ou moins humain : un gars mince et torse nu, qui portait un poignard à la ceinture et une tresse de coquillages en travers de la poitrine, comme une cartouchière. Il avait la peau verte, une barbe brune en bataille et des cheveux mi-longs retenus par un bandana d'algues. Des pinces de homard pointaient sur sa tête comme des cornes et se tournaient et claquaient au hasard.

Léo estima qu'il ne ressemblait pas tellement à Chiron, en fin de compte. Il lui faisait davantage penser à un poster que sa mère avait dans son atelier, du célèbre bandit mexicain d'autrefois, Pancho Villa, à part les coquillages et les pinces de homard.

Sous la taille, ça se compliquait. Il avait des jambes antérieures de cheval gris bleuté, un peu comme un centaure, mais l'arrière de son corps s'allongeait en une queue de poisson de trois mètres, environ, avec une nageoire caudale arc-en-ciel en forme de V.

Léo comprenait ce que Frank voulait dire par hommes poisson-cheval.

– Je suis Bythos, dit le personnage vert. Je vais interroger Frank Zhang.

Sa voix était calme et ferme, ne laissant aucune place à la discussion.

– Pourquoi nous avez-vous capturés ? demanda Léo. Où est Hazel ?

Bythos plissa les yeux. Son expression semblait dire : « Cette minuscule créature m'a-t-elle adressé la parole ? »

– Toi, Léo Valdez, répondit-il, tu iras avec mon frère.

– Ton frère ?

Léo s'aperçut qu'une créature bien plus grande se tenait derrière Bythos, projetant une ombre assez large pour boucher toute l'entrée de la grotte.

– Oui, dit Bythos avec un sourire légèrement moqueur. Essaie de ne pas mettre Aphros en colère.

24 LÉO

Aphros ressemblait à son frère, sauf qu'il était bleu au lieu de vert et beaucoup plus grand. Il avait des abdos et des bras de Terminator et une tête de brute, massive et carrée. Il portait une énorme épée à la Conan le Barbare attachée dans le dos. Même sa chevelure était plus grosse : c'était un impressionnant globe noir bleuté, frisé si serré que ses cornes en pinces de homard donnaient l'impression de se noyer en tentant de se hisser à la surface.

– C'est pour ça qu'on t'appelle Aphros ? demanda Léo pendant qu'ils glissaient le long du chemin, au sortir de la grotte. À cause de ton afro ?

Aphros grimaça avec perplexité.

– Qu'est-ce que tu veux dire ?

– Rien, s'empressa de répondre Léo – au moins, il ne risquait pas de confondre les noms des deux frères. Alors, qu'est-ce que vous êtes, au juste ?

– Des ichtyocentaures, dit Aphros d'un ton las, comme s'il en avait assez de répondre à cette question.

– Des quoi ?!

– Des centaures-poissons. Nous sommes les demi-frères de Chiron.

– Ah, c'est un ami !

Aphros plissa les yeux.

– C'est ce que nous a dit la dénommée Hazel, mais nous allons déterminer la véracité de cette affirmation. Viens.

L'expression « déterminer la véracité » ne disait rien qui vaille à Léo. Elle lui faisait penser à des roues de supplice et des tisonniers chauffés à blanc.

Il s'enfonça à la suite du centaure-poisson dans une immense forêt de varech. Il aurait pu piquer à toute vitesse sur un côté et se perdre dans les plantes assez facilement, mais il n'essaya pas. Il se disait qu'Aphros se déplaçait certainement bien plus vite dans l'eau, et qu'il avait peut-être la possibilité de désactiver la magie qui permettait à Léo de respirer et de bouger. Dans la grotte ou au-dehors, ça revenait au même : Léo était prisonnier.

En plus, il n'avait pas la moindre idée d'où il se trouvait.

Ils avançaient entre des rangées de varech hautes comme des immeubles. Les plantes vertes et jaunes ondoyaient avec une apesanteur de ballon fragile. Tout en haut, Léo distinguait une tache blanche et floue qui était peut-être le soleil. Il en déduisit qu'ils étaient là depuis la veille au soir. Dans quel état se trouvait l'*Argo II* ? Avait-il repris sa route sans eux ou leurs amis poursuivaient-ils la quête ?

Léo n'était même pas sûr de la profondeur de ces lieux. Il y avait des plantes qui poussaient, donc ça ne pouvait pas être *trop* profond, si ? Il n'empêche, il savait qu'il ne pouvait pas remonter à la surface à la nage. Il avait entendu raconter des histoires de gens qui remontaient trop vite et avaient des bulles d'azote qui se formaient dans le sang. Léo ne tenait pas à se gazéifier le sang.

Ils avancèrent en flottant ainsi sur près d'un kilomètre. Léo avait envie de demander à Aphros où il l'emmenait, mais la grosse épée que le centaure portait sur le dos n'invitait guère à la conversation.

Enfin, la forêt de varech s'ouvrit. Léo en resta bouche bée. Ils se tenaient (flottaient, nageaient, peu importe) au sommet d'une colline sous-marine. En contrebas, une ville entièrement de style grec s'étendait au fond de la mer.

Les toits des édifices étaient en nacre. Les jardins débordaient de coraux et d'anémones de mer. Des hippocampes broutaient dans un champ d'algues. Une équipe de Cyclopes installait un toit en dôme au-dessus d'un temple neuf, se servant d'une baleine bleue comme grue. Et, dans les rues, dans les jardins, dans les arènes de combat, des dizaines de sirènes et de tritons déambulaient ou s'entraînaient – de véritables hommes et femmes-poissons.

Léo avait vu beaucoup de bizarreries, mais il avait toujours cru que les sirènes et les tritons étaient des créatures de fiction idiotes, comme les Schtroumpfs ou les Muppets.

Or ces sirènes et ces tritons n'avaient rien de mignon ni d'idiot. Même de loin, ils avaient l'air féroces et pas humains du tout. Leurs yeux étaient jaunes. Ils avaient des dents de requin et une peau épaisse, dont la couleur variait du rouge corail au noir d'encre.

– C'est un camp d'entraînement, devina Léo, qui regarda Aphros avec admiration. Vous formez des héros, comme Chiron ?

Aphros hocha la tête, une lueur de fierté dans le regard.

– Nous avons formé tous les héros de mer célèbres ! Donne-moi un nom, je te parie qu'il ou elle sort de chez nous !

– D'accord, dit Léo. Par exemple, euh, la Petite Sirène ?

Aphros fronça les sourcils.

– Qui ça ? Non ! Des gens comme Triton, Glaucus, Weissmuller, Bill !

– Oh. (Léo ne connaissait pas un seul d'entre eux.) C'est vous qui avez formé Bill ? Impressionnant.

– Je ne te le fais pas dire ! (Aphros gonfla la poitrine.) J'ai formé Bill moi-même. Un triton hors pair.

– Tu enseignes le combat, je suppose.

Aphros jeta les bras en l'air, exaspéré.

– Pourquoi tout le monde croit ça ?

Léo jeta un coup d'œil à l'énorme épée du centaure-poisson.

– Aucune idée.

– J'enseigne la musique et la poésie ! reprit Aphros. Les compétences de la vie courante ! Les arts ménagers ! Ce sont des choses importantes pour les héros.

– Complètement. (Léo s'efforça de garder son sérieux.) La couture ? La pâtisserie ?

– Oui. Je vois avec plaisir que tu comprends. Plus tard, peut-être, si je ne suis pas obligé de te tuer, je te donnerai ma recette de brownie. (Aphros agita dédaigneusement la main derrière lui.) C'est mon frère Bythos qui enseigne le combat.

Léo se demanda s'il devait se sentir soulagé ou vexé d'être interrogé par le prof d'arts ménagers, alors que Frank avait droit au maître de combat.

– Ah, bien. Alors ce camp... comment vous l'appelez ? La Colonie des Sang de Poisson ?

– Je préfère croire que tu plaisantes, dit Aphros en fronçant les sourcils. C'est le Camp — (suivit une série de clics et sifflements de sonar).

– Suis-je bête ! s'exclama Léo. Tu sais, ça me branche vraiment bien, cette recette de brownie. Qu'est-ce que je dois faire pour t'amener au stade « pas obligé de me tuer » ?

– Raconte-moi ton histoire.

Léo hésita, mais pas longtemps. Son intuition lui conseillait de dire la vérité. Il commença par le commencement : Héra, qui avait été sa baby-sitter et qui l'avait déposé dans les flammes ; sa mère, morte parce que Gaïa avait reconnu en Léo un ennemi à venir. Il lui parla de son enfance, trimbalé qu'il avait été d'une famille d'accueil à l'autre, jusqu'au jour où ils s'étaient retrouvés, Piper, Jason et lui, à la Colonie des Sang-Mêlé. Il raconta la Prophétie des Sept, la construction de l'*Argo II* et le but de leur quête : rejoindre la Grèce et battre les géants avant l'éveil total de Gaïa.

Pendant qu'il parlait, Aphros tira de sa ceinture des piques de métal horriblement pointues. Léo eut peur d'avoir dit quelque chose de mal, mais Aphros sortit une pelote de fil d'algues de son sac et se mit à tricoter.

– Continue, dit-il, ne t'arrête pas.

Le temps que Léo lui explique l'épisode des eidolons, le malentendu avec les Romains et les avanies qu'avait connues l'*Argo II* en traversant les États-Unis et après l'appareillage de Charleston, Aphros avait achevé un bonnet de bébé.

Léo attendit que le centaure-poisson range ses aiguilles. Ses cornes en pinces de homard se débattaient toujours dans son abondante chevelure et Léo dut se faire violence pour ne pas tenter de les repêcher.

– Très bien, dit Aphros. Je te crois.

– Aussi simple que ça ?

– Je suis très doué pour détecter les mensonges. Tu n'en as pas prononcé un seul. En plus ton histoire concorde avec celle d'Hazel Levesque.

– Est-ce qu'elle... ?

– Oui, bien sûr, elle va bien. (Aphros porta deux doigts à la bouche et siffla – c'était un son étrange, sous l'eau, qui faisait penser à un cri de dauphin.) Mes gens vont l'amener ici d'un instant à l'autre. Tu dois comprendre que l'emplacement de notre camp est top-secret. Vous êtes arrivés en navire de guerre, tes amis et toi, poursuivis par un des monstres marins de Keto. Nous ne savions pas de quel côté vous étiez.

– Dans quel état est le navire ?

– Abîmé, mais rien de catastrophique. La scolopendre s'est retirée après avoir reçu une bouchée de feu, dit Aphros. Joli coup.

– Merci. Une scolopendre ? Jamais entendu parler.

– Estime-toi heureux. Ce sont de sales bestioles. Keto doit vraiment vous détester. Bref, nous vous avons extirpé de ses tentacules, toi et les deux autres, avant qu'elle se replie dans les profondeurs. Vos amis sont encore en surface et ils vous cherchent, mais nous avons voilé leur vision. Nous voulions d'abord nous assurer que vous n'étiez pas une menace. Sinon, nous aurions dû prendre des mesures.

Léo ravala sa salive. Il aurait mis sa main à couper que les mesures en question ne consistaient pas à faire quelques brownies de plus. Si ces gars étaient assez puissants pour cacher leur colonie aux yeux de Percy, avec tous les pouvoirs marins que celui-ci tenait de Poséidon, il n'y avait pas intérêt à leur chercher des poux.

– Alors, risqua-t-il, on peut partir ?

– Bientôt, promit Aphros. Je dois faire le point avec Bythos. Lorsqu'il aura fini son entretien avec ton ami Gank.

– Frank.

– Frank. Quand ils auront fini, nous vous renverrons à votre navire. Nous aurons peut-être quelques avertissements à vous adresser.

– Des avertissements ?

– Ah, les voilà.

Aphros tendit la main. Hazel émergeait de la forêt de varech, encadrée par deux tritons patibulaires, qui sifflaient en montrant les dents. Léo eut peur qu'elle ne soit en danger, mais il vit qu'elle était très à l'aise et bavardait en souriant. Il se rendit compte que les tritons riaient.

– Léo, s'écria-t-elle en pagayant vers lui, c'est merveilleux, cet endroit, tu ne trouves pas ?

Aphros les laissa seuls sur le récif, ce qui était certainement une marque de confiance. En suspension au-dessus de la colline qui surplombait le camp sous-marin, Léo et Hazel attendirent que le centaure et les tritons ramènent Frank.

Hazel raconta que les sirènes et les tritons lui avaient tout de suite témoigné de la sympathie. Son histoire avait fasciné Aphros et Bythos, qui n'avaient encore jamais rencontré d'enfant de Pluton. En plus, ils avaient entendu de nombreuses légendes sur le cheval Arion, et ils avaient été stupéfaits d'apprendre qu'Hazel s'en était fait un ami.

Elle leur avait promis de revenir les voir avec Arion. Les sirènes avaient écrit leurs numéros de portables à l'encre waterproof sur le bras d'Hazel pour qu'elle reste en contact avec elles. Léo ne voulait même pas savoir comment les sirènes et les tritons avaient du réseau en plein océan.

Tandis qu'Hazel parlait, ses cheveux flottaient librement autour de son visage – comme un nuage de terre brune et de poussière d'or au-dessus du tamis d'un mineur. Elle était belle et semblait sûre d'elle – rien à voir avec la fille timide et inquiète, dans la cour d'école de La Nouvelle-Orléans, qui regardait son déjeuner écrasé à ses pieds.

– On n'a pas encore pu parler, dit Léo. (Il lui en coûtait de mettre le sujet sur le tapis, mais il savait que c'était peut-être leur unique occasion d'être seuls.) Je veux dire de Sammy.

Le sourire d'Hazel disparut.

– Je sais... mais j'ai besoin d'un peu de temps pour digérer. C'est bizarre de penser que toi et lui...

Elle n'avait pas besoin de compléter sa phrase ; Léo était parfaitement conscient de l'étrangeté de la chose.

– Je ne sais pas comment je vais expliquer ça à Frank, ajouta-t-elle. Qu'on se soit tenus par la main.

Elle évitait le regard de Léo. Dans la vallée, l'équipe de Cyclopes, qui venait d'achever le montage du dôme, applaudissait le résultat.

– Je lui ai parlé, déclara Léo. Je lui ai dit que je n'essayais pas... tu sais. De créer des problèmes entre vous.

– Ah. Bien.

Y avait-il une pointe de déception dans sa voix ? Léo n'en était pas sûr, et il n'était pas sûr non plus de vouloir le savoir.

– Frank a pas mal flippé quand j'ai invoqué des flammes, ajouta-t-il, et il raconta à Hazel ce qui s'était passé dans la grotte.

– Oh non, fit-elle, l'air sidérée. Il y avait de quoi le terrifier.

Elle plongea la main dans la poche intérieure de son blouson de jean, comme pour vérifier quelque chose. Elle portait toujours ce blouson, ou une veste quelconque, même quand il faisait chaud dehors. Léo avait pensé que c'était par pudeur, ou parce que c'était mieux pour monter à cheval, comme un blouson de motard. À présent, il était pris d'un doute.

Son cerveau passa à la vitesse supérieure. Il se souvint de ce que Frank lui avait dit sur son point faible... un tison. Il se demanda pourquoi ce garçon avait peur du feu, et pourquoi Hazel était tellement solidaire de cette peur. Il se rappela certaines histoires qu'il avait apprises à la Colonie des Sang-Mêlé. Pour des raisons évidentes, il s'intéressait plus particulièrement aux légendes sur le feu. L'une d'elles, à laquelle il n'avait plus repensé depuis des mois, lui vint à l'esprit.

– J'ai entendu une vieille légende sur un héros, dit-il alors. Le fil de sa vie était lié à un tison dans une cheminée, et si ce bout de bois se consumait entièrement...

Le visage d'Hazel s'assombrit, et Léo sut qu'il avait mis le doigt sur la vérité.

– Frank a le même problème, devina-t-il. Et le tison... (Il pointa le doigt sur le blouson d'Hazel.) Il te l'a confié, n'est-ce pas ?

– Léo, s'il te plaît. Je ne peux pas en parler.

Léo réagit instinctivement : il se mit à réfléchir aux propriétés du bois et au caractère corrodant de l'eau de mer.

– Tu es sûre que le tison ne craint rien dans l'océan ? Est-il protégé par ta couche d'air ?

– C'est bon. Le bois n'est même pas mouillé. De toute façon, il est enveloppé dans plusieurs épaisseurs de plastique et de tissu et... (Elle se mordit la lèvre.) Je ne suis pas censée t'en parler ! Léo, le truc, c'est que si Frank a l'air d'être mal à l'aise en ta présence ou d'avoir peur de toi, tu dois le comprendre.

Léo était content d'être en suspension dans l'eau, car ses jambes l'auraient sans doute lâché. Il s'imagina à la place de Frank, imagina sa vie ne tenant qu'à un fil et menaçant de partir littéralement en flammes à tout instant. Quelle confiance il fallait avoir pour donner le tison à une autre personne – remettre son sort entre ses mains...

Frank avait choisi Hazel, clairement. Alors quand il avait vu Léo – un gars capable d'invoquer des flammes à volonté – s'intéresser à sa copine...

Léo frissonna. Pas étonnant que Frank ne l'aime pas. Soudain, la capacité de Frank à se transformer en toutes sortes d'animaux ne lui parut plus si attrayante – vu le prix dont elle s'accompagnait.

Léo repensa au vers de la prophétie qu'il appréhendait le plus. *Sous les flammes ou la tempête le monde doit tomber.* Il avait longtemps imaginé que Jason ou Percy, ou les deux ensemble, représentaient la tempête. Le feu étant lui. Personne ne le disait, mais c'était assez clair. Léo était un des éléments imprévisibles. S'il commettait une erreur, le monde pouvait tomber. Non... il *devait* tomber, selon la prophétie. Léo se demanda si Frank et son tison avaient un rapport avec ce vers. Il était déjà arrivé à Léo de se tromper dans les grandes largeurs ; il ne lui en faudrait pas beaucoup pour faire flamber Frank Zhang par accident.

– Vous voilà !

La voix de Bythos fit sursauter Léo. Aphros et lui flottaient dans leur direction, de part et d'autre de Frank, qui était pâle mais avait l'air d'aller bien. Frank scruta les visages d'Hazel et Léo comme pour y lire ce dont ils avaient parlé.

– Vous êtes libres de partir, annonça Bythos.

Il ouvrit ses sacoches de selle et leur tendit les affaires qu'ils avaient confisquées. Léo n'avait jamais été aussi content d'attacher sa ceinture à outils à sa taille.

– Dites à Percy Jackson de ne pas s'inquiéter, enchaîna Aphros. Nous avons compris ce que vous nous avez dit sur les créatures marines emprisonnées à Atlanta. Il faut mettre un terme à la cruauté de Keto et Phorcys. Nous allons envoyer une mission de héros de mer les vaincre et libérer leurs prisonniers. Cyrus, peut-être ?

– Ou Bill, suggéra Bythos.

– Oui ! Bill serait parfait, acquiesça Aphros. En tout cas, nous sommes reconnaissants à Percy de nous en avoir informés.

– Vous devriez lui parler directement, glissa Léo. Je veux dire, vu que c'est un fils de Poséidon, tout ça...

Les deux poissons-centaures hochèrent gravement la tête.

– Il est parfois préférable de garder ses distances avec la progéniture de Poséidon, dit Aphros. Nous sommes en bons termes avec le dieu de la Mer, bien sûr, mais la politique des divinités sous-marines est... compliquée, dirons-nous. Et nous tenons à notre indépendance. Cela étant, remerciez bien Percy de notre part. On va faire notre possible pour vous aider à traverser l'Atlantique au plus vite et sans autre intervention des monstres de Keto, mais sachez-le : d'autres périls vous attendent dans la mer ancienne, la Mare Nostrum.

– Naturellement, soupira Frank.

Bythos lui donna une tape amicale sur l'épaule.

– Ne t'inquiète pas, Frank Zhang. Continue à travailler tes transformations en créatures marines. La carpe koï c'est bien, mais essaie la galère portugaise. N'oublie pas ce que je t'ai montré. Tout est dans la respiration.

Frank eut l'air mortellement gêné, et Léo se mordit la lèvre pour ne pas sourire.

– Et toi, Hazel, dit Aphros, reviens nous voir, mais amène ton cheval ! Je sais que tu te fais du souci pour le temps que vous avez perdu, avec cette nuit passée dans notre royaume. Tu t'inquiètes pour ton frère Nico...

Hazel serra la poignée de son épée de cavalerie.

– Est-il... est-ce que vous savez où il est ?

Aphros secoua la tête.

– Pas exactement, dit-il. Mais en arrivant à proximité, tu devrais percevoir sa présence. N'aie pas peur ! Vous avez jusqu'à après-demain pour atteindre Rome si vous voulez le sauver, ce qui vous laisse quand même du temps. Et vous devez absolument le sauver.

– Oui, renchérit Bythos. Il va jouer un rôle essentiel dans votre expédition. J'ignore comment au juste, mais je sens que c'est vrai.

Aphros posa la main sur l'épaule de Léo.

– Quant à toi, Léo Valdez, reste avec Hazel et Frank quand vous serez à Rome. Mon intuition me dit qu'ils seront confrontés à des difficultés... mécaniques, disons, que tu es le seul à pouvoir surmonter.

– Des difficultés mécaniques ? demanda Léo.

Aphros sourit comme s'il avait une grande nouvelle à annoncer.

– Et j'ai un cadeau pour toi, vaillant navigateur de l'*Argo II* ! s'exclama-t-il.

– Je me vois plutôt comme le capitaine, dit Léo, ou le commandant suprême.

– Des brownies ! (Aphros remit fièrement un panier à pique-nique dans les bras de Léo. Il était entouré d'une bulle qui, espérait Léo, allait empêcher les brownies de se changer en bouillie de caramel-chocolat au beurre salé.) Tu trouveras aussi la recette dans le panier ! Il ne faut pas mettre trop de beurre, c'est ça, le secret ! Et puis je t'ai glissé une lettre d'introduction pour Tiberinus, le dieu du Tibre. Quand vous serez arrivés à Rome, ton amie la fille d'Athéna en aura besoin.

– Annabeth ? D'accord, mais pourquoi ? demanda Léo.

Bythos rit.

– Elle suit la Marque d'Athéna, n'est-ce pas ? Tiberinus peut la guider dans cette quête. C'est un dieu ancien et très fier, qui peut être... difficile, dirons-nous. Mais pour les esprits romains, une lettre d'introduction, ça change tout. Celle-ci convaincra Tiberinus de l'aider. Avec un peu de chance.

– Avec un peu de chance, répéta Léo.

Bythos sortit trois petites perles roses d'une de ses sacoches de selle.

– Et maintenant, en route, demi-dieux ! Bon vent !

Il lança une perle à chacun d'eux, tour à tour, et trois bulles d'énergie roses et scintillantes se formèrent autour d'eux.

Ils commencèrent à grimper dans l'eau. Léo eut juste le temps de penser : *Des boules à hamster élévatrices, maintenant ?* Car brusquement, il prit de la vitesse et monta en flèche vers la lueur lointaine du soleil.

25 PIPER

Piper avait une nouvelle date à entrer dans sa liste des « Dix fois où Piper s'est sentie nulle ».

Combattre Homardzilla avec un poignard et sa jolie voix ? Pas très efficace. Ensuite le monstre avait sombré dans les grands fonds en entraînant trois de ses amis et elle n'avait rien pu faire pour les sauver.

Après ça, Annabeth, M'sieur Hedge et Buford le guéridon s'étaient démenés pour réparer un tas de trucs à bord et empêcher le navire de couler. Percy, malgré sa grande fatigue, avait exploré l'océan dans l'espoir de retrouver leurs camarades. Jason, tout aussi épuisé que lui, avait sauté dans le gréement tel un Peter Pan blond pour éteindre les voiles enflammées par la seconde explosion verte qui avait illuminé le ciel juste au-dessus du grand mât.

Quant à Piper, tout ce qu'elle avait pu faire, c'était regarder la lame de Katoptris, son poignard, pour essayer de repérer Léo, Hazel et Frank. Et elle se serait bien dispensée des seules images qui lui parvenaient : trois SUV noirs bourrés de demi-dieux sur la route du nord, à la sortie de Charleston, et Reyna au volant de la voiture qui menait le cortège. Des aigles géants les escortaient d'en haut. De temps à autre, des esprits pourpres et scintillants surgissaient de la campagne voisine sur des chars-fantômes et se mettaient à galoper derrière eux sur l'autoroute qui menait à New York et à la Colonie des Sang-Mêlé.

Piper se concentra davantage. Elle revit les images cauchemardesques de la fois précédente : le taureau à tête humaine émergeant de l'eau, puis la fosse sombre qui se remplissait d'eau, et Jason, Percy et elle qui luttaient pour rester à la surface.

Elle rengaina Katoptris en se demandant comment Hélène avait fait pour ne pas devenir folle pendant la guerre de Troie, si cette lame était son unique source d'information. Puis elle se rappela que les proches d'Hélène de Troie avaient été massacrés jusqu'au dernier par l'armée grecque lors de l'invasion. Peut-être était-elle devenue folle, en fin de compte.

Quand le soleil se leva sur une nouvelle journée, aucun d'eux n'avait dormi. Percy avait ratissé le fond de l'océan sans rien trouver. L'*Argo II* ne risquait plus de couler, toutefois sans Léo, ils ne pouvaient pas achever les réparations. Le navire était en état de naviguer, mais personne ne suggéra de reprendre la route – pas sans leurs amis.

Piper et Annabeth envoyèrent une vision par rêve à la Colonie des Sang-Mêlé pour prévenir Chiron de leur accrochage avec les Romains à Fort Sumter. Annabeth relata l'échange qu'elle avait eu avec Reyna. Piper décrivit les images des SUV roulant vers le nord qu'elle avait découvertes sur son poignard. Le visage du bienveillant centaure parut vieillir de trente ans au fil de la conversation, mais il leur assura qu'il veillerait à défendre la colonie. Tyson, Kitty O'Leary et Ella étaient arrivés sains et saufs. Si nécessaire, Tyson pouvait appeler une armée de Cyclopes à la rescousse, et Ella et Rachel Dare avaient déjà commencé à comparer les prophéties pour essayer d'en apprendre davantage sur ce que réservait l'avenir. Le boulot des sept demi-dieux à bord de l'*Argo II*, leur rappela Chiron, c'était de mener la quête à bien et de revenir sains et saufs.

Après cela, les demi-dieux arpentèrent le pont silencieusement, les yeux rivés sur l'océan, dans l'attente d'un miracle.

Lorsqu'il se produisit, trois bulles roses géantes firent irruption à la surface de l'eau, à la poupe du vaisseau, et éjectèrent Frank, Hazel et Léo. Piper perdit un peu les pédales ; elle poussa un cri de soulagement et se jeta à l'eau.

Qu'est-ce qui lui prenait ? Elle ne pensa même pas à attraper une bouée ou un gilet de sauvetage avant de plonger. Elle était tellement contente qu'elle rejoignit Léo à la nage et lui colla deux bises sur les joues, ce qui le laissa plutôt pantois.

– Je t'ai manqué ? fit-il en riant.

Une vague de colère s'empara d'un coup de Piper, qui s'écria :

– Où étiez-vous passés ? Comment ça se fait que vous soyez encore en vie ?

– C'est toute une histoire. (Un panier à pique-nique fit surface à côté de Léo.) Tu veux un brownie ?

Une fois les rescapés à bord et vêtus de sec (le pauvre Frank dut emprunter à Jason un pantalon bien trop petit pour lui), toute l'équipe se rassembla sur le pont arrière pour fêter leurs retrouvailles autour d'un petit déjeuner – tous sauf Gleeson Hedge, qui décréta que l'atmosphère devenait trop sentimentale à son goût et qu'il allait aplanir les nouvelles bosses de la coque au marteau. Pendant que Léo s'affairait aux commandes de son gouvernail, Hazel et Frank racontèrent l'histoire des centaures-poissons et de leur camp d'entraînement sous-marin.

– Incroyable, dit Jason. Ces brownies sont vraiment exceptionnels.

– C'est tout ce que tu trouves à dire ? demanda Piper.

Jason eut l'air surpris.

– Quoi ? fit-il. J'ai entendu. Les centaures-poissons. Les sirènes et les tritons. La lettre de recommandation au dieu du Tibre. Mais ces brownies...

– Je sais, intervint Frank, la bouche pleine. Et tu devrais goûter avec les pêches au sirop d'Esther.

– Ça, dit Hazel, c'est carrément immonde.

– Passe-moi le bocal, mec, lança Jason.

Hazel et Piper échangèrent un regard exaspéré. *Les mecs, je te jure.*

Percy, quant à lui, voulait tout savoir sur le camp aquatique. Et il en revenait toujours à la même question :

– Ils ne voulaient pas faire ma connaissance ?

– Ce n'est pas ça, expliqua Hazel. C'est une question de politique sous-marine, je crois. Le peuple des tritons est très attaché à son territoire. La bonne nouvelle, c'est qu'ils vont s'occuper de l'aquarium d'Atlanta. Et ils vont protéger l'*Argo II* pendant notre traversée de l'Atlantique.

Percy hocha distraitement la tête.

– Mais ils ne voulaient pas faire ma connaissance ? répéta-t-il.

– Remets-toi, Cervelle d'Algues ! s'écria Annabeth en lui donnant une petite tape sur le bras. On a d'autres soucis.

– Elle a raison, dit Hazel. Nico n'a plus que deux jours, à partir de demain. Les centaures-poissons disent qu'on doit le sauver, qu'il a un rôle essentiel à jouer dans la quête.

Elle les regarda tous, l'air sur la défensive comme si elle s'attendait à ce que quelqu'un objecte. Personne ne le fit. Piper essaya d'imaginer ce que Nico di Angelo devait ressentir, enfermé dans une amphore de bronze avec seulement deux graines de grenade pour tenir et sans savoir si quelqu'un allait venir le sauver. Elle éprouva une grande urgence à rejoindre Rome, malgré l'horrible pressentiment qui lui disait qu'elle voguait vers sa propre prison : une pièce sombre remplie d'eau.

– Nico doit avoir des informations sur les Portes de la Mort, dit-elle. Nous le sauverons, Hazel. Nous pouvons arriver à Rome à temps. Tu es d'accord, Léo ?

– Quoi ? (Léo s'arracha à son tableau de bord.) Oh ouais. On devrait arriver en Méditerranée demain matin. Ensuite il faudra le reste de la journée pour rejoindre Rome, par voie de mer ou en volant, si je réussis à réparer le stabilisateur d'ici là, et...

Le visage de Jason se décomposa, comme si son brownie aux pêches perdait brusquement sa saveur.

– Ça nous fait arriver à Rome le dernier jour qui reste à Nico, dit-il. Vingt-quatre heures maximum pour le trouver.

Percy croisa les jambes.

– Et ce n'est qu'une partie du problème, ajouta-t-il. Il y a aussi la Marque d'Athéna.

Annabeth n'eut pas l'air ravie de ce changement de sujet. Elle posa la main sur son sac à dos, dont elle ne s'était pas séparée depuis leur départ de Charleston.

Elle l'ouvrit et en sortit un petit disque de bronze fin, du diamètre d'un donut.

– C'est la carte que j'ai trouvée à Fort Sumter, commença-t-elle. C'est... (Elle s'arrêta brusquement et scruta la surface de bronze lisse.) Y a plus rien !

Percy le lui prit des mains et l'examina des deux côtés.

– Il n'était pas comme ça avant ? demanda-t-il.

– Non ! Je l'ai regardé dans ma cabine et... (Elle poursuivit à mi-voix, comme si elle se parlait à elle-même.) Ça doit être comme la Marque d'Athéna, je ne peux la voir que quand je suis seule, elle ne se montre pas aux autres demi-dieux.

Frank recula comme si le disque risquait d'exploser. Il avait une moustache de jus d'orange et une barbe de miettes de gâteau qui donnaient envie à Piper de lui tendre une serviette.

– Qu'est-ce qu'il y avait dessus ? demanda-t-il avec nervosité. Et c'est quoi, la Marque d'Athéna ? J'ai toujours pas compris.

Annabeth récupéra le disque. Elle le tourna à la lumière, mais il demeura parfaitement vierge d'informations.

– La carte était difficile à lire, expliqua-t-elle, mais elle indiquait un lieu au bord du Tibre, à Rome. Je crois que c'est le point de départ de ma quête... le chemin que je dois prendre pour suivre la Marque.

– C'est peut-être là que tu rencontreras le dieu du fleuve, Tiberinus, dit Piper. Mais en quoi consiste cette fameuse Marque ?

– La pièce de monnaie, murmura Annabeth.

– Quelle pièce de monnaie ? demanda Percy en fronçant les sourcils.

Annabeth enfonça la main dans sa poche et en ressortit une drachme en argent.

– Je la porte sur moi depuis le jour où j'ai rencontré ma mère à Grand Central. C'est une pièce de monnaie athénienne.

Elle la tendit à ses amis, qui se la passèrent de main en main. En regardant les demi-dieux l'examiner à tour de rôle, Piper eut la ridicule impression d'être en pleine leçon de choses à l'école primaire, où chaque élève y va de son petit commentaire.

– Une chouette, remarqua Léo. Oui, c'est logique. Et je suppose que la branche est un rameau d'olivier ? Mais qu'est-ce que c'est, cette inscription, A, O, E ?

– Alpha, thêta, epsilon, en fait. C'est un, pas un O, dit Annabeth. En grec, ce sont les initiales du mot Athènes au génitif : « Des Athéniens ». On peut aussi l'interpréter comme « les enfants d'Athéna ». C'est la devise des Athéniens, si vous voulez.

– Comme *SPQR* pour les Romains, suggéra Piper.

Annabeth hocha la tête.

– Bref, la Marque d'Athéna est une chouette, exactement pareille à celle-ci. Quand elle apparaît, elle est rougeoyante. Je l'ai vue dans mes rêves, et ensuite deux fois à Fort Sumter.

Elle leur raconta alors ce qui s'était passé au fort, depuis la voix de Gaïa jusqu'à l'apparition des araignées puis celle de la Marque, qui les avait réduites en cendres. Piper se rendait compte qu'il lui en coûtait d'évoquer tout ça.

Percy prit la main d'Annabeth et murmura :

– J'aurais dû être là pour t'aider.

– Non, justement, dit Annabeth. C'est ça, le truc. Personne ne peut m'aider. Une fois à Rome, il faudra que je parte seule. Sinon la Marque ne se montrera pas. Il faudra que je la suive jusqu'à... jusqu'à la source.

Frank prit la pièce des mains de Léo et regarda l'effigie de la chouette.

– *Le fléau des géants est pâle et d'or, conquis par la douleur d'une prison de tissage*, récita-t-il. Annabeth, qu'est-ce qu'il y a à la source ?

Sans laisser à la jeune fille le temps de répondre, Jason prit la parole :

– Une statue, dit-il. Une statue d'Athéna. En tout cas c'est ce que je crois.

– Tu avais dit que tu ne savais pas, objecta Piper en fronçant les sourcils.

– Je ne sais pas, effectivement... mais plus j'y pense, plus je me dis qu'il y a un seul objet qui puisse cadrer avec la légende. (Jason se tourna vers Annabeth.) Excuse-moi, j'aurais dû te confier bien plus tôt tout ce que j'ai entendu raconter. Mais pour être honnête, j'avais peur. Si cette légende est vraie...

– Je sais, l'interrompit Annabeth. J'ai deviné, Jason. Je te comprends. Seulement, si nous arrivons à sauver la statue, main dans la main, Grecs et Romains... cela pourrait enfin régler le désaccord, tu vois ?

– Pouce ! s'écria Percy. Quelle statue ?

Annabeth reprit la pièce d'argent et la glissa dans sa poche.

– L'Athéna Parthénos, dit-elle. La statue grecque la plus célèbre de tous les temps. Elle mesurait quatorze mètres de haut et elle était entièrement plaquée d'or et d'ivoire. Elle occupait le centre du Parthénon, à Athènes.

Le silence tomba sur le groupe, seulement troublé par le clapotis des vagues contre la coque.

– Bon, je craque, finit par dire Léo. Qu'est-ce qui lui est arrivé ?

– Elle a disparu, répondit Annabeth.

Léo leva un sourcil.

– Comment une statue de quatorze mètres de haut plantée au beau milieu du Parthénon a-t-elle pu disparaître ?

– Bonne question, dit Annabeth. C'est un des plus grands mystères de l'Histoire. Il y a des gens qui disaient qu'elle avait été fondue pour récupérer l'or ou détruite par les envahisseurs. Athènes a été mise à sac plusieurs fois. D'autres pensaient que la statue avait été emportée...

– Par des Romains, compléta Jason. Du moins, c'est une théorie, et elle concorde avec la légende qu'on m'a racontée au Camp Jupiter. Pour saper le moral des Grecs, les Romains auraient volé l'Athéna Parthénos quand ils se sont emparés de la ville. Ils l'ont cachée dans un sanctuaire souterrain à Rome. Les demi-dieux romains auraient juré qu'elle ne reverrait jamais la lumière du jour. D'après cette version, ils ont littéralement volé Athéna pour qu'elle ne puisse plus être le symbole du pouvoir militaire grec. Elle est devenue Minerve, une déesse de bien moindre envergure.

– Et depuis cette époque, les enfants d'Athéna cherchent la statue, enchaîna Annabeth. Ils ne connaissent pas la légende, pour la plupart, mais à chaque génération, la déesse en choisit quelques-uns. Elle leur donne une pièce comme la mienne. Et ils suivent la Marque d'Athéna, une sorte de piste magique qui les rattache à la statue… dans l'espoir de retrouver le sanctuaire de l'Athéna Parthénos et de la ramener.

Piper regardait ses deux amis avec une stupeur tranquille. Ils parlaient comme deux partenaires d'une même équipe, sans hostilité ni rancune. Ils s'étaient longtemps méfiés l'un de l'autre – Piper était assez proche des deux pour le savoir. Or maintenant… s'ils étaient capables de discuter aussi calmement de cet énorme problème – la source première de la haine entre Grecs et Romains –, il y avait peut-être de l'espoir pour les deux camps, se dit-elle.

À en juger par l'expression de Percy, des pensées similaires le traversaient.

– Alors, demanda-t-il, si on arrivait… plus exactement si *tu* arrivais à retrouver la statue, qu'est-ce qu'on en ferait ? Est-ce qu'on pourrait la déplacer, même ?

– Je ne suis pas sûre, reconnut Annabeth. Mais si on trouvait le moyen de la protéger, ça pourrait unir les deux camps. Et guérir ma mère de cette haine qu'elle a et qui la déchire entre ses deux formes. Et peut-être… peut-être que la statue a un pouvoir qui nous aiderait à combattre les géants.

Piper regarda son amie avec admiration ; elle commençait à prendre la mesure de l'immense responsabilité qu'Annabeth avait endossée, de l'entreprise dans laquelle elle était prête à se lancer seule.

– Cela pourrait tout changer, dit Piper. Cela pourrait mettre fin à des millénaires d'hostilité. C'est peut-être par là qu'on va trouver le moyen de vaincre Gaïa. Mais si on ne peut pas t'aider…

Elle ne termina pas sa phrase, mais tous sentirent la question flotter dans l'air : était-il possible de sauver la statue ?

Annabeth redressa les épaules. Piper savait qu'elle devait être terrifiée, mais elle n'en laissait rien paraître.

– Il faut que je réussisse, déclara-t-elle. Ça mérite de courir le risque.

Hazel jouait avec une mèche de cheveux, l'air pensive.

– Ça ne me plaît pas que tu risques ta vie toute seule, dit-elle, mais tu as raison. Nous avons vu le bien que ça a fait à la légion romaine de récupérer son étendard à l'aigle d'or. Si cette statue est le plus puissant symbole d'Athéna jamais créé…

– Ça pourrait dépoter grave, suggéra Léo.

Hazel fronça les sourcils.

– Je l'aurais pas formulé comme ça, mais oui.

– Sauf que… (Percy attrapa de nouveau la main d'Annabeth.) Aucun enfant d'Athéna ne l'a jamais trouvée. Qu'est-ce qu'il y a là-bas, Annabeth ? Comment est-elle gardée ? Est-ce que ça a à voir avec des araignées ?

– *Conquis par la douleur d'une prison de tissage*, rappela Frank. « Tissage » comme « toiles d'araignée » ?

Annabeth devint livide. Piper la soupçonna de savoir ce qui l'attendait, ou du moins d'en avoir une assez bonne idée. Elle luttait contre une vague de panique.

– On verra ça en arrivant à Rome, suggéra Piper en insufflant un peu d'enjôlement dans sa voix pour calmer les nerfs de son amie. Tout ira bien. Annabeth va dépoter grave, elle aussi, vous verrez.

– Ouais, renchérit Percy. Je l'ai appris il y a longtemps, y a pas intérêt à parier contre elle.

Annabeth les regarda tous les deux avec reconnaissance.

À en juger par leurs assiettes inachevées, les autres étaient encore mal à l'aise, mais Léo sut les secouer. Il appuya sur un bouton et un jet de vapeur s'échappa bruyamment de la bouche de Festus, faisant sursauter tout le monde.

– Bon ! dit-il, c'était bien sympa, cette petite réunion, mais il reste une tonne de trucs à réparer sur ce navire avant d'atteindre la Méditerranée. Vous êtes priés de vous présenter au Commandant Suprême Léo qui vous remettra votre liste de sympathiques corvées !

Piper et Jason se chargèrent de remettre en ordre le pont inférieur, complètement chamboulé pendant l'attaque du monstre. Ils mirent une bonne partie de la journée à ranger l'infirmerie et à tout arrimer dans la réserve, mais ça ne gênait pas Piper. Non seulement ça lui permettait de passer du temps avec Jason, mais en plus, depuis les explosions de la nuit, elle avait un grand respect pour le feu grec – elle aimait autant éviter que des fioles pleines de ce truc redoutable se détachent et roulent dans les couloirs au milieu de la nuit.

Quand ils s'attaquèrent à l'écurie, Piper pensa à la nuit qu'Annabeth et Percy y avaient passée par accident. Piper aurait bien aimé pouvoir bavarder toute la nuit avec Jason, se lover dans le foin et savourer simplement sa compagnie. Pourquoi ne feraient-ils pas une entorse au règlement, eux aussi ?

Mais ce n'était pas le genre de Jason. Il était formaté pour être un meneur d'hommes et donner le bon exemple. C'était contre sa nature d'enfreindre le règlement.

Reyna appréciait certainement cette qualité, chez lui. Piper aussi... mais jusqu'à un certain point.

La seule fois où elle l'avait convaincu de jouer le rebelle, c'était à l'École du Monde Sauvage. Ils avaient grimpé en cachette sur le toit, une nuit, pour regarder une pluie de météores. C'était là qu'ils avaient échangé leur premier baiser.

Malheureusement, ce souvenir était un tour de la Brume, un mensonge magique qu'Héra lui avait mis dans la tête. Piper et Jason étaient ensemble maintenant, dans la vraie vie, mais leur relation s'était construite sur une illusion, au départ. Si Piper essayait de convaincre le véritable Jason de la suivre en cachette sur un toit la nuit, le ferait-il ?

Elle balaya le foin et en fit des tas. Jason répara la porte d'une des stalles, qui était cassée. Sous leurs pieds, l'écoutille en verre était éclairée par l'océan – une étendue verte parcourue de jeux d'ombre et de lumière qui s'enfonçait sans fin dans les profondeurs. Piper y portait sans cesse le regard, craignant de voir apparaître la gueule d'un monstre ou les cannibales aquatiques des récits de son grand-père, mais elle n'apercevait rien de plus qu'un banc de harengs, de temps à autre.

En regardant Jason travailler, elle admira l'aisance avec laquelle il s'acquittait de ses tâches, qu'il s'agisse de réparer une porte ou de graisser des selles de cheval. Ce n'était pas juste ses bras musclés et ses mains habiles, même si Piper y était sensible, bien sûr, mais son attitude confiante et optimiste. Il faisait ce qu'il y avait à faire, sans jamais se plaindre. Il gardait son sens de l'humour, même s'il devait être exténué vu qu'il n'avait pas fermé l'œil de la nuit. Pas étonnant que Reyna ait eu un faible pour lui. Pour ce qui était du sens du devoir et du travail, Jason était romain jusqu'aux ongles.

Piper repensa au goûter organisé par sa mère à Charleston. Elle se demanda ce que la déesse avait dit à Reyna un an plus tôt, et quel effet cela avait eu sur la façon dont elle voyait Jason. Aphrodite l'avait-elle poussée à être amoureuse de Jason, ou le contraire ?

Piper regrettait un peu que sa mère se soit manifestée à Charleston. Une mère normale pouvait être une cause d'embarras, certes, mais une mère déesse à la beauté sublime qui invitait vos copines à prendre le thé et causer garçons, c'était carrément la honte.

Aphrodite s'était tellement intéressée à Annabeth et à Hazel que Piper en avait conçu de l'inquiétude. En général, quand sa mère se penchait sur la vie sentimentale de quelqu'un, c'était annonciateur d'ennuis et de chagrins. De « péripéties et rebondissements », comme les appelait Aphrodite.

En même temps, en son for intérieur, Piper était triste de ne pas avoir eu sa mère pour elle toute seule. Aphrodite l'avait à peine regardée. Elle n'avait pas dit un mot sur Jason. Elle n'avait même pas jugé bon d'expliquer sa conversation avec Reyna.

À croire que sa fille ne l'intéressait plus. Piper s'était trouvé un copain. Maintenant, à elle de se débrouiller pour que ça marche. Aphrodite était passée à des romances plus récentes avec la même facilité que si elle avait changé de magazine chez le coiffeur.

« Ah, vous êtes toutes des histoires excellentes ! » avait dit Aphrodite. « Des filles excellentes, je veux dire. »

Piper n'avait pas apprécié, mais en même temps, dans un coin de sa tête, elle avait songé : *Très bien. Je n'ai pas envie d'être une histoire. Je veux une vie stable avec un garçon stable.*

Si seulement elle comprenait mieux le secret d'une relation amoureuse réussie. Elle était censée être spécialiste, étant la conseillère en chef du bungalow d'Aphrodite. Les autres demi-dieux de la Colonie des Sang-Mêlé sollicitaient ses conseils sans arrêt. Piper les aidait de son mieux, mais dès qu'il s'agissait d'elle et de son petit copain, elle était démunie. Elle passait son temps à se demander ce qu'elle devait faire, à interpréter les expressions de Jason, ses humeurs, ses commentaires les plus anodins. Pourquoi était-ce si difficile ? Pourquoi ne pouvait-on pas flotter tout le temps sur un petit nuage rose ?

– À quoi tu penses ? demanda Jason.

Piper se rendit compte qu'elle faisait une drôle de tête : dans le reflet de l'écoutille de verre, elle vit qu'elle avait l'air d'avoir avalé une cuillerée de sel.

– À rien, dit-elle. Ou plutôt à un tas de trucs, un peu tous en même temps.

Jason rit. La cicatrice qu'il avait sur la lèvre s'effaçait presque quand il souriait. Avec tout ce qu'il avait vécu, c'était incroyable qu'il puisse être aussi joyeux.

– Tout ira bien, lui promit-il. C'est toi-même qui l'as dit.

– Ouais. Sauf que je l'ai dit seulement pour remonter le moral d'Annabeth.

Jason haussa les épaules.

– Il n'empêche, c'est vrai. On est presque arrivés aux terres anciennes. Et on a semé les Romains.

– Et ils sont en route pour attaquer nos amis à la Colonie des Sang-Mêlé.

Jason hésita, comme si, là, il avait du mal à voir un angle positif.

– Chiron saura les tenir à distance, finit-il par dire. Les Romains mettront peut-être des semaines à trouver la colonie et à monter leur plan d'attaque. En plus, Reyna fera son possible pour ralentir les choses. Elle est toujours de notre côté. J'en ai la certitude.

– Tu lui fais confiance, répondit Piper d'une voix cassante, même à ses oreilles.

– Écoute, Pip's, je te l'ai déjà dit, t'as aucune raison d'être jalouse.

– Elle est belle. Elle est forte. Et elle est... tellement romaine.

Jason posa son marteau. Il prit la main de Piper, qui sentit une légère décharge lui remonter le long du bras. Le père de la jeune fille l'avait emmenée à l'aquarium du Pacifique, un jour, et il lui avait montré une anguille électrique. Il lui avait expliqué que l'anguille envoyait des impulsions qui paralysaient sa proie. Chaque fois que Jason la regardait ou lui touchait la main, ça faisait cet effet à Piper.

– Toi, tu es belle et forte, lui dit-il. Et je n'aimerais pas que tu sois romaine. J'aime que tu sois Piper. En plus on est une équipe, toi et moi.

Elle voulait le croire. Cela faisait tout de même plusieurs mois qu'ils étaient ensemble… Pourtant elle n'arrivait pas à se débarrasser de ses doutes, pas plus que Jason ne pouvait se débarrasser du *SPQR* tatoué sur son avant-bras.

En haut, la cloche du dîner sonna.

Jason sourit.

– On a intérêt à monter si on veut pas que M'sieur Hedge nous mette des clochettes au cou, dit-il.

Piper frissonna. Après l'esclandre Percy/Annabeth, l'entraîneur avait menacé de recourir à cette extrémité pour repérer ceux qui se laisseraient tenter par une escapade nocturne.

– Ouais, répondit-elle à contrecœur, les yeux baissés sur les portes en verre à leurs pieds. Je crois qu'on a besoin d'un bon dîner… et d'une bonne nuit de sommeil.

26 Piper

Le lendemain matin, Piper fut réveillée par une sirène de bateau inconnue – une sonnerie si tonitruante qu'elle sauta littéralement en l'air.

Elle se demanda si c'était une nouvelle blague de Léo. Puis la sirène retentit de nouveau. Elle semblait lointaine, en fait, de quelques centaines de mètres, comme si elle venait d'un autre navire.

Elle enfila des vêtements en vitesse. Le temps qu'elle grimpe sur le pont, les autres étaient déjà là-haut – tous habillés à la hâte, à l'exception de Gleeson Hedge qui avait assuré le quart de nuit.

Frank portait son tee-shirt des Jeux olympiques de Vancouver à l'envers. Percy était en pantalon de pyjama avec un plastron d'armure en bronze – un style non dénué d'intérêt. Hazel avait les cheveux gonflés sur un côté comme si elle avait traversé un cyclone. Et Léo, qui s'était enflammé par accident, avait les bras qui fumaient et le tee-shirt réduit en lambeaux calcinés.

Une centaine de mètres à bâbord, un gigantesque paquebot de croisière passait à leur hauteur. Des vacanciers leur faisaient bonjour de la main depuis les quinze ou seize rangées de balcons. Certains souriaient et prenaient des photos.

Aucun ne semblait surpris de voir une trirème grecque. Peut-être la Brume la déguisait-elle en bateau de pêche, à moins qu'ils ne la prennent pour une attraction touristique.

Le paquebot donna un nouveau coup de sirène et l'*Argo II* trembla de toute sa coque.

Gleeson Hedge plaqua les mains sur les oreilles.

– Pouvez-vous me dire pourquoi ils sont aussi bruyants ?

– Ils veulent juste dire bonjour, avança Frank.

– COMMENT ? hurla Hedge.

Le bateau de croisière les dépassa enfin et obliqua. Les touristes agitaient toujours joyeusement la main. Ils n'avaient pas l'air de trouver bizarre que l'*Argo II* soit peuplé de jeunes à moitié endormis, en armure et pyjama, accompagnés d'un quinquagénaire affublé de pattes de bouc.

– Tchô ! leur lança Léo en levant une main encore fumante.

– Je peux charger la baliste ? demanda Hedge.

– Non, répondit Léo en se forçant à sourire.

Hazel se frotta les yeux et porta le regard sur l'eau verte qui scintillait au soleil.

– Où sommes... oh. Waouh.

Piper suivit son regard et resta bouche bée. Maintenant que le paquebot de croisière ne leur barrait plus la vue, elle découvrit une montagne qui se dressait dans l'océan à moins d'un kilomètre au nord. Piper avait déjà vu des falaises impressionnantes : elle avait longé la célèbre Route 1, en Californie ; elle était même tombée dans le Grand Canyon avec Jason et ils en étaient remontés en volant. Mais rien de ce qu'elle avait vu n'était aussi spectaculaire que ce poing de pierre d'un blanc éblouissant qui se tendait vers le ciel. Sur un côté, la falaise de calcaire, parfaitement lisse, s'enfonçait dans la mer en un à-pic d'une centaine de mètres, aurait dit Piper ; de l'autre côté, la montagne descendait par terrasses recouvertes d'une forêt verte. L'ensemble lui fit penser à un sphinx colossal, usé par les millénaires, qui sortait sa tête et son immense buste blancs de l'eau, un manteau vert sur le dos.

– Le rocher de Gibraltar, dit Annabeth d'une voix émue. À la pointe de l'Espagne. Et là-bas... (Elle tendit le doigt vers une rangée de collines rouge et ocre, plus éloignées.) Ce doit être l'Afrique. Nous sommes à l'entrée de la Méditerranée.

L'air matinal était doux, mais Piper frissonna. Malgré la vaste étendue de mer qui se déployait devant eux, elle avait l'impression d'être perchée sur une barrière infranchissable. En entrant dans la Méditerranée – la Mare Nostrum –, ils pénétreraient dans les terres anciennes. Si les légendes disaient vrai, leur quête deviendrait dix fois plus dangereuse.

– On fait quoi, maintenant ? demanda-t-elle. On y va, juste comme ça ?

– Pourquoi pas ? rétorqua Léo. C'est un grand canal de navigation. Il y a des bateaux qui vont et viennent sans arrêt.

Pas des trirèmes pleines de demi-dieux, pensa Piper.

Annabeth contemplait le rocher de Gibraltar. Piper reconnut l'expression grave qui s'était peinte sur le visage de son amie – c'était presque toujours signe qu'elle anticipait des ennuis.

– Autrefois, dit Annabeth, on appelait cet endroit les Colonnes d'Hercule. Le rocher était censé être une des colonnes, l'autre étant une des montagnes africaines, mais personne ne sait laquelle.

– Hercule, hein ? (Percy fronça les sourcils.) Ce gars, c'était le McDo de la Grèce antique. On pouvait pas faire cent mètres sans tomber dessus.

Un grondement tonitruant secoua l'*Argo II*. Cette fois-ci, Piper n'avait aucune idée d'où il pouvait venir : il n'y avait aucun autre bateau en vue et le ciel était dégagé.

Elle eut soudain la bouche sèche.

– Et ces Colonnes d'Hercule, elles sont dangereuses ? demanda-t-elle.

Annabeth garda les yeux rivés sur la falaise blanche comme si elle guettait l'apparition de la Marque d'Athéna.

– Pour les Grecs, répondit-elle, les Colonnes signalaient la fin du monde connu. Les Romains disaient qu'elles étaient gravées d'une inscription en latin...

– *Nec plus ultra*, interrompit Percy.

Annabeth eut l'air stupéfaite.

– Oui. « Rien au-delà. » Comment tu le sais ?

Percy tendit la main.

– Je l'ai sous le nez.

Juste en face d'eux, au milieu du détroit, une île scintillante était apparue. Piper était sûre et certaine qu'elle n'y était pas avant. C'était une petite étendue de collines couvertes de forêt, bordée de plages de sable blanc. Rien d'impressionnant comparé à Gibraltar, si ce n'est qu'à une centaine de mètres au large de l'île, deux colonnes grecques d'un blanc éclatant, aussi hautes que les mâts de l'*Argo II*, se dressaient dans les vagues. Entre les deux, des mots en énormes lettres argentées scintillaient sous l'eau – soit une illusion, soit une incrustation dans le sable du fond : *NEC PLUS ULTRA*.

– Je fais demi-tour, les gars ? demanda Léo d'une voix tendue. Ou...

Personne ne répondit. Peut-être parce que, comme Piper, ils avaient remarqué le personnage qui se tenait sur la plage. Maintenant qu'ils s'approchaient des colonnes, elle voyait un homme brun vêtu d'une toge pourpre, les bras croisés, qui regardait fixement le vaisseau comme s'il les attendait. Piper ne pouvait en deviner davantage à cette distance, mais à en juger par sa posture, il n'était pas content.

Frank reprit bruyamment son souffle.

– Vous croyez que c'est...

– Hercule, dit Jason. Le demi-dieu le plus puissant de tous les temps.

L'*Argo II* n'était plus qu'à quelques centaines de mètres des colonnes, à présent.

– Il me faut une réponse, insista Léo d'une voix pressante. On peut faire demi-tour ou on peut décoller. Les stabilisateurs sont réparés. Mais j'ai besoin de savoir vite...

– Il faut qu'on continue, dit Annabeth. Je crois qu'il garde le détroit. S'il s'agit vraiment d'Hercule, ça ne nous avancerait à rien de fuir. Il voudra nous parler.

Piper prit sur elle pour ne pas user de son pouvoir d'enjôlement. Elle avait envie de crier à Léo : « Décolle ! Emmène-nous loin d'ici ! » Malheureusement, son intuition lui disait qu'Annabeth avait raison. S'ils voulaient pénétrer dans la Méditerranée, ils ne pouvaient pas éviter cette rencontre.

– Mais Hercule sera de notre côté, vous ne croyez pas ? demanda-t-elle avec espoir. C'est un demi-dieu, comme nous, non ?

Jason poussa un petit grognement.

– C'était un fils de Zeus, mais à sa mort, il est devenu un dieu. Et avec les dieux, on ne sait jamais.

Piper se souvint de leur entrevue dans le Kansas avec Bacchus – un autre demi-dieu promu dieu. On ne pouvait pas dire qu'il leur avait été d'un grand secours.

– C'est top, dit Percy. Nous sept contre Hercule.

– Plus un satyre ! ajouta Hedge. On peut lui faire sa fête.

– J'ai une meilleure idée, intervint Annabeth. Nous allons lui envoyer une ambassade. Un petit groupe – deux maximum. Pour essayer de parler avec lui.

– J'y vais, offrit Jason. C'est un fils de Zeus, je suis fils de Jupiter. Peut-être qu'il sera bien disposé envers moi.

– Ou l'inverse, suggéra Percy. Les demi-frères se détestent, quelquefois.

– Merci pour l'optimisme, dit Jason avec une grimace.

– Ça vaut le coup d'essayer, reprit Annabeth. Jason et Hercule ont un point en commun, c'est déjà ça. Et il nous faut notre meilleur diplomate. Quelqu'un qui sache bien manier les mots.

Tous les yeux se tournèrent vers Piper.

Elle se retint de hurler et de sauter par-dessus bord. Un sombre pressentiment lui noua le ventre. Il n'empêche, si Jason allait sur l'île, elle l'accompagnerait. Peut-être que ce dieu au pouvoir immense les aiderait ? Il fallait bien qu'ils aient de la chance, de temps en temps.

– D'accord, dit-elle. Je vais me changer vite fait.

Dès que Léo eut jeté l'ancre entre les deux colonnes, Jason appela une brise qui les transporta sur le rivage, Piper et lui.

L'homme vêtu de pourpre les attendait.

Piper connaissait des centaines d'histoires sur Hercule. Elle l'avait vu représenté dans plusieurs films et dessins animés assez ringards. Jusqu'à ce jour, si elle avait pensé à lui, ce qu'elle n'avait guère de raisons de faire, elle aurait imaginé un type velu à l'air stupide, avec un gros bide et une barbe de hippie, la trentaine, une peau de lion sur la tête et un gourdin à la main – genre homme des cavernes. Elle aurait imaginé un gars pas propre sur lui, qui se gratte tout le temps, qui rote et qui s'exprime par grognements.

Bref, elle ne se serait pas attendue à ceci...

Il avait les pieds nus, couverts de sable blanc. Sa toge lui donnait une allure ecclésiastique, mais Piper ne se rappelait pas quels prêtres portaient de la pourpre. Les cardinaux ? Les évêques ? Et cette couleur indiquait-elle qu'il était la version romaine d'Hercule et non Héraclès, l'original grec ? Il affectait une barbe de trois jours des plus seyante, comme le père de Piper et ses amis acteurs branchés – le genre « j'ai été trop occupé pour me raser, ces derniers jours, mais je suis quand même super-canon. »

Il était bien bâti sans être trapu. Ses cheveux d'ébène étaient coupés court, en brosse, à la mode romaine. Il avait les yeux du même bleu vif que Jason, mais le teint cuivré comme s'il avait passé sa vie à se faire bronzer. Le plus étonnant, c'était qu'il paraissait âgé de vingt ans, pas plus, c'était sûr. Il avait une beauté brute, mais vraiment rien d'un homme des cavernes.

Effectivement, il avait bel et bien un gourdin, posé sur le sable à ses pieds, mais qui ressemblait davantage à une très grande batte de base-ball – un cylindre d'acajou poli d'un mètre cinquante, terminé par un manche de cuir clouté de bronze. Gleeson Hedge aurait été jaloux.

Jason et Piper se posèrent à la lisière de l'eau. Ils s'avancèrent lentement, attentifs à ne faire aucun geste menaçant. Hercule les regardait sans exprimer d'émotion particulière, juste comme si c'étaient des mouettes d'une espèce qu'il n'avait jamais remarquée.

– Bonjour, dit Piper. (C'était toujours un bon début.)

– Quoi de bon ? rétorqua Hercule, d'une voix grave mais d'un ton décontracté, très moderne.

Ils se seraient croisés dans une cour de lycée qu'il ne les aurait pas salués différemment.

– Oh, pas grand-chose. (Piper grimaça légèrement.) En fait, plein de choses. Je m'appelle Piper, et voici Jason. Nous...

– Où est votre peau de lion ? interrompit Jason.

Piper aurait voulu lui donner un coup de coude, heureusement Hercule eut l'air plus amusé que contrarié.

– Tu as vu la chaleur qu'il fait ? Tu veux que je porte ma peau de lion par 35 degrés ? Tu vas à la plage en manteau de fourrure, toi ?

– Oui, je comprends, répondit Jason, un peu dépité. C'est juste que vous êtes toujours représenté avec votre peau de lion.

Hercule tourna un regard accusateur vers le ciel, comme s'il avait deux mots à dire à son père, Zeus.

– Ne crois pas tout ce qu'on raconte sur moi. Être célèbre n'est pas aussi cool que tu pourrais le croire.

– Je ne vous le fais pas dire, soupira Piper.

Hercule riva sur elle son regard d'azur étincelant.

– Tu es célèbre ?

– Mon père... il travaille dans le cinéma.

Hercule plissa le nez.

– Le cinéma... ne me demande pas ce que j'en pense ! Par les dieux de l'Olympe, ils tombent à côté de la plaque à tous les coups. As-tu vu un seul film où je me ressemble ?

Piper fut bien obligée d'admettre qu'il avait raison.

– Je suis étonnée de voir que vous êtes aussi jeune.

– Ha ! L'immortalité, ça aide. Mais oui, j'étais pas bien vieux quand je suis mort. Surtout selon les critères d'aujourd'hui. Mais j'ai accompli un paquet d'exploits pendant mes années de héros. Trop, d'ailleurs. (Son regard se porta sur Jason.) Fils de Zeus, hein ?

– De Jupiter, rectifia Jason.

– Il n'y a pas tellement de différence, bougonna Hercule. Papa est pénible sous ses deux formes. Moi, je m'appelais Héraclès. Et puis les Romains se sont amenés et ils m'ont nommé Hercule. Je n'ai quasiment pas changé, en fait, mais depuis quelque temps, chaque fois que j'y pense, ça me donne des migraines atroces.

Le côté gauche de son visage se contracta. Sa toge scintilla, vira brièvement au blanc, puis redevint pourpre.

– D'ailleurs, reprit Hercule, si tu es un fils de Jupiter, tu peux sans doute comprendre. C'est une pression terrible. On n'en fait jamais assez. Il y a de quoi craquer, au bout d'un moment.

Il se tourna vers Piper. Elle eut l'impression que des milliers de fourmis lui grimpaient dans le dos. Il avait dans le regard un mélange de tristesse et d'ombre qui ne semblait pas très sain, en tout cas pas rassurant du tout.

– Quant à toi, ma chère, dit-il, fais attention. Les fils de Zeus peuvent être... enfin, laisse tomber.

Piper se demanda ce que ça voulait dire. Brusquement, elle souhaita être à mille lieues de ce dieu, mais elle s'efforça de garder une expression calme et polie.

– Seigneur Hercule, dit-elle, nous menons une quête. Nous aimerions avoir la permission de pénétrer dans les eaux de la Méditerranée.

Hercule haussa les épaules.

– Je suis là pour ça. Après ma mort, papa m'a nommé gardien de l'Olympe. Je me suis dit : « Super, un poste au palais ! La teuf tous les jours ! » Ce qu'il n'avait pas précisé, c'est que je garderais les portes des terres anciennes et que je serais coincé sur cette île pour le reste de l'éternité. On a vu plus marrant.

Il tendit le bras vers les piliers qui émergeaient des vagues.

– Ces colonnes ! Il y a des gens qui prétendent que j'ai créé le détroit de Gibraltar en écartant les montagnes. D'autres que les montagnes elles-mêmes sont les Colonnes. C'est n'importe quoi, tout ça. Les Colonnes sont des colonnes, point barre.

– D'accord, bien sûr, dit Piper. Alors... pouvons-nous passer ?

Le dieu gratta son élégante barbe de trois jours.

– Il faut que je vous adresse la mise en garde habituelle sur les dangers des terres anciennes. Il n'est pas à la portée du premier demi-dieu venu de survivre à la Mare Nostrum. C'est pour cette raison que je dois vous donner une quête à accomplir. Pour que vous prouviez votre valeur, etc., etc. Honnêtement, j'en fais pas une histoire. En général je donne des tâches simples aux demi-dieux, des courses à faire, une chanson marrante à chanter, ce genre de choses. J'en ai bavé, vous savez, pour accomplir les travaux que me réclamait mon affreux cousin Eurysthée... et je veux pas être comme lui, vous comprenez ?

– Nous apprécions, dit Jason.

– Pas de problème.

Hercule donnait l'impression d'être cool et décontracté, pourtant il mettait Piper mal à l'aise. Cette touche d'ombre dans son regard lui faisait penser à un charbon imbibé de kérosène, qui menaçait de s'enflammer à tout instant.

– Alors, reprit Hercule, c'est quoi votre quête, cela dit ?

– Les géants, répondit Jason. Nous sommes en route pour la Grèce pour les empêcher d'éveiller Gaïa.

– Les géants, marmonna Hercule. Je peux pas les sacquer. Du temps où j'étais un héros demi-dieu... enfin, peu importe. Et quel dieu vous a confié cette quête ? Papa ? Athéna ? Aphrodite, peut-être ? (Il regarda Piper en levant le sourcil.) Jolie comme tu es, je parie que c'est ta mère.

Piper aurait dû réfléchir plus vite, mais Hercule l'avait déstabilisée. Elle se rendit compte trop tard que la conversation s'était déplacée en terrain miné.

– C'est Héra qui nous envoie, dit Jason. Elle nous a réunis pour...

– Héra.

Brusquement, l'expression d'Hercule se fit semblable à la falaise de Gibraltar : un mur de pierre lisse et sans merci.

– Nous aussi, nous la détestons, s'empressa de dire Piper. (Par les dieux, comment n'y avait-elle pas pensé ? Héra était la pire ennemie d'Hercule.) Nous ne voulions pas l'aider, mais elle ne nous a pas laissé le choix. Elle...

– N'empêche que vous êtes là, coupa Hercule d'une voix qui avait perdu toute trace d'amabilité. Désolé, vous deux, mais je me balance pas mal de la valeur de votre quête. Je ne fais jamais rien que demande Héra. Jamais.

Jason parut décontenancé.

– Mais je croyais que vous vous étiez réconcilié avec elle quand vous êtes devenu un dieu, protesta-t-il.

– Je te l'ai déjà dit, faut pas croire tout ce qu'on raconte à mon sujet, grommela Hercule. Si vous voulez entrer dans les eaux de la Méditerranée, je vais vous donner une quête particulièrement difficile.

– Mais nous sommes comme des frères, insista Jason. Héra m'a embrouillé, moi aussi. Je comprends...

– Tu ne comprends rien du tout, dit froidement Hercule. Ma première famille est morte. J'ai gâché ma vie en quêtes idiotes. Ma seconde femme est morte après avoir été amenée par ruse à m'appliquer un poison qui m'a fait mourir dans d'horribles souffrances. Qu'est-ce que j'ai eu en échange ? J'ai eu droit à devenir un dieu mineur. Immortel, pour ne jamais oublier ma douleur. Coincé ici à jouer les portiers, les gardiens... les concierges de l'Olympe. Non, tu ne comprends pas. Le seul dieu qui me comprenne un peu, c'est Dionysos. Et lui, au moins, il a inventé quelque chose d'utile. Moi, tout ce que j'ai à mon actif, ce sont de mauvais films sur ma vie.

Piper fit appel à son pouvoir d'enjôlement.

– C'est terriblement triste, seigneur Hercule. Mais s'il vous plaît, soyez indulgent, plaida-t-elle. Nous ne sommes pas méchants.

Elle crut avoir réussi à infléchir Hercule. Il hésita. Puis il serra les mâchoires et secoua la tête.

– De l'autre côté de cette île, derrière ces collines, vous trouverez un fleuve, dit-il. Au milieu de ce fleuve vit le dieu Achéloüs.

Hercule marqua un temps d'arrêt comme s'il s'attendait à ce qu'ils s'enfuient, terrifiés, en entendant cette nouvelle.

– Et alors ? demanda Jason.

– Et alors je veux que vous cassiez son autre corne et que vous me la rapportiez.

– Il a des cornes ? dit Jason. Attendez... son autre corne ? Qu'est-ce que...

– À vous de comprendre ! coupa le dieu. Tenez, ça pourra vous aider.

Il dit le mot « aider » comme s'il signifiait « nuire ». Et, fourrageant dans les plis de sa toge, il sortit un petit livre et le lança à Piper, qui l'attrapa de justesse.

La couverture était ornée d'un montage photographique de temples grecs et de monstres souriants ; on y voyait le Minotaure levant un pouce guilleret. Le livre s'intitulait *Le Guide d'Hercule de Mare Nostrum.*

– Apportez-moi cette corne d'ici le coucher du soleil, dit Hercule. Vous deux seulement. Ne contactez pas vos amis. Votre vaisseau ne doit pas bouger de son mouillage. Si vous réussissez, je vous autoriserai à passer.

– Et sinon ? demanda Piper, qui se doutait que la réponse ne lui plairait pas.

– Eh bien, Achéloüs vous tuera, c'est clair, dit Hercule. Je briserai votre vaisseau en deux, à mains nues, et j'enverrai vos amis à une mort prématurée.

Jason gigota sur place.

– On pourrait pas juste chanter une chanson drôle ? tenta-t-il.

– À votre place, je ne tarderais pas, dit Hercule d'une voix glaciale. D'ici le coucher du soleil, ou vos amis meurent.

27 Piper

Le *Guide d'Hercule de Mare Nostrum* n'était pas d'un grand secours contre les serpents et les moustiques.

– Quitte à ce que ce soit une île magique, grommela Piper, ça aurait pas pu être une île magique agréable ?

Ils grimpèrent en haut d'une des collines et redescendirent dans une vallée très boisée, en évitant soigneusement les serpents rayés rouge et noir qui prenaient le soleil sur les rochers. Dans les parties les plus basses, d'épais nuages de moustiques bourdonnaient au-dessus des mares d'eau stagnante. La forêt se composait essentiellement de cyprès, de pins et d'oliviers rabougris. L'incessante scie des cigales et la chaleur oppressante rappelèrent à Piper la réserve cherokee en Oklahoma, l'été.

Ils n'avaient toujours pas repéré le fleuve.

– On pourrait voler, proposa de nouveau Jason.

– On risquerait de passer à côté de quelque chose, dit Piper. Et je ne suis pas sûre que tomber du ciel soit la bonne façon d'aborder un dieu hostile. Comment il s'appelle, déjà ? Échalotus ?

– Achéloüs. (Jason, qui essayait de lire le guide tout en marchant, n'arrêtait pas de se cogner dans des arbres et de buter contre des pierres.) C'est marqué que c'est un *potamos*.

– Un pote à qui ?!

– *Potamos*. Ça veut dire « dieu du fleuve ». D'après le guide, c'est l'esprit d'un fleuve en Grèce.

– Vu qu'on n'est pas en Grèce, supposons qu'il a déménagé, dit Piper. Je sens que ce livre ne va pas nous être très utile. Autre chose ?

– Hercule s'est battu contre lui, une fois.

– Hercule s'est battu contre quatre-vingt-dix-neuf pour cent de la Grèce antique.

– Ouais. Voyons. « Colonnes d'Hercule... » (Jason tourna quelques pages.) Ils disent que cette île n'a pas d'hôtel, pas de restaurant, pas de moyen de transport. À voir : Hercule et les deux colonnes. Tiens, c'est intéressant. Il paraît que le signe du dollar – tu sais, le S barré de deux lignes ? –, paraît que ça vient des armoiries de l'Espagne, qui représentaient les Colonnes d'Hercule enroulées d'une bannière.

Génial, se dit Piper. Jason commençait à peine à s'entendre avec Annabeth que son côté cérébral déteignait déjà sur lui.

– Rien d'utile ? demanda-t-elle.

– Attends. Il y a un tout petit passage sur Achéloüs : « Ce dieu du fleuve s'est battu contre Hercule pour la main de la belle Déjanire. Au cours de la bagarre, Hercule a cassé une des cornes du dieu du fleuve et c'est devenu la première corne d'abondance. »

– C'est quoi, ça, déjà ?

– Tu sais, on les représente toujours débordantes de fruits. On en a quelques-unes au réfectoire du Camp Jupiter. Je savais pas que l'originale était une vraie corne qui avait appartenu à quelqu'un.

– Et on est censés lui prendre l'autre. J'imagine que ça ne va pas être facile. Qui était Déjanire ?

– Hercule l'a épousée, expliqua Jason. Je crois que ça s'est mal passé pour elle, ensuite. Mais ils ne disent rien, là.

Piper se souvint des confidences d'Hercule : sa première famille morte, sa deuxième femme morte après l'avoir empoisonné sans le vouloir. Cette quête lui plaisait de moins en moins.

Ils franchissaient péniblement une crête entre deux collines en s'efforçant de marcher à l'ombre. Piper était en nage. Elle avait des piqûres de moustique partout, aux chevilles, sur les bras, dans le cou, ce qui devait lui donner l'air d'avoir la petite vérole.

Enfin un moment seule avec Jason, songea-t-elle, et voilà comment ils le passaient.

Elle était agacée que Jason ait parlé d'Héra, et en même temps elle savait qu'elle ne devait pas lui en vouloir pour ça. Peut-être qu'elle était juste agacée contre lui de façon générale. Depuis le Camp Jupiter, elle se faisait du mauvais sang et nourrissait beaucoup de ressentiment.

Elle se demanda ce qu'Hercule avait voulu lui dire sur les fils de Zeus. Qu'on ne pouvait pas leur faire confiance ? Qu'ils étaient soumis à trop de pression ? Piper essaya d'imaginer Jason devenant un dieu après sa mort, faisant le planton sur une plage aux portes d'une mer, longtemps après la disparition de Piper et de tous ceux qu'il aurait connus dans sa vie de mortel.

Elle se demanda si Hercule avait jamais été aussi positif que Jason – optimiste, confiant, prompt à réconforter. C'était difficile à imaginer.

Pendant qu'ils descendaient dans la vallée suivante, les pensées de Piper se tournèrent vers l'*Argo II*. Elle était tentée d'envoyer un message-Iris, mais Hercule leur avait interdit d'entrer en contact avec leurs amis. Elle espérait qu'Annabeth devinerait ce qui se passait et n'enverrait pas un autre groupe sur l'île – Piper n'était pas sûre de la réaction d'Hercule, s'il était dérangé de nouveau. Elle imagina Gleeson Hedge s'impatienter et braquer la baliste sur l'homme à la toge pourpre, ou des eidolons s'emparant des membres de l'équipage et les forçant à se suicider en se jetant aux mains d'Hercule.

Piper frissonna. Elle ignorait l'heure qu'il était, mais le soleil était déjà bien bas. Comment la journée avait-elle filé ? Elle se serait réjouie de voir arriver le crépuscule, synonyme d'une température plus clémente, s'il n'avait pas représenté aussi leur échéance. La fraîcheur d'une brise nocturne ne les avancerait pas à grand-chose, s'ils étaient morts. En plus, le lendemain était le 1er juillet, les calendes de juillet. Si les informations qu'ils avaient étaient exactes, ce serait le dernier jour de la vie de Nico di Angelo et celui de la destruction de Rome.

– Arrête-toi, dit Jason.

Piper se demanda ce qu'il y avait. Puis elle se rendit compte qu'elle entendait de l'eau couler, plus loin devant eux. Ils se faufilèrent sans bruit entre les arbres et débouchèrent sur la berge d'un fleuve. Ce dernier était large d'une douzaine de mètres mais ne devait pas faire plus de vingt centimètres de profondeur – une nappe d'eau argentée qui glissait sur un lit de galets ronds. Quelques mètres en aval, les rapides piquaient dans un trou d'eau bleu foncé.

Piper tendit l'oreille. Dans les arbres, les cigales s'étaient tues ; on n'entendait pas un seul gazouillis d'oiseau. C'était comme si le fleuve prononçait un discours et n'autorisait personne d'autre à faire entendre sa voix.

Mais plus Piper écoutait, plus l'eau était tentante. Elle eut envie de s'y désaltérer. Et si elle enlevait ses chaussures ? Ce ne serait pas du luxe de se tremper les pieds. Et ce trou d'eau... comme ce serait bon d'y plonger avec Jason, de se détendre à l'ombre des arbres en flottant dans l'eau fraîche... Tellement romantique.

Piper se ressaisit. Ces pensées ne venaient pas d'elle. Il y avait quelque chose qui clochait. Elle avait presque l'impression que le fleuve exerçait un pouvoir d'enjôlement.

Jason s'assit sur un rocher et se mit à enlever ses chaussures. Il regarda le trou d'eau avec un grand sourire, l'air impatient de se baigner.

– Arrête ça ! cria très fort Piper en s'adressant au fleuve.

Jason sursauta :

– Arrête quoi ?

– Pas toi, dit Piper. Lui.

Elle se sentit bête de montrer le fleuve du doigt, mais elle était convaincue qu'il recourait à une forme de magie quelconque pour manipuler leurs émotions.

Au moment où elle s'attendait à ce que Jason lui dise qu'elle avait pété les plombs, le fleuve parla :

– Excuse-moi. Chanter est l'un des rares plaisirs qu'il me reste.

Une créature émergea du trou d'eau, comme portée par un ascenseur.

Piper sentit ses épaules se contracter. C'était la créature qu'elle avait vue sur la lame de son poignard, le taureau à visage humain. Ses sabots s'arrêtèrent en suspension au-dessus de l'eau. Son cou bovin supportait une tête d'homme aux cheveux noirs courts et bouclés, à la barbe coiffée en petites frisettes à la mode grecque antique, avec de grands yeux mélancoliques derrière des verres de lunettes à double foyer et une bouche qui semblait figée en une moue permanente. Une corne unique pointait sur le côté gauche de son front – une corne de taureau noir et blanc, comme celles dont les guerriers faisaient des coupes à boire. Déséquilibrée, sa tête penchait sur le côté gauche, ce qui lui donnait l'air d'essayer de vider de l'eau de son oreille.

– Bonjour, dit-il tristement. Vous venez me tuer, je suppose.

Jason remit ses chaussures et se leva lentement.

– Euh, eh bien...

– Non ! intervint Piper. Excusez-nous. Cette situation est gênante. Nous ne voulions pas vous déranger, mais c'est Hercule qui nous envoie.

– Hercule ! soupira l'homme-taureau. (Ses sabots raclèrent la surface de l'eau comme s'il s'apprêtait à charger.) Pour moi, il sera toujours Héraclès. C'est son nom grec, vous savez : « la gloire d'Héra ».

– Drôle de nom, dit Jason. Sachant qu'il la déteste.

– Effectivement, acquiesça l'homme-taureau. C'est peut-être pour ça qu'il n'a pas protesté quand les Romains l'ont rebaptisé Hercule. De toute façon, c'est le nom sous lequel la plupart des gens le connaissent, maintenant... sa marque, si vous voulez. Le moins qu'on puisse dire, c'est qu'Hercule est très attentif à son image.

L'homme-taureau s'exprimait avec amertume mais familiarité, comme si Hercule était un vieil ami qui avait fait fausse route.

– Vous êtes Achéloüs ? lui demanda Piper.

L'homme-taureau ploya les pattes avant et inclina la tête, ce que Piper trouva à la fois gentil et un peu triste.

– Pour vous servir. Dieu du fleuve hors pair. Jadis esprit du fleuve le plus puissant de Grèce. Aujourd'hui assigné à résidence ici, sur la même île que mon vieil ennemi. Ah, cruels sont les dieux ! Mais ce que je n'ai jamais compris, c'est lequel ils voulaient punir, d'Hercule ou de moi, en nous mettant si près l'un de l'autre.

Piper ne comprit pas bien ce qu'il voulait dire, mais le bruit de fond du fleuve envahissait à nouveau son esprit, lui rappelant comme elle avait chaud et soif, et qu'il serait délicieux de piquer une tête dans l'eau fraîche. Elle fit un effort de concentration.

– Je m'appelle Piper, dit-elle. Et voici Jason. Nous ne voulons pas nous battre. C'est juste qu'Héraclès, ou Hercule, peu importe, s'est fâché contre nous et nous a envoyés ici.

Là-dessus, Piper expliqua qu'ils avaient entrepris une quête dans les terres anciennes pour empêcher les géants d'éveiller Gaïa. Elle raconta comment s'était formée leur équipe de demi-dieux grecs et romains, puis la crise de colère d'Hercule quand il avait appris qu'Héra était derrière leur quête.

Achéloüs gardait la tête inclinée sur le côté, et Piper se demandait s'il somnolait ou si c'était juste pour compenser son mono-cornisme.

Quand elle se tut, Achéloüs la regarda comme si elle était en train de se couvrir de boutons disgracieux.

– Ah, ma chérie... les légendes disent vrai, tu sais. Les esprits, les cannibales aquatiques.

Piper réprima un gémissement. Elle n'avait pas fait la moindre allusion à ça. Comment... ?

– Les dieux des fleuves savent beaucoup de choses, reprit-il. Hélas, vous n'avez pas choisi la bonne histoire. Si vous étiez parvenus à rejoindre Rome, l'histoire du déluge vous aurait aidés davantage.

– Piper, demanda Jason, de quoi il parle ?

Piper sentit ses pensées tourbillonner comme dans un kaléidoscope.

« L'histoire du déluge... Si vous étiez parvenus à rejoindre Rome. »

– Je... je ne sais pas exactement, répondit-elle, même si l'histoire du déluge lui disait vaguement quelque chose. Achéloüs, je ne comprends pas...

– Non, en effet, dit le dieu du fleuve d'un ton compatissant. Pauvre petite. Encore une fille coincée avec un fils de Zeus.

– Une seconde, intervint Jason. D'abord c'est Jupiter. Ensuite en quoi ça en fait d'elle une « pauvre petite » ?

Achéloüs l'ignora et poursuivit :

– Sais-tu, petite, pourquoi nous nous sommes battus, Hercule et moi ?

– C'était pour une femme, se rappela Piper. Déjanire ?

– Oui. (Achéloüs soupira.) Et tu sais ce qu'elle est devenue ?

– Euh...

Piper lança un coup d'œil interrogateur à Jason, qui sortit le guide et se mit à le feuilleter.

– Ils ne le disent pas vraiment...

Achéloüs renâcla avec indignation et s'écria :

– Qu'est-ce que c'est que ça ?

Jason eut l'air surpris.

– C'est juste *Le Guide d'Hercule de Mare Nostrum*, répondit-il. Hercule nous a donné ce livre pour...

– Ceci n'est pas un livre ! Il vous a donné ce truc-là rien que pour m'énerver, n'est-ce pas ? Il sait que je peux pas les supporter.

– Vous ne pouvez pas supporter les livres ?! demanda Piper.

– Pfff ! (Achéloüs rougit, et sa peau passa du bleu au violet aubergine.) Ça ne s'appelle pas un livre, ça.

Il gratta la surface de l'eau. Un manuscrit jaillit du fleuve telle une fusée miniature et se posa devant lui. Il l'ouvrit d'une pichenette de la pointe de ses sabots. Le parchemin jauni se déroula. Il était couvert d'inscriptions en latin à moitié délavées et de dessins à la main alambiqués.

– Voilà ce qui s'appelle un livre ! dit Achéloüs. Ah, l'odeur de la peau de mouton. La sensation élégante du manuscrit se déroulant sous le sabot. Vous ne pourrez jamais recréer cela dans vos *bidules* !

Il donna un coup de menton indigné dans la direction du manuel que Jason tenait à la main.

– Les jeunes et leurs gadgets modernes ! Des pages reliées. Des petits carrés de texte compact impossibles à manier entre les sabots. Appelez ça un livre *relié,* si vous y tenez. Mais ce n'est pas un livre traditionnel. Ça ne remplacera jamais le bon vieux rouleau de parchemin !

– Euh, je vais le ranger, s'empressa de dire Jason, qui glissa le guide dans sa poche arrière comme s'il rengainait une arme dangereuse.

Achéloüs parut se calmer un peu, ce qui soulagea Piper. Elle n'avait pas besoin de se faire écraser par un taureau mono-corne qui faisait une fixette sur les manuscrits.

– Bon, dit Achéloüs en tapotant une illustration sur son parchemin. Voici Déjanire.

Piper s'accroupit pour regarder. Le portrait peint à la main était petit, mais on voyait bien que Déjanire avait été une très belle femme, avec ses longs cheveux noirs, ses yeux sombres et son sourire espiègle qui devait rendre les hommes dingues.

– La princesse de Calydon, poursuivit tristement le dieu du fleuve. C'était ma promise, jusqu'à ce qu'Hercule s'amène. C'est lui qui a voulu qu'on se batte.

– Et il vous a arraché la corne ? devina Jason.

– Oui, dit Achéloüs. Je ne le lui pardonnerai jamais. C'est extrêmement désagréable d'avoir une seule corne. Mais ce fut bien pire pour la pauvre Déjanire. Elle aurait pu avoir une vie longue et heureuse, si elle m'avait épousé.

– Un taureau à tête d'homme, dit Piper. Qui vit dans un fleuve.

– Exactement, renchérit Achéloüs. Ça paraît impossible à refuser, hein ? Mais elle a préféré le beau gosse fringant au mari fidèle et généreux qui l'aurait si bien traitée. Et que s'est-il passé ? Elle aurait dû s'en douter. Hercule avait bien trop de problèmes personnels pour faire un bon mari. Il avait déjà assassiné une épouse, vous savez. Héra l'avait maudit et ça l'avait mis dans un tel état de rage qu'il avait massacré toute sa famille. Sale histoire. C'est pour ça qu'il a dû faire ces douze travaux en pénitence.

Piper était consternée.

– Attendez... c'est Héra qui l'a rendu fou et Hercule qui doit faire pénitence ?

Achéloüs haussa les épaules.

– Les Olympiens ne paient jamais pour leurs crimes. Et Héra a toujours détesté les fils de Zeus... ou de Jupiter. (Il jeta un coup d'œil méfiant à Jason.) En tout cas, ma pauvre Déjanire a connu une fin tragique. Les nombreuses liaisons d'Hercule la rendaient jalouse. Parce qu'il folâtrait partout dans le monde, vous savez, exactement comme son père Zeus ; il flirtait avec toutes les femmes qu'il rencontrait. Déjanire, au bord du désespoir, finit par écouter de mauvais conseils. Un centaure rusé du nom de Nessos lui a fait croire que si elle voulait qu'Hercule soit fidèle pour toujours, elle devait asperger l'intérieur de sa tunique préférée de sang de centaure. Malheureusement, Nessos mentait car il voulait se venger d'Hercule. Déjanire fit ce qu'il disait, mais au lieu de rendre Hercule fidèle...

– Le sang de centaure est un acide puissant, intervint Jason.

– Oui, dit Achéloüs. Hercule mourut dans de cruelles souffrances. Et lorsque Déjanire se rendit compte de ce qu'elle avait fait...

Le dieu du fleuve passa une patte en travers de son cou.

– C'est affreux, dit Piper.

– Et la morale, ma chère ? conclut Achéloüs. Méfie-toi des fils de Zeus.

Piper se sentit incapable de regarder son copain – elle n'était pas sûre de pouvoir masquer son malaise. Jason ne serait jamais comme Hercule, mais l'histoire faisait écho à toutes ses peurs. Héra avait manipulé leur relation, exactement comme elle l'avait fait avec Hercule et Déjanire. Piper voulait croire que Jason ne pourrait jamais céder à une folie meurtrière semblable à celle d'Hercule. En même temps, à peine quatre jours plus tôt, il avait été possédé par un eidolon et avait failli tuer Percy Jackson.

– Hercule est un dieu, maintenant, reprit Achéloüs. Il a épousé Hébé, la déesse de la Jeunesse, et malgré cela il est rarement à la maison. Il passe son temps sur cette île à garder ces stupides colonnes. Il prétend que Zeus l'y oblige, mais je crois qu'il aime mieux être ici qu'au mont Olympe ; ça lui plaît de pleurer sa vie de mortel en ressassant son amertume. Ma présence lui rappelle ses échecs, en particulier la femme qui a fini par le tuer. Et moi, sa présence me rappelle la pauvre Déjanire, qui aurait pu être mon épouse.

L'homme-taureau donna une chiquenaude au parchemin, qui s'enroula sur lui-même et disparut dans l'eau.

– Hercule veut mon autre corne pour m'humilier, dit Achéloüs. Ça lui donnerait peut-être une meilleure estime de lui-même s'il savait que j'étais malheureux, moi aussi. En plus, la corne se changerait en corne d'abondance. Il en coulerait des nourritures et des boissons délicieuses, de la même façon que mon pouvoir fait couler ce fleuve. Hercule garderait la corne d'abondance pour lui tout seul, c'est certain. Ce serait une tragédie et un gâchis.

Piper soupçonna que le clapotis du fleuve et la voix somnolente d'Achéloüs continuaient à affecter ses pensées, mais elle ne pouvait s'empêcher d'être d'accord avec l'homme-taureau. Elle commençait à détester Hercule. Ce pauvre dieu semblait si triste et solitaire.

Jason remua.

– Je suis désolé, Achéloüs. Vous vous êtes fait avoir, carrément. Mais peut-être que... enfin, peut-être que sans l'autre corne, vous seriez moins déséquilibré. Ce serait peut-être mieux, en fait.

– Jason ! protesta Piper.

Le garçon leva les mains.

– C'était juste une idée ! En plus, je crois pas qu'on ait tellement le choix. Si on ne donne pas cette corne à Hercule, il va nous tuer, nous et nos amis.

– Jason a raison, dit Achéloüs. Vous n'avez pas le choix. C'est pourquoi j'espère que vous me pardonnerez.

Piper fonça les sourcils. Le dieu du fleuve avait l'air tellement éploré qu'elle avait envie de lui caresser le crâne.

– Vous pardonner pour quoi ? demanda-t-elle.

– Je n'ai pas le choix non plus. Je ne peux pas vous laisser faire.

Le fleuve explosa, et un mur d'eau s'abattit sur Piper.

28 Piper

Le courant l'attrapa comme une main qui se ferme et l'entraîna vers le fond. Piper tenta de résister, en vain. Elle serra fort les lèvres et s'interdit de respirer, mais elle était au bord de la panique. Elle ne voyait rien, à part un torrent de bulles. Elle n'entendait que ses propres coups dans l'eau, tandis qu'elle se débattait, et le mugissement sourd des rapides.

Elle se fit une raison : telle serait sa mort, noyée dans un trou d'eau sur une île qui n'existait pas. Alors, tout aussi soudainement qu'elle avait été immergée, elle fut projetée à la surface. Elle se retrouva au centre d'un tourbillon, de nouveau capable de respirer mais prisonnière.

Quelques mètres plus loin, Jason fit surface en hoquetant, épée à la main. Il pourfendit l'air férocement, mais il n'y avait personne à attaquer.

Sur la droite de Piper, à quatre ou cinq pas, Achéloüs sortit de l'eau.

– Je suis vraiment désolé, répéta-t-il.

Jason s'élança vers lui, faisant appel au vent pour le hisser hors du fleuve, mais Achéloüs, plus puissant, fut aussi plus rapide. Une vague d'eau se souleva, gifla Jason de plein fouet et le renfonça.

– Arrêtez ! cria Piper.

Difficile d'exercer l'enjôlement en se débattant dans un trou d'eau, pourtant elle parvint à capter l'attention d'Achéloüs.

– C'est impossible, j'en ai bien peur, répondit-il. Je ne peux pas laisser Hercule récupérer mon autre corne. Ce serait trop humiliant.

– Il y a une autre solution ! dit Piper. Vous n'avez pas besoin de nous tuer !

Jason émergea. Un nuage d'orage miniature se forma au-dessus de sa tête. Le tonnerre gronda.

– Pas de ça, fils de Jupiter, le tança Achéloüs. Si tu invoques la foudre, tu arriveras juste à électrocuter ta petite amie.

L'eau avala de nouveau Jason.

– Lâchez-le ! (Piper mit dans sa voix toute la force de persuasion dont elle était capable.) Je vous promets que je ne laisserai pas Hercule récupérer la corne !

Achéloüs hésita. Il s'approcha d'elle en trottant, la tête penchée sur le côté.

– Je crois que tu es sincère, dit-il.

– Je le suis ! insista Piper. Hercule est un être méprisable. Mais je vous en prie, relâchez mon ami.

L'eau bouillonnait à l'endroit où Jason avait coulé. Piper avait envie de hurler. Combien de temps pourrait-il encore retenir son souffle ?

Achéloüs la regarda à travers ses verres à double foyer, et son expression s'adoucit.

– Je vois, dit-il. Tu serais ma Déjanire. Tu serais ma nouvelle épouse pour compenser celle que j'ai perdue.

– Pardon ? (Piper n'était pas sûre d'avoir bien entendu. Le tourbillon lui donnait le vertige.) Euh, en fait, je pensais...

– Oh, je comprends. Tu étais trop pudique pour le suggérer devant ton petit ami. Tu as raison, bien sûr. Je te traiterais bien mieux qu'un fils de Jupiter. Je pourrais réparer les torts, après tous ces siècles. Je n'ai pas pu sauver Déjanire, mais je pourrais te sauver.

Combien de temps s'était-il écoulé ? Trente secondes ? Une minute ? Jason n'allait pas pouvoir tenir beaucoup plus longtemps.

– Il faudrait que tu abandonnes tes amis à leur mort, poursuivait Achéloüs. Hercule sera furieux mais je pourrai te protéger de sa colère. Nous pourrions être très heureux ensemble. Commençons par laisser ce Jason se noyer, d'accord ?

Piper avait grand-peine à se contenir mais elle n'avait pas le choix, il fallait qu'elle se concentre. Elle fit taire sa peur et sa colère. Elle était fille d'Aphrodite. Il fallait qu'elle se batte avec les armes qui lui avaient été données.

Elle décocha son plus joli sourire et tendit les bras.

– Soulevez-moi, s'il vous plaît !

Le visage d'Achéloüs s'éclaira. Il attrapa Piper par les deux mains et l'extirpa du tourbillon.

Piper n'avait jamais monté à dos de taureau, mais elle avait pris des cours d'équitation de pégase à cru, à la Colonie des Sang-Mêlé, et elle se rappelait ce qu'il fallait faire. Elle se servit de l'élan pour passer une jambe par-dessus le dos d'Achéloüs. Puis elle noua les chevilles autour de son cou, passa un bras sous sa gorge et, de l'autre, tira son poignard de son fourreau. Elle en appuya la pointe sous le menton du dieu du fleuve.

– Libèrez Jason, dit-elle en mettant toute sa force dans ses mots. Tout de suite.

Piper se rendit compte que son plan comportait de nombreuses failles : le dieu du fleuve pouvait se dissiper dans l'eau, tout simplement. Ou encore, il pouvait l'entraîner sous la surface et attendre qu'elle se noie. Mais, apparemment, son pouvoir d'enjôlement fit pleinement effet. L'autre possibilité étant qu'Achéloüs soit trop surpris pour réfléchir correctement. Il ne devait pas avoir l'habitude que de jolies jeunes filles menacent de l'égorger.

Toujours est-il que Jason fut projeté hors de l'eau tel un boulet de canon humain. Il traversa les branches d'un olivier puis s'écrasa sur la berge. Ce ne devait pas faire du bien, mais il se releva aussitôt, crachant et hoquetant. Il leva son épée et les nuages sombres se multiplièrent au-dessus du fleuve.

Piper lui lança un regard d'avertissement : « Pas tout de suite. » Il lui fallait encore sortir de l'eau sans se noyer ni s'électrocuter.

Achéloüs cambra le dos comme s'il avait une ruse en tête. Piper accentua la pression de son poignard contre sa gorge.

– Tout doux, le taureau, dit-elle.

– Tu avais promis, murmura Achéloüs, mâchoires serrées. Tu avais promis qu'Hercule n'aurait pas ma corne.

– Et il ne l'aura pas, répondit Piper. Mais moi, oui.

Elle leva son poignard et trancha la corne du dieu. Le bronze céleste tailla dans la base comme dans de l'argile tendre. Achéloüs poussa un mugissement rageur. Sans lui laisser le temps de se remettre, Piper se leva sur son dos. La corne dans une main, le poignard dans l'autre, elle sauta vers la rive.

– Jason ! hurla-t-elle.

Les dieux soient loués, il comprit. Une bourrasque la cueillit dans l'air et la déposa sur la rive, saine et sauve. Elle roulait au sol quand ses cheveux se dressèrent sur sa nuque. Une odeur métallique se répandit dans l'air. Elle tourna rapidement la tête vers le fleuve et fut aveuglée.

BOUM ! La foudre transforma l'eau en fournaise bouillonnante, qui crachait des étincelles d'électricité et des bouffées de vapeur. Piper battit les paupières pour faire disparaître les taches jaunes qui dansaient devant ses yeux et vit le dieu Achéloüs se fondre dans l'eau en mugissant. L'expression horrifiée de son visage, avant de disparaître, semblait lui demander : « Comment tu as pu ? »

– Jason, cours !

Elle était encore sonnée et malade de peur, mais elle s'enfonça à toutes jambes entre les arbres avec Jason.

Alors qu'elle grimpait le flanc de la colline en serrant la corne du taureau contre sa poitrine, Piper se rendit compte qu'elle sanglotait – était-ce la peur, le soulagement, la honte de s'être ainsi jouée du vieux dieu du fleuve ? Elle n'aurait su le dire.

Ils ne ralentirent pas avant d'avoir atteint le sommet de la colline.

Piper se sentait idiote, mais elle fondit en larmes à plusieurs reprises en racontant à Jason ce qui s'était passé pendant qu'il se débattait sous l'eau.

– Piper, dit Jason en lui mettant la main sur l'épaule, tu n'avais pas le choix. Tu m'as sauvé la vie.

Elle sécha ses larmes et essaya de se maîtriser. Le soleil approchait de la ligne d'horizon. Ils devaient se présenter devant Hercule au plus vite, sans quoi leurs amis mourraient.

– Achéloüs t'a forcé la main, continuait Jason. En plus, je ne pense pas que cet éclair l'ait tué. C'est un dieu très ancien. Il faudrait détruire son fleuve pour le détruire lui-même. Et il peut vivre sans sa corne. Tu as dû lui mentir en prétendant que tu ne la donnerais pas à Hercule, mais...

– Je ne mentais pas, l'interrompit Piper.

Jason la dévisagea.

– On n'a pas le choix, Pip's. Hercule va tuer...

– Hercule ne la mérite pas.

Piper ignorait d'où lui venait cette rage, mais elle n'avait jamais eu de certitude aussi forte de sa vie.

Hercule était un pauvre type amer et égoïste. Il avait fait trop de mal à trop de gens, et il voulait continuer. D'accord, il avait eu des coups durs. D'accord, les dieux l'avaient baladé. Ce n'était pas une excuse. Un héros ne pouvait pas contrôler les dieux, mais il devait pouvoir se contrôler.

Jason ne serait jamais comme ça. Il ne mettrait jamais ses problèmes sur le compte des autres, ne ferait jamais passer ses rancunes devant ce que lui dictait son sens de la justice.

Piper n'allait pas reproduire l'histoire de Déjanire. Elle n'allait pas faire ce que voulait Hercule rien que parce qu'il était beau, fort et effrayant. Il n'aurait pas gain de cause, cette fois-ci – pas après avoir mis leurs vies en danger et les avoir envoyés empoisonner celle d'Achéloüs pour la simple satisfaction de damer le pion à Héra.

– J'ai un plan, dit-elle.

Elle expliqua à Jason ce qu'il devait faire. Et se rendit compte qu'elle usait de son pouvoir d'enjôlement seulement quand elle vit ses yeux se voiler.

– Tout ce que tu voudras, promit-il – avant de cligner des paupières à plusieurs reprises. On va y laisser notre peau, mais je suis d'accord.

Hercule les attendait exactement au même endroit où ils l'avaient laissé. Il avait les yeux rivés sur l'*Argo II*, à l'ancre entre les deux colonnes. Derrière le navire, le soleil se couchait. Tout avait l'air normal à bord, mais Piper commençait à douter de son plan.

Trop tard pour changer d'avis. Elle avait prévenu Léo par message-Iris, et Jason était prêt. De plus, en revoyant Hercule, elle était raffermie dans sa conviction qu'elle ne pouvait pas lui donner ce qu'il voulait.

Il aurait été faux de dire que le visage d'Hercule s'éclaira lorsqu'il aperçut Piper, la corne à la main, mais sa moue amère s'adoucit.

– Bon, fit-il. Vous l'avez récupérée. En ce cas, vous êtes libres de passer.

Piper jeta un coup d'œil à Jason.

– Tu as entendu ? Il nous donne la permission. (Elle se retourna vers le dieu.) Cela veut dire que notre vaisseau va pouvoir entrer dans les eaux de la Méditerranée ?

– Oui, oui. (Hercule claqua des doigts.) La corne.

– Non, dit Piper.

– Pardon ? fit le dieu en fronçant les sourcils.

Piper leva la corne d'abondance. Depuis qu'elle l'avait tranchée de la tête d'Achéloüs, la corne s'était évidée et l'intérieur était devenu lisse et foncé. Elle n'avait pas l'air magique, toutefois Piper comptait sur son pouvoir.

– Achéloüs avait raison, dit-elle. Vous êtes sa malédiction autant qu'il est la vôtre. Vous êtes une honte pour les héros.

Hercule la regarda comme si elle parlait en chinois.

– Tu es consciente que je pourrais te tuer d'une chiquenaude, lança-t-il. Je pourrais envoyer mon gourdin sur ton vaisseau et fracasser la coque. Je pourrais...

– Vous pourriez la fermer, dit Jason, dégainant son épée. Zeus doit être différent de Jupiter, effectivement, parce que moi, je ne supporterais pas un frère qui se comporte comme vous.

Les veines du cou d'Hercule devinrent aussi pourpres que sa toge.

– Tu ne serais pas le premier demi-dieu que je tue, maugréa-t-il.

– Jason a plus de valeur que vous, dit Piper. Mais ne vous en faites pas. Nous n'allons pas vous attaquer. Nous allons quitter cette île avec la corne. Vous ne méritez pas ce trophée. Je vais la garder pour me rappeler le genre de demi-dieu que je ne veux pas être et pour me souvenir des pauvres Achéloüs et Déjanire.

Les narines du dieu frémirent.

– Je t'interdis de prononcer ce nom ! Tu ne peux quand même pas croire sérieusement que j'ai peur de ce freluquet qui te sert de copain ? Personne n'est plus fort que moi.

– Je n'ai pas dit plus fort, rectifia Piper. J'ai dit qu'il avait plus de valeur.

Puis elle pointa le côté évasé de la corne sur Hercule. Elle chassa de son cœur tous les doutes et les rancunes qu'elle nourrissait depuis le Camp Jupiter et se concentra sur tout ce qu'elle avait partagé de beau avec Jason Grace : grimper dans le ciel du Grand Canyon, marcher le long de la plage à la Colonie des Sang-Mêlé, regarder les étoiles main dans la main devant le feu de camp, s'asseoir ensemble au bord des champs de fraises par une chaude après-midi d'été, écouter les satyres jouer de la flûte de Pan...

Elle pensa à un avenir où les géants seraient vaincus et Gaïa rendormie, où ils vivraient ensemble, heureux et libérés de tout sentiment de jalousie, sans monstres à combattre. Elle emplit son cœur de ces pensées et sentit la corne tiédir entre ses mains.

La corne projeta un flot de nourriture aussi puissant que celui du fleuve d'Achéloüs. Un torrent de fruits frais, de gâteaux, de viennoiseries et de jambons fumés s'abattit sur Hercule et l'ensevelit. Piper ne comprenait pas comment tout cela pouvait passer par la corne, mais elle trouva les jambons particulièrement de circonstance.

Après avoir déversé assez de bonnes choses pour remplir toute une maison, la corne s'arrêta d'elle-même. Piper entendit Hercule crier et se débattre sous la montagne de nourriture. Apparemment, même le dieu le plus fort du monde pouvait se laisser prendre au dépourvu par une avalanche de primeurs.

– Go ! cria-t-elle à Jason qui avait oublié sa part du plan et regardait la pile de fruits, bouche bée. *Go !*

Il attrapa Piper par la taille et leva une bourrasque. Ils décollèrent si vite de l'île que Piper faillit avoir le coup du lapin, mais il était moins une.

Alors que l'île s'éloignait derrière eux, la tête d'Hercule surgit de la montagne de comestibles. Il avait une demi-noix de coco vissée sur le crâne comme un casque de soldat.

– À mort ! cria-t-il avec l'assurance de qui a souvent prononcé ces mots.

Jason se posa sur le pont de l'*Argo II*. Heureusement, Léo avait assuré. Les rames du navire étaient déjà en mode aérien, l'ancre levée. Jason invoqua un vent si fort que le navire fut propulsé dans le ciel, tandis que Percy envoyait une vague de trois mètres s'écraser sur le rivage – et renverser de nouveau Hercule, qui disparut sous une cascade de fruits et d'algues.

Le temps que le dieu se relève et se mette à leur lancer des noix de coco, l'*Argo II* voguait déjà sur les nuages, au-dessus de la Méditerranée.

29 PERCY

Percy faisait son Caliméro.

D'abord il avait été chassé d'Atlanta par des dieux marins maléfiques. Puis il avait été infichu de repousser les assauts d'une crevette géante sur l'*Argo II*. Ensuite les ichtyocentaures, les frères de Chiron, n'avaient même pas voulu faire sa connaissance.

Et après tout ça, ils étaient arrivés devant les Colonnes d'Hercule et Percy avait dû rester à bord tandis que Jason Grande Gueule allait voir son demi-frère – Hercule, le demi-dieu le plus célèbre de tous les temps, que Percy n'eut pas l'heur de rencontrer non plus.

Bon, d'accord, d'après ce qu'en avait dit Piper plus tard, Hercule était un pauvre type, mais quand même... Percy commençait à en avoir marre de rester à bord et d'arpenter le pont.

Le grand large était censé être son territoire. Percy était censé prendre la direction des opérations et assurer la sécurité de tous. Au lieu de quoi, de toute leur traversée de l'Atlantique, il n'avait pratiquement rien fait à part échanger des banalités avec des requins et écouter Gleeson Hedge chanter des indicatifs musicaux d'émissions de télé.

Pour aggraver les choses, depuis leur départ de Charleston,

Annabeth était distante. Elle passait le plus clair de son temps enfermée dans sa cabine à étudier la carte de bronze qu'elle avait récupérée à Fort Sumter ou à chercher des informations sur l'ordinateur portable de Dédale.

Quand Percy passait la voir, elle était tellement absorbée par ses pensées que ça donnait des conversations de ce style :

Percy : « Salut. Comment ça va ? »

Annabeth : « Euh... non merci. »

Percy : « D'accord... Tu as mangé quelque chose aujourd'hui ? »

Annabeth : « Je crois que Léo est de faction, demande-lui. »

Percy : « Bon, j'ai les cheveux en feu. »

Annabeth : « OK. Tout de suite. »

Elle passait par ce genre de phases. Cela faisait partie des difficultés à affronter quand on sortait avec une fille d'Athéna. Percy se demandait ce qu'il devait faire pour capter son attention. Il s'inquiétait pour elle depuis l'épisode des araignées à Fort Sumter, mais il ne savait pas comment l'aider, surtout si elle le tenait à l'écart.

Après avoir quitté les Colonnes d'Hercule – intact à part quelques noix de coco qui s'étaient incrustées dans le revêtement de bronze de la coque –, le vaisseau parcourut plusieurs centaines de kilomètres par la voie des airs.

Percy avait espéré que les terres anciennes s'avéreraient moins redoutables qu'annoncé, mais ce fut presque comme dans une pub : « Vous remarquerez tout de suite la différence ! »

Le navire était attaqué plusieurs fois par heure. Une bande d'oiseaux carnivores du lac de Stymphale fondit du ciel nocturne et Festus les carbonisa d'un souffle. Des esprits de la tempête s'enroulèrent autour du mât et Jason les foudroya. Quand Gleeson Hedge prit son dîner sur le pont avant, un pégase surgi de nulle part piétina ses enchiladas et repartit à tire-d'aile après avoir couvert le pont de marques de sabot pleines de fromage.

– Ça rime à quoi, ça ? grogna le satyre.

L'irruption du pégase rappela Blackjack à Percy. Il n'avait pas vu son ami depuis plusieurs jours. Tempête et Arion ne s'étaient pas manifestés non plus. Peut-être n'avaient-ils pas voulu se risquer en mer Méditerranée. Si c'était le cas, Percy les comprenait.

Finalement, vers minuit, au bout de la neuvième ou dixième attaque aérienne, Jason lui dit :

– Si tu allais dormir un peu ? Je vais continuer à foudroyer les créatures qui nous attaquent tant que je pourrai, ensuite on n'aura qu'à naviguer par mer et tu pourras prendre le relais.

Percy n'était pas certain de pouvoir dormir tant le navire roulait et tanguait sur les nuages, secoué par des esprits du vent en colère, mais Jason avait raison. Il descendit à sa cabine et s'écroula sur son lit.

Ses cauchemars, bien sûr, furent tout sauf reposants.

Il rêva qu'il était dans une grotte obscure. Il n'y voyait qu'à quelques pieds devant lui, mais l'espace devait être vaste. Quelque part, de l'eau gouttait, et le bruit résonnait contre des parois lointaines. Par ailleurs, à la façon dont l'air se déplaçait, Percy soupçonnait que le plafond de la caverne était très, très haut.

Il entendit des pas pesants et les géants jumeaux, Éphialtès et Otos, surgirent de la pénombre. Percy ne les distinguait que par leurs cheveux : Éphialtès était celui qui avait des dreadlocks violettes pleines de pièces d'or et d'argent, et Otos la queue-de-cheval entremêlée de... oui, c'étaient bien des pétards !

À part ça, ils étaient habillés de la même façon, dans une tenue proprement cauchemardesque : pantalon blanc et chemise de pirate dorée, ouverte sur un torse velu ; ceinture cloutée de strass garnie d'une bonne douzaine de poignards dans leurs fourreaux. Ils étaient chaussés de sandales ouvertes, preuve qu'effectivement, ils avaient des serpents en guise de pieds. Les lanières passaient autour des cous des serpents, tandis que les têtes de ces derniers occupaient l'emplacement des orteils. Les reptiles dardaient la langue et tournaient leurs yeux dorés dans tous les sens, excités comme des chiens qui regardent par la fenêtre en voiture. Cela faisait peut-être longtemps qu'ils n'avaient pas eu de chaussures avec vue.

Les géants s'arrêtèrent devant Percy, mais ne lui prêtèrent aucune attention. Ils levèrent les yeux dans l'obscurité.

– On est là ! annonça Éphialtès.

Malgré la voix puissante du géant, ses paroles se perdirent dans la caverne et l'écho les réduisit en bribes ténues et insignifiantes.

De tout en haut tomba la réponse :

– Oui, je vois ça. Difficile de vous louper avec vos tenues.

La voix atteignit Percy comme un uppercut au ventre. Elle était vaguement féminine, mais pas du tout humaine. Chaque mot était un salmigondis de sifflements émis sur des tons différents, comme si un essaim d'abeilles tueuses avait appris à bourdonner anglais en chœur.

Ce n'était pas Gaïa. De cela, Percy était sûr. Mais qui que ce soit, la créature faisait peur aux jumeaux. Ils piétinèrent sur leurs serpents et agitèrent respectueusement la tête.

– Certes, Votre Altesse, dit Éphialtès. Nous apportons des nouvelles de...

– Vous pouvez me dire à quoi rime cet accoutrement ? demanda la créature dans l'ombre.

Elle ne semblait pas vouloir se rapprocher et Percy n'allait pas s'en plaindre.

Éphialtès jeta un regard agacé à Otos.

– Mon frère était censé porter autre chose. Malheureusement…

– Tu avais dit que je serais en lanceur de couteaux aujourd'hui, protesta Otos.

– J'avais dit que ce serait moi, le lanceur de couteaux ! Tu étais censé mettre le costume de magicien ! Oh, pardonnez-moi, Votre Altesse, nous ne devons pas vous embêter avec nos disputes. Nous sommes là à votre demande pour vous donner des nouvelles. Le vaisseau approche.

Sa mystérieuse Altesse poussa une série de sifflements qui n'étaient pas sans rappeler les râles d'un pneu lacéré de plusieurs coups de couteau. Percy comprit avec un frisson d'effroi qu'elle riait.

– Combien de temps ? demanda-t-elle.

– Ils vont se poser à Rome juste après le lever du jour, à mon avis, dit Éphialtès. Mais bien sûr, ils devront passer outre le garçon doré.

Il plissa le nez, suggérant qu'il ne portait pas ce « garçon doré » dans son cœur.

– J'espère qu'ils arriveront sans difficulté, dit Son Altesse. Ça nous gâcherait le plaisir de les capturer trop tôt. Avez-vous terminé les préparatifs ?

– Oui, Votre Altesse.

Otos s'avança d'un pas et la caverne trembla. Une fissure lézarda le sol sous son serpent gauche.

– Attention, triple andouille ! lança Son Altesse. Tu veux retourner au Tartare par la voie douloureuse ?

Otos recula en titubant, l'air terrifié. Percy se rendit compte que le sol, malgré son aspect de pierre, était comme la surface du glacier sur lequel il avait marché en Alaska : ferme par endroits, et par d'autres… beaucoup moins. Heureusement pour Percy, en rêve il ne pesait rien.

– Il n'y a plus grand-chose qui fasse tenir cette caverne, avertit Son Altesse. À part, bien sûr, mon talent. Ce n'est pas si facile que ça de contenir des siècles de rage d'Athéna, et sous nos pieds, notre mère la Terre Nourricière s'agite dans son sommeil. Pris entre ces deux forces, mon nid s'est... érodé, disons. Espérons que cette enfant d'Athéna s'avérera une victime de valeur, car c'est peut-être mon dernier jouet.

Éphialtès ravala sa salive, mais ne détacha pas le regard de la lézarde.

– Bientôt cela n'aura plus d'importance, Votre Altesse. Gaïa s'éveillera et nous serons tous récompensés. Vous n'aurez plus à surveiller ce lieu ni à cacher vos œuvres.

– Possible, dit la voix. Mais la douceur de la vengeance me manquera. Nous avons fait du bon travail ensemble, au fil des siècles, n'est-ce pas ?

Les jumeaux s'inclinèrent. Les pièces de monnaie brillèrent dans les cheveux d'Éphialtès et Percy se rendit compte avec un haut-le-cœur qu'il y avait parmi elles des drachmes en argent, exactement pareilles à celle qu'Annabeth avait reçue de sa mère.

Annabeth lui avait expliqué qu'à chaque génération, Athéna envoyait quelques-uns de ses enfants à la recherche de la statue du Parthénon disparue. Aucun d'eux n'avait jamais réussi la quête.

« Nous avons fait du bon travail ensemble, au fil des siècles... »

Le géant Éphialtès en avait pour des siècles de drachmes dans les cheveux, des centaines de trophées. Percy imagina Annabeth seule dans cette grotte obscure. Mentalement, il vit le géant prendre la pièce qu'elle gardait sur elle et l'ajouter à sa collection. Il aurait voulu dégainer son épée et gratifier le géant d'une coupe au ras du cou, mais il n'avait pas le pouvoir d'agir, en rêve, seulement celui d'assister.

– Hem, Votre Altesse, dit Éphialtès d'une voix tendue. J'aimerais vous rappeler que Gaïa veut que la fille soit capturée vivante. Vous pourrez la rendre folle, vous pourrez la martyriser autant que vous le souhaiterez, bien sûr, mais son sang ne doit être versé que sur les pierres antiques.

– On pourrait en prendre d'autres pour ça ! persifla Son Altesse.

– Ou... oui, bafouilla Éphialtès. Mais cette fille est sa préférée. Avec le garçon, le fils de Poséidon. Vous voyez certainement pourquoi ces deux-là sont les mieux trouvés pour la tâche.

Percy n'était pas sûr de comprendre, mais il aurait voulu ouvrir le sol et expédier ces stupides jumeaux en chemise dorée dans l'oubli des profondeurs. Il n'était pas près de laisser Gaïa verser son sang pour une tâche, quelle qu'elle soit ; quant à laisser quiconque faire le moindre mal à Annabeth... c'était juste hors de question.

– On verra, grogna Son Altesse. Laissez-moi, à présent. Allez vous occuper de vos préparatifs. Vous autres, vous allez donner votre spectacle. Moi... je travaillerai dans l'ombre.

Le rêve se dissipa et Percy se réveilla en sursaut.

Jason frappait sur le panneau de sa porte, qui était ouverte.

– On a amerri, dit-il, l'air véritablement exténué. À ton tour.

Percy n'aurait pas voulu réveiller Annabeth, mais il le fit quand même. Il se dit que même Gleeson Hedge n'aurait pas d'objection à ce qu'ils discutent après le couvre-feu s'il en allait d'informations qui pouvaient lui sauver la vie.

Ils se postèrent sur le pont, seuls à part Léo qui était toujours à la barre. Il devait être vidé, mais il refusait d'aller se coucher.

– Ça suffit, les surprises à la Homardzilla, disait-il.

Ils avaient tous essayé de le convaincre que l'attaque de la scolopendre n'était pas entièrement sa faute, mais Léo ne voulait rien entendre. Percy le comprenait. Lui aussi, il était très doué pour ne pas se pardonner ses erreurs.

Il était dans les quatre heures du matin. Il faisait un temps horrible : un brouillard si épais que Percy ne voyait même pas Festus, au bout de la proue, avec un crachin tiède qui flottait dans l'air comme un rideau de perles de verre. Ils étaient balancés par une houle qui les soulevait parfois jusqu'à six mètres de haut, et Percy entendait la pauvre Hazel, dans sa cabine, en proie elle aussi à une tempête qui lui soulevait l'estomac.

Malgré tout, Percy était content d'être de retour sur l'eau. Il préférait ça cent fois à naviguer sur des nuages d'orage en se faisant attaquer par des oiseaux mangeurs d'hommes et autres pégases écrabouilleurs d'enchiladas.

Debout tous deux au bastingage avant, il raconta son rêve à Annabeth.

Percy ne savait pas comment elle allait prendre la nouvelle, mais sa réaction fut encore plus troublante qu'il ne s'y était attendu : elle n'eut pas l'air surprise.

Les yeux rivés sur le brouillard, elle lui dit :

– Percy, il faut que tu me promettes une chose. Ne parle pas de ce rêve aux autres.

– Quoi ?! Mais Annabeth...

– Ce que tu as vu concerne la Marque d'Athéna, le coupa-t-elle. Ça n'aidera pas les autres de le savoir, ça ne servira qu'à les inquiéter. Et pour moi, ce sera encore plus dur de partir seule.

– Annabeth, tu ne parles pas sérieusement ! Cette créature dans le noir, cette grande caverne au sol qui se fissure...

– Je sais. (Son visage était d'une pâleur anormale, et Percy soupçonnait que ce n'était pas un effet du brouillard.) Mais c'est une chose que je dois faire seule.

Percy ravala sa colère. Il n'aurait pu dire s'il était furieux contre Annabeth, contre son rêve, ou contre ce monde grec/romain qui survivait depuis des millénaires et façonnait l'histoire de l'humanité dans un seul et unique but : pourrir la vie de Percy Jackson.

– Tu sais ce qu'il y a dans cette caverne, devina-t-il. Est-ce que ça a à voir avec les araignées ?

– Oui, répondit-elle d'une petite voix.

– Alors comment peux-tu même... ?

Il se força à se taire. Lorsqu'Annabeth avait pris une décision, il était inutile de discuter. Il se souvint de la nuit dans le Maine, trois ans et demi plus tôt, où ils avaient sauvé Nico et Bianca di Angelo. Annabeth s'était fait capturer par le Titan Atlas. Percy était resté un certain temps sans savoir si elle était en vie ou non. Il avait traversé le pays pour l'arracher aux mains du Titan. Ces jours-là restaient pour lui les plus pénibles de sa vie, et pas seulement à cause des monstres et des combats – à cause du mauvais sang qu'il s'était fait pour elle.

Alors comment l'aurait-il délibérément laissée partir maintenant, sachant qu'elle allait au-devant d'un péril encore plus grand ?

À ce moment-là, une lueur se forma dans son esprit : ce qu'il avait éprouvé à cette époque pendant quelques jours, c'était sans doute ce qu'Annabeth avait vécu pendant les six mois qu'avaient duré son absence et son amnésie.

Il se sentit coupable, et même un peu égoïste, d'être là à tenter de la dissuader. Annabeth n'avait pas le choix, elle devait faire cette quête. Le sort du monde en dépendait peut-être. Mais une petite voix en lui disait : *Tant pis pour le monde.* Il ne voulait pas la perdre.

Percy sonda le brouillard. Il n'y voyait rien, mais en mer, il se repérait parfaitement. Il connaissait leurs latitude et longitude exactes. Il connaissait la profondeur de l'océan et la direction des courants. Il connaissait la vitesse du navire et savait d'instinct qu'il n'y avait pas de rochers ni de bancs de sable ou d'autres dangers naturels sur leur route. Malgré tout, c'était déstabilisant d'être aveuglé par le brouillard.

Ils n'avaient pas subi d'attaque depuis qu'ils s'étaient posés sur l'eau, mais la mer paraissait différente. Percy était allé dans l'Atlantique, le Pacifique et même le golfe d'Alaska, cependant cette mer dégageait quelque chose de plus ancien et plus puissant. Percy sentait ses épaisseurs tourbillonner sous eux. Tous les héros grecs et romains avaient vogué sur ces flots, d'Hercule à Énée. Des monstres habitaient toujours ces profondeurs, enveloppés si étroitement par la Brume qu'ils passaient le plus clair de leur temps à dormir, mais Percy sentait qu'ils s'agitaient, à présent, réveillés par la coque en bronze céleste d'une trirème grecque et la proximité de demi-dieux.

Ils sont de retour, semblaient dire les monstres. *Enfin du sang neuf.*

– On n'est pas loin de la côte italienne, annonça Percy, surtout pour briser le silence. Peut-être à cent milles marins de l'embouchure du Tibre.

– Bien, dit Annabeth. D'ici le lever du jour, on devrait...

– Attends. (Percy sentit sa peau se glacer.) Il faut qu'on s'arrête.

– Pourquoi ? demanda Annabeth.

– Léo, arrête le navire ! hurla Percy.

Trop tard. L'autre bateau surgit du brouillard et les éperonna de l'avant. Dans cette fraction de seconde, Percy enregistra plusieurs détails au hasard : des voiles noires ornées d'une tête de gorgone ; des guerriers imposants et pas entièrement humains massés à l'avant du bateau, en armure grecque, brandissant des épées et des javelots ; un bélier de bronze au ras de l'eau, qui cognait contre la coque de l'*Argo II*.

Le choc faillit projeter Percy et Annabeth par-dessus bord. Festus cracha des flammes et une douzaine de guerriers très surpris plongèrent dans l'eau en hurlant, mais d'autres déferlèrent sur le pont de l'*Argo II*. Des grappins s'accrochaient au bastingage et au mât, plantaient leurs griffes de fer dans les planches de la coque.

Le temps que Percy se ressaisisse, l'ennemi était partout. Il n'y voyait pas grand-chose, dans le brouillard et l'obscurité, mais il lui sembla que les envahisseurs étaient des hommes-dauphins, ou des dauphins-hommes. Certains avaient des museaux gris, d'autres tenaient leur épée dans une nageoire atrophiée. Certains marchaient sur des jambes qui se fondaient en un seul appendice, tandis que d'autres avaient en guise de pieds des espèces de nageoires qui faisaient penser à des chaussures de clown.

Léo sonna l'alarme. Il fonça vers la baliste la plus proche, mais disparut sous les assauts bruyants d'une bande de guerriers-dauphins.

Annabeth et Percy se placèrent dos à dos, l'arme à la main, comme ils l'avaient fait tant de fois. Percy essaya de communiquer avec les vagues dans l'espoir qu'elles puissent écarter les deux navires, voire faire chavirer celui de l'ennemi, toutefois il n'obtint aucune réaction. Il eut presque l'impression, même, que quelque chose s'opposait à sa volonté et lui arrachait le contrôle de la mer.

Il brandit Turbulence, prêt à se battre, mais ils étaient tragiquement surpassés en nombre. Plusieurs dizaines de guerriers les encerclèrent en pointant sur eux leurs lances, tout en se tenant à distance respectueuse de l'épée de Percy. Les hommes-dauphins ouvrirent le museau et émirent des sifflements mêlés de petits bruits saccadés. Percy n'avait jamais remarqué que les dauphins avaient des dents aussi menaçantes.

Il essaya de réfléchir. Il pouvait peut-être briser le cercle et éliminer quelques envahisseurs, mais pas sans que les autres ne les embrochent, Annabeth et lui.

Les guerriers n'avaient pas l'air de vouloir les tuer tout de suite – c'était déjà ça. Pendant que ceux-là gardaient Annabeth et Percy sous la menace, un autre groupe envahit les ponts inférieurs et prit le contrôle de la coque. Percy les entendit enfoncer les portes des cabines et se battre avec leurs amis. Même s'ils n'avaient pas été endormis, les autres demi-dieux n'auraient eu aucune chance contre des assaillants aussi nombreux.

Ils traînèrent Léo sur le pont, à demi conscient et marmonnant, et le jetèrent sur un tas de cordages. En bas, les bruits de combat baissèrent. Les autres avaient été maîtrisés, ou alors... Percy refusa d'y penser.

Sur un côté du cercle de javelots, les guerriers-dauphins s'écartèrent pour laisser passer quelqu'un. Il avait un aspect entièrement humain et, à en juger par la façon dont les dauphins reculaient devant lui, c'était leur chef. Il était en armure grecque de combat – les sandales, la jupette, les jambières, un plastron décoré de motifs complexes de monstres marins – et tout ce qu'il portait était en or. Même son épée, de facture grecque comme Turbulence, était en or et non en bronze.

Le garçon doré, pensa Percy en se rappelant son rêve. *Ils devront passer outre le garçon doré.*

Ce qui dérangea vraiment Percy, c'était le casque de ce gars. La visière était un masque couvrant tout le visage, en forme de tête de gorgone : des défenses incurvées, des traits horribles et grimaçants et une chevelure composée de serpents dorés qui grouillaient autour de la tête. Percy avait déjà rencontré des gorgones, et la ressemblance était frappante – et de très mauvais goût.

Annabeth se retourna pour se placer au côté de Percy. Il eut envie de lui passer un bras protecteur autour de la taille, mais supposa qu'elle n'apprécierait pas le geste, de plus il ne voulait pas révéler au garçon doré que c'était sa petite amie.

Pas la peine de donner à l'ennemi plus d'avantage qu'il n'en avait déjà.

– Qui es-tu ? demanda Percy. Qu'est-ce que tu veux ?

Le guerrier doré gloussa. D'une chiquenaude de sa lame, si rapide que Percy ne put suivre, il lui arracha Turbulence de la main et l'expédia par-dessus bord.

Il aurait aussi bien pu jeter les poumons de Percy à la mer, car celui-ci se trouva brusquement incapable de respirer. Il n'avait jamais été désarmé aussi facilement.

– Bonjour, mon frère, répondit le guerrier doré d'une voix veloutée, aux inflexions chaudes et exotiques, moyen-orientales peut-être, qui disait vaguement quelque chose à Percy. Ça me fait toujours plaisir de dépouiller un autre fils de Poséidon. Je suis Chrysaor, le Glaive d'Or. Quant à ce que je veux... (Il tourna son masque de métal vers Annabeth.) C'est simple. Je veux tout ce que tu as.

30 PERCY

Le cœur de Percy faisait des bonds pendant que Chrysaor allait et venait devant eux en les examinant comme des bestiaux de concours. Un groupe de ses hommes-dauphins les encerclait toujours, javelot pointé sur la poitrine de Percy, et des dizaines d'autres pillaient le navire et mettaient tout sens dessus dessous dans les ponts inférieurs. L'un d'eux surgit de l'escalier avec une caisse d'ambroisie. Un autre portait des traits de baliste et un récipient de feu grec.

– Attention à ça ! avertit Annabeth. Il y a de quoi faire sauter nos deux navires.

– Ha ! rétorqua Chrysaor. Le feu grec n'a pas de secret pour nous, fillette, t'inquiète pas. Ça fait des éternités qu'on pille et saccage des bateaux sur Mare Nostrum.

– Ton accent me dit quelque chose, observa Percy. Est-ce qu'on s'est déjà rencontrés ?

– Je n'ai pas eu ce plaisir. (Le masque doré était grimaçant, mais il était impossible de savoir quelle était la véritable expression de Chrysaor en dessous.) Cependant, je sais tout sur toi, Percy Jackson. Oh oui. Le jeune homme qui a sauvé l'Olympe et sa fidèle acolyte, Annabeth Chase.

– Je ne suis l'acolyte de personne, lança sèchement Annabeth. Et si son accent te dit quelque chose, Percy, c'est parce qu'il parle comme sa mère, que nous avons tuée dans le New Jersey.

Percy fronça les sourcils.

– C'est pourtant pas un accent du New Jersey, ça. Qui est sa... ? Ah.

Ça venait de faire tilt. Le palais du nain de jardin de Tatie Em – le repaire de Méduse. Elle leur avait parlé avec ce même accent, du moins jusqu'au moment où Percy lui avait tranché la tête.

– Méduse est ta mère ? demanda-t-il. Ben mon gars, ça craint pour toi.

À entendre le son qui s'échappait de la gorge de Chrysaor, il grimaçait aussi sous mon masque, maintenant.

– Tu es aussi arrogant que le premier Persée, dit-il. Mais c'est exact, Percy Jackson. Poséidon était mon père. Méduse était ma mère. Quand Méduse a été changée en monstre par cette soi-disant déesse de la Sagesse... (Le masque se tourna vers Annabeth.) Ta mère, je crois... Les deux enfants de Méduse se sont trouvés coincés dans son corps sans pouvoir naître. Quand le premier Persée a tranché la tête de Méduse...

– Deux enfants en ont jailli, se souvint Annabeth. Pégase et toi.

Percy cligna les yeux.

– Donc ton frère est un cheval ailé. Mais tu es aussi mon demi-frère, ce qui signifie que tous les chevaux ailés au monde sont mes... Tu sais quoi ? N'insistons pas.

Percy avait appris depuis des années qu'il valait mieux ne pas trop se pencher sur ses rapports de parenté du côté divin. Depuis que le Cyclope Tyson l'avait adopté comme grand frère, Percy avait décidé de ne pas étendre sa famille davantage.

– Mais si tu es le fils de Méduse, reprit-il, comment se fait-il que je n'aie jamais entendu parler de toi ?

Chrysaor poussa un soupir exaspéré.

– Quand on a un frère qui s'appelle Pégase, on a l'habitude d'être éclipsé. Oh, regardez, un cheval ailé ! Et, moi, qui s'intéresse à moi ? Personne. (Il leva la pointe de son épée devant les yeux de Percy.) Mais ne me sous-estime pas. Ce n'est pas par hasard que mon nom signifie « glaive d'or ».

– De l'or impérial ? devina Percy.

– Pff ! De l'or enchanté, oui. Plus tard, les Romains l'ont appelé « or impérial », mais j'ai été le premier à manier une arme de ce type. J'aurais dû être le héros le plus célèbre de tous les temps ! Comme les conteurs de légendes ont décidé de m'ignorer, je suis devenu un méchant. J'ai résolu de tirer parti de mon héritage. En tant que fils de Méduse, j'inspirerais la terreur. En tant que fils de Poséidon, je régnerais sur les mers !

– Tu es devenu pirate, résuma Annabeth.

Chrysaor ouvrit grand les bras, ce qui n'était pas pour déplaire à Percy car ça éloignait la pointe de l'épée de ses yeux.

– Le meilleur des pirates, précisa le garçon doré. J'écume cette mer depuis des siècles et je dépouille tous les demidieux assez fous pour s'aventurer dans Mare Nostrum. C'est devenu mon territoire. Et tout ce qui est à toi est à moi.

Un guerrier-dauphin déboucha sur le pont en traînant Gleeson Hedge.

– Lâche-moi, gros thon ! rugit le satyre.

Il tenta de donner un coup de patte au guerrier, mais son sabot résonna bruyamment contre l'armure de celui-ci. À en juger par les nombreuses marques en forme de sabot qui constellaient le plastron et le casque de l'homme-dauphin, l'entraîneur n'en était pas à sa première tentative.

– Ah, un satyre, commenta Chrysaor. Un peu vieux et sans doute filandreux, mais les Cyclopes paieront un bon prix pour un morceau de choix comme lui. Enchaînez-le.

– Je ne serai le gigot de personne ! protesta Hedge.

– Bâillonnez-le aussi, ajouta Chrysaor.

– Espèce de petit...

Le dauphin fourra un bout de chiffon graisseux dans la bouche d'Hedge, le forçant à ravaler son insulte. En quelques instants, l'entraîneur fut ligoté comme un veau de rodéo et jeté sur la pile du butin – des caisses de nourriture, des armes et même la glacière magique de la salle à manger.

– Tu ne peux pas faire ça ! cria Annabeth.

Le rire de Chrysaor résonna derrière son masque d'or. Percy se demanda s'il était horriblement défiguré ou si son regard, à l'instar de celui de sa mère, pouvait pétrifier qui le croisait.

– Je fais ce que je veux, dit Chrysaor. Mes guerriers ont reçu un entraînement exceptionnel. Ils sont féroces, d'une cruauté remarquable, et...

– Des dauphins, coupa Percy.

– Et alors ? (Chrysaor haussa les épaules.) Ils ont joué de malchance il y a quelques millénaires, ils ont enlevé quelqu'un qu'ils n'auraient pas dû. Certains membres de leur équipage ont été entièrement transformés en dauphins, et d'autres sont devenus fous. Mais eux, ils ont survécu sous cette forme de créatures hybrides. Lorsque je les ai trouvés sous la mer et que je leur ai offert une nouvelle vie, ils sont devenus mes loyaux matelots. Ils n'ont peur de rien !

Un des guerriers lui adressa une série de cliquetis nerveux.

– Oui, oui, grogna Chrysaor. Ils ont une seule peur, mais ça ne compte pas, ou si peu. Il n'est pas là.

Une idée commençait à germer dans la tête de Percy. Avant qu'il ne puisse l'élaborer, d'autres hommes-dauphins déboulèrent sur le pont en traînant le reste de leurs amis. Jason était inconscient. À en croire les marques de coups sur son visage, il s'était farouchement battu. Hazel et Piper avaient les pieds et les poings ligotés. Piper avait aussi un bâillon, ce qui signifiait sans doute que les dauphins s'étaient rendu compte de son pouvoir d'enjôlement. Frank était le seul absent, mais deux dauphins avaient la face couverte de piqûres d'abeilles.

Frank était-il vraiment capable de se transformer en essaim d'abeilles ? Percy l'espérait. S'il était en liberté quelque part à bord, cela pouvait s'avérer un avantage, en supposant que Percy trouve le moyen de communiquer avec lui.

– Parfait ! jubila Chrysaor.

D'un geste, il ordonna à ses guerriers de jeter Jason à côté des arbalètes. Puis il examina les filles comme si c'étaient des cadeaux de Noël, ce qui fit grincer des dents à Percy.

– Je ne peux rien faire du garçon, dit Chrysaor. Par contre nous avons un accord avec l'enchanteresse Circé. Elle est disposée à acheter les femmes pour en faire des esclaves ou des apprenties, selon leur talent. Mais pas toi, charmante Annabeth.

Annabeth eut un mouvement de recul.

– Tu ne m'emmèneras nulle part, dit-elle.

Percy glissa la main dans sa poche. Son stylo-bille y avait réapparu. Il lui suffisait d'un moment d'inattention de Chrysaor pour dégainer son épée. Peut-être que s'il arrivait à éliminer le garçon doré rapidement, ses matelots paniqueraient.

Il aurait bien aimé connaître les points faibles de Chrysaor. En général, Annabeth lui fournissait ce genre de renseignements, mais, apparemment, il n'y avait pas de légendes sur Chrysaor, et ils étaient tous les deux dans le noir.

Le guerrier doré fit claquer sa langue.

– Hélas, Annabeth, je ne vais pas te garder. J'aurais adoré, mais ton ami Percy et toi êtes déjà réservés. Une déesse que je ne nommerai pas offre une grosse récompense pour votre capture, vivants de préférence, mais elle n'a pas spécifié « indemnes ».

À ce moment-là, Piper créa la distraction dont ils avaient besoin. Elle poussa un mugissement si fort qu'il traversa son bâillon. Puis elle s'évanouit contre le gardien le plus proche, qu'elle entraîna dans sa chute. Hazel comprit l'idée. Elle s'affaissa sur le pont et se mit à agiter les jambes en l'air comme si elle faisait une crise.

Percy dégaina Turbulence et plongea vers Chrysaor. Il s'attendait à ce que la lame traverse le cou du garçon doré, mais celui-ci était incroyablement rapide. Il esquiva d'un bond, tandis que les guerriers-dauphins reculaient pour garder les autres prisonniers et donner à leur capitaine de la place pour se battre. Ils l'encourageaient en grinçant et en cliquetant, et Percy eut l'horrible impression qu'ils avaient l'habitude de ce genre de divertissement. Ils n'avaient pas du tout l'air de craindre que leur chef soit en danger.

Percy n'avait pas croisé le fer avec un adversaire de cette envergure depuis... eh bien, depuis qu'il avait affronté Arès, le dieu de la Guerre. C'est dire si Chrysaor était fort. Un grand nombre des pouvoirs de Percy s'étaient accrus au cours des ans, mais il se rendait maintenant compte, trop tard, que le combat à l'épée n'en faisait pas partie.

Il était rouillé – en tout cas face à une pointure comme Chrysaor.

Ils ferraillèrent en allant et venant sur le pont, alternant les fentes et les parades. Sans le vouloir, Percy entendit la voix de Luke Castellan, son premier maître d'épée à la Colonie des Sang-Mêlé, lui lancer des suggestions. Sans succès.

Le masque de gorgone doré était trop perturbant. Le brouillard moite, le pont glissant, les cliquetis des guerriers – tout ça ne l'aidait pas. Et du coin de l'œil, Percy voyait un des hommes-dauphins appuyer un couteau contre la gorge d'Annabeth pour l'empêcher de tenter quoi que ce soit.

Il fit une feinte puis piqua vers le ventre de Chrysaor, mais ce dernier anticipa la passe. Une fois de plus, il désarma Percy et, une fois de plus, Turbulence tomba dans l'eau.

Chrysaor rit. Il n'était même pas essoufflé. Il pressa la pointe de son glaive d'or contre le sternum de Percy.

– Jolie tentative, dit le pirate. Mais maintenant, on va vous enchaîner et vous livrer aux sbires de Gaïa. Ils sont impatients de verser votre sang et d'éveiller la déesse.

31 Percy

Rien de tel qu'un échec retentissant pour faire naître des idées de génie.

Vaincu et désarmé, Percy sentit un plan se former dans son esprit. Il avait tellement l'habitude que ce soit Annabeth qui lui fournisse des informations tirées des légendes grecques qu'il fut assez sidéré de voir qu'il se rappelait quelque chose d'utile, mais il devait agir vite. Il ne pouvait pas permettre qu'il arrive quelque chose à ses amis. Et il n'était pas question qu'il perde Annabeth – une deuxième fois.

Chrysaor était invincible, du moins en combat singulier. Mais sans ses guerriers... peut-être que si suffisamment de demi-dieux l'attaquaient à la fois, ils en viendraient à bout.

Comment se débarrasser de l'équipage ? Percy assembla les morceaux : les pirates avaient été transformés en dauphins quelques millénaires auparavant pour avoir enlevé la mauvaise personne. Percy connaissait cette histoire. Et pour cause ! La mauvaise personne en question l'avait menacé de le changer en dauphin, lui aussi. Et quand Chrysaor avait dit que ses guerriers ne connaissaient pas la peur, un des dauphins était intervenu nerveusement pour rectifier. « Oui », avait dit Chrysaor. « Mais il n'est pas là. »

Percy jeta un coup d'œil vers la poupe et repéra Frank, sous sa forme humaine, qui pointait le nez de derrière une baliste et guettait ce qui se passait. Il se retint de sourire. Frank se plaignait d'être balourd et bon à rien, mais en fait il avait le don d'être toujours pile au bon endroit quand Percy avait besoin de lui.

Les filles... Frank... la glacière.

C'était une idée de fou. Mais, comme d'habitude, Percy n'en avait pas d'autres.

– Parfait ! cria-t-il, assez fort pour attirer l'attention de tous. Emmenez-nous, si notre capitaine vous le permet.

Chrysaor tourna son masque d'or.

– Quel capitaine ? Mes gars ont fouillé le navire. Il n'y a personne d'autre à bord.

Percy leva les bras dans un geste théâtral.

– Le dieu se montre seulement quand bon lui semble. Mais c'est notre chef. C'est lui qui dirige la Colonie des Sang-Mêlé. N'est-ce pas, Annabeth ?

Annabeth embraya au quart de tour.

– Oui ! s'exclama-t-elle en hochant la tête avec enthousiasme. Monsieur D. ! Le grand Dionysos !

Un malaise parcourut les rangs des hommes-dauphins. L'un d'eux laissa tomber son épée.

– Du nerf ! tonna Chrysaor. Il n'y a aucun dieu à bord de ce navire. Ils essaient de vous faire peur.

– J'aurais peur, à votre place ! (Percy gratifia l'équipage d'un regard compatissant.) Dionysos va être furieux du retard qu'on a pris à cause de vous. Il va tous nous punir. Vous n'avez pas remarqué que les filles ont été touchées par la folie du dieu du Vin ?

Hazel et Piper avaient arrêté leur petit numéro. Elles étaient assises sur le pont et écoutaient Percy ; aussi, quand il les gratifia d'un regard chargé de sens, elles se remirent tout de suite à trembler, battre des bras et s'agiter comme des poissons hors de l'eau. Les hommes-dauphins se bousculèrent en s'écartant précipitamment de leurs prisonnières.

– C'est de la comédie ! rugit Chrysaor. Ferme-la, Percy Jackson. Ton directeur de colonie n'est plus là. Il a été rappelé à l'Olympe, tout le monde le sait.

– Tu reconnais donc que Dionysos est notre directeur ! rétorqua Percy.

– *Était*, rectifia Chrysaor. C'est notoire.

Percy fit un geste pour dire que le guerrier doré venait de se trahir.

– Tu vois ? s'écria-t-il. Nous sommes condamnés. Si tu ne me crois pas, on n'a qu'à vérifier dans la glacière !

Percy fonça vers la glacière magique sans que personne n'essaie de lui barrer le chemin. Il souleva le couvercle et se mit à chercher entre les glaçons. *Pourvu qu'il y en ait une. S'il vous plaît...* Ses espoirs furent récompensés. Il referma la main sur une cannette de soda rouge et argent, qu'il brandit devant les guerriers-dauphins comme si c'était un anti-moustiques dont il allait les asperger.

– Regardez ! cria Percy. La boisson de prédilection du dieu. Tremblez devant le terrible Coca light !

Les hommes-dauphins commencèrent à paniquer. Percy sentit qu'ils étaient à deux doigts de battre en retraite. Il poussa l'avantage.

– Le dieu va prendre votre bateau, dit-il. Il va terminer de vous transformer en dauphins ou vous rendre fous, ou vous transformer en dauphins fous ! Votre seul espoir est de fuir à la nage, et vite !

– C'est ridicule ! protesta Chrysaor d'une voix qui avait grimpé dans les aigus – il avait l'air de ne pas savoir qui attaquer, de Percy ou de son équipage.

– Sauvez votre peau ! continua Percy. Pour nous, c'est trop tard !

Il hoqueta bruyamment et pointa du doigt vers la baliste derrière laquelle se cachait Frank.

– Oh non ! Frank est en train de se transformer en dauphin fou !

Il ne se passa rien.

– J'ai dit, répéta Percy, « Frank est en train de se transformer en dauphin fou » !

Frank surgit en titubant et attrapa sa gorge à deux mains dans un geste grand-guignolesque.

– Oh non ! déclama-t-il comme s'il lisait sur un prompteur, je suis en train de me transformer en dauphin fou !

Il se mit à changer. Son nez s'allongea, sa peau devint grise et lisse et il tomba sur le pont, métamorphosé en dauphin, battant les planches du pont avec sa queue.

La panique s'empara de l'équipage et ce fut la débandade – les guerriers-dauphins lâchèrent leurs armes en poussant des cliquetis affolés ; ils oublièrent leurs prisonniers, ignorèrent les ordres de Chrysaor et sautèrent par-dessus bord. Profitant de la pagaille, Annabeth courut trancher les liens d'Hazel, de Piper et de Gleeson Hedge.

En quelques secondes, Chrysaor se retrouva seul et encerclé. Percy et ses amis n'avaient pas d'armes, hormis le poignard d'Annabeth et les sabots du satyre, mais leurs regards meurtriers suffirent à convaincre le guerrier doré qu'il était cuit.

Il recula jusqu'au bastingage.

– Ce n'est pas fini, Jackson, marmonna Chrysaor. J'aurai ma revanche...

Il ne put finir sa phrase, interrompu par Frank, qui s'était à nouveau transformé. Un grizzly de quatre cents kilos peut vraiment jeter un froid dans une conversation. Il donna une gifle oblique à Chrysaor et arracha le masque d'or de son casque. Poussant un hurlement, Chrysaor se couvrit le visage de ses bras et bascula par-dessus bord.

Ils coururent au bastingage. Chrysaor avait disparu. Percy envisagea de le poursuivre, mais il ne connaissait pas cette mer et il n'avait aucune envie de se retrouver en combat singulier avec ce type.

– C'était trop fort ! s'écria Annabeth, qui l'embrassa – et Percy se sentit tout de suite mieux.

– C'était un coup désespéré, rectifia Percy. Et il faut qu'on se débarrasse de cette trirème pirate.

– On y met le feu ? suggéra Annabeth.

Percy regarda la cannette de Coca light qu'il avait à la main.

– Non, dit-il. J'ai une meilleure idée.

Cela leur prit plus longtemps que Percy ne l'aurait voulu. Tout en travaillant, ils guettaient constamment la mer, mais ni Chrysaor ni ses dauphins-pirates ne se manifestèrent.

Léo fut vite rétabli grâce à une petite dose de nectar. Piper soigna les blessures de Jason, plus superficielles qu'elles n'en avaient l'air. Il était surtout mortifié de s'être laissé maîtriser une fois de plus, et Percy le comprenait.

Ils rangèrent les fournitures jetées en tas par les pirates à leur place et remirent de l'ordre à bord. Pendant ce temps, Gleeson Hedge s'en donnait à cœur joie sur le bateau ennemi, fracassant à coups de batte de base-ball tout ce qu'il trouvait.

Quand il eut fini, Percy rapporta les armes des guerriers-dauphins sur leur navire. Leur cale était pleine de trésors, mais Percy déclara qu'ils n'y toucheraient pas.

– Je sens qu'il y a autour de six millions de dollars d'or à bord, dit Hazel. Plus des diamants, des rubis...

– Six m-m-millions ? bafouilla Frank. Des dollars canadiens ou américains ?

– Laisse tomber, dit Percy, ça fait partie du tribut.

– Quel tribut ? demanda Hazel.

– Ah, fit Piper en hochant la tête. Le Kansas.

Jason sourit. Il avait été présent, lui aussi, lors de la rencontre avec le dieu du Vin.

– C'est complètement fou, mais ça me plaît, dit-il.

Pour finir, Percy retourna à bord du vaisseau-pirate et ouvrit les vannes, puis il demanda à Léo de faire quelques trous supplémentaires avec sa perceuse, ce dont Léo s'acquitta avec plaisir.

L'équipage de l'*Argo II* se réunit devant le bastingage et trancha les grappins. Piper sortit sa corne d'abondance toute neuve et, à la demande de Percy, elle lui intima l'ordre de déverser du Coca light. La corne arrosa le pont ennemi avec la force d'une lance d'incendie. Percy avait escompté que cela prendrait des heures, mais le bateau, qui se remplissait de Coca et d'eau de mer, coulait incroyablement vite.

– Dionysos, clama Percy en levant bien haut le masque d'or de Chrysaor. Ou Bacchus, comme vous voulez. Vous avez rendu cette victoire possible, même si vous n'étiez pas là. Vos ennemis ont tremblé en entendant votre nom... ou la marque de votre soda, enfin bref. Donc, ben ouais, merci. (Il en coûtait à Percy, mais il parvint à prononcer ces paroles sans s'étrangler.) Nous vous offrons ce navire en tribut. Nous espérons qu'il vous plaira.

– Six millions d'or, marmonna Léo. Il a intérêt à être content.

– Tut-tut, le métal précieux n'est pas si formidable que ça, le gronda Hazel. Crois-moi.

Percy lança le masque dans le navire, qui sombrait maintenant encore plus vite ; des jets de liquide brun et gazeux s'échappaient par les ouvertures des rames et les trous de la coque, et les abords se couvraient d'écume marron.

Percy appela une lame de fond qui submergea le vaisseau ennemi. Tandis qu'il disparaissait dans les profondeurs, Léo appareilla.

– Ça ne va pas polluer ? demanda Piper.

– Bah, t'inquiète pas, lui dit Jason. Si ça plaît à Bacchus, le bateau va disparaître.

Percy ne savait pas ce que ça allait donner, mais il avait fait tout son possible. Il ne faisait pas confiance à Dionysos pour les écouter ou s'intéresser à leur sort, et encore moins pour les aider dans leur combat contre les deux géants, cependant il fallait qu'il essaie.

Tandis que l'*Argo II* faisait cap sur l'est en fendant le brouillard, Percy songea qu'il retirait au moins un bénéfice de son duel avec Chrysaor. Ça l'avait rendu plus humble – et même assez humble pour rendre hommage au Pochetron.

Après cet épisode avec les pirates, ils décidèrent de faire le restant du trajet par voie aérienne. Jason voulut à tout prix assurer le quart avec Gleeson Hedge, affirmant qu'il était suffisamment rétabli – le satyre, quant à lui, était encore tellement plein d'adrénaline qu'à chaque turbulence, il faisait tournoyer sa batte de base-ball en criant : « Crève ! »

Il restait quelques heures avant le point du jour, et Jason suggéra à Percy d'en profiter pour dormir un peu.

– Ça va aller, mec, dit-il. Laisse à quelqu'un d'autre l'occasion de sauver le navire, OK ?

Percy accepta, mais une fois dans sa cabine, il eut du mal à s'endormir.

Il regarda la lanterne en bronze qui oscillait au plafond en repensant à son duel contre Chrysaor. Le guerrier doré l'avait battu à plates coutures et il aurait pu le tuer les doigts dans le nez. La seule raison pour laquelle il l'avait épargné, c'était que quelqu'un était prêt à payer le prix fort pour le tuer plus tard.

Percy avait l'impression d'avoir été touché à son talon d'Achille – comme s'il avait toujours la bénédiction du grand Achille et que quelqu'un avait trouvé son point faible. Plus il grandissait en âge et survivait en tant que demi-dieu, plus ses amis le respectaient. Ils s'appuyaient sur lui et ses pouvoirs. Même les Romains, qui ne l'avaient connu que deux ou trois semaines, l'avaient hissé sur un bouclier d'honneur et nommé préteur.

Pourtant Percy ne se sentait pas puissant. Plus il accomplissait des exploits héroïques, plus il prenait conscience de ses limites. Il avait l'impression d'être un imposteur. Il avait envie de dire à ses amis : « Je ne suis pas aussi super que vous croyez. » Ses échecs, comme celui qu'il venait d'essuyer, en étaient la preuve. C'était peut-être pour ça qu'il avait commencé à ressentir cette peur d'étouffer. Ce n'était pas tant de se noyer en mer ou sous la terre que de couler sous des attentes trop fortes et trop nombreuses, d'être enseveli.

Waouh... quand il se surprenait à avoir ce genre de réflexions, il savait qu'il avait passé trop de temps avec Annabeth.

Athéna avait dit un jour à Percy quel était son défaut fatal : il était trop loyal envers ses amis. La déesse prétendait que ça l'empêchait d'avoir une vision d'ensemble. Il serait fichu de sauver un ami au risque de détruire le monde, s'il le fallait.

À l'époque, Percy avait refusé de prendre ça au sérieux. Comment la loyauté pouvait-elle être mauvaise ? En plus, ça s'était bien passé, contre les Titans. Il était arrivé à la fois à sauver ses amis et à battre Cronos.

Maintenant, pourtant, il commençait à se poser des questions. Il était prêt à se jeter à la tête de n'importe quel monstre, dieu ou géant pour protéger ses amis. Mais s'il n'était pas à la hauteur ? Si c'était à quelqu'un d'autre de le faire ? Voilà une pensée qui était terriblement difficile, pour lui. Il avait même du mal à accepter des choses aussi simples que laisser Jason assurer un quart. Il ne voulait pas dépendre de quelqu'un pour sa sécurité, ne pouvait tolérer que quelqu'un se mette en danger pour lui.

La mère de Percy l'avait fait. Elle était restée avec un mortel qui était un goujat fini parce qu'elle pensait que ça protégeait Percy des monstres. Grover, son meilleur ami, l'avait protégé près d'un an, à une période où Percy lui-même ignorait qu'il était un demi-dieu, et il avait failli se faire tuer par le Minotaure.

Percy n'était plus un enfant. Il ne voulait pas que les gens qu'il aimait prennent des risques pour lui. Il fallait qu'il soit assez fort pour être lui-même le protecteur. Mais à présent, il était censé laisser Annabeth partir seule sur la piste de la Marque d'Athéna, sachant qu'elle y risquait sa vie. S'il en arrivait à devoir choisir entre sauver Annabeth ou faire réussir la quête, Percy serait-il réellement capable de privilégier la quête ?

La fatigue finit par l'emporter. Il s'endormit et dans son cauchemar, les grondements du tonnerre devinrent le rire de la déesse de la Terre, Gaïa.

Percy rêva qu'il était sur la terrasse de la Grande Maison, à la Colonie des Sang-Mêlé. Le visage assoupi de Gaïa apparut sur le flanc de la colline des Sang-Mêlé – ses traits grossiers dessinés par les ombres qui jouaient dans l'herbe. Sans que ses lèvres ne bougent, sa voix résonna dans la vallée.

Alors voici ton chez-toi, Percy Jackson, murmura Gaïa. *Regarde-la pour la dernière fois, ta Colonie. Tu aurais dû rentrer. Au moins, tu aurais pu mourir avec tes camarades quand les Romains envahiront. Maintenant ton sang sera versé loin de chez toi, sur les pierres anciennes, et je m'éveillerai.*

La terre trembla. Au sommet de la colline des Sang-Mêlé, le pin de Thalia s'enflamma. Un vent de destruction ravagea la vallée – l'herbe se changeait en sable, les arbres de la forêt s'effritaient. Le fleuve et le lac de canoë-kayak s'asséchèrent. Les bungalows et la Grande Maison tombèrent en cendres. Quand la vague s'arrêta, la Colonie des Sang-Mêlé ressemblait à une friche brûlée par une explosion atomique. Le seul pan de bâtiment encore debout était la terrasse où se tenait Percy.

À côté de lui, un tourbillon de poussière se solidifia en une silhouette féminine. La créature avait les yeux clos comme une somnambule. Sa robe était d'un vert de feuillage forestier, parsemé de taches or et blanches comme lorsque le soleil joue dans des branches d'arbre. Elle avait des cheveux noirs comme la terre fraîchement labourée. Son visage était beau mais, malgré le sourire rêveur qui flottait sur ses lèvres, il semblait froid et distant. Percy eut l'impression qu'elle pouvait regarder des demi-dieux mourir ou des villes brûler sans se défaire un instant de ce sourire.

– Lorsque je reprendrai la terre, dit Gaïa, je laisserai cet endroit sec et stérile à jamais pour me souvenir de toi et des tiens et de votre incapacité totale à me barrer la route. Peu importe *quand* tu tomberas, mon cher petit pion – et peu importe si c'est entre les mains de Phorcys, de Chrysaor ou de mes jumeaux bien-aimés. Tu tomberas et je serai là pour te dévorer. Le seul choix qui reste, c'est... veux-tu tomber seul ? Viens à moi de ton plein gré, amène la fille. Alors peut-être que j'épargnerai cet endroit que tu aimes tant. Sinon...

Gaïa ouvrit les yeux. Ses prunelles étaient des tourbillons de vert et de noir, aussi profonds que l'écorce terrestre. Gaïa voyait tout. Sa patience était infinie. Elle était lente à éveiller, mais une fois levée, rien ne pourrait l'arrêter.

Percy sentit des picotements. Ses mains s'engourdirent. Il baissa les yeux et se rendit compte qu'il était en train de tomber en poussière, comme tous les monstres qu'il avait vaincus dans sa vie.

– Bon séjour au Tartare, mon petit pion, roucoula Gaïa.

Un bruit métallique tira brusquement Percy de son rêve. Le *CLANG CLANG CLANG* du train d'atterrissage. Il ouvrit les yeux d'un coup.

On frappa à sa porte et Jason passa la tête par l'embrasure. Les contusions de son visage s'étaient estompées. Ses yeux bleus pétillaient.

– Hé, mec, on a commencé la descente sur Rome, dit-il. Faut que tu voies ça.

Le ciel était d'un bleu limpide, sans le moindre souvenir d'orage. Le soleil se levait sur une chaîne de collines lointaines et, à leurs pieds, tout étincelait comme si la ville de Rome entière était passée sous un portique de lavage automatique.

Percy avait déjà vu des grandes villes. Il était new-yorkais, après tout. Mais l'immensité de Rome le prit à la gorge et lui coupa le souffle. La ville semblait se moquer éperdument des contraintes géographiques. Elle s'étalait par monts et par vaux, enjambait le Tibre avec des dizaines de ponts et continuait à s'étirer à perte de vue. Rues et ruelles zigzaguaient sans rime ni raison dans un patchwork de quartiers. Des immeubles de bureaux en verre jouxtaient des sites archéologiques. Une cathédrale se dressait à côté d'une colonnade romaine, laquelle bordait un stade de foot moderne. Dans certains quartiers, de vieilles villas aux façades ornées de stucs et aux toits de tuiles rouges se serraient dans des rues pavées, et si Percy y concentrait son attention, il pouvait se croire transporté dans le temps. Où que se pose son regard, il y avait de vastes places et des rues embouteillées. Des jardins publics émaillaient la ville, plantés d'un assortiment d'arbres étonnant : des palmiers, des pins, des genévriers et des oliviers, à croire que Rome n'arrivait pas à choisir à quelle partie du monde elle appartenait – ou qu'elle croyait encore que le monde entier lui appartenait.

La ville donnait l'étrange impression de connaître le rêve de Gaïa que Percy venait de faire. Elle savait que la déesse de la Terre comptait raser toute manifestation de civilisation humaine, et cette ville qui tenait bon depuis des millénaires lui répondait : « Tu veux réduire cette ville en poussière, Tête de Terre ? Essaie un peu. »

Autrement dit, c'était la Gleeson Hedge des villes humaines – en plus grand.

– On va se poser dans ce parc, annonça Léo en pointant le doigt dans la direction d'un vaste espace vert parsemé de palmiers. Espérons que la Brume nous donne l'apparence d'un pigeon géant.

Percy aurait bien aimé que la sœur de Jason, Thalia, soit là. Elle avait toujours su plier la Brume à sa volonté pour lui faire montrer aux gens ce qu'elle voulait. Percy n'avait jamais été très bon à cet exercice. Il se contenta de penser très fort *Ne me regardez pas* en espérant que les Romains, en bas, ne remarqueraient pas la trirème de bronze géante qui descendait sur leur ville au milieu des embouteillages du matin.

Apparemment, cela fonctionna. Percy ne vit aucune embardée, aucun Romain tendre le bras vers le ciel en hurlant : « Des extraterrestres ! » L'*Argo II* se posa sur l'herbe et les rames se rétractèrent.

Le parc était un îlot de calme et de solitude au milieu d'une circulation très dense. À leur gauche, une pelouse descendait en pente douce vers un bosquet. Il y avait une villa ancienne nichée dans l'ombre de conifères plutôt bizarres, avec leurs troncs minces et arrondis nus sur une dizaine de mètres et leurs feuillages qui dessinaient des pompons. Ils rappelèrent à Percy les illustrations de certains livres d'enfants que lui lisait sa mère quand il était petit.

Sur leur droite, un long mur de briques longeait l'arête d'une colline, garni de créneaux pour les archers – c'était peut-être un rempart médiéval, ou encore une ligne de défense datant de l'Antiquité romaine, Percy n'aurait su dire.

Côté nord, à environ deux kilomètres, le haut du Colisée dépassait des toits de la ville. Il était exactement comme sur les photos de voyage, et c'est là que les jambes de Percy se mirent à trembler. Il était à Rome ! Il avait cru que son voyage en Alaska était exotique, mais là, maintenant, il était au cœur de l'ancien Empire romain, en territoire ennemi pour un demi-dieu grec. D'une certaine façon, ce lieu avait façonné sa vie autant que New York.

Jason tendit le bras vers le pied du rempart crénelé, où des marches s'enfonçaient dans une sorte de tunnel.

– Je crois que je sais où on est, dit-il. C'est le tombeau des Scipion.

Percy fronça les sourcils.

– Scipion... le pégase de Reyna ?

– Non, intervint Annabeth. Les Scipion étaient une famille d'aristocrates romains et... waouh. Cet endroit est spectaculaire.

Jason hocha la tête.

– Oui, dit-il. J'ai souvent étudié le plan de Rome. J'ai toujours rêvé de venir ici, mais...

Personne ne se donna la peine de finir sa phrase. En regardant les visages de ses amis, Percy vit qu'ils étaient aussi impressionnés que lui. Ils y étaient arrivés. Ils s'étaient posés à Rome – la Rome de l'Antiquité, la vraie.

– C'est quoi le plan ? demanda Hazel. Nico a jusqu'au coucher du soleil maximum. Et cette ville tout entière est censée être détruite aujourd'hui.

Percy s'arracha à sa stupeur.

– Tu as raison. Annabeth, est-ce que tu as identifié cet endroit sur ta carte en bronze ?

Les yeux d'orage d'Annabeth prirent une teinte d'avis de tempête et Percy reçut le message cinq sur cinq : « N'oublie pas ce que je t'ai dit. Garde ce rêve pour toi. »

– Oui, répondit-elle en pesant ses mots. C'est au bord du Tibre. Je crois que je pourrai le trouver, mais je devrais...

– M'emmener avec toi, compléta Percy. Ouais, tu as raison.

Annabeth le fusilla du regard.

– Ce n'est pas...

– Prudent, ajouta-t-il. Un demi-dieu seul dans Rome. Je t'accompagnerai jusqu'au Tibre. On pourra se servir de cette lettre d'introduction, et avec un peu de chance on trouvera le dieu du fleuve, Tiberinus. Il aura peut-être de l'aide ou un conseil à te donner. Ensuite tu pourras continuer seule si tu veux.

Ils se défièrent silencieusement du regard, mais Percy ne se laissa pas infléchir. Quand ils avaient commencé à sortir ensemble, Annabeth et lui, sa mère le lui avait dit et redit : « Tu raccompagnes ta copine à la porte, c'est la moindre des politesses. » Si c'était vrai, alors c'était aussi la moindre des politesses de l'accompagner au seuil de son épique quête mortelle en solo.

– D'accord, marmonna Annabeth. Hazel, maintenant qu'on est à Rome, tu crois que tu pourras localiser l'endroit où est Nico ?

Hazel cligna des yeux, comme si elle s'éveillait d'une transe hypnotique où l'avait plongée le numéro Percy/Annabeth.

– Euh... oui, j'espère, si je m'en approche suffisamment. Je vais devoir sillonner la ville. Frank, tu viendrais avec moi ?

– Absolument, répondit Frank avec un grand sourire.

– Et, euh, Léo, ajouta Hazel. Je crois que ce serait bien que tu viennes aussi. Les centaures-poissons ont dit qu'on aurait besoin de ton aide pour un problème mécanique.

– Ouais, lança Léo, pas de souci.

Le sourire de Frank se figea en un rictus qui n'était pas sans rappeler le masque de Chrysaor.

Percy n'était pas le roi de la psychologie, mais même lui percevait la tension qui régnait entre ces trois-là. Depuis l'attaque d'Homardzilla et leur séjour au fond de l'Atlantique, ils n'étaient plus les mêmes. Ce n'était pas juste à cause de la rivalité des deux garçons par rapport à Hazel ; ils donnaient l'impression d'être tous les trois acteurs et prisonniers d'une intrigue criminelle qu'ils devaient jouer sans avoir découvert qui était la victime.

Piper sortit son poignard de son fourreau et le posa sur le bastingage.

– Jason et moi allons garder le navire, pour le moment. Je vais voir ce que Katoptris peut me montrer. Mais, Hazel, si vous repérez où est enfermé Nico, n'y allez pas seuls. Revenez nous chercher. On ne sera pas de trop pour combattre les géants.

Elle ne dit pas ce qu'ils savaient pertinemment : même à eux tous, s'ils n'avaient pas le soutien d'un dieu à leurs côtés, c'était mort. Percy s'abstint de le rappeler.

– Tu as raison, dit-il. Si on se donnait rendez-vous ici à... à quelle heure, à votre avis ?

– Trois heures de l'après-midi ? suggéra Jason. Je crois que c'est le plus tard qu'on puisse faire en ayant encore une chance de combattre les géants et de sauver Nico. S'il se passe quelque chose et qu'il faut changer le plan, essayez de nous envoyer un message-Iris.

Les autres hochèrent la tête, mais Percy remarqua que plusieurs d'entre eux jetaient un coup d'œil à Annabeth. Il y avait autre chose que personne ne voulait dire tout haut : Annabeth aurait son propre horaire. Elle rentrerait peut-être à trois heures, ou plus tard, ou jamais. Mais elle serait seule pour chercher l'Athéna Parthénos.

Gleeson Hedge émit un grognement.

– Ça me donnera le temps de manger les noix de coco... je veux dire de retirer les noix de coco de la coque, se reprit-il. Percy et Annabeth, ça me plaît pas de vous voir partir tous les deux seuls. Tenez-vous bien, sinon, je vous jure que si j'apprends qu'il y a eu du fricotage, je vous consigne dans vos cabines jusqu'à ce que le Styx gèle.

L'idée de se faire consigner alors qu'ils allaient risquer leurs vies était tellement ridicule que Percy ne put réprimer un sourire.

– On va faire vite, promit-il. (Il regarda ses amis en essayant de ne pas se dire qu'ils étaient peut-être tous réunis pour la dernière fois.) Bonne chance, tout le monde.

Léo abaissa la passerelle et Percy et Annabeth furent les premiers à descendre.

32 Percy

Dans d'autres circonstances, ça aurait été vraiment géant de déambuler dans Rome avec Annabeth. Ils avançaient main dans la main dans des rues sinueuses en louvoyant entre les voitures et les dingues à Vespa, les grappes de touristes et les troupeaux de pigeons. Le soleil ne tarda pas à chauffer. Depuis qu'ils s'étaient écartés des grandes artères saturées de gaz d'échappement, l'air sentait le pain frais et les fleurs coupées.

Ils avaient décidé d'aller au Colisée parce qu'il était facile à repérer, mais cela s'avéra plus ardu que ne l'avait pensé Percy. Vue du ciel, la ville paraissait vaste et compliquée, et elle l'était encore plus quand on était au sol. Ils finirent plusieurs fois dans des impasses, tombèrent par hasard sur de ravissantes fontaines et d'immenses monuments.

Annabeth faisait des commentaires sur l'architecture, mais Percy guettait d'autres choses. À un moment donné, il aperçut un fantôme rougeoyant – un Lare – qui les observait d'un œil méfiant depuis une fenêtre d'immeuble. Une autre fois, il vit une femme en robe blanche – une nymphe, peut-être, ou une déesse – armée d'un inquiétant poignard, qui se faufilait entre les colonnes en ruines d'un jardin public. Personne ne les attaqua, mais Percy sentait qu'ils étaient observés, et que les observateurs n'étaient pas bienveillants.

Ils arrivèrent enfin au Colisée. Devant le monument, une dizaine d'hommes en costumes de gladiateurs miteux se battaient avec des policiers – glaives en plastique contre matraques. Percy ne comprit pas ce qui se passait, mais Annabeth et lui décidèrent de passer leur chemin. Parfois, les mortels étaient plus bizarres que les monstres.

Ils continuèrent d'avancer vers l'ouest en s'arrêtant de temps en temps pour demander où était le fleuve. Percy n'y avait pas pensé, pourtant c'était évident : en Italie, les gens parlaient italien – et lui non. En fin de compte, ce ne fut pas un problème. Les rares fois où quelqu'un les aborda dans la rue et leur posa une question, Percy le regarda d'un air perdu et ils passèrent à l'anglais.

Autre découverte : les Italiens payaient en euros et Percy n'en avait pas. Il le regretta quand il trouva une boutique pour touristes qui vendait des boissons. Il était près de midi, il commençait à faire vraiment chaud et il aurait bien aimé avoir une trirème pleine de Coca light.

Annabeth régla le problème. Elle farfouilla dans son sac à dos, en sortit le portable de Dédale et appuya sur quelques touches. Une carte en plastique s'éjecta d'une fente sur le côté de l'ordinateur.

Annabeth l'agita triomphalement :

– Carte de crédit internationale. Pour les urgences.

Percy la regarda avec les yeux ronds :

– Comment t'as fait ? demanda-t-il. Non, en fait, je veux pas savoir. T'es trop de la balle.

Les sodas leur firent du bien, mais ils étaient quand même fatigués et en sueur quand ils arrivèrent au Tibre. Le fleuve était bordé d'un quai en pierre, le long duquel des entrepôts, des immeubles, des cafés et des magasins se pressaient dans un certain désordre.

Le Tibre, large et lent, charriait des eaux d'un brun caramel. Quelques hauts cyprès se dressaient sur la berge. Le pont le plus proche avait l'air assez récent, avec ses poutrelles métalliques, mais juste à côté, une rangée d'arches de pierre en ruines s'avançait jusqu'au milieu du fleuve – des vestiges, peut-être, du temps des empereurs romains.

– C'est là, dit Annabeth en pointant le doigt vers le vieux pont en pierre. Je le reconnais, je l'ai vu sur la carte. Mais qu'est-ce qu'on fait maintenant ?

Percy fut content de l'entendre dire « on ». Il n'était pas prêt à la laisser seule. En fait, il n'était pas sûr de pouvoir s'y résoudre quand le moment viendrait. Les paroles de Gaïa lui revinrent en mémoire : « Veux-tu tomber seul ? »

Il regarda le fleuve en se demandant comment ils pouvaient entrer en contact avec le dieu Tiberinus. Il n'était pas tenté de sauter à l'eau. Le Tibre n'avait pas l'air beaucoup plus propre que l'East River, à New York, où il avait rencontré trop d'esprits du fleuve mal embouchés.

Il fit un geste vers un café qui avait des tables en terrasse, sur le quai.

– C'est l'heure du déjeuner. Si on essayait de nouveau ta carte de crédit ?

Il avait beau être midi, le café était vide. Ils choisirent une table avec une bonne vue sur le fleuve et un garçon accourut. Il avait l'air un peu surpris de les voir, et encore plus quand ils dirent que c'était pour déjeuner.

– *Americani* ? demanda-t-il avec un sourire affligé.

– Oui, dit Annabeth.

– Et j'aimerais bien une pizza, enchaîna Percy.

Le garçon eut l'air d'essayer d'avaler une pièce de un euro.

– Je m'en serais douté, *signor*. Et un Coca-Cola, avec ça, je parie ? Et beaucoup de glaçons ?

– Super, dit Percy, qui se demanda pourquoi le type le regardait de travers – il ne lui avait quand même pas demandé un Coca bleu !

Annabeth commanda un panini et une eau gazeuse. Une fois le garçon parti, elle sourit à Percy.

– Je crois que les Italiens déjeunent bien plus tard que nous, dit-elle. Ils ne mettent pas de glaçons dans leurs boissons. Et les pizzas, c'est seulement pour les touristes.

– Ah bon ? (Percy haussa les épaules.) La meilleure spécialité italienne, et eux ils n'en mangent pas ?

– Je dirais pas ça devant notre serveur.

Ils se tinrent la main sur la table. Percy était heureux de regarder Annabeth par cette belle lumière. Le soleil faisait toujours ressortir l'éclat de ses cheveux. Ses yeux prenaient les teintes du ciel et des pavés, tantôt bruns, tantôt bleus.

Il se demanda s'il devait lui raconter son rêve sur Gaïa détruisant la Colonie des Sang-Mêlé, puis décida que non. Avec ce qu'elle allait devoir affronter, elle n'avait pas besoin d'autres sujets d'inquiétude.

Mais ça le fit réfléchir… que serait-il arrivé s'ils n'avaient pas fait fuir les pirates de Chrysaor ? Percy et Annabeth auraient été capturés, enchaînés et livrés aux sbires de Gaïa. Leur sang aurait été versé sur les pierres anciennes. Percy supposa qu'on les aurait emmenés en Grèce pour une grande et horrible cérémonie de sacrifice. Mais Annabeth et lui s'étaient déjà trouvés dans des situations désespérées, souvent même. Ils auraient conçu un plan d'évasion, se seraient tirés d'affaire… et Annabeth ne serait pas sur le point de s'embarquer dans cette quête en solitaire.

« Peu importe *quand* tu tomberas », avait dit Gaïa.

Percy savait que c'était horrible de sa part, mais il regrettait presque qu'ils ne se soient pas fait capturer en mer, Annabeth et lui. Ils auraient été ensemble, au moins.

– Il n'y a pas de quoi avoir honte, tu sais, dit alors Annabeth. Tu penses à Chrysaor, hein ? Tous les problèmes ne se règlent pas à l'épée. Au final, tu nous as sauvés quand même.

Malgré lui, Percy sourit.

– Comment tu fais ? demanda-t-il. Tu sais toujours à quoi je pense.

– Je te connais.

Et je te plais quand même ? eut-il envie de demander, mais il s'abstint.

– Percy, reprit Annabeth, tu ne peux pas porter le poids de cette quête à toi tout seul. C'est impossible. C'est pour ça qu'on est sept. Et tu vas devoir me laisser chercher l'Athéna Parthénos seule.

– Tu m'as manqué, avoua Percy. Pendant des mois. Ils nous ont pris un gros morceau de nos vies. Si je te perdais de nouveau...

Le déjeuner arriva. Le serveur avait l'air bien plus calme. Apparemment, il s'était résigné à avoir affaire à des Américains qui n'y comprenaient rien, et il avait décidé de le leur pardonner et de les traiter poliment.

– La vue est superbe, dit-il avec un coup de menton vers le fleuve. Bon appétit.

Après son départ, ils mangèrent en silence. La pizza était un carré de pâte fade et caoutchouteux, avec très peu de fromage. C'était peut-être pour ça que les Romains n'en mangeaient pas, se dit Percy. Pauvres Romains.

– Tu vas devoir me faire confiance. (Percy se demanda si elle s'adressait à son sandwich, parce qu'elle ne le regardait pas.) Il faut que tu croies que je vais revenir.

Il avala une autre bouchée avant de répondre.

– Je crois en toi, c'est pas ça le problème. Mais tu vas revenir *d'où* ?

À ce moment-là, une pétarade de scooter les interrompit. Percy tourna la tête vers le quai et écarquilla les yeux. C'était un vieux modèle de Vespa, trapu et bleu layette. Le chauffeur était un type en costume de soie gris clair. Derrière lui était perchée une jeune femme avec un foulard sur la tête, qui tenait l'homme par la taille. Ils zigzaguèrent entre les tables et s'arrêtèrent devant Percy et Annabeth.

– Salut, vous deux ! dit l'homme, d'une voix grave, presque rocailleuse – une voix d'acteur de cinéma.

Il avait les cheveux courts et gominés en arrière, un visage taillé à la serpe. Il était beau, mais dans le genre « c'étaient les années 1950 ». Même ses vêtements faisaient vieux jeu. Quand il descendit de son scooter, Percy remarqua que son pantalon avait la taille beaucoup trop haute, pourtant il arrivait quand même à avoir un look viril et séduisant, pas du tout ringard. Percy avait du mal à deviner son âge – la trentaine, peut-être, mais en même temps il avait un style et des manières de grand-père.

La jeune femme mit pied à terre.

– Nous avons passé une matinée délicieuse ! déclara-t-elle d'une voix essoufflée.

Elle avait l'air d'avoir vingt et un ans, mais elle aussi était habillée vieux jeu. Sa jupe évasée, mi-longue, et son chemisier blanc étaient réunis par une large ceinture en cuir, ce qui lui donnait la taille la plus fine que Percy ait jamais vue. Lorsqu'elle retira son foulard, ses cheveux noirs courts et bouclés se remirent parfaitement en place. Elle avait des yeux bruns et malicieux et un sourire éclatant. Percy avait vu des naïades au regard moins espiègle que cette charmante jeune fille.

Annabeth en lâcha son sandwich.

– Par les dieux. Comment... comment... ?

Elle avait l'air tellement sidérée que Percy supposa qu'il était censé reconnaître les nouveaux venus.

– Moi aussi, je crois que je vous connais, avança-t-il, en se disant qu'il avait dû les voir à la télévision.

Ils avaient l'air sortis d'une vieille série, mais ce n'était pas possible, vu qu'ils n'avaient pas vieilli du tout. Néanmoins, Percy tendit la main vers l'homme et se lança :

– Vous n'êtes pas le type de *Mad Men* ?

– Percy ! s'écria Annabeth d'un ton horrifié.

– Ben quoi ? protesta-t-il. Je regarde pas beaucoup la télé.

– C'est Gregory Peck ! (Annabeth avait les yeux écarquillés et sa mâchoire se décrocha.) Et... oh, par les dieux ! Audrey Hepburn ! Je connais ce film ! *Vacances romaines*. Mais ça date des années 1950. Comment... ?

– Oh ma chérie ! (La jeune femme fit une pirouette digne d'un esprit des airs et s'assit à leur table.) J'ai peur que tu ne me confondes avec quelqu'un d'autre ! Je m'appelle Rhéa Silvia. J'ai donné naissance à Romulus et Rémus il y a des milliers d'années. Mais tu es très gentille de trouver que j'ai l'air d'être seulement des années 1950 ! Et voici mon mari...

– Tiberinus, dit Gregory Peck, qui tendit la main à Percy dans un geste viril. Dieu du Tibre.

Percy lui serra la main. Tiberinus sentait l'after-shave. Cela dit, si Percy avait été le dieu du Tibre, il aurait sans doute eu envie, lui aussi, de masquer les effluves du fleuve.

– Euh, salut, répondit Percy. Vous prenez toujours l'apparence de stars de cinéma américaines, vous deux ?

– Ah tu trouves ? (Tiberinus examina sa tenue en fronçant les sourcils.) Je ne sais pas trop, en fait. Tu sais, il y a beaucoup de brassage, au sein de la civilisation occidentale. Rome a influencé le monde, mais le monde lui aussi influence Rome. On dirait qu'il y a une forte influence américaine, ces derniers temps. Mais j'ai un peu perdu le fil, au cours des siècles.

– D'accord, dit Percy. Mais... vous êtes là pour nous aider ?

– Mes naïades m'ont prévenu que vous étiez ici tous les deux. (Tiberinus tourna ses yeux sombres vers Annabeth.) Tu as la carte, ma chérie ? Et ta lettre de recommandation ?

– Euh...

Annabeth lui tendit la lettre et le disque de bronze. Elle regardait le dieu du fleuve avec des yeux tellement fascinés que Percy fut pris d'un pincement de jalousie.

– Alors, bafouilla-t-elle, vous, euh, vous avez déjà aidé d'autres enfants d'Athéna dans cette quête ?

– Oh, ma chérie ! (La ravissante Rhéa Silvia posa la main sur l'épaule d'Annabeth.) Tiberinus est toujours tellement serviable ! C'est lui qui a sauvé mes enfants Romulus et Rémus, tu sais, et qui les a amenés à Lupa, la déesse-louve. Et quand le vieux roi Numen a voulu me tuer, Tiberinus a eu pitié de moi et il m'a épousée. Depuis, je règne sur le royaume du fleuve à ses côtés. C'est un époux de rêve !

– Merci, chérie, commenta Tiberinus avec un léger sourire. Pour en revenir à ta question, Annabeth Chase, oui, j'ai aidé beaucoup de tes frères et sœurs, du moins à commencer leur voyage dans de bonnes conditions. C'est malheureux qu'ils aient tous eu des morts douloureuses par la suite. Bien, tes papiers m'ont l'air en règle. Allons-y. La Marque d'Athéna attend !

Percy pressa la main d'Annabeth – sans doute un peu trop fort.

– Tiberinus, plaida-t-il. Laissez-moi l'accompagner. Juste encore un peu.

Rhéa Silvia partit d'un rire cristallin.

– Mais tu ne peux pas, ne sois pas idiot ! s'écria-t-elle. Il faut que tu rentres au vaisseau et que tu retrouves tes autres amis. Que vous alliez affronter les géants ! Le chemin à suivre se montrera sur la lame du poignard de ton amie Piper. Annabeth doit emprunter une autre voie. Elle doit s'y engager seule.

– C'est exact, renchérit Tiberinus. Il faut qu'elle affronte seule le gardien du sanctuaire. C'est l'unique moyen. Et toi, Percy Jackson, tu n'as pas autant de temps que tu ne le crois pour sauver votre ami enfermé dans l'amphore. Il faut que tu te dépêches.

La pizza de Percy pesait comme un bloc de ciment dans son ventre.

– Mais...

– Ça va aller, Percy. (Annabeth lui pressa la main plus fort.) Il faut que je le fasse.

Percy voulut protester, mais l'expression d'Annabeth l'arrêta. Elle était terrifiée, pourtant elle faisait son maximum pour le cacher – par égard pour lui. S'il insistait, il ne ferait que lui rendre la tâche plus difficile. Pire, il pourrait parvenir à la convaincre. Elle passerait alors le reste de ses jours à s'en vouloir d'avoir reculé face au grand défi de sa vie... à supposer qu'ils ne meurent pas, sachant que Rome devait être rasée et Gaïa s'éveiller et détruire le monde. La statue d'Athéna détenait la clé de la victoire contre les géants. Percy ignorait comment ou pourquoi, mais Annabeth était la seule capable de la trouver.

– Tu as raison, se força-t-il à dire. Sois prudente.

– Prudente ? (Rhéa Silvia gloussa comme si c'était un conseil parfaitement ridicule.) Mais comment veux-tu ? Viens, Annabeth, ma chérie. Nous allons te montrer où commence ton chemin. Après, ce sera à toi de jouer.

Annabeth embrassa Percy. Elle hésita, comme si elle se demandait quoi dire d'autre. Puis elle passa son sac à dos sur ses épaules et grimpa à l'arrière du scooter.

Percy était au supplice. Il aurait mille fois préféré affronter un monstre, même le plus féroce du monde. Mille fois préféré un nouveau duel contre Chrysaor. Mais il se força à rester assis, à regarder Annabeth disparaître dans les rues de Rome avec Audrey Hepburn et Gregory Peck.

33 ANNABETH

Annabeth trouvait que ça aurait pu être pire. Certes, elle devait se lancer dans une quête en solitaire terrifiante, mais elle avait commencé par déjeuner en tête-à-tête avec Percy au bord du Tibre. Maintenant, elle faisait un tour en Vespa avec Gregory Peck.

C'est à son père qu'elle devait de connaître ce vieux film. Ces dernières années, depuis qu'ils s'étaient réconciliés, ils avaient passé plus de temps ensemble tous les deux, et Annabeth avait découvert le côté fleur bleue de son père. Bien sûr, il aimait l'histoire militaire, les armes et les biplans, mais il adorait aussi les vieux films, avec un faible pour les comédies romantiques des années 1940 et 1950. *Vacances romaines* était un de ses préférés, et il l'avait fait regarder à Annabeth.

Elle trouvait l'intrigue un peu idiote – une princesse échappe à la surveillance de ses chaperons et tombe amoureuse d'un journaliste américain à Rome – mais elle soupçonnait son père d'aimer le film parce qu'il lui rappelait sa propre histoire avec la déesse Athéna : une rencontre impossible, une histoire d'amour qui ne pouvait que mal finir. Son père n'avait rien de Gregory Peck. Et Athéna ressemblait encore moins à Audrey Hepburn. Mais Annabeth savait que les gens voyaient ce qu'ils voulaient voir. Ils n'avaient pas besoin de la Brume pour déformer leur perception de la réalité.

Tandis que le scooter bleu clair fonçait par les rues de Rome, Rhéa Silvia décrivait à Annabeth les changements qu'avait connus la ville au cours des siècles.

– Le pont Sublicius était là-bas, dit-elle en montrant du doigt un coude que formait le fleuve. C'est là qu'Horatius et ses deux amis ont repoussé l'armée qui tentait d'envahir la ville, tu sais ? Ça, c'était un Romain qui avait du courage !

– Et regarde, ma chérie, ajouta Tiberinus. C'est là que Romulus et Rémus ont échoué.

Il semblait parler d'un endroit, sur la berge, où des canards se faisaient un nid de sacs en plastique et de vieux emballages de bonbons.

– Ah oui ! (Rhéa poussa un soupir de bien-être.) C'était tellement gentil de ta part de déposer mes bébés sur la rive à un endroit où les loups pourraient les trouver.

– Je t'en prie, ce n'est rien, dit Tiberinus.

Annabeth fut prise d'une sensation de vertige. Le dieu du fleuve parlait d'un événement qui s'était produit presque trois millénaires plus tôt, à une époque où il n'y avait ici que des marécages, et peut-être quelques cabanes. Tiberinus avait sauvé deux bébés, dont l'un avait par la suite fondé le plus grand empire au monde. « Ce n'est rien. »

Rhéa Silvia tendit le doigt vers un grand immeuble moderne.

– Ici, il y avait un temple de Vénus. Ensuite il y a eu une église. Puis un palais. Puis un immeuble. Il a brûlé trois fois. Maintenant c'est de nouveau un immeuble. Et cet endroit, là...

– Excusez-moi, dit Annabeth. Vous me faites tourner la tête.

Rhéa Silvia éclata de rire.

– Désolée, ma puce. Il y a des strates et des strates d'histoire, ici, mais ce n'est rien comparé à la Grèce. Athènes était déjà une ville ancienne quand Rome n'était qu'un hameau de huttes en terre. Tu verras, si tu survis.

– Ça ne m'aide pas, grommela Annabeth.

– Nous y voici, annonça Tiberinus.

Il s'arrêta devant un grand bâtiment de marbre, à la façade couverte par la crasse de la ville, mais néanmoins très belle. Des sculptures de dieux romains finement travaillées bordaient le toit. L'entrée monumentale était barrée par un portail en fer, lui-même fermé par de gros cadenas.

– Je rentre là-dedans ? demanda Annabeth, qui regretta de ne pas avoir Léo avec elle, ou, à défaut, des pinces coupe-métaux tirées de sa trousse à outils.

Rhéa Silvia pouffa de rire en se couvrant la bouche.

– Non, ma chérie. Pas là-dedans. En dessous.

Tiberinus montra du doigt quelques marches de pierre, sur le côté du bâtiment – le genre de petit escalier qui aurait mené à un appartement en sous-sol, s'ils avaient été à Manhattan.

– Rome est très chaotique en surface, dit-il, mais ce n'est rien comparé au fouillis labyrinthique d'en dessous. Tu dois descendre dans la ville ensevelie, Annabeth Chase. Retrouve l'autel du dieu étranger. Les échecs de tes prédécesseurs te guideront. Après... je ne sais pas.

Annabeth sentit son sac à dos peser sur ses épaules. Elle avait passé plusieurs jours à étudier la carte de bronze, en cherchant des informations sur l'ordinateur portable de Dédale. Malheureusement, le peu qu'elle avait glané faisait paraître cette quête encore plus impossible.

– Mes frères et sœurs..., demanda-t-elle. Il n'y en a aucun qui soit parvenu jusqu'à l'autel, n'est-ce pas ?

Tiberinus fit non de la tête.

– Mais tu sais quelle sera la récompense si tu parviens à le libérer.

– Oui, dit Annabeth.

– Cela pourrait amener la paix aux enfants de Grèce et de Rome, ajouta Rhéa Silvia. Changer le cours de la guerre à venir.

– Si je survis, objecta Annabeth.

Tiberinus opina tristement.

– Car tu as compris qui est le gardien que tu devras affronter ?

Annabeth se souvint des araignées de Fort Sumter et du rêve que Percy lui avait raconté – une voix sifflante dans la pénombre d'une grotte.

– Oui, dit-elle.

Rhéa Silvia regarda son mari et assura :

– Elle est courageuse. Peut-être sera-t-elle plus forte que les autres.

– Je l'espère, conclut le dieu du fleuve. Au revoir, Annabeth Chase. Au revoir et bonne chance.

Rhéa Silvia sourit avec bonne humeur.

– Nous avons une superbe après-midi en perspective ! s'écria-t-elle. On va faire les boutiques !

Gregory Peck et Audrey Hepburn disparurent sur leur Vespa bleu layette. Alors Annabeth tourna les talons et s'engagea dans le petit escalier de pierre.

Ce n'était pas la première fois qu'elle se risquait sous la surface de la terre, loin de là.

Mais, arrivée au milieu des marches, Annabeth se rendit compte qu'elle n'avait pas mené d'expédition seule depuis une éternité. Elle pila net.

Par les dieux... Elle ne s'était pas trouvée dans cette situation depuis la petite enfance. Après avoir fugué de chez elle, Annabeth avait survécu quelques semaines seule en se cachant dans des ruelles pour échapper aux monstres, jusqu'au jour où Thalia et Luke l'avaient trouvée et prise sous leur aile. Ensuite elle était arrivée à la Colonie des Sang-Mêlé où elle avait vécu jusqu'à l'âge de douze ans. Et depuis, toutes les quêtes qu'elle avait menées, c'était avec Percy ou ses autres amis.

La dernière fois qu'elle avait éprouvé un si fort sentiment de peur et de solitude, elle avait sept ans. Elle se souvint de ce jour où, avec Thalia et Luke, elle était tombée dans le repaire d'un Cyclope, à Brooklyn. Thalia et Luke s'étaient fait capturer et Annabeth avait dû les délivrer. Elle se revoyait encore frissonnant dans un coin sombre de cette grande maison délabrée, à écouter le Cyclope qui imitait les voix de ses amis, essayant par cette ruse de la faire sortir de sa cachette.

Et s'il s'agissait d'une ruse, là aussi ? se demanda-t-elle. Et si ces autres enfants d'Athéna étaient morts parce que Tiberinus et Rhéa Silvia les avaient attirés dans un piège ? Gregory Peck et Audrey Hepburn étaient-ils capables de faire une chose pareille ?

Elle se força à avancer. Elle n'avait pas le choix. Si l'Athéna Parthénos était vraiment là, elle pouvait renverser le cours de la guerre. Et surtout, elle pouvait aider sa mère. Athéna avait besoin d'elle.

Au pied des marches, elle arriva devant une vieille porte en bois avec un anneau de fer. Au-dessus, il y avait une plaque de métal percée d'un trou de serrure. Annabeth commença à réfléchir au meilleur moyen de crocheter la serrure, mais dès qu'elle posa la main sur l'anneau, une forme rougeoya au milieu de la porte : la chouette d'Athéna. Des volutes de fumée s'échappèrent du trou de serrure, et la porte s'ouvrit vers l'intérieur.

Annabeth leva les yeux une dernière fois. Un carré de ciel bleu se découpait en haut des marches. Les mortels savoureraient l'après-midi ensoleillée. Les couples se tiendraient par la main dans les cafés. Les touristes s'affaireraient dans les boutiques et les musées. Les Romains vaqueraient à leurs occupations quotidiennes sans guère accorder de pensées aux millénaires d'histoire sous leurs pieds, à mille lieues de soupçonner qu'il y avait encore des esprits, des dieux et des monstres qui vivaient parmi eux et que leur ville risquait d'être détruite d'ici la fin de la journée si un certain groupe de demi-dieux n'arrivait pas à éliminer les géants.

Annabeth franchit le seuil de la porte.

Elle se trouva dans un souterrain qui tenait du cyborg architectural. Les vieux murs de briques étaient quadrillés de câbles électriques et de tuyauteries modernes. Le plafond était soutenu par un mélange d'échafaudages en acier et de vieilles colonnes romaines en granit.

La première moitié de ce sous-sol était occupée par des caisses empilées. Par curiosité, Annabeth en ouvrit quelques-unes. Certaines contenaient des pelotes de fil multicolores, comme pour les cerfs-volants ou les activités de travaux manuels ; d'autres étaient pleines de glaives de gladiateur en plastique. Ce lieu avait peut-être servi de réserve à un magasin de souvenirs.

Au fond, le sol avait été creusé pour dégager un autre escalier. Des marches de pierre blanche, cette fois-ci, qui s'enfonçaient encore plus profondément.

Annabeth s'approcha à petits pas du haut de l'escalier. Même avec la lueur que dégageait son poignard, il faisait trop sombre pour voir ce qu'il y avait en bas. Elle posa la main sur le mur et trouva un interrupteur.

Elle alluma. Des ampoules fluorescentes blanches inondèrent l'escalier d'une lumière crue. En bas, elle vit un sol de mosaïque orné de faunes et de cerfs – c'était peut-être une pièce d'une ancienne villa romaine, cachée dans ce sous-sol moderne comme les caisses de ficelles et de glaives en plastique.

Elle descendit. La pièce faisait six ou sept mètres de côté. Les murs avaient été peints en couleurs vives, jadis, mais la plupart des fresques étaient décolorées ou écaillées, à présent.

La seule issue était un trou au sol, dans un des coins, où la mosaïque avait été retirée. Annabeth s'accroupit devant l'ouverture. Elle donnait directement sur une caverne plus grande, mais dont elle ne put voir le fond.

Elle entendit de l'eau qui coulait, à dix ou quinze mètres sous ses pieds. Il n'y avait pas d'odeur d'égouts dans l'air – ça sentait juste le renfermé, avec un relent un peu douceâtre, comme des fleurs en train de moisir. C'était peut-être une vieille voie d'eau du réseau d'aqueduc. Il n'y avait pas de moyen de descendre.

– Je ne saute pas, marmonna-t-elle toute seule.

Comme pour lui répondre, la Marque d'Athéna s'alluma en bas de la caverne, éclairant un canal souterrain tapissé de briques luisantes, une quinzaine de mètres plus bas. La chouette enflammée semblait narguer Annabeth : « Ben c'est par ici, ma petite. Tu as intérêt à trouver une solution. »

Annabeth passa en revue les différentes possibilités. Sauter était trop dangereux. Il n'y avait ni échelle ni corde. Elle envisagea de prendre un tube d'acier de l'échafaudage d'en haut et de s'en servir pour se laisser glisser dans la caverne, façon pompiers américains, mais ils étaient tous solidement boulonnés. Accessoirement, elle ne tenait pas à ce que le bâtiment s'écroule sur sa tête.

Un sentiment d'impatience s'empara d'elle comme une armée de termites rampant sur une charpente. Toute sa vie, elle avait vu les autres demi-dieux acquérir des pouvoirs extraordinaires. Percy contrôlait l'eau. S'il était là, il aurait pu faire monter le niveau de l'eau de la grotte et redescendre avec. Hazel, d'après ce qu'elle avait dit, se repérait avec une précision totale dans les environnements souterrains et elle pouvait même créer des tunnels ou changer leur direction. Elle n'aurait pas eu de mal à trouver un autre accès. Léo, quant à lui, aurait sorti les outils qu'il fallait de sa ceinture et fabriqué quelque chose pour se tirer d'affaire. Frank n'aurait eu qu'à se transformer en oiseau. Jason se serait laissé flotter sur un courant d'air descendant. Même Piper, avec son talent d'enjôlement... elle aurait pu convaincre Tiberinus et Rhéa Silvia de l'aider un peu plus.

Et Annabeth, de quoi disposait-elle ? D'un poignard en bronze qui n'avait aucun pouvoir spécial et d'une drachme en argent maudite. Elle avait aussi, dans son sac à dos, le portable de Dédale, une bouteille d'eau, quelques morceaux d'ambroisie en cas d'urgence et une boîte d'allumettes – probablement inutiles, mais son père lui avait gravé dans le crâne qu'il fallait toujours avoir de quoi faire du feu.

Elle n'avait aucun pouvoir extraordinaire. Même son unique objet magique, sa casquette d'invisibilité des New York Yankees, avait cessé de marcher, et elle l'avait laissée dans sa cabine à bord de l'*Argo II*.

Tu as ton intelligence, dit une voix. Annabeth se demanda si c'était Athéna qui lui parlait, mais elle prenait sans doute juste ses envies pour des réalités.

L'intelligence... comme le héros préféré d'Annabeth, Ulysse. C'était par la ruse et non par la force qu'il avait gagné la guerre de Troie. La rapidité de son esprit lui avait permis de l'emporter sur toutes sortes de monstres et de se sortir des pires situations. C'était cela le plus important pour Athéna.

La fille de la sagesse marche seule.

Cela ne voulait pas seulement dire sans compagnons, comprit Annabeth. Cela voulait dire sans pouvoirs spéciaux.

D'accord... alors comment descendre là-dedans sans risque, tout en étant sûre de pouvoir remonter si nécessaire ?

Elle regagna le sous-sol et regarda longuement les caisses ouvertes. De la ficelle à cerf-volant et des épées en plastique. L'idée qui lui vint à l'esprit était si ridicule qu'elle faillit en rire, mais c'était mieux que rien.

Elle se mit au travail. Ses mains semblaient savoir exactement quoi faire. Ça lui arrivait parfois, par exemple lorsqu'elle aidait Léo à régler les machines du vaisseau ou qu'elle dessinait des plans d'architecte à l'ordinateur. Elle n'avait jamais rien fabriqué avec de la ficelle de cerf-volant et des glaives en plastique, mais ça lui vint naturellement, avec aisance. En quelques minutes, elle avait utilisé une douzaine de pelotes de ficelle et une caisse de glaives pour créer une échelle de fortune : une corde tressée, solide mais pas trop épaisse, avec des glaives attachés tous les cinquante centimètres qui lui serviraient de prises pour les mains et d'appuis pour les pieds.

En guise de test, elle noua un bout de l'échelle à une colonne de soutien et tira de tout son poids sur l'autre bout. Les glaives de plastique ployèrent, mais grâce à leur taille, ils augmentaient la prise qu'elle avait sur les nœuds de corde, ce qui était un avantage.

L'échelle d'Annabeth n'aurait pas reçu le prix de la meilleure conception, mais elle allait peut-être lui permettre de descendre au fond de la caverne sans se faire mal. Elle commença par fourrer les pelotes de ficelle restantes dans son sac à dos – sans idée précise, mais c'était une ressource de plus, et pas trop lourde.

Ensuite elle retourna vers le trou qui s'ouvrait dans le sol de mosaïque. Elle noua solidement une extrémité de son échelle de corde au tube d'échafaudage le plus proche, poussa le reste dans le vide et s'engagea bravement.

34 Annabeth

Suspendue à l'échelle de corde qui s'agitait violemment, Annabeth descendait en déplaçant une main après l'autre ; intérieurement, elle remerciait Chiron pour toutes ces années d'entraînement sur le parcours d'escalade de la Colonie des Sang-Mêlé. Elle s'était souvent plainte, et à grands cris, que l'escalade ne l'aiderait jamais à vaincre un monstre – Chiron se contentait de sourire, comme s'il savait que ce jour viendrait.

Annabeth atteignit enfin le fond de la grotte. Elle manqua le rebord en briques et mit pied dans le canal, mais il ne faisait qu'une quinzaine de centimètres de profondeur. L'eau glacée s'infiltra dans ses baskets.

Elle leva son poignard qui luisait. Le canal traversait par le milieu un tunnel tapissé de briques. Tous les quelques mètres, des tuyaux en céramique sortaient des murs, de part et d'autre. Elle devina que c'étaient les anciennes canalisations d'eau des Romains, même si elle n'en revenait pas que ce tunnel antique ait pu survivre dans un environnement souterrain où se pressaient les tuyaux, égouts et caves de tous les siècles qui avaient suivi.

Brusquement, une pensée la glaça plus encore que l'eau. Il y avait de cela quelques années, Percy et elle avaient mené une quête dans le labyrinthe de Dédale – un réseau secret de pièces et de tunnels pleins de pièges et de sortilèges puissants, qui s'étendait sous toutes les grandes villes d'Amérique.

Lorsque Dédale était mort dans la bataille de Labyrinthe, la structure tout entière s'était effondrée. Du moins c'était ce que croyait Annabeth. Mais si ce n'était le cas qu'en Amérique ? Si cet endroit où elle se trouvait maintenant était une version plus ancienne du labyrinthe ? Dédale lui avait dit que sa création avait une vie propre, et qu'elle ne cessait de se développer et de se modifier par elle-même. Peut-être le labyrinthe était-il capable de se régénérer, comme les monstres. C'était plausible. C'était un archétype, aurait dit Chiron, quelque chose qui ne pouvait jamais vraiment mourir.

Si cet endroit faisait partie du labyrinthe...

Annabeth décida de ne pas trop y penser, mais elle résolut aussi de ne pas se fier outre mesure aux directions qu'elle prendrait. Le labyrinthe annulait les distances. Si elle n'y prenait pas garde, elle pouvait faire vingt pas dans la mauvaise direction et se retrouver en Pologne.

Par prudence, elle noua le bout d'une pelote de ficelle au bas de son échelle de corde. Elle pourrait la dérouler au fur et à mesure qu'elle avancerait. Une vieille astuce toujours efficace.

Elle se demanda si elle allait partir sur la gauche ou sur la droite. Le tunnel n'avait pas l'air différent, d'un côté ou de l'autre. Alors, à une quinzaine de mètres sur sa gauche, la Marque d'Athéna s'alluma sur la paroi de briques. Annabeth aurait juré qu'elle la reluquait de ces gros yeux rougeoyants, comme pour dire : « Qu'est-ce que tu attends ? Magne-toi ! »

Elle commençait vraiment à détester cette chouette.

Le temps qu'elle parvienne à l'emplacement, l'image avait disparu et elle avait entièrement déroulé sa première pelote.

Tout en nouant une nouvelle ficelle, Annabeth jeta un coup d'œil en face. Une partie du mur de briques était effondrée, comme si on y avait ouvert un trou à coups de masse. Elle traversa pour aller voir. Elle glissa son poignard dans la brèche et découvrit, à sa lueur, une chambre basse, étroite et longue, avec des fresques aux murs, de la mosaïque au sol et des bancs des deux côtés, sur toute la longueur.

Elle passa la tête dans le trou en espérant ne pas se faire décapiter par une créature quelconque. Du côté le plus proche de la pièce, il y avait une porte condamnée par des briques. À l'autre bout, une table en pierre qui était peut-être un autel.

Hum... Le tunnel au canal continuait, mais Annabeth eut la certitude que c'était par cette chambre basse qu'elle devait aller. « Retrouve l'autel du dieu étranger », lui avait dit Tiberinus. La pièce ne présentait pas d'issue, mais les bancs n'étaient pas très bas par rapport au trou. Elle devait pouvoir remonter facilement.

Sans lâcher sa ficelle, elle se glissa dans l'ouverture et se laissa tomber dans la chambre basse.

Le plafond était en forme de barrique, avec des voûtes en briques dont les montants n'inspiraient pas confiance à Annabeth. Juste au-dessus de sa tête, sur l'arche la plus proche de la porte condamnée, la clé de voûte était fendue en deux. Le reste du plafond était entièrement fissuré. Cette pièce était peut-être demeurée intacte pendant deux mille ans, mais Annabeth n'avait pas envie de s'y attarder. Avec sa chance, la voûte s'écroulerait sur sa tête dans les deux minutes à venir.

Le sol était tapissé d'une longue mosaïque étroite, divisée en sept vignettes comme un tableau chronologique. Annabeth aperçut, à ses pieds, une image de corbeau. Ensuite venait un lion. Plusieurs autres compositions montraient des guerriers romains maniant différentes armes. Les vignettes restantes étaient trop endommagées ou trop poussiéreuses pour qu'Annabeth puisse distinguer les détails. Des débris de poterie jonchaient les bancs, des deux côtés. Des scènes de banquet ornaient les murs : on y voyait un homme en toge coiffé d'un couvre-chef arrondi comme une cuillère à glace, assis à côté d'un type plus grand dont la tête était entourée de rayons de soleil. Autour d'eux se tenaient des domestiques et des porteurs de flambeaux, et dans l'arrière-plan allaient et venaient des animaux en tous genres, notamment des lions et des corbeaux. La fresque laissa Annabeth perplexe ; elle ne lui rappelait aucune des légendes grecques qu'elle connaissait.

À l'autre bout de la pièce, l'autel était orné d'une frise très ouvragée qui montrait l'homme au couvre-chef en cuillère à glace appuyant la pointe d'un couteau contre le cou d'un taureau. Sur le dessus de l'autel, il y avait la statue en pierre d'un homme à genoux sur un rocher, brandissant un poignard dans une main et une torche dans l'autre. Là encore, Annabeth ne voyait pas de quoi il s'agissait.

Elle avança d'un pas vers l'autel, et quelque chose fit *CRAC* sous son pied. Baissant les yeux, elle se rendit compte qu'elle venait de marcher sur une cage thoracique humaine.

Annabeth ravala un hurlement. D'où était sortie cette *chose* ? Elle avait regardé par terre quelques secondes plus tôt et n'avait pas vu d'os, or maintenant, le sol en était jonché. La cage thoracique était très vieille, visiblement. Elle tomba en poussière dès qu'Annabeth retira le pied. À côté gisait un poignard en bronze corrodé qui ressemblait beaucoup au sien. C'était soit l'arme du mort, soit celle qui l'avait tué.

Elle tendit son poignard devant elle pour s'éclairer. Un peu plus loin sur le pavage de mosaïque gisait un squelette plus complet revêtu des vestiges d'un pourpoint rouge brodé, typique de la Renaissance. Son crâne et la fraise de son corsage étaient en grande partie brûlés, comme s'il avait tenté de se laver les cheveux au lance-flammes.

Formidable, se dit Annabeth. Elle leva les yeux vers la statue de l'autel.

C'est un test, estima Annabeth. *Ces deux types ont échoué.* Rectificatif : ils n'étaient pas les seuls. D'autres ossements et lambeaux d'habits parsemaient le sol entre elle et l'autel. Elle n'aurait pas pu dire combien de squelettes entiers cela représentait, mais elle était prête à parier que tous étaient les dépouilles de demi-dieux du passé, d'enfants d'Athéna embarqués dans la même quête qu'elle.

– Je ne compte pas finir en squelette sur ton dallage, lança-t-elle à la statue d'un ton qu'elle espérait ferme.

Une fille, répondit une voix mouillée qui résonna dans la pièce. *C'est interdit aux filles.*

Une demi-déesse, dit une autre voix. *Inexcusable.*

Il y eut un grondement. Une pluie de poussière tomba du plafond fissuré. Annabeth courut vers le trou par lequel elle était entrée, mais il avait disparu. Sa ficelle avait été coupée. Elle grimpa sur le banc et tapa à coups de poings sur l'ancien emplacement du trou en espérant que sa disparition soit une illusion, mais non : le panneau était bel et bien massif.

Elle était prise au piège.

Une douzaine de fantômes apparut en scintillant sur les bancs : des hommes rougeoyants, en toges romaines, semblables aux Lares qu'elle avait vus au Camp Jupiter. Ils la fusillèrent du regard, comme si elle les dérangeait en pleine réunion.

Annabeth fit la seule chose possible. Elle descendit du banc et se plaça dos à la porte murée. Elle s'efforça de prendre l'air sûre d'elle, même si les fantômes pourpres grimaçants et les squelettes de demi-dieux à ses pieds lui donnaient plutôt envie de remonter son tee-shirt sur sa tête et de hurler.

– Je suis une enfant d'Athéna, annonça-t-elle avec tout l'aplomb dont elle était capable.

– Une Grecque, commenta un des fantômes d'un ton dégoûté. C'est encore pire.

À l'autre bout de la pièce, un vieux fantôme se leva avec effort (les fantômes ont-ils de l'arthrose ?) et se plaça devant l'autel, plantant le regard de ses yeux noirs sur Annabeth. Sa première pensée fut qu'il ressemblait au pape : il avait une robe brillante, un chapeau pointu et une crosse de berger.

– Ceci est la caverne de Mithras, dit le vieux fantôme. Tu as troublé nos rituels secrets. Tu ne peux pas vivre après avoir contemplé nos mystères.

– Je ne veux pas contempler vos mystères, assura-t-elle. Je me contente de suivre la Marque d'Athéna. Montrez-moi la sortie et je m'en vais.

Sa voix était calme, à sa propre surprise. Elle ne savait pas du tout comment se tirer de là, mais elle savait qu'elle devait réussir là où ses frères avaient échoué. Son chemin menait plus loin, plus profond dans les strates souterraines de Rome.

« Les échecs de tes prédécesseurs te guideront », lui avait dit Tiberinus. « Après... je ne sais pas. »

Les fantômes s'étaient mis à marmonner en latin. Annabeth comprit quelques paroles désobligeantes sur les demi-déesses et sur Athéna.

Pour finir, le fantôme à la mitre papale frappa le sol de sa crosse de berger et les autres Lares se turent.

– Ta déesse grecque n'a aucun pouvoir ici, dit le pape. Mithras est le dieu des Guerriers Romains ! C'est le dieu de la Légion et le dieu de l'Empire !

– Il n'était même pas romain, protesta Annabeth. Il n'était pas persan, plutôt, un truc comme ça ?

– Sacrilège ! glapit le vieillard, qui martela le sol de plus belle. Mithras nous protège ! Je suis le *pater* de cette fraternité...

– Le père, traduisit Annabeth.

– Ne m'interromps pas ! En tant que *pater*, je dois protéger nos mystères.

– Quels mystères ? demanda Annabeth. Une douzaine de morts en toge assis dans une grotte ?

Les fantômes se mirent à râler entre eux, jusqu'à ce que le *pater* les rappelle à l'ordre en sifflant entre les doigts. Le vieillard avait du coffre.

– Tu es une incroyante, manifestement, dit-il. Comme les autres, tu dois mourir.

« Les autres. » Annabeth se fit violence pour ne pas regarder les squelettes.

Son cerveau tournait à cent à l'heure pour rassembler tout ce qu'elle savait sur Mithras. Il faisait l'objet d'un culte secret chez les guerriers. Il était particulièrement aimé dans la légion. C'était un des dieux qui avaient supplanté Athéna comme divinité de la guerre. Aphrodite y avait fait allusion pendant leur goûter à Charleston. Et les connaissances d'Annabeth s'arrêtaient là. Mithras ne faisait pas partie des dieux qu'ils étudiaient à la Colonie des Sang-Mêlé. Elle se doutait bien que les fantômes n'allaient pas lui laisser le temps de sortir l'ordinateur de Dédale et de faire une recherche.

Son regard parcourut le sol de mosaïque : sept vignettes alignées. Elle examina les fantômes et remarqua que chacun d'eux avait un insigne différent sur sa toge : un corbeau, une torche ou un arc.

– Vous avez des rites de passage, tenta-t-elle. Il y a sept niveaux d'appartenance. Et le rang le plus élevé est *pater*.

Les fantômes poussèrent un hoquet de surprise collectif. Puis tous se mirent à crier à la fois.

– Comment elle le sait ?

– La fille a dévoilé nos secrets !

– Silence ! ordonna le *pater*.

– Mais si elle connaissait nos épreuves ? s'écria un des fantômes.

– Les épreuves ! dit Annabeth. Je les connais.

Nouvelle série d'exclamations incrédules.

– Absurde ! hurla le *pater*. Cette fille ment ! Fille d'Athéna, choisis l'outil de ta mort. Si tu ne choisis pas, le dieu choisira pour toi !

– Le feu ou le poignard, devina Annabeth.

Même le *pater* en fut sidéré. Apparemment, il avait oublié que les victimes des châtiments passés jonchaient encore le sol.

– Co... comment as-tu... ? balbutia-t-il. Qui es-tu ?

– Une enfant d'Athéna, répéta Annabeth. Mais pas n'importe laquelle. Je suis, euh... la *mater* de ma sororité. La *magna mater*, en fait. Il n'y a pas de mystères pour moi. Mithras ne peut rien me cacher.

– La *magna mater* ! gémit un des fantômes avec désespoir. La mère supérieure !

– Tuons-la ! cria un autre, qui fonça droit sur Annabeth, mains tendues pour l'étrangler – mais il lui passa au travers sans qu'elle ne sente rien.

– Tu es mort, lui rappela Annabeth. Calme-toi.

Penaud, le fantôme retourna s'asseoir.

– Nous n'avons pas besoin de te tuer nous-mêmes, grommela le *pater*. Mithras s'en chargera !

Sur l'autel, la statue se mit à luire.

Annabeth appuya les mains contre les briques qui muraient la porte, dans son dos. C'était forcément la sortie. Les joints de mortier s'effritaient, mais ce n'était pas suffisant pour lui permettre de démolir le panneau rien qu'avec sa force.

Elle balaya désespérément la pièce du regard : le plafond fissuré, le sol de mosaïque, les murs couverts de fresques, l'autel sculpté. Puis elle se mit à parler en enchaînant les déductions qui lui venaient.

– C'est inutile, dit-elle. Je sais tout. Vous testez vos initiés par le feu parce que la torche est le symbole de Mithras. Son autre symbole étant le poignard, on peut aussi subir l'épreuve du poignard. Vous voulez me tuer comme, euh... comme Mithras a tué le taureau sacré.

Annabeth y allait au culot, mais puisque la frise de l'autel montrait Mithras tuant un taureau, elle supposait que c'était important. Les fantômes se couvrirent les oreilles en gémissant. Certains se claquèrent le visage comme pour se réveiller d'un cauchemar.

– La mère supérieure sait ! dit l'un d'eux. C'est impossible !

Sauf si on regarde autour de soi, songea Annabeth, qui sentait son assurance grandir.

Elle toisa le fantôme qui venait de parler. Il avait un insigne de corbeau sur sa toge – le même symbole que sur la vignette de mosaïque à ses pieds.

– Tu n'es qu'un corbeau, dit-elle d'un ton hautain. C'est le rang le plus bas. Tais-toi et laisse-moi parler à ton *pater*.

– Pitié ! Pitié ! gémit le fantôme.

Le *pater*, à l'autre bout de la chambre basse, trembla. Était-ce de peur ou de rage, Annabeth n'arrivait pas à le deviner. Sa mitre papale avait glissé sur le côté de sa tête comme l'aiguille d'une jauge à essence piquant vers le zéro.

– C'est vrai, mère supérieure, tes connaissances sont vastes et ta sagesse est grande, dit-il. Raison de plus pour ne pas te laisser repartir. La tisseuse nous avait avertis que tu viendrais.

« La tisseuse... » Avec un coup au cœur, Annabeth comprit que le *pater* faisait allusion à la créature dans l'ombre du rêve de Percy, au gardien du sanctuaire. Pour une fois, elle regretta d'avoir su décrypter l'énigme, mais elle s'efforça de garder son calme.

– La tisseuse ne me fait pas peur, rétorqua-t-elle. Elle ne veut pas que je suive la Marque d'Athéna, mais vous allez me laisser passer.

– Tu dois choisir une épreuve ! insista le *pater*. Le feu ou le poignard ! Si tu y survis, alors, peut-être qu'on verra !

Annabeth regarda les ossements de ses frères. « Les échecs de tes prédécesseurs te guideront. »

Tous avaient choisi entre les deux : soit le feu, soit le poignard. Peut-être avaient-ils cru qu'ils pourraient être plus forts que l'épreuve. Mais tous étaient morts. Annabeth avait besoin d'une troisième option.

Elle porta les yeux sur la statue de l'autel, qui rougeoyait d'un éclat de plus en plus vif. Même à l'autre bout de la pièce, elle sentait la chaleur qui s'en dégageait. Son instinct lui disait de concentrer son attention sur le poignard et la torche, pourtant elle décida d'examiner le socle de la statue. Elle se demanda pourquoi les jambes étaient prises dans la pierre. Puis une étincelle se fit dans son esprit : la petite statue de Mithras n'était peut-être pas coincée dans la pierre ; peut-être, au contraire, que Mithras émergeait d'un rocher.

– Ni flambeau ni poignard, dit Annabeth d'une voix ferme. Il y a un troisième test, et c'est celui que je vais passer.

– Un troisième test ? demanda le *pater*.

– Mithras est né d'un rocher, affirma Annabeth en espérant qu'elle devinait juste. Il est sorti adulte de la pierre en brandissant son poignard et son flambeau.

Les cris et hurlements lui dirent que sa déduction était la bonne.

– La mère supérieure sait tout ! s'écria un fantôme. C'est notre secret le plus jalousement gardé !

Alors faudrait peut-être pas l'afficher en statue sur votre autel, pensa Annabeth – mais elle s'estima chanceuse de la bêtise de ces fantômes masculins. S'ils avaient accepté des guerrières dans leur secte, ils auraient peut-être acquis un peu de bon sens.

Annabeth fit un geste théâtral vers le mur par lequel elle était entrée.

– Je suis née de la pierre, tout comme Mithras ! J'ai donc déjà réussi votre épreuve !

– Pff ! lâcha le *pater*. Tu es sortie d'un trou dans le mur ! Ce n'est pas pareil.

D'accord. Visiblement le *pater* n'était pas un imbécile fini, mais Annabeth ne se laissa pas décourager. Elle jeta un coup d'œil au plafond et il lui vint une autre idée – tous les détails se mirent rapidement en place.

– Je contrôle les pierres, dit-elle en levant les bras. Je vais vous montrer que mon pouvoir est plus grand que celui de Mithras. Je vais faire un seul geste et ce plafond va s'écrouler.

Les fantômes regardèrent la voûte en tremblant et en gémissant, mais Annabeth savait qu'ils ne pouvaient pas voir la même chose qu'elle. C'étaient des anciens guerriers, pas des ingénieurs. Les enfants d'Athéna avaient de nombreux talents, et pas seulement dans le domaine du combat. Annabeth étudiait l'architecture depuis des années. Elle savait que cette construction ancienne menaçait de s'écrouler. Elle savait interpréter ces fissures, qui partaient toutes d'un même point : la clé de voûte qui se trouvait juste au-dessus d'elle. La clé de voûte était sur le point de céder, et lorsque cela se produirait, à supposer qu'elle synchronise bien...

– Impossible ! cria le *pater*. La tisseuse nous a payé un important tribut pour que nous tuions tous les enfants d'Athéna qui oseraient pénétrer dans notre sanctuaire. Nous ne l'avons jamais déçue. Nous ne pouvons pas te laisser passer.

– Alors tu crains mon pouvoir ! dit Annabeth. Tu reconnais que je pourrais démolir votre chambre sacrée !

Le *pater* grimaça. Il redressa sa mitre, l'air embêté. Annabeth savait qu'elle l'avait mis dans une position délicate. Il ne pouvait pas faire machine arrière sans passer pour un lâche.

– Essaie donc, enfant d'Athéna, finit-il par dire. Personne ne peut détruire la grotte de Mithras, et surtout pas d'un seul geste. Et surtout pas une fille !

Annabeth leva son poignard. Le plafond était bas. Elle pouvait facilement atteindre la clé de voûte, mais il fallait que le premier coup de poignard soit le bon.

La porte, derrière elle, était murée, mais théoriquement, si la pièce commençait à s'effondrer, ces briques-là céderaient elles aussi. Annabeth devait pouvoir se faufiler avant que tout le plafond ne leur tombe sur la tête – ce en supposant, bien sûr, qu'il y avait quelque chose derrière le mur, et pas juste de la terre ; en supposant aussi qu'Annabeth serait assez rapide, assez forte et assez chanceuse. Sinon elle allait finir aplatie en crêpe de demi-dieu.

– Eh bien les garçons, lança-t-elle crânement, on dirait que vous avez mal choisi votre dieu de la Guerre.

Elle donna un coup de poignard dans la clé de voûte. La lame de bronze céleste la cassa comme un morceau de sucre. Dans un premier temps, il ne se passa rien.

– Ha ! triompha le *pater*. Tu vois ? Athéna n'a aucun pouvoir ici !

La pièce trembla. Une fissure zébra le plafond sur toute sa longueur et le fond de la caverne s'écroula, ensevelissant l'autel et le *pater* sous les gravats. D'autres fissures s'élargirent. Une pluie de briques tomba de la voûte. Les fantômes hurlaient et couraient en tous sens, mais visiblement, ils ne pouvaient pas traverser les murs. Leur sort était lié à cette chambre basse, jusque dans la mort.

Annabeth se retourna. Elle heurta de toutes ses forces le panneau qui bouchait la porte et les briques cédèrent. Alors que derrière elle la caverne de Mithras implosait, elle se lança dans le noir et dégringola dans le vide.

35 Annabeth

Annabeth croyait savoir ce que c'était d'avoir mal. Elle était tombée du mur de lave à la Colonie des Sang-Mêlé. Elle avait été poignardée au bras avec une arme empoisonnée. Elle avait même porté tout le poids du monde sur ses épaules.

Mais ce n'était rien, comparé à s'écraser sur la cheville comme elle le fit.

Elle sut tout de suite que c'était cassé. Une douleur vive et brûlante comme un câble d'acier chauffé à blanc remonta le long de sa jambe et jusqu'à sa hanche. Le monde se réduisit à elle, sa cheville et sa douleur.

Elle faillit s'évanouir. Elle avait la tête qui tournait. Le souffle court et haché.

Non, se dit-elle. *Tu peux pas perdre connaissance.*

Elle essaya de calmer sa respiration et resta le plus immobile possible en attendant que la douleur passe du supplice total à des horribles élancements.

Elle avait envie de hurler devant tant d'injustice.

Avoir fait tout ce chemin pour être vaincue par une banale fracture de la cheville ?

Elle fit taire ses émotions. Son entraînement à la colonie lui avait appris à faire face à toutes sortes de situations difficiles, y compris une blessure comme celle-ci.

Annabeth regarda autour d'elle. Son poignard avait glissé un peu plus loin. À la lueur qu'il dégageait, elle put se faire une idée des lieux. Elle avait atterri sur un sol froid, en dalles de grès. Il y avait deux étages de hauteur sous le plafond. La porte par laquelle elle était tombée se trouvait à trois mètres du sol et disparaissait sous les gravats qui s'étaient déversés dans la pièce et formaient un éboulis. Des poutres et des planches poussiéreuses traînaient par terre tout autour d'elle, pour certaines desséchées et fissurées, pour d'autres cassées en petits morceaux.

Idiote, se réprimanda-t-elle. Elle s'était engouffrée par cette porte en supposant qu'il y aurait un couloir ou une autre pièce au même niveau. Il ne lui avait pas traversé l'esprit qu'elle pouvait donner sur du vide. Les fragments de bois devaient être les vestiges d'un escalier effondré depuis des lustres.

Elle examina sa cheville. Son pied ne formait pas d'angle bizarre. Elle sentait toujours ses orteils. Et elle ne vit pas de sang. Tout ça était bon signe.

Elle tendit la main pour attraper un bout de bois. Ce simple mouvement lui arracha un petit cri.

La planche s'effrita entre ses doigts. Le bois datait peut-être de plusieurs siècles, voire de millénaires. Elle n'avait aucun moyen de savoir si cette pièce était aussi ancienne que le sanctuaire de Mithras ou si, comme dans le labyrinthe, ces souterrains étaient un patchwork qui juxtaposait plusieurs époques au hasard.

– Bon, dit-elle tout haut, juste pour entendre le son de sa voix. Réfléchis, Annabeth. Mets de l'ordre dans tes pensées.

Elle se souvint d'un stage de survie en pleine nature qu'avait animé Grover à la colonie. À l'époque, elle avait trouvé ça débile. Première étape : vérifiez qu'il n'y a pas de danger autour de vous.

Cette pièce ne semblait pas menacer de s'écrouler. L'éboulement s'était arrêté. Les murs étaient faits de gros blocs de pierre où Annabeth ne voyait pas de fissures importantes. Le plafond ne s'affaissait pas. Bien.

L'unique autre issue se trouvait sur le mur d'en face : une arcade qui donnait sur un tunnel obscur. Entre Annabeth et cette arcade, une rigole tapissée de briques traversait la pièce et l'eau coulait dans le sens gauche-droite. Était-ce un autre vestige de l'époque romaine ? Si l'eau était potable, c'était un bon point de plus.

Dans un coin s'entassaient des débris de coupes en céramique mêlés de grappes et de boules ratatinées, qui avaient peut-être été des fruits dans un passé lointain. Beurk. Dans un autre coin, des caisses en bois qui semblaient intactes et des malles d'osier retenues par des lanières en cuir.

– Donc pas de danger immédiat, dit Annabeth. Sauf si quelque chose déboule de ce tunnel obscur.

Elle regarda l'arcade d'un œil mauvais, défiant presque le sort de s'acharner sur elle. Il ne se passa rien.

– Bon, continua-t-elle. Étape suivante : faites l'inventaire.

Qu'est-ce qui pouvait lui être utile ? Elle avait sa bouteille d'eau, plus l'eau de la rigole si elle pouvait arriver jusque-là. Elle avait son poignard. Son sac à dos contenait des pelotes de ficelle colorée (youpi), son ordinateur portable, la carte en bronze, des allumettes et un peu d'ambroisie en cas d'urgence.

Oui. Elle pouvait considérer que c'était une urgence. Elle sortit la dose de nourriture des dieux et l'avala goulûment. Comme toujours, elle avait le goût d'un souvenir réconfortant. Cette fois-ci, du pop-corn au beurre – une soirée avec son père dans sa maison de San Francisco, rien que tous les deux, sans ses demi-frères ni sa belle-mère, peinards dans le canapé du salon à regarder de vieilles comédies à l'eau de rose.

L'ambroisie lui réchauffa tout le corps. La douleur de sa cheville se réduisit à une brûlure sourde, cependant Annabeth savait qu'elle n'était pas tirée d'affaire. Même l'ambroisie ne pouvait pas consolider instantanément un os cassé. La guérison serait accélérée mais, dans le meilleur des cas, elle en avait pour un jour ou deux à ne pas pouvoir prendre appui sur ce pied.

Elle essaya d'attraper son poignard, mais il était trop loin. Elle se souleva et se traîna dans sa direction. La douleur se réveilla ; c'était comme des clous qui s'enfonçaient dans son pied. Son front se couvrit de sueur, mais elle se hissa encore une fois et parvint à refermer sa main sur le manche.

Tenir son poignard réconforta Annabeth : pas seulement pour la lumière et la protection, mais aussi parce qu'il lui était tellement familier.

Et maintenant ? Selon le stage de survie de Grover, il fallait ne plus bouger d'où on était et attendre les secours, mais là, c'était hors de question. Même si Percy se débrouillait pour retrouver sa trace, la caverne de Mithras s'était effondrée.

Elle aurait pu essayer de contacter quelqu'un sur l'ordinateur de Dédale, mais il n'y avait certainement pas de réseau ici. En plus, qui aurait-elle appelé ? Elle ne pouvait pas envoyer de textos aux autres héros de la quête qui étaient dans un rayon assez proche pour l'aider. Les demi-dieux n'avaient jamais de téléphones mobiles sur eux car le signal attirait l'attention des monstres, et ses amis avaient autre chose à faire dans les heures à venir que d'aller consulter leurs e-mails.

Un message-Iris ? Ce n'était pas l'eau qui manquait, mais elle ne trouverait sans doute pas assez de lumière pour créer un arc-en-ciel, de plus la seule pièce de monnaie dont elle disposait était sa drachme athénienne en argent, ce qui ne constituait pas un tribut formidable.

Appeler au secours posait un autre problème : Annabeth était censée mener cette quête en solitaire. Si elle se faisait aider, lui semblait-il, elle admettait sa défaite. Son intuition lui disait que la Marque d'Athéna cesserait de la guider. Elle pourrait errer éternellement, elle ne trouverait jamais l'Athéna Parthénos.

Donc... rester sur place et attendre les secours était exclu. Il fallait qu'elle trouve le moyen de poursuivre son chemin toute seule.

Elle ouvrit sa bouteille d'eau et but. Elle ne s'était pas rendu compte à quel point elle avait soif. Une fois la bouteille vide, elle rampa jusqu'à la rigole.

L'eau était froide et coulait vite, ce qui laissait à penser qu'elle était potable. Après avoir rempli sa bouteille, Annabeth prit de l'eau entre ses mains et s'aspergea le visage. Aussitôt, elle se sentit revigorée. Elle se débarbouilla et nettoya ses égratignures du mieux qu'elle put, puis se redressa.

– Il fallait que tu te casses, toi, hein ? dit-elle en regardant sa cheville d'un œil sombre.

La cheville ne répondit pas.

Elle devait l'immobiliser dans un plâtre de fortune, si elle voulait pouvoir se déplacer.

Hum...

Elle leva son poignard et examina de nouveau la pièce à la lueur du bronze. Elle s'était rapprochée de l'arcade, qui l'inspirait encore moins. Elle donnait sur un couloir sombre et silencieux, d'où venaient des relents d'une odeur douceâtre et inquiétante. Malheureusement, Annabeth ne voyait pas quel autre chemin elle pouvait prendre.

Avec force gémissements étouffés et larmes ravalées, elle rampa jusqu'aux débris d'escalier. Elle trouva deux planches en assez bon état et suffisamment longues pour servir d'attelle. Puis elle se traîna jusqu'aux malles d'osier et trancha les courroies de cuir avec son couteau.

Alors qu'elle se préparait psychologiquement à immobiliser sa cheville blessée, elle remarqua des lettres à demi effacées sur l'une des boîtes : HERMÈS EXPRESS.

Elle crapahuta dans cette direction avec impatience.

Elle n'avait aucune idée de ce que la caisse faisait là, mais Hermès livrait toutes sortes de choses utiles aux dieux, aux esprits et même aux demi-dieux. Peut-être avait-il déposé ce colis-surprise ici des années plus tôt pour aider des demi-dieux comme elle dans leur quête.

Elle l'ouvrit et en sortit plusieurs feuilles de plastique à bulles, mais l'objet emballé avait disparu.

– Hermès ! protesta-t-elle.

Elle regarda le plastique à bulles avec découragement. Puis son cerveau se remit en marche et elle comprit que l'emballage, justement, était le cadeau.

– Oh... c'est parfait !

Annabeth enveloppa sa cheville cassée de plastique à bulles ; l'idée était de placer ensuite une planche de chaque côté et d'attacher solidement le tout avec les lanières en cuir.

Une fois, pour un exercice de premier secours à la colonie, elle avait dû faire une attelle pour une fausse jambe cassée à un autre demi-dieu, mais elle n'avait jamais imaginé qu'elle aurait un jour à s'en faire une pour elle-même.

Ce fut difficile et douloureux, mais elle y parvint. Ensuite elle fouilla dans les décombres de l'escalier et finit par trouver un morceau de rampe qui pouvait servir de béquille : une planche étroite, longue d'un mètre vingt. Elle appuya le dos contre le mur, prépara sa bonne jambe et se hissa à la verticale.

– La vache.

Des taches noires dansaient devant ses yeux, mais elle ne flancha pas.

– La prochaine fois, marmonna-t-elle en s'adressant à la pièce, donne-moi un monstre à combattre. C'est bien plus facile.

Au-dessus de l'arcade, la Marque d'Athéna s'alluma en flamboyant.

La chouette rougeoyante semblait observer Annabeth avec impatience, comme pour dire : « Tu as pris ton temps ! Alors tu veux des monstres ? Par ici ! »

Annabeth se demanda si cette marque de feu reproduisait une chouette sacrée existante. Si c'était le cas, et si elle s'en sortait vivante, elle trouverait cette chouette et lui collerait son poing entre les deux yeux.

Cette pensée lui remonta le moral. Elle enjamba la rigole et entra clopin-clopant dans le couloir.

36 Annabeth

Le tunnel s'enfonçait en ligne droite et le sol était lisse, mais Annabeth ne voulait pas prendre de risque, après sa chute. Elle s'appuyait au mur et tapait devant elle avec sa béquille pour s'assurer qu'il n'y ait pas de pièges.

Plus elle marchait, plus l'odeur écœurante s'accentuait et mettait ses nerfs à l'épreuve. Le bruit de l'eau s'était tu, remplacé par un chœur râpeux et chuchotant, comme composé d'un million de voix minuscules. Celles-ci semblaient sortir de l'intérieur des murs et se faisaient de plus en plus fortes.

Annabeth essaya d'accélérer la cadence, mais elle ne pouvait guère aller plus vite sans perdre l'équilibre ou susciter des élancements dans sa cheville cassée. Elle avançait en boitant, persuadée d'être suivie. Les petites voix se regroupaient, se resserraient.

Elle toucha le mur et sa main revint couverte de toiles d'araignée.

Elle laissa échapper un petit cri, puis se reprocha d'avoir fait du bruit.

Ce n'est qu'une toile d'araignée, se dit-elle, mais ça ne calma pas le grondement qui lui envahissait les oreilles.

Elle s'était attendue à voir des araignées. Elle savait ce qu'il y avait plus loin. « La tisseuse. » « Son Altesse. » « La voix dans le noir. » Mais les toiles lui faisaient comprendre qu'elle approchait.

Sa main tremblait quand elle l'essuya sur les pierres. Que s'était-elle imaginé ? Elle était incapable de mener cette quête seule.

Trop tard, se dit-elle. *Continue.*

Elle poursuivit péniblement son chemin le long du couloir. Dans son dos, les chuchotements faisaient maintenant un vacarme de feuilles mortes tourbillonnant par millions dans le vent. Les toiles d'araignée étaient de plus en plus épaisses. Bientôt, elle dut les écarter de son visage pour passer, fendant un rideau vaporeux qui collait comme des fils serpentins.

Elle sentait que son cœur aurait voulu sortir de sa poitrine et s'enfuir. Essayant d'ignorer la douleur à sa cheville, elle s'enfonça en titubant avec une audace redoublée.

Finalement, le couloir déboucha sur un encadrement de porte rempli jusqu'à mi-hauteur de vieilles planches, comme si quelqu'un avait voulu barricader l'ouverture. Ce n'était pas de bon augure, mais Annabeth se servit de sa béquille pour écarter le plus de planches possible, puis elle enjamba le tas qui restait en s'enfonçant plein d'échardes dans sa main libre.

De l'autre côté de la barricade se trouvait une salle grande comme un terrain de basket-ball. Le sol était recouvert de mosaïques romaines. Des tapisseries en lambeaux étaient pendues aux murs. Deux torches éteintes encadraient l'ouverture de la porte, chacune dans une applique murale couverte de toiles d'araignée.

À l'autre bout de la salle, la Marque d'Athéna flambait au-dessus d'une deuxième porte. Malheureusement, entre Annabeth et cette sortie, un gouffre de quinze mètres de large s'ouvrait dans le sol. Deux poutres parallèles s'étendaient en travers de la fosse. Elles étaient trop écartées pour permettre à Annabeth de traverser en posant un pied sur chacune, mais trop étroites pour qu'elle puisse marcher sur une seule – à moins d'être acrobate, ce qu'elle n'était pas, et de ne pas avoir de cheville cassée, ce qu'elle avait.

Le couloir par lequel elle était arrivée bruissait de sifflements chuintants. Les toiles commencèrent à trembler quand apparurent les premières araignées : pas plus grosses que des boules de gomme, mais noires et charnues, courant sur les murs et le sol.

De quelle espèce étaient-elles ? Annabeth n'en avait aucune idée. Tout ce qu'elle savait, c'était qu'elles étaient là pour l'attaquer et qu'elle n'avait que quelques secondes pour trouver un plan.

Elle aurait voulu éclater en sanglots. Aurait voulu qu'il y ait quelqu'un, n'importe qui, avec elle. Léo et ses pouvoirs sur le feu, Jason et ses éclairs de foudre, Hazel qui aurait pu faire s'écrouler le tunnel. Et, surtout, elle aurait voulu que Percy soit là. Elle se sentait toujours plus forte avec Percy à ses côtés.

Je ne vais pas mourir ici, se dit-elle. *Je vais revoir Percy.*

Les premières araignées étaient presque arrivées à la porte. Derrière elles, en rangs serrés, venait le reste de leur armée : une marée noire, grouillante et pleine de pattes.

Annabeth boitilla jusqu'à une des appliques et retira le flambeau. Le bout était enduit de poix pour permettre de l'allumer plus facilement. Avec des doigts lourds comme du plomb, elle fourragea dans son sac à dos et y repêcha ses allumettes. Elle en craqua une et embrasa la torche.

Elle la tendit vers le seuil barricadé. Le bois, vieux et sec, prit feu immédiatement. Les flammes coururent sur les toiles d'araignée et s'engouffrèrent dans le couloir en dévorant des araignées par milliers.

Annabeth s'écarta de sa flambée. Elle avait gagné du temps, mais elle se doutait bien qu'elle n'avait pas exterminé les araignées. Les survivantes allaient se regrouper et revenir à la charge dès le feu éteint.

Elle s'approcha du bord du gouffre.

Elle y plongea la torche, mais ne put voir le fond. Pas question de sauter, ce serait du suicide. Elle pouvait essayer de traverser le long d'une des poutres, agrippée par les mains, à la seule force des bras, mais elle n'était pas sûre d'en être capable et se voyait encore moins, une fois arrivée au bout, se hisser sur le bord avec un sac à dos plein et une cheville cassée.

Elle s'accroupit et regarda les poutres. Chacune d'elles était bordée sur l'intérieur d'une rangée de vis à œillet, espacées de trente centimètres. Peut-être que c'étaient les anciennes bordures d'un pont, dont on avait retiré ou détruit les planches du milieu. Mais alors, pourquoi des œillets ? Ça ne servait pas à soutenir des planches. Plutôt à...

Elle jeta un coup d'œil aux murs. Les tapisseries en lambeaux étaient accrochées par des vis du même type.

Annabeth comprit que les planches ne provenaient pas d'un pont démoli. C'étaient les pièces d'un métier à tisser.

Elle lança la torche allumée de l'autre côté du gouffre. Bien qu'elle n'ait pas grande confiance dans son plan, elle sortit toute la ficelle qu'elle avait dans son sac à dos et se mit à tisser entre les poutres : elle passait le fil en zigzag dans les œillets, d'un côté à l'autre, en double et triple épaisseur.

Ses mains se mouvaient à une vitesse hallucinante. Elle cessa de penser à la tâche et laissa faire ses doigts : bâtir la trame, arrêter les rangs – et peu à peu étendre son filet tissé par-dessus la fosse.

Elle en oublia sa douleur à la jambe et la barricade enflammée qui diminuait d'intensité derrière elle. Elle avançait pouce à pouce au-dessus du gouffre. À sa propre surprise, elle s'aperçut soudain qu'elle était à mi-chemin.

D'où savait-elle tisser ?

Athéna, pensa-t-elle. *Le don de ma mère pour tous les artisanats utiles.* Le tissage n'avait jamais paru très utile à Annabeth – jusqu'à maintenant.

Elle jeta un coup d'œil derrière elle. Au seuil de la pièce, le feu s'éteignait. Quelques araignées s'approchaient de l'embrasure.

Elle se remit à tisser désespérément et finit par atteindre l'autre côté. Elle ramassa vite son flambeau et le lança sur son pont de fils tissés. Les flammes coururent sur la ficelle et même les poutres prirent feu, comme si elles avaient été préalablement trempées dans du pétrole.

Un court instant, les flammes suivirent un motif très distinct sur le tissage : une rangée de chouettes identiques et rougeoyantes. Annabeth les avait-elle vraiment dessinées en tissant, ou était-ce de la magie ? Elle ne le savait pas, mais dès que les araignées commencèrent à traverser, les poutres cédèrent et s'écroulèrent dans la fosse.

Annabeth retint son souffle. Elle ne voyait pas ce qui empêcherait les araignées de la rattraper en grimpant sur les murs ou le plafond. Si elles optaient pour cette stratégie, Annabeth allait devoir prendre ses jambes à son cou – ce dont elle serait sans doute incapable.

Pour une raison qu'elle ne put s'expliquer, les araignées ne la suivirent pas. Elles s'agglutinèrent au bord de la fosse, formant une masse noire, grouillante et parfaitement cauchemardesque. Puis elles rebroussèrent chemin et se dispersèrent dans le couloir brûlé, presque comme si Annabeth avait cessé de les intéresser.

– Ou alors c'était un test, dit-elle à voix haute.

La torche crachota, puis s'éteignit. Annabeth n'avait plus que son poignard pour s'éclairer. Là-dessus, elle se rendit compte qu'elle avait laissé sa béquille de fortune de l'autre côté.

Elle était épuisée et se sentait à court d'astuces, mais elle avait l'esprit clair. Comme si sa panique était partie en flammes avec son pont de tissage.

La tisseuse, pensa-t-elle. *Je dois être proche. Au moins, je sais ce que je vais trouver.*

Elle s'engagea dans le nouveau couloir en sautillant pour peser le moins possible sur son pied blessé.

Elle n'eut pas à marcher longtemps.

Cinq ou six mètres plus loin, le couloir déboucha sur une caverne grande comme une cathédrale et tellement majestueuse qu'Annabeth eut du mal à en avoir une vision d'ensemble. Elle supposa que c'était la grotte du rêve de Percy, mais il n'y faisait pas noir. Des braseros de bronze chargés de flammes magiques, comme ceux qu'avaient les dieux sur le mont Olympe, étaient disposés tout autour de la salle, surmontés de splendides tapisseries. Le sol de pierre était parcouru de fissures, comme un plan d'eau gelé. Le plafond était si haut qu'il se perdait dans la pénombre et les innombrables couches de toiles d'araignée.

Dans toute la pièce, des fils de soie épais comme des piliers reliaient le plafond aux murs et au sol tels les câbles d'un pont suspendu.

Des toiles d'araignée entouraient aussi le chef-d'œuvre qui se dressait au centre du sanctuaire, si intimidant qu'Annabeth eut du mal à y porter le regard. Une statue d'Athéna la dominait de ses quatorze mètres de haut. Sa peau d'ivoire était lumineuse, sa robe en or massif et, dans sa main tendue, Athéna tenait une statue de Niké, la déesse ailée de la Victoire – qui paraissait minuscule, vue du sol, mais qui était sans doute de taille humaine. Athéna avait l'autre main posée sur un bouclier grand comme un panneau d'affichage dont dépassait la tête d'un serpent sculpté, comme s'il se cachait derrière et qu'Athéna le protégeait.

Le visage de la déesse était serein et bienveillant... et il lui ressemblait. Annabeth avait vu beaucoup de statues qui ne ressemblaient pas du tout à sa mère, mais cette version géante, sculptée il y avait de cela plus de deux mille cinq cents ans, rendait la déesse à la perfection. Elle se dit que l'artiste devait l'avoir rencontrée en personne.

– L'Athéna Parthénos, murmura Annabeth. Elle est vraiment là.

Elle avait toujours rêvé de visiter le Parthénon. À présent, elle contemplait le chef-d'œuvre qui en avait jadis été le joyau, et elle était le premier enfant d'Athéna à le faire depuis sa mystérieuse disparition.

Elle se rendit compte qu'elle avait la bouche grande ouverte. Elle se força à la refermer et à ravaler sa salive. Annabeth aurait pu passer toute la journée à contempler la statue, mais elle n'avait accompli que la moitié de sa mission. Elle avait retrouvé l'Athéna Parthénos. Bien. Et maintenant, comment pouvait-elle la faire sortir de sa prison ?

La statue était prise dans des filaments qui formaient une tente de gaze. Annabeth devina que sans ce cocon en toiles d'araignée qui la retenait, la statue serait passée au travers du sol craquelé depuis longtemps. En avançant dans la salle, elle vit que les fissures étaient si larges qu'elle aurait pu y enfoncer un pied. Et à l'intérieur, elle ne voyait rien que de l'obscurité.

Un frisson la traversa. Où était la gardienne ? Comment Annabeth pouvait-elle dégager la statue sans que le sol s'écroule ? Elle se voyait mal repartir par le couloir d'où elle était venue avec l'Athéna Parthénos sous le bras...

Elle balaya la pièce du regard dans l'espoir de trouver une idée. Ses yeux se promenèrent sur les tapisseries, d'une beauté poignante. L'une d'elles dépeignait une scène champêtre, avec un relief tellement réussi qu'on aurait cru une fenêtre ouverte sur la campagne. Une autre représentait un combat entre les dieux et les géants. Annabeth reconnut ensuite un paysage des Enfers. Puis une vue panoramique de la Rome d'aujourd'hui. Puis, sur la tapisserie qui était à sa gauche...

Annabeth retint son souffle. C'était un portrait de deux demi-dieux qui s'embrassaient sous l'eau : Annabeth et Percy, le jour où leurs amis les avaient jetés dans le lac de canoë-kayak, à la colonie. La scène était d'une telle ressemblance qu'elle se demanda si la tisseuse avait été présente ce jour-là, tapie dans le lac avec un appareil photo waterproof.

– Comment est-ce possible ? murmura-t-elle.

Au-dessus de sa tête, une voix parla dans l'obscurité.

– Ça fait des éternités que je sais que tu vas venir, ma chérie.

Annabeth frissonna. D'un coup, elle redevenait la petite fille de sept ans qui attendait, la nuit, blottie sous ses couvertures, que les araignées l'attaquent. La voix était exactement telle que Percy l'avait décrite : un bourdonnement irrité aux tonalités multiples, féminin mais pas humain.

Quelque chose bougea dans les toiles d'araignée au-dessus de la statue – une forme sombre et massive.

– Je t'ai vue dans mes rêves, dit la voix, dure et horriblement douceâtre à la fois, comme l'odeur qui flottait dans les couloirs. Il fallait que je vérifie que tu étais à la hauteur, que tu étais bien la seule enfant d'Athéna capable de réussir mes épreuves et d'arriver jusqu'ici vivante. Et c'est bien vrai, tu es son enfant la plus douée. Cela rendra ta mort encore plus douloureuse pour ma vieille ennemie, quand tu échoueras totalement.

La douleur à la cheville n'était rien comparée à la brûlure d'acide glacé qui envahissait maintenant les veines d'Annabeth. Elle aurait voulu s'enfuir en courant. Elle aurait voulu demander grâce. Mais il n'était pas question qu'elle fasse preuve de faiblesse. Pas maintenant.

– Tu es Arachné, dit-elle d'une voix ferme. La tisseuse qui a été changée en araignée.

La créature descendit, ce qui la rendit un peu plus visible et beaucoup plus horrible.

– Maudite par ta mère, répondit-elle. Méprisée par tous et changée en créature hideuse… juste parce que j'étais la meilleure tisseuse.

– Mais tu as perdu le concours, objecta Annabeth.

– C'est la version de la gagnante, ça ! s'écria Arachné. Regarde mes œuvres et juge par toi-même !

Annabeth n'avait pas besoin de regarder de nouveau. C'étaient les plus belles tapisseries qu'elle ait vues de sa vie, plus belles que celles de l'enchanteresse Circé et, oui, c'était vrai, plus belles encore que certaines de celles qu'elle avait vues au mont Olympe. Elle se demanda si sa mère avait vraiment gagné, ou si elle avait fait disparaître Arachné et réécrit l'histoire. Mais pour le moment, c'était sans importance.

– Tu gardes cette statue depuis l'Antiquité, devina Annabeth. Mais sa place n'est pas ici. Je vais la rapporter.

– Ha ! fit Arachné pour tout commentaire.

Même Annabeth devait reconnaître que sa menace était ridicule. Comment une jeune fille à la cheville dans une attelle de plastique à bulles pouvait-elle sortir cette statue monumentale de sa chambre souterraine à elle toute seule ?

– Il faudrait que tu me passes sur le corps d'abord, ma chérie, reprit Arachné. Et cela, j'en ai bien peur, c'est impossible.

La créature émergea des voiles de toile d'araignée et se montra pleinement. Alors, Annabeth comprit que sa quête était désespérée. Elle allait mourir.

Arachné avait le corps d'une veuve noire géante, avec une marque rouge en forme de sablier sous l'abdomen et deux filières suintantes. Ses huit pattes grêles étaient hérissées de piquants incurvés épais chacun comme le poignard d'Annabeth. Si l'araignée s'approchait davantage, rien que son odeur nauséabonde suffirait à faire défaillir la jeune fille. Mais le plus horrible était son visage difforme.

Arachné avait peut-être été une belle femme, jadis. Aujourd'hui, des mandibules noires sortaient de sa bouche comme des défenses de sanglier. Ses autres dents s'étaient changées en fines aiguilles blanches. Ses joues étaient parsemées de poils foncés. Elle avait des yeux immenses, sans paupières et entièrement noirs, plus deux petits montés sur tiges qui lui sortaient des tempes.

La créature émit une espèce de grincement violent – *criik criik criik* – qui devait être son rire.

– Et maintenant, ma chérie, je vais me repaître de toi, dit Arachné. Mais ne t'inquiète pas, je ferai une très belle tapisserie décrivant ta mort.

37 Léo

Léo était trop doué, c'était ça le problème.

Clairement, ça le mettait parfois dans des situations gênantes. S'il n'avait pas eu l'œil pour tout ce qui était mécanique, ils n'auraient peut-être jamais trouvé la glissière cachée ; ils ne se seraient pas perdus dans le souterrain et ne se seraient pas fait attaquer par les énergumènes en métal. Seulement c'était plus fort que lui.

C'était en partie la faute d'Hazel. Pour une fille dotée d'un sens spécial des souterrains, elle n'assurait pas trop, à Rome. Elle les faisait tourner en rond dans la ville, n'arrêtait pas de revenir sur ses pas.

– Désolée, disait-elle. Il y a tellement de souterrains, ici, tellement de strates et de niveaux, que ça me donne le vertige. C'est comme si j'étais au milieu d'un orchestre et que j'essayais de me concentrer sur un seul instrument. Je suis assourdie.

Résultat, ils avaient droit à une visite guidée de Rome. Frank suivait docilement comme un bon toutou (Léo se demanda s'il pouvait se transformer en chien de berger ou, mieux, en cheval – que Léo pourrait monter). Mais Léo commençait à s'impatienter. Il avait mal aux pieds, le soleil tapait et les rues étaient blindées de touristes.

Le forum n'était pas mal, mais enfin c'étaient des ruines pleines d'arbres et de broussailles, en gros. Il fallait beaucoup d'imagination pour y voir le centre animé de la Rome antique. Si Léo y arrivait, c'était seulement parce qu'il avait vu la Nouvelle-Rome en Californie.

Ils passaient devant de grandes églises, des colonnes isolées, des magasins de vêtements, des fast-foods. À un endroit, une statue d'un Romain de l'Antiquité avait l'air de tendre le bras vers un McDo.

Dans les rues plus larges, la circulation était carrément délirante – dire que jusqu'à ce jour, Léo avait cru qu'au Texas, les gens conduisaient comme des fous ! Cela étant, ils prenaient surtout des petites ruelles et débouchaient tout le temps sur des fontaines ou des cafés où Léo n'avait pas le droit de s'arrêter.

– Je n'aurais jamais cru que je verrais Rome un jour, commenta Hazel. Quand j'étais vivante, la première fois, je veux dire, Mussolini était au pouvoir. On était en guerre.

– Mussolini ? (Léo fronça les sourcils.) Ils se kiffaient grave avec Hitler, ou je me trompe ?

Hazel le regarda d'un air interloqué.

– Laisse tomber, dit Léo.

– J'adorerais voir la fontaine de Trevi, reprit-elle.

– Il y a des fontaines à tous les coins de rue, grommela Léo.

– Ou les marches espagnoles.

– Pourquoi tu voudrais voir des marches espagnoles en Italie ? demanda Léo. C'est un peu comme vouloir bouffer mexicain en Chine, non ?

– Tu es irrécupérable, soupira Hazel.

– On me l'a déjà dit.

Hazel se tourna vers Frank et l'attrapa par la main comme si Léo avait cessé d'exister.

– Viens, dit-elle. Je crois qu'on devrait aller par là.

Frank gratifia Léo d'un sourire gêné, comme s'il hésitait entre jubiler et le remercier d'être aussi ballot, mais il se laissa joyeusement emmener par Hazel.

Au bout d'une éternité, la jeune fille s'arrêta devant une église. Du moins Léo supposa que c'était une église. La partie principale était couverte d'un grand dôme, et l'entrée d'un toit triangulaire avec des colonnes typiquement romaines et une inscription sur le bandeau supérieur : M. AGRIPPA quelque chose.

– Ça veut dire « je te tiens par la barbichette » en latin ? plaisanta Léo.

– C'est notre meilleure chance, dit Hazel, avec plus d'assurance qu'elle n'en avait montré de toute la journée. Il devrait y avoir un passage secret quelque part à l'intérieur.

Des groupes de touristes traînaient sur les marches du monument. Les guides brandissaient des panneaux de couleur portant différents numéros et faisaient leurs exposés dans une douzaine de langues, comme s'ils animaient une partie de bingo internationale.

Léo écouta le guide espagnol pendant quelques secondes, puis il se tourna vers ses amis :

– C'est le Panthéon. À l'origine, c'était un temple érigé pour les dieux par Marcus Agrippa. Il a brûlé, ensuite l'empereur Hadrien l'a reconstruit, et ça fait deux mille ans qu'il tient debout. C'est l'un des édifices romains les mieux conservés du monde.

Frank et Hazel le regardèrent avec des yeux ronds.

– Comment tu sais ça ? demanda Hazel.

– Je suis un garçon cultivé.

– Crottin de centaure, dit Frank. Il a écouté un des guides.

Léo sourit.

– Peut-être. Venez. Allons chercher ce passage secret. J'espère qu'il y a la clim là-dedans.

Pas de clim, bien sûr.

Le côté positif, c'est qu'il n'y avait pas de queue et que l'entrée était gratuite ; il leur suffit donc de se frayer un chemin entre les touristes pour entrer.

L'intérieur du Panthéon était impressionnant, surtout sachant qu'il avait été construit deux mille ans plus tôt. Le sol de marbre était orné d'un motif de carrés et de cercles, comme un jeu de morpion romain. L'espace principal consistait en une vaste salle avec une rotonde, à la façon d'un capitole. Tout le long des murs s'alignaient des sanctuaires, des statues, des tombeaux... Mais ce qui était vraiment à couper le souffle, c'était le dôme. Toute la lumière à l'intérieur du bâtiment provenait d'une seule ouverture ronde au sommet. Un rayon de soleil piquait dans la rotonde et brillait sur le sol, comme si Zeus, là-haut, maniait une grande loupe pour essayer de faire griller les chétifs humains.

Sans être architecte comme Annabeth, Léo était à même d'apprécier la conception de l'édifice. Les Romains avaient construit le dôme avec de grands panneaux de pierre, mais ils avaient évidé chaque panneau, selon un motif de « carré dans le carré ». Visuellement, c'était plutôt sympa. Et Léo se dit que ça avait sans doute rendu le dôme plus léger et plus facile à étayer.

Il ne fit pas part de ses observations à ses amis, il n'était pas sûr que ça les aurait intéressés. Annabeth, en revanche, aurait pu en discuter toute la journée. Maintenant qu'il pensait à elle, il se demanda comment se passait son expédition sur la trace de la Marque d'Athéna. Il ne l'aurait jamais imaginé il y a encore quelque temps, mais en fait il s'inquiétait pour cette blonde intimidante.

Hazel s'arrêta au milieu de la pièce et décrivit un cercle.

– C'est fascinant, dit-elle. Autrefois, les enfants de Vulcain venaient ici en secret pour consacrer les armes des demi-dieux. C'est ici que l'or impérial recevait son pouvoir.

Léo se demanda comment ça se passait. Il imagina un groupe de demi-dieux en toges sombres essayant de pousser discrètement une baliste par la grande porte.

– Mais ce n'est pas pour ça qu'on est là aujourd'hui, je suppose, dit-il.

– Non, répondit Hazel. Il y a une entrée – un tunnel qui nous conduira vers Nico. Je sens qu'on est près, mais je ne sais pas où exactement.

– Si ce bâtiment remonte à deux mille ans, acquiesça Frank, ça paraît logique qu'il y ait un passage secret laissé par les Romains de l'Antiquité.

Et c'est là que Léo commit l'erreur d'être trop fort.

Il balaya le vaste espace du regard en réfléchissant. *Si je voulais créer un passage secret, où est-ce que je le mettrais ?*

Il lui arrivait de comprendre le fonctionnement d'une machine en posant la main dessus. Une fois, il avait appris à piloter un hélicoptère de cette façon. C'était comme ça aussi qu'il avait réparé Festus le dragon (avant qu'il ne s'écrase au sol et brûle). Il avait même reprogrammé les panneaux électroniques de Times Square, à New York, pour les faire afficher « LES GAZELLES KIFFENT LÉO » – par accident, bien sûr.

Il essaya donc de se connecter mentalement sur les mécanismes qui régissaient cet édifice ancien. Il se tourna vers une sorte d'autel de marbre rouge sur lequel trônait une statue de la Sainte Vierge.

– Par ici, dit-il.

Et il se dirigea d'un pas assuré vers le sanctuaire, qui avait un peu la forme d'une cheminée, avec une niche voûtée au ras du sol. Le manteau de l'autel portait une inscription, comme une tombe.

– C'est par ici, répéta Léo. Le tombeau de ce mec barre le chemin. Raphaël quelque chose.

– Un peintre célèbre, je crois, dit Hazel.

Léo haussa les épaules. Il avait un cousin qui s'appelait Raphaël et il n'aimait pas spécialement ce prénom. Il se demanda s'il pouvait sortir un bâton de dynamite de sa ceinture magique et procéder à une petite démolition discrète, mais se dit que les gardiens du monument risquaient de ne pas apprécier.

– Une seconde...

Léo jeta un coup d'œil alentour pour s'assurer que personne ne les observait.

La plupart des touristes s'esbaudissaient devant le dôme, le nez en l'air, mais Léo remarqua un trio qui lui parut louche. À une quinzaine de mètres d'eux, trois types obèses, la cinquantaine, se plaignaient de la chaleur en parlant très fort, avec un accent américain prononcé. On aurait dit des lamantins affublés de vêtements de plage : sandales, shorts, tee-shirts de touristes et chapeaux en toile. Ils avaient tous de grosses jambes striées de petites varices bleues. Ils affectaient un air d'ennui extrême et Léo se demanda pourquoi ils restaient.

Mais ils ne le regardaient pas. Léo ne comprenait pas pourquoi ils éveillaient sa méfiance. C'était peut-être juste qu'il avait quelque chose contre les lamantins.

Laisse tomber, se dit-il.

Il se glissa sur le côté du tombeau. Puis il passa la main à l'arrière d'une colonne romaine, du haut jusqu'en bas. Et, tout à fait à la base, il découvrit une série de traits gravés dans le marbre : des chiffres romains.

– Hé, dit Léo, pas très élégant, mais efficace.

– Qu'est-ce que c'est ? demanda Frank.

– La combinaison d'une serrure. (Léo explora davantage l'arrière de la colonne avec sa main et trouva une ouverture carrée qui faisait à peu près la taille d'une prise électrique.) La partie extérieure de la serrure a été arrachée, sans doute par des vandales au cours des derniers siècles. Mais je devrais arriver à contrôler le mécanisme intérieur, si je peux...

Léo posa la main sur le sol de marbre. Il perçut la présence de vieux rouages de bronze sous la dalle. Du bronze ordinaire se serait corrodé depuis longtemps et les rouages auraient été fichus, mais il s'agissait là de bronze céleste – le travail d'un demi-dieu. Léo fit appel à sa force de volonté et, se guidant avec les chiffres romains, il intima l'ordre aux rouages de bouger. Les cylindres tournèrent : *clic, clic, clic.* Puis *clic-clic.*

Par terre près du mur, une dalle de marbre se souleva pour glisser sur une autre, laissant apparaître une ouverture carrée à peine assez grande pour s'y faufiler.

– Les Romains devaient être petits, remarqua Léo, qui toisa Frank du regard. Tu vas devoir te changer en quelque chose de plus mince pour passer.

– C'est pas gentil !

– Quoi ? Je disais juste...

– Pas grave, grommela Frank. Mais on devrait aller chercher les autres avant d'explorer. C'est ce que Piper a dit.

– Ils sont à l'autre bout de la ville, lui rappela Léo. En plus, je ne suis pas sûr de pouvoir refermer cette écoutille. Les rouages sont assez vieux.

– Super, dit Frank. Comment on sait si c'est dangereux de descendre là-dedans ?

Hazel s'accroupit. Elle posa la main sur l'ouverture, l'air de vérifier la température.

– Il n'y a rien de vivant. En tout cas pas sur les premières centaines de mètres. Le tunnel descend en pente, puis devient plat et se prolonge, en gros, dans la direction du sud. Je ne perçois aucun piège.

– Comment tu fais pour savoir tout ça ? lui demanda Léo.

Hazel haussa les épaules.

– De la même façon que tu repères des serrures dans les colonnes de marbre, je dirais. Je suis contente que tu ne sois pas tenté par les cambriolages de banque.

– Ah, la salle des coffres ! dit Léo. J'y avais jamais pensé.

– Eh bien n'y pense pas ! rétorqua Hazel. Écoutez, il n'est pas encore trois heures. On pourrait au moins explorer un peu et tâcher de repérer où se trouve Nico avant de contacter les autres. Vous deux, restez ici jusqu'à ce que je vous appelle. Je voudrais aller jeter un coup d'œil et m'assurer que le tunnel est solide. J'en saurai plus une fois sous terre.

Frank fronça les sourcils.

– On peut pas te laisser y aller toute seule, dit-il. Il pourrait t'arriver quelque chose.

– Frank, je peux me débrouiller. Sous terre, c'est ma spécialité. C'est plus sûr pour nous trois si je fais un repérage d'abord.

– Sauf si Frank a envie de se changer en taupe, suggéra Léo. Ou en furet. C'est top, les furets.

– La ferme, grogna Frank.

– Le blaireau aussi, c'est sympa.

Frank agita le doigt sous le nez de Léo.

– Valdez, je te jure que...

– Calmez-vous, tous les deux, intervint Hazel. Je reviens dans pas longtemps. Donnez-moi dix minutes. Si vous n'avez pas de mes nouvelles d'ici là... Non, ne vous inquiétez pas. Ça ira. Essayez juste de ne pas vous entretuer en mon absence.

Sur ce, elle se laissa glisser dans le trou. Léo et Frank la cachèrent du mieux qu'ils purent : ils se mirent devant elle épaule contre épaule avec un air qui se voulait naturel, comme s'il n'y avait rien d'étonnant à ce que deux adolescents s'attardent devant le tombeau de Raphaël.

Les groupes de touristes allaient et venaient ; pour la plupart, ils ignoraient Frank et Léo. Quelques-uns seulement leur jetèrent un regard méfiant avant de continuer leur visite

– comme s'ils craignaient que Frank et Léo ne leur réclament un pourboire. Par ailleurs, Léo avait un sourire qui pouvait déstabiliser, sans qu'il sache pourquoi.

Les trois lamantins américains traînaient toujours au milieu de la rotonde. L'un d'eux portait un tee-shirt marqué « ROMA » comme s'il risquait d'oublier dans quelle ville il se trouvait. De temps à autre, il jetait un coup d'œil à Frank et Léo comme si leur présence lui était désagréable.

Il y avait quelque chose, chez ce gars, qui dérangeait Léo. Il avait hâte qu'Hazel revienne.

– Elle m'a parlé, lança abruptement Frank. Hazel m'a dit que tu avais deviné, pour mon fil vital.

Léo se secoua. Il avait presque oublié que Frank était là.

– Ton fil vital ? Ah oui, le tison. (Léo résista à la tentation d'enflammer sa main en criant : « Bouh ! » C'était plutôt marrant, comme idée, mais il n'était pas si cruel.) Écoute, man, dit-il, y a pas de problème. Je ferai jamais rien qui puisse te mettre en danger. On est de la même équipe.

Frank tripota son insigne de centurion.

– J'ai toujours su que le feu pouvait me tuer, mais depuis l'incendie de la propriété de ma grand-mère à Vancouver... c'est devenu beaucoup plus réel.

Léo hocha la tête. Il avait de la peine pour Frank, en même temps ce dernier ne facilitait pas les choses en parlant de la « propriété » de sa grand-mère. C'était un peu comme dire « J'ai plié ma Lamborghini » et s'attendre à ce que les gens vous répondent « Oh, mon pauvre petit ! »

Léo garda ce commentaire pour lui, bien sûr.

– Et ta grand-mère ? Est-ce qu'elle est morte dans cet incendie ? Tu ne m'as pas dit.

– En fait, je ne sais pas. Elle était malade et assez âgée. Elle disait qu'elle mourrait à son heure et à sa façon. Je crois qu'elle a échappé à l'incendie. J'ai vu un oiseau sortir des flammes.

Léo réfléchit.

– Alors tout le monde a le don de transformation dans ta famille ?

– Je suppose que oui, dit Frank. Ma mère l'avait. Grand-mère pensait que c'était ce qui avait causé sa mort en Afghanistan, pendant la guerre. Maman a essayé de porter secours à des camarades, et... je ne sais pas exactement ce qui s'est passé. Il y a eu une bombe incendiaire.

Ému, Léo eut une petite grimace et dit :

– Nous avons tous les deux perdu notre mère dans un incendie.

Sans en avoir eu l'intention, il raconta alors à Frank ce qui s'était passé à l'atelier d'usinage, le soir où Gaïa était apparue et où sa mère était morte.

Frank en eut les larmes aux yeux.

– Ça m'agace toujours quand les gens me disent « Je suis désolé pour ta mère », lança-t-il.

– On n'a jamais l'impression que c'est sincère, acquiesça Léo.

– Mais je suis désolé pour ta mère.

– Merci.

Aucune trace d'Hazel. Les trois Américains faisaient toujours des tours de rotonde. Mine de rien, leurs cercles se resserraient, comme s'ils voulaient se rapprocher du tombeau de Raphaël sans que ça se remarque.

– Au Camp Jupiter, dit Frank, Reticulus, le Lare de notre bungalow, m'a confié que j'avais plus de pouvoir que la plupart des demi-dieux parce que je suis un fils de Mars et qu'en plus j'ai reçu le don de transformation du côté de ma mère. Il dit que c'est pour ça que ma vie est liée à un tison. C'est une si grande vulnérabilité que ça rééquilibre le truc, si tu veux.

Léo se souvint de sa conversation avec Némésis, la déesse de la Vengeance, au Grand Lac Salé. Elle avait dit quelque chose de semblable, en parlant de rééquilibrer les plateaux de la balance. « La chance, c'est du bidon. Le véritable succès se paie de sacrifice. »

Le *fortune cookie* de la déesse était toujours dans sa ceinture à outils, attendant d'être ouvert. « Bientôt tu seras confronté à un problème que tu ne pourras pas résoudre... à moins que je ne t'aide, mais pour cela tu devras payer le prix. »

Léo aurait bien aimé extirper ce souvenir de sa mémoire et le fourrer dans sa ceinture. Il prenait trop de place.

– On a tous des faiblesses, dit-il. Regarde-moi, par exemple. Je suis tragiquement drôle et séduisant.

Frank plissa le nez.

– Tu as peut-être des faiblesses, répondit-il, mais ta vie n'est pas pendue à un bout de bois.

– Non, admit Léo (qui se mit à réfléchir : s'il avait le problème de Frank, comment le résoudrait-il ? Presque tous les défauts de conception pouvaient être rattrapés.) Je me demande...

Il tourna la tête et eut un coup au cœur. Les trois touristes américains venaient vers eux – finis, les tours et les hésitations. Ils avançaient droit sur le tombeau de Raphaël et fusillaient tous les trois Léo du regard.

– Euh, Frank ? demanda Léo. Est-ce que les dix minutes sont passées ?

Frank suivit son regard. Les Américains avaient l'air furieux et déroutés à la fois, tels des somnambules pris dans un cauchemar particulièrement contrariant.

– Léo Valdez, attaqua le type au tee-shirt « ROMA ». (Sa voix avait changé ; elle était métallique et sonnait creux. Il parlait anglais comme si c'était une langue étrangère pour lui.) Comme on se retrouve.

Les trois touristes battirent des paupières et leurs yeux devinrent entièrement dorés.

– Des eidolons ! glapit Frank.

Les lamantins serrèrent leurs gros poings. En temps normal, Léo n'aurait pas eu peur de se faire tuer par des touristes obèses coiffés de chapeaux en toile, mais il soupçonnait les eidolons d'être dangereux même dans ces corps, surtout que les esprits n'allaient pas s'inquiéter que leurs hôtes survivent ou non.

– Ils ne peuvent pas entrer dans le trou, dit Léo.

– D'accord, fit Frank. Très bonne idée, le souterrain.

Il se changea en serpent et rampa dans l'ouverture. Léo sauta derrière lui, tandis qu'au-dessus de leurs têtes, les esprits se mettaient à mugir :

– À mort Valdez ! À mort !

38 Léo

Un problème de réglé : l'écoutille se referma automatiquement, barrant l'accès à leurs poursuivants. Barrant aussi la lumière, mais Frank et Léo pouvaient s'en passer. Léo espérait seulement qu'ils n'aient pas à sortir par le même chemin car il n'était pas sûr de pouvoir ouvrir la dalle par-dessous.

Au moins les lamantins possédés étaient-ils restés de l'autre côté. Au-dessus de la tête de Léo, le sol de marbre trembla comme si des gros pieds de touristes y tapaient rageusement.

Frank devait avoir repris sa forme humaine ; Léo l'entendait haleter dans le noir.

– Et maintenant ? demanda Frank.

– Bon, flippe pas, dit Léo, mais je vais créer une petite flamme, juste de quoi nous éclairer un peu.

– Merci de me prévenir.

Le doigt de Léo s'alluma comme une bougie d'anniversaire. Devant eux s'étirait un tunnel bas, taillé dans la pierre. Exactement comme l'avait annoncé Hazel, il était d'abord en pente, puis s'aplanissait et se prolongeait vers le sud.

– Bonne nouvelle, déclara Léo. Il y a une seule direction.

– Allons retrouver Hazel, dit Frank.

Léo n'avait pas d'objection. Ils s'engagèrent dans le tunnel,

Léo en tête avec sa flamme. Il était content d'avoir Frank derrière lui, un gros costaud capable de se changer en bête dangereuse au cas où ces touristes possédés trouveraient le moyen de forcer l'écoutille, de se faufiler à l'intérieur et de leur courir après. Il se demanda si les eidolons pouvaient abandonner leurs hôtes, se glisser dans le souterrain et posséder le corps de l'un d'eux à la place.

C'était la pensée optimiste du jour ! se réprimanda Léo.

Au bout d'une centaine de mètres, au sortir d'un tournant, ils aperçurent Hazel. Elle examinait une porte à la lueur de son épée de cavalerie dorée. Elle était tellement absorbée qu'elle ne les remarqua pas.

– Coucou, fit Léo.

Hazel se retourna d'un coup en essayant de faire tournoyer sa *spatha*. Heureusement pour Léo, la lame était trop longue pour qu'elle puisse la manier dans cet étroit boyau. Le garçon hoqueta.

– Qu'est-ce que vous faites là ? s'exclama-t-elle.

– Désolé, dit Léo, mais on a rencontré des touristes de mauvais poil.

Et il lui raconta ce qui s'était passé.

Elle poussa un soupir rageur.

– Je déteste les eidolons, dit-elle. Je croyais que Piper leur avait fait promettre de nous laisser tranquilles.

– Oh..., fit Frank, comme si à son tour, il venait d'avoir sa pensée optimiste du jour. Piper leur a fait promettre de ne plus venir à bord et de ne plus posséder aucun d'entre nous. Mais s'ils nous ont suivis et ont pris d'autres corps pour nous attaquer, techniquement, ils ne rompent pas leur serment...

– Super, marmonna Léo. Des eidolons juristes. Maintenant j'ai vraiment envie de les tuer.

– Bon, oublions-les pour le moment, dit Hazel. Cette porte me rend dingue. Léo, tu peux voir si tu y arrives ?

Léo fit craquer ses doigts.

– Place au maître !

La porte était intéressante, bien plus compliquée que la serrure à combinaison de chiffres d'en haut. Le panneau entier était tapissé d'or impérial. Une sphère mécanique de la taille d'une boule de bowling était incrustée au milieu. Elle se composait de cinq anneaux concentriques, chacun portant des signes du zodiaque – le taureau, le scorpion et ainsi de suite – et des chiffres et des lettres qui semblaient choisis au hasard.

– Ce sont des lettres grecques, remarqua Léo avec étonnement.

– Ben... beaucoup de Romains parlaient grec, dit Hazel.

– Sans doute, répondit Léo, mais ce travail... sans vouloir vous vexer, camarades du Camp Jupiter, c'est trop complexe pour être romain.

Frank fit la moue.

– C'est sûr que vous les Grecs, vous adorez compliquer.

– Hé ! Tout ce que je dis, c'est que ce mécanisme a l'air très subtil, très sophistiqué. Ça me fait penser à... (Léo fixa la sphère des yeux en essayant de se rappeler ce qu'il avait lu ou entendu sur des machines anciennes du même type.) C'est un système de serrure plus avancé, finit-il par dire. Il faut aligner les symboles des différents anneaux selon un ordre donné, et la porte s'ouvre.

– Et c'est quoi, l'ordre donné ? demanda Hazel.

– Excellente question. Des sphères grecques... l'astronomie, la géométrie... (Léo sentit soudain une bouffée d'excitation.) Nan... pas possible ! Je me demande... c'est quoi la valeur de pi ?

Frank fronça les sourcils.

– Hein ?!

– Il parle du nombre en géométrie, dit Hazel. J'avais appris ça en cours, mais...

– On s'en sert pour mesurer les circonférences, expliqua Léo. Cette sphère, si elle a été fabriquée par le type auquel je pense...

Hazel et Frank le dévisagèrent avec des yeux ronds.

– Laissez tomber, dit Léo. Je suis pratiquement sûr que c'est 3,1415 etc., etc. Le nombre continue indéfiniment, mais comme la sphère n'a que cinq anneaux, ça devrait suffire, si je ne me trompe pas.

– Et si tu te trompes ? demanda Frank.

– Eh ben si je me trompe, Léo est grillé et on est marron ! On va voir tout de suite.

Il fit tourner les anneaux en allant de l'extérieur vers l'intérieur. Sans tenir compte des signes du zodiaque, il aligna les chiffres de façon à composer le nombre pi. Et il ne se passa rien.

– Je suis bête, grommela Léo. Pi se déploierait vers l'extérieur puisque c'est un nombre infini.

Il inversa l'ordre des chiffres en commençant au milieu et en tournant les anneaux vers le bord. Lorsqu'il aligna le dernier, il y eut un *clic* à l'intérieur de la sphère, et la porte s'ouvrit d'un coup.

Léo se tourna vers ses amis avec un sourire triomphant.

– Et voilà, bonnes gens ! Ça se passe comme ça chez McLéo !

– J'aime pas McLéo, grommela Frank.

Hazel rit.

À l'intérieur, il y avait de quoi occuper Léo pendant des années. La pièce faisait facilement la taille de la forge de la Colonie des Sang-Mêlé ; tout le long des murs s'alignaient des établis recouverts de bronze et de grands paniers pleins de vieux outils à métaux. Il y avait sur les établis des dizaines de sphères en bronze et en or dignes des machines de Jules Verne, à différents stades de démontage ; des fils et des rouages épars jonchaient le sol. De gros câbles métalliques reliaient chaque établi à une sorte de mezzanine fermée, au fond de la salle, qui faisait penser à la régie son d'un théâtre, et qui était desservie par deux escaliers, un de chaque côté.

Léo remarqua, au pied de l'escalier de gauche, une rangée de casiers contenant des cylindres de cuir – sans doute des étuis à parchemin anciens.

Il allait s'avancer vers un établi quand il jeta un coup d'œil sur sa gauche et sauta en l'air. Deux mannequins en armure se tenaient de part et d'autre de la porte – des épouvantails squelettiques en tuyaux de bronze, revêtus d'armures romaines complètes, avec épée et bouclier.

– Les gars, murmura Léo en s'en approchant, vous imaginez un peu s'ils marchaient… ce serait énorme.

Frank le rejoignit à pas prudents.

– Ces engins-là vont pas s'animer et nous attaquer, dis-moi ?

– Aucune chance ! répondit Léo en riant. Ils sont pas terminés. (Il tapota le cou du mannequin le plus proche, dont le plastron laissait échapper des fils de cuivre.) Regarde, le câblage de la tête n'est pas fini. Et là, au coude, le système de poulie de l'articulation n'est pas aligné. Vous savez ce que je crois ? Les Romains essayaient de reproduire un automate de conception grecque, mais ils n'avaient pas la compétence nécessaire.

Hazel leva les sourcils.

– Je suppose que les Romains n'avaient pas le même sens de la complexité, dit-elle.

– Du raffinement, ajouta Frank. De la sophistication.

– Hé, je vous dis juste ce que je vois. (Léo agita la tête du mannequin comme pour le faire opiner.) Il n'empêche, c'est plutôt impressionnant comme tentative. D'après certaines légendes, les Romains auraient confisqué les écrits d'Archimède…

– Archimède ? demanda Hazel d'un ton stupéfait. Je croyais que c'était un mathématicien ?

Léo sourit.

– Ça et bien plus ! dit-il. C'était juste le fils d'Héphaïstos le plus célèbre de toute l'Histoire.

Frank se gratta la tête.

– J'ai déjà entendu ce nom, mais comment tu peux être sûr que c'est lui qui a inventé le modèle de ce mannequin ?

– C'est obligé ! Écoute, j'ai tout lu sur Archimède. C'est un héros, pour le bungalow 9. Il était grec, d'accord ? Il vivait dans une des colonies grecques du sud de l'Italie, avant que Rome se développe et prenne le pouvoir. Pour finir, les Romains sont arrivés et ils ont détruit sa ville. Le général romain voulait épargner Archimède parce qu'il avait un cerveau qui valait de l'or – c'était un peu l'Einstein de l'Antiquité – mais un stupide soldat romain l'a tué.

– Tu remets ça, marmonna Hazel. « Stupide » et « romain » ne vont pas toujours ensemble, Léo.

Frank poussa un grognement approbateur.

– Comment tu sais tout ça, de toute façon ? dit-il. Est-ce qu'il y a un guide espagnol ici ?

– Non, man, mais tu ne peux pas être un demi-dieu qui construit des machines et ne pas connaître Archimède, expliqua Léo. C'était le top du top, ce gars. Il a calculé la valeur de pi. C'est lui qui a conçu toutes les bases mathématiques dont les ingénieurs se servent encore aujourd'hui. Il a inventé une vis hydraulique qui permet de faire monter de l'eau par des tuyaux.

Hazel fit une grimace.

– Une vis hydraulique. Comment ai-je pu passer à côté d'une invention aussi extraordinaire ?

– Il a aussi construit un rayon létal fait de miroirs qui pouvait mettre le feu aux bateaux ennemis. Est-ce que c'est assez énorme pour vous ?

– J'ai vu un truc à la télé là-dessus, reconnut Frank. Ils ont démontré que ça ne marchait pas.

– Ah, c'est juste parce que les mortels d'aujourd'hui savent pas se servir du bronze céleste, dit Léo. Tout est là. Archimède a aussi inventé une immense pince qu'on pouvait monter sur une grue pour cueillir les bateaux ennemis en mer.

– OK, ça c'est cool, admit Frank. J'ai toujours aimé les jouets avec des pinces de préhension.

– Ben tu vois, dit Léo. Enfin, toutes ses inventions n'ont pas suffi. Les Romains ont détruit sa ville. Archimède a été tué. Selon les légendes, le général, qui était un grand fan de son travail, aurait pillé son atelier et rapporté plein de souvenirs à Rome. Ils sont tous tombés dans les oubliettes de l'Histoire, sauf... (Léo désigna les établis d'un geste.) Sauf que les voilà.

– Quoi ? Des ballons de foot en métal ? demanda Hazel.

Léo n'arrivait pas à croire que ses amis n'appréciaient pas ce qu'ils voyaient à sa juste valeur, mais il prit sur lui pour contenir son agacement.

– Écoutez, Archimède construisait des sphères. Les Romains ne sont pas arrivés à les comprendre. Parce qu'elles étaient couvertes de dessins d'étoiles et de planètes, ils ont cru qu'elles servaient juste à dire l'heure ou à retracer les constellations. C'est comme si vous trouviez un fusil et que vous croyiez que c'est une canne.

– Léo, les Romains étaient d'excellents ingénieurs, lui rappela Hazel. Ils construisaient des aqueducs, des routes...

– Des armes de siège, ajouta Frank. Des systèmes sanitaires.

– Ouais, c'est sûr, dit Léo, mais Archimède était un génie. Ses sphères pouvaient faire un tas de trucs, seulement personne ne sait...

Soudain, Léo eut une idée tellement folle que son nez s'enflamma. Il l'éteignit le plus vite possible. Purée, c'était trop gênant, quand ça arrivait.

Il courut devant la rangée de casiers et examina les inscriptions qui figuraient sur les étuis de cuir.

– Oh, par les dieux ! C'est ça !

Il sortit un des manuscrits avec précaution. Il n'était pas très fort en grec ancien, mais il parvint à déchiffrer le titre inscrit sur l'étui : *De la construction des sphères.*

– Les gars, c'est le livre perdu ! (Les mains de Léo tremblaient.) C'est Archimède qui l'a écrit, il y a consigné ses méthodes de construction, mais tous les exemplaires se sont perdus au cours de l'Antiquité. Si je pouvais le traduire...

Les possibilités étaient infinies. Pour Léo, la quête prenait une nouvelle dimension. Il fallait qu'il sorte les manuscrits et les sphères d'ici et qu'il les protège jusqu'au moment où il pourrait rentrer au bungalow 9 et travailler dessus.

– Les secrets d'Archimède, murmura-t-il. C'est encore plus fort que l'ordi de Dédale. Si les Romains attaquent la Colonie des Sang-Mêlé, ces secrets pourraient la sauver. Ils pourraient même nous donner un avantage sur Gaïa et les géants !

Hazel et Frank échangèrent un coup d'œil sceptique.

– Bon, dit Hazel. On n'est pas venus pour un manuscrit, mais rien ne nous empêche de l'emporter.

– À supposer, ajouta Frank, que tu sois disposé à partager ces secrets avec nous autres stupides Romains dépourvus de complexité.

– Quoi ? (Léo le regarda d'un air ébahi.) Non, écoute, je ne voulais pas être blessant... Ah, tant pis. L'important, c'est que c'est une bonne nouvelle !

Pour la première fois depuis des jours, Léo reprenait espoir.

Ce fut là, bien sûr, que tout se gâta.

Sur l'établi le plus proche de Frank et Hazel, un des globes se mit à bourdonner et cliqueter. Une série de pattes grêles sortit de son équateur. Le globe se dressa sur ses jambes toutes neuves et deux câbles en bronze jaillirent de son sommet comme des filins de Taser. Frank et Hazel, touchés, s'effondrèrent.

Léo s'élança pour leur porter secours, mais les deux mannequins de métal qui ne pouvaient absolument pas bouger... bougèrent. Ils dégainèrent leurs épées et s'avancèrent vers Léo.

L'automate de gauche tourna son casque, qui était de travers et en forme de tête de loup. Malgré son absence de visage ou de bouche, il laissa échapper une voix caverneuse et étrangement familière.

– Tu ne peux pas nous échapper, Léo Valdez. Nous n'aimons pas posséder des machines, mais elles valent mieux que des touristes. Tu ne sortiras pas d'ici vivant.

39 LÉO

Léo était d'accord avec Némésis sur un point : la chance, c'était du bidon. Du moins dans son cas.

L'hiver précédent, il avait regardé avec effroi une famille de Cyclopes s'apprêter à faire rôtir Jason et Piper avec de la sauce piquante. Il avait recouru à la ruse et sauvé ses amis à lui tout seul, mais il avait eu le temps de réfléchir.

Ce coup-ci, pas trop. Hazel et Frank s'étaient fait assommer par les tentacules d'une boule de bowling de science-fiction possédée par un esprit. Deux armures mal embouchées s'apprêtaient à le tuer.

Léo ne pouvait pas les attaquer au feu, car les flammes n'entameraient pas le métal. En plus, Hazel et Frank étaient trop près. Il ne voulait pas les brûler ni risquer d'embraser le tison dont dépendait la vie de Frank.

À la droite de Léo, l'autre armure, qui arborait un casque en tête de lion, fit pivoter son cou en fil de métal et regarda Hazel et Frank, toujours inconscients.

– Un demi-dieu et une demi-déesse, dit Tête de Lion. Ça fera l'affaire, si les autres meurent. (Son masque sans visage revint vers Léo.) Nous n'avons pas besoin de toi, Léo Valdez.

– Hé ! fit le garçon en s'efforçant de décocher un sourire irrésistible. On a toujours besoin de Léo Valdez !

Il ouvrit grand les bras en espérant très fort qu'il avait l'air utile et sûr de lui, et non terrifié et désespéré. Il se demanda s'il était encore temps d'écrire « Allez les Léo » sur son tee-shirt.

Malheureusement, les armures n'étaient pas aussi faciles à embobiner que les fans de Narcisse.

L'eidolon-tête de loup lâcha d'une voix méchante :

– J'ai habité ton cerveau, Léo. Je t'ai aidé à déclencher la guerre.

Le sourire de Léo se figea. Il recula d'un pas.

– C'était toi ?

Maintenant, il comprenait pourquoi il s'était tout de suite méfié de ces touristes et pourquoi la voix de cette créature lui était tellement familière : il l'avait entendue dans son esprit.

– C'est toi qui m'as fait tirer la baliste ? Tu appelles ça « aider » ?

– Je connais ta façon de penser, reprit Tête de Loup. Je connais tes limites. Tu es petit et seul. Tu as besoin d'amis qui te protègent. Sans eux, tu es incapable de me résister. J'ai fait serment de ne pas te posséder de nouveau, mais rien ne m'empêche de te tuer.

Les fantômes en armure s'approchèrent. Les pointes de leurs épées n'étaient qu'à quelques centimètres de la gorge de Léo.

Soudain, la peur de celui-ci se mua en colère froide. Cet eidolon à tête de loup l'avait humilié, dominé et obligé à attaquer la Nouvelle-Rome. Il avait mis ses amis en danger et saboté leur quête.

Léo jeta un coup d'œil sur les sphères qui reposaient, inertes, sur les établis.

Il réfléchit à sa ceinture à outils. Il pensa à la mezzanine derrière lui – cet espace qui ressemblait à une régie son. Et l'opération Bazar germa dans son esprit.

– D'un : tu ne me connais pas, dit-il à Tête de Loup. De deux : salut.

Léo courut vers un des escaliers et grimpa les marches quatre à quatre. Les eidolons en armure étaient effrayants, mais pas rapides. Comme le soupçonnait Léo, la mezzanine avait des portes de chaque côté – des rideaux de métal pliant. Les ingénieurs avaient dû prévoir un moyen de se protéger de leurs créations, si jamais elles se détraquaient... comme maintenant. Léo tira les deux portes, embrasa ses doigts et souda les deux serrures hermétiquement.

Les eidolons montèrent d'un côté chacun et s'attaquèrent aux portes à grands coups d'épée.

– C'est idiot, dit Tête de Lion, tu ne fais que retarder ta mort.

– Retarder ma mort est un de mes passe-temps favoris, rétorqua Léo.

Il inspecta du regard ses nouveaux quartiers. Une grande table dominait l'atelier. Elle ressemblait à une console de commande et elle était couverte d'un tas de bazar. Léo disqualifia la plupart des objets au premier coup d'œil : le schéma d'une catapulte humaine qui ne marcherait jamais, une épée noire bizarre (Léo n'était pas bon à l'épée), un grand miroir de bronze (il avait vraiment une sale tête) et plusieurs outils que quelqu'un avait cassés, soit par maladresse, soit dans un accès de rage.

Il concentra son attention sur le projet principal, au milieu de la table : quelqu'un avait démonté une sphère d'Archimède. Des rouages, des ressorts, des manettes et des tiges étaient éparpillés autour. Tous les câbles de bronze de la pièce de dessous venaient se rattacher à une plaque métallique sous la sphère. Léo sentait que le bronze céleste traversait l'atelier comme les artères partant d'un cœur : prêt à diffuser l'énergie magique concentrée ici.

– Une seule boule pour les commander toutes, marmonna Léo.

Cette sphère était le principal régulateur. Le garçon était au poste de contrôle central des anciens Romains.

– Léo Valdez, hurla l'eidolon. Ouvre cette porte ou je te tue.

– En voilà une offre juste et généreuse ! dit Léo sans quitter la sphère des yeux. Laisse-moi juste finir un truc. Genre, ma dernière volonté, OK ?

Cette réponse dut déstabiliser les esprits, car ils cessèrent de s'acharner contre les portes métalliques.

Les mains de Léo s'activaient avec vitesse et agilité pour réassembler la sphère et remettre les pièces manquantes à leur place. Pourquoi les Romains avaient-ils ressenti le besoin de démonter une si belle machine ? Ils avaient tué Archimède, volé ses inventions, puis bousillé un engin qu'ils ne seraient jamais fichus de comprendre. D'un autre côté, ils avaient au moins eu le bon sens de le cacher pendant deux mille ans quelque part où Léo pouvait le récupérer.

Les eidolons se remirent à tambouriner.

– Qui c'est ? demanda Léo.

– Valdez ! gronda Tête de Loup.

– Valdez qui ?

Les eidolons allaient finir par comprendre qu'ils ne pouvaient pas entrer. À ce moment-là, si Tête de Loup connaissait vraiment l'esprit de Léo, il trouverait d'autres moyens de pression. Léo devait faire encore plus vite.

Il relia les engrenages, en monta un de travers et dut recommencer. Mille grenades d'Héphaïstos, c'était dur !

Il inséra enfin le dernier ressort. Les Romains avaient presque bousillé le tendeur, avec leurs grosses paluches, mais Léo sortit de sa ceinture un kit d'outils d'horloger et put faire les derniers calibrages. Si cet engin marchait vraiment, Archimède était un génie.

Il tira sur la bobine du démarreur. Les engrenages s'enclenchèrent. Léo rabattit le dessus de la sphère et examina ses cercles concentriques, semblables à ceux de la porte de l'atelier.

– Valdez ! (Tête de Loup martelait de nouveau la porte.) Le troisième d'entre nous va tuer tes amis !

Léo jura à mi-voix. *Le troisième.* Il jeta un coup d'œil à la boule Taser aux pattes grêles qui avait assommé Hazel et Frank. Il avait deviné que le troisième eidolon était tapi à l'intérieur. Mais il lui restait encore à trouver la séquence qui activait cette sphère de contrôle.

– Ouais, d'accord, lança-t-il. Là, tu me tiens. Juste une seconde.

– Fini les secondes ! cria Tête de Loup. Ouvre cette porte tout de suite ou ils meurent !

La boule Taser possédée projeta ses tentacules vers Hazel et Frank et leur asséna une nouvelle déflagration. Leurs corps inconscients tressaillirent – une telle décharge d'électricité pouvait provoquer un arrêt cardiaque.

Léo refoula ses larmes. C'était trop dur. Il n'y arriverait pas.

Il regarda la surface de la sphère : sept anneaux, chacun couvert de minuscules lettres grecques, de chiffres et de signes du zodiaque. La solution ne pouvait pas être pi. Archimède n'aurait pas fait la même chose deux fois. En plus, rien qu'en posant la main sur la sphère, Léo percevait que la séance avait été générée de façon aléatoire. Archimède devait avoir été le seul à la connaître.

On racontait que ses dernières paroles avaient été : « Ne dérangez pas mes cercles. »

Personne ne savait ce que ça signifiait, mais Léo pouvait l'appliquer à cette sphère. La serrure était bien trop compliquée. Peut-être que s'il avait quelques années devant lui, Léo aurait pu déchiffrer les inscriptions et trouver la bonne combinaison, mais il n'avait même pas quelques secondes.

Il n'avait plus de temps. Plus de chance. Et ses amis allaient mourir.

Un problème que tu ne pourras pas résoudre, dit une voix dans sa tête.

Némésis... elle l'avait prévenu. Léo plongea la main dans sa ceinture à outils et en sortit le *fortune cookie*. La déesse lui avait aussi confié que ça lui coûterait cher d'avoir son aide – aussi cher qu'un œil. Mais s'il n'essayait pas, ses amis mourraient.

– J'ai besoin du code d'accès de cette sphère, dit-il, avant de briser le biscuit porte-bonheur.

40 LÉO

Léo déroula la petite bande de papier. Il était marqué : C'EST TA DEMANDE ? SÉRIEUX ? (À TOI)

Au dos figurait une autre inscription :

TES CHIFFRES PORTE-BONHEUR SONT : DOUZE, JUPITER, ORION, DELTA, TROIS, THÊTA, OMÉGA. (QUE TA VENGEANCE S'ABATTE SUR GAÏA, LÉO VALDEZ.)

Les doigts tremblants, Léo fit pivoter les anneaux.

Derrière les portes, Tête de Loup poussa un grognement rageur.

– Si tu t'en fiches de tes amis, peut-être qu'il te faudrait une autre motivation. Peut-être que je devrais détruire ces manuscrits à la place, les œuvres inestimables d'Archimède !

Le dernier anneau se positionna avec un clic. La montée d'énergie fit vibrer la sphère. Léo passa les mains sur la surface et sentit de minuscules boutons et leviers qui attendaient ses instructions.

Des impulsions magiques et électriques fusèrent le long des câbles de bronze céleste et emplirent la pièce entière.

Léo n'avait jamais joué d'instrument de musique, mais il supposait que c'était pareil : on connaît si bien chaque touche ou chaque note qu'on ne réfléchit pas vraiment, on laisse faire ses mains. On se concentre sur le genre de son qu'on veut produire.

Il commença modestement. Il dirigea son attention sur une sphère en or en relativement bon état, dans la pièce principale, en dessous de lui. La sphère en or trembla. Trois pattes lui poussèrent et elle se dirigea en cliquetant vers la boule Taser. Une minuscule scie circulaire jaillit de la tête de la sphère en or et s'attaqua au cerveau de la boule Taser.

Léo tenta d'activer une autre sphère, mais, pour tout résultat, elle explosa en un petit nuage de poussière de bronze et de fumée.

– Oups ! fit-il. Désolé, Archimède.

– Qu'est-ce que tu fabriques ? demanda Tête de Loup. Arrête ton cirque et rends-toi !

– Oh oui, je me rends ! Je me rends complètement ! dit Léo.

Il essaya de prendre le contrôle d'un troisième globe, qui se cassa lui aussi. Léo avait mauvaise conscience de détruire toutes ces inventions antiques, mais c'était une question de vie ou de mort. Frank l'avait accusé de préférer les machines aux humains, il n'empêche qu'entre sauver les sphères et sauver ses amis, la question ne se posait pas.

La quatrième tentative fut plus heureuse. C'était une sphère incrustée de rubis ; la calotte sauta et des pales d'hélicoptère en émergèrent. Heureusement que Buford le guéridon n'était pas là, se dit Léo en passant, car il serait tombé amoureux. Le globe aux rubis fit cap droit sur les casiers ; de fins bras d'or sortirent alors de son équateur et s'emparèrent des précieux manuscrits.

– Ça suffit ! hurla Tête de Loup. Je vais détruire...

Il tourna la tête juste à temps pour voir le globe aux rubis repartir avec les manuscrits, traverser la pièce et se mettre à planer dans le coin le plus éloigné.

– Quoi ? s'écria Tête de Loup. Tue les prisonniers !

Sans doute s'adressait-il à la boule Taser, malheureusement elle n'était plus en état d'obéir. La sphère en or de Léo était perchée sur sa tête décalottée et lui fourrageait dans les rouages et les câbles comme si elle évidait une citrouille pour Halloween.

Loués soient les dieux, Frank et Hazel commençaient à revenir à eux.

– Viens ! dit Tête de Loup à Tête de Lion, qui était devant l'autre porte. On va tuer les demi-dieux nous-mêmes !

– Je crois pas, les gars, lança Léo, qui pivota vers Tête de Lion.

Ses doigts coururent sur la sphère de contrôle et il sentit une onde de choc traverser le sol.

Tête de Lion fut pris d'un tremblement. Il baissa son épée.

Léo sourit.

– Bienvenue chez McLéo, dit-il.

Tête de Lion fit volte-face et dévala les marches. Au lieu de se diriger vers Hazel et Frank, il monta l'escalier d'en face et s'approcha de son camarade.

– Qu'est-ce que tu fais ? demanda Tête de Loup. Nous devons...

CLING !!

Tête de Lion écrasa son bouclier contre la poitrine de Tête de Loup. Puis il asséna le pommeau de son épée sur le casque de son camarade, et Tête de Loup devint Tête Plate, Cabossée et pas très Heureuse, de Loup.

– Arrête ! s'écria-t-il.

– Je peux pas ! gémit Tête de Lion.

Léo commençait à attraper le coup. Il ordonna aux deux armures de lâcher leurs épées et leurs boucliers et de se gifler sans mollir.

– Valdez ! fit Tête de Loup d'une voix gazouillante. Tu me paieras ça de ta vie !

– C'est ça, Casper ! rétorqua Léo. Qui possède qui, maintenant ?

Les automates dégringolèrent les marches et Léo les força à se lancer dans un numéro de claquettes à la Fred Astaire. Leurs jointures commencèrent à fumer. Les autres sphères réparties dans la pièce se mirent à exploser. Trop d'énergie se déversait par le système antique. Léo sentit la sphère de contrôle devenir désagréablement chaude entre ses mains.

– Frank, Hazel ! hurla-t-il. Abritez-vous !

Ses amis étaient encore sonnés et ils regardaient les armures faire des claquettes avec des yeux ronds, mais ils reçurent le message. Frank tira Hazel sous l'établi le plus proche et lui fit un rempart de son corps.

Donnant une dernière torsion à la sphère, Léo envoya une énorme secousse dans le système. Les armures dansantes volèrent en éclats. Une pluie de débris de bronze, de rouages et de pistons retomba au sol. Sur tous les établis, les sphères éclataient comme des cannettes de soda trop chaudes. La sphère d'or de Léo s'immobilisa. Le globe incrusté de rubis s'écrasa par terre avec les étuis des manuscrits.

Il tomba sur la pièce un épais silence, à peine troublé par quelques crépitements. L'air sentait le moteur de voiture qui brûle. Léo dévala les escaliers et trouva Frank et Hazel sains et saufs sous leur établi. Il n'avait jamais été aussi heureux de voir ces deux-là dans les bras l'un de l'autre.

– Vous êtes vivants ! s'écria-t-il.

Un tic agitait la paupière d'Hazel, peut-être à cause de la déflagration de Taser. En dehors de ça, elle avait l'air d'aller.

– Euh, qu'est-ce qui s'est passé exactement ?

– Archimède a tenu parole ! dit Léo. Ces vieilles machines avaient juste assez de jus en elles pour un dernier show ! Une fois que j'ai eu le code d'accès, ça a été facile.

Il tapota la sphère de contrôle, qui fumait de façon inquiétante. Léo ne savait pas si elle était réparable, mais il était trop soulagé pour se faire du souci tout de suite.

– Les eidolons sont partis ? demanda Frank.

Léo sourit.

– Ma dernière commande a saturé leurs disjoncteurs – en gros bloqué tous leurs circuits et fait fondre leurs noyaux.

– Traduction ?

– J'ai enfermé les eidolons dans le câblage, dit Léo. Puis je les ai fait fondre. Ils ne vont plus embêter personne.

Léo aida ses amis à se relever.

– Tu nous as sauvés, dit Frank.

– Sois pas si étonné, répondit Léo, qui balaya l'atelier saccagé du regard. C'est dommage que toutes ces machines aient été détruites, mais j'ai pu sauver les manuscrits, au moins. Si j'arrive à les rapporter à la Colonie des Sang-Mêlé, peut-être que je pourrai apprendre comment recréer les inventions d'Archimède.

Hazel se frotta la tête.

– Mais je ne comprends pas, dit-elle. Où est Nico ? Ce tunnel était censé nous mener à Nico.

Léo avait presque oublié pourquoi ils étaient venus ici, au départ. Il était clair que Nico n'y était pas. Ce tunnel était un cul-de-sac. Alors pourquoi... ?

– Oh. (Il eut l'impression qu'une sphère à scie circulaire s'attaquait à son propre crâne et en extirpait ses câbles et rouages.) Hazel, comment tu as retrouvé la trace de Nico, exactement ? Je veux dire, tu as pu sentir qu'il était près juste parce que c'est ton frère, ou quoi ?

Hazel fronça les sourcils ; elle semblait encore un peu secouée par son électrochoc.

– Pas... pas complètement. Quelquefois je le sens quand il est dans les parages, mais, comme je vous disais, Rome, ça m'embrouille, il y a tellement d'interférences à cause de tous les tunnels et les souterrains...

– Tu l'as retrouvé grâce à ton don de détection des métaux, devina Léo. Son épée ?

Elle cligna des yeux.

– Comment tu le sais ?

– Venez voir.

Léo emmena aussitôt Frank et Hazel dans la salle des commandes et montra du doigt l'épée noire.

– Oh, non ! Oh, non ! (Hazel se serait effondrée par terre si Frank ne l'avait pas rattrapée.) Mais c'est impossible ! Nico avait son épée avec lui dans l'amphore de bronze. Percy l'a vue dans son rêve !

– Soit le rêve était faux, déclara Léo, soit les géants ont apporté l'épée ici pour nous faire venir.

– Alors c'était un piège, dit Frank. Ils nous ont attirés dans un piège.

– Mais pourquoi ? s'écria Hazel. Où est mon frère ?

Un son chuintant emplit la salle des commandes. Léo crut d'abord que les eidolons étaient de retour, puis il vit que le miroir de bronze, sur la table, dégageait de la vapeur.

Ah, mes pauvres demi-dieux. Le visage somnolent de Gaïa apparut sur le miroir. Comme d'habitude, la déesse parlait sans ouvrir la bouche. Elle n'aurait pas pu faire plus sinistre, à moins de s'accompagner d'une poupée de ventriloque ; Léo détestait ces trucs-là.

Vous aviez le choix, dit Gaïa. Sa voix résonna dans la pièce. Elle donnait l'impression de sortir aussi des murs de pierre, et pas seulement du miroir.

Léo comprit alors qu'elle était tout autour d'eux. Évidemment. Ils étaient dans la terre. Ils s'étaient donné le mal de construire l'*Argo II* pour pouvoir voyager par mer et par air, et ils se retrouvaient quand même dans la terre.

Je vous ai offert une voie de salut à chacun, dit Gaïa. *Vous auriez pu faire marche arrière. Maintenant, c'est trop tard. Vous êtes venus dans les terres anciennes, là où je suis la plus forte. Et là où je m'éveillerai.*

Léo sortit un marteau de sa ceinture à outils. Il l'asséna violemment sur le miroir. Étant en métal, ce dernier trembla comme un plateau, rien de plus, mais ça faisait du bien de frapper Gaïa en pleine poire.

– Au cas où vous auriez pas remarqué, Face de Vase, dit Léo, votre petite embuscade a foiré. Vos trois eidolons ont été fondus en bronze et nous sommes sains et saufs.

Gaïa rit doucement.

Mon petit Léo. Vous êtes séparés de vos amis, tous les trois. Tout l'intérêt était là.

La porte de l'atelier claqua.

Vous êtes prisonniers de mon étreinte, poursuivit Gaïa. *Pendant ce temps, Annabeth Chase affronte la mort toute seule, blessée et terrifiée, aux mains de la pire ennemie de sa mère.*

L'image du miroir se transforma. Léo vit Annabeth gisant par terre dans une grotte sombre, qui levait son poignard de bronze comme pour repousser un monstre. Elle était livide. Sa jambe était enveloppée dans une espèce d'attelle. Léo ne pouvait pas voir ce qu'elle regardait, mais c'était clairement quelque chose d'horrible. Il aurait voulu croire que l'image mentait, hélas son intuition lui disait que la scène était en train de se dérouler réellement en cet instant même.

Quant aux autres, dit Gaïa, *Jason Grace, Piper McLean et mon cher ami Percy Jackson, ils vont périr d'ici quelques minutes.*

La scène changea de nouveau. Percy, Turbulence à la main, descendait un escalier en colimaçon, suivi de Jason et de Piper.

Leurs pouvoirs les trahiront, dit Gaïa. *Ils mourront dans leurs éléments. Je regrette presque qu'ils ne survivent pas. Ils auraient fait un meilleur sacrifice. Mais hélas, je vais devoir me contenter de vous, Hazel et Frank. Mes sbires viendront vous chercher bientôt et ils vous emmèneront au lieu ancien. Votre sang m'éveillera enfin. D'ici là, je vous permettrai d'assister à la mort de vos amis. Je vous en prie... profitez de ce dernier aperçu de votre lamentable quête.*

Léo ne la supportait plus. Sa main chauffa à blanc. Hazel et Frank reculèrent précipitamment quand il plaqua la paume sur le miroir, lequel fondit et se réduisit en bouillie de bronze.

La voix de Gaïa se tut. Léo n'entendait plus que le sang qui battait à ses tempes. Il reprit son souffle.

– Excusez-moi, dit-il à ses amis, mais elle commençait à me gaver grave.

– Qu'est-ce qu'on peut faire ? demanda Frank. Il faut qu'on sorte de là et qu'on aide les autres.

Léo parcourut l'atelier du regard. Le sol était jonché de fragments de sphères fumants. Ses amis avaient encore besoin de lui. Il était encore aux commandes. Tant qu'il aurait sa ceinture à outils, Léo Valdez n'allait pas se tourner les pouces en regardant Canal Mort aux Demi-Dieux.

– J'ai une idée, dit-il. Mais il va falloir qu'on s'y mette tous les trois.

Et il leur exposa son plan.

41 Piper

Piper essayait de tirer le meilleur parti de la situation. Quand Jason et elle se lassèrent d'arpenter le pont en écoutant Gleeson chanter *Cadet Rousselle* (avec une liste d'armes au lieu d'une liste de biens), ils décidèrent d'aller pique-niquer au parc.

Hedge y consentit avec réticence.

– D'accord, mais vous restez à un endroit où je peux vous voir.

– C'est bon, dit Jason, on n'est pas des bébés.

– Ça, c'est sûr. Les bébés c'est mignon et ça discute pas, grogna le satyre.

Ils déplièrent leur couverture sous un saule, près de l'étang. Piper retourna sa corne d'abondance et en déversa tout un repas de pique-nique : des sandwichs soigneusement emballés, des cannettes de soda, des fruits et, curieusement, un gâteau d'anniversaire avec un glaçage violet et des bougies déjà allumées.

Piper fronça les sourcils.

– Il y a un anniversaire ?

– Je voulais pas en parler, répondit Jason, l'air gêné.

– Jason !

– On a autre chose à penser, dit-il. Et pour être honnête,

jusqu'au mois dernier, je ne connaissais même pas la date de mon anniversaire. C'est Thalia qui me l'a dite la dernière fois qu'elle est venue au camp.

Piper se demanda quel effet ça faisait de ne même pas savoir quel jour on était né. Jason avait été confié à Lupa la louve à l'âge de deux ans. Il n'avait jamais vraiment connu sa mère humaine. Et il avait retrouvé sa sœur l'hiver précédent seulement.

– Le 1er juillet, dit Piper. Les calendes de juillet.

– Ouais. (Jason eut un sourire désabusé.) Pour les Romains, c'est de bon augure – le premier jour du mois nommé d'après Jules César. Le jour sacré de Junon. Tu vois un peu.

Piper n'insista pas. Elle pouvait comprendre qu'il ne soit pas d'humeur à fêter l'événement.

– Seize ans ?

Jason hocha la tête.

– Tu te rends compte ? Je peux passer mon permis.

Piper éclata de rire. Jason avait tué tellement de monstres et il avait sauvé le monde tant de fois que l'imaginer peinant et suant pour passer son code était ridicule. Elle eut une vision de lui au volant d'une voiture d'auto-école, avec un moniteur grognon dans le siège passager, le pied au-dessus de la pédale de frein d'urgence.

– Alors ? dit-elle. Souffle tes bougies !

Jason s'exécuta. Piper se demanda s'il avait fait un vœu – par exemple qu'ils survivent à cette quête, Piper et lui, et restent ensemble pour toujours. Elle préféra ne pas poser la question : s'il avait effectivement formulé ce vœu, ça portait malchance de le dévoiler. Et s'il en avait fait un autre... elle préférait ne pas le savoir.

Depuis leur départ des Colonnes d'Hercule la veille au soir, Jason avait l'air un peu ailleurs. Elle ne lui en voulait pas. Hercule s'était avéré incroyablement décevant, comme grand frère, et le vieux dieu du fleuve Achéloüs avait eu des propos vraiment désobligeants sur les fils de Jupiter.

Piper regarda la corne d'abondance. Elle se demanda si Achéloüs s'habituait à ne plus avoir de cornes du tout. Certes, il avait essayé de les tuer, mais Piper avait quand même de la peine pour le vieux dieu. Elle se demandait comment un être aussi solitaire et déprimé pouvait créer une corne d'abondance qui débordait d'ananas et de gâteaux d'anniversaire. Était-il possible que cela lui pompe toute son énergie positive ? Maintenant qu'il était privé de cette corne, Achéloüs serait peut-être capable de s'emplir d'un peu de bonheur et de le garder pour lui.

Le conseil du vieux dieu lui tournait dans la tête : « Si vous étiez parvenus à rejoindre Rome, l'histoire du déluge vous aurait aidés davantage. » Elle savait à quoi il faisait allusion. Seulement elle ne voyait pas en quoi ça pouvait les aider.

Jason enleva une bougie éteinte du gâteau.

– J'ai réfléchi, dit-il.

Piper revint immédiatement au présent : quand votre petit copain vous annonce : « J'ai réfléchi », ce n'est pas forcément bon signe.

– À quoi ? demanda-t-elle.

– Au Camp Jupiter. À toutes mes années d'entraînement. On encourageait toujours le travail d'équipe, l'esprit de groupe. Je croyais comprendre ce que ça signifiait. Mais la vérité ? C'était toujours moi qui commandais. Même quand j'étais plus jeune...

– Le fils de Jupiter, l'interrompit Piper. Le môme le plus puissant du camp. Tu étais la star.

Jason eut l'air gêné, mais ne protesta pas.

– Maintenant que je fais partie de cette équipe de sept, j'ai du mal à savoir quoi faire. Je n'ai pas l'habitude d'être entouré d'autant de... d'égaux, en fait. J'ai l'impression de ne pas être à la hauteur.

– Tu es parfaitement à la hauteur, rétorqua Piper en lui prenant la main.

– Pas trop eu l'impression d'assurer quand Chrysaor a attaqué... J'étais presque tout le temps inconscient et incapable d'agir.

– Arrête ! le gronda-t-elle. Être un héros, ça ne veut pas dire qu'on est invincible. Ça veut juste dire que tu as le courage d'être là et de faire ce qu'il faut faire.

– Et si tu ne sais pas ce qu'il faut faire ?

– C'est pour ça que tes amis sont là. On a chacun des talents différents. À nous tous, on va y arriver.

Jason la regarda longuement. Piper n'était pas sûre de l'avoir convaincu, mais elle était contente qu'il ait pu se confier à elle. Ça la rassurait qu'il se remette en question. Il ne réussissait pas à tous les coups. Il ne considérait pas que l'univers lui devait des excuses chaque fois que quelque chose se passait mal – contrairement à un autre fils du dieu du Ciel qu'elle avait rencontré récemment.

– Hercule était un crétin, dit-il, comme s'il lisait dans ses pensées. J'espère que je ne serai jamais comme lui. Mais je n'aurais pas eu le courage de lui tenir tête si tu n'avais pas pris les commandes. C'était toi, le héros, cette fois-ci.

– On peut se relayer, suggéra-t-elle.

– Je ne te mérite pas.

– Tu n'as pas le droit de dire ça.

– Pourquoi ?

– C'est un truc qu'on dit quand on veut rompre avec quelqu'un. À moins que tu n'aies envie de...

Jason se pencha et l'embrassa. Soudain, les couleurs de l'après-midi romaine parurent plus vives à Piper, comme si le monde était passé à la haute définition.

– Aucune envie de rompre, non, souffla-t-il. J'ai pris plusieurs coups sur la tête, mais je suis quand même pas stupide à ce point.

– Bon, dit-elle. Alors, ce gâteau...

Sa voix s'étrangla. Percy Jackson courait vers eux et elle voyait à son visage qu'il était porteur de mauvaises nouvelles.

Ils se rassemblèrent sur le pont pour que Gleeson Hedge puisse entendre lui aussi. Percy acheva son récit et Piper en resta bouche bée.

– Annabeth s'est fait enlever en scooter par Gregory Peck et Audrey Hepburn, résuma-t-elle avec incrédulité.

– Pas vraiment enlever, corrigea Percy. Mais j'ai un mauvais pressentiment... (Il respira à fond, comme s'il faisait un effort pour ne pas paniquer.) En tout cas, elle est partie. J'aurais peut-être pas dû la laisser, mais...

– Il fallait que tu la laisses partir, dit Piper. Tu savais qu'elle devait y aller seule. En plus, Annabeth est superintelligente et elle sait se défendre ! T'inquiète pas pour elle.

Piper mit un peu d'enjôlement dans sa voix, ce qui n'était peut-être pas très honnête, mais il fallait que Percy puisse se concentrer. S'ils étaient amenés à se battre, Annabeth ne voudrait pas qu'il se fasse blesser parce qu'il se serait laissé distraire par son inquiétude pour elle.

Il sembla se détendre un peu.

– Tu as peut-être raison, concéda-t-il. En tout cas, Gregory... je veux dire Tiberinus, a dit qu'on avait moins de temps qu'on croyait pour sauver Nico. Pas de nouvelles d'Hazel et des garçons ?

Piper jeta un coup d'œil à l'horloge du tableau de bord. Elle n'avait pas senti l'heure tourner.

– Déjà deux heures, annonça-t-elle. On avait dit rendez-vous à trois heures.

– À trois heures max, rectifia Jason.

Percy fit un geste vers le poignard de Piper.

– Tiberinus a dit que tu pourrais trouver l'emplacement de Nico... tu sais, avec ça.

Piper se mordit la lèvre. S'il y avait bien une chose dont elle n'avait pas envie, c'était de découvrir une nouvelle série d'images terrifiantes sur la lame de Katoptris.

– J'ai essayé, dit-elle. Le poignard ne me montre pas toujours ce que je veux voir. En fait, carrément jamais.

– S'il te plaît, insista Percy. Réessaie.

Il la regarda avec ses grands yeux bleu-vert, comme un mignon bébé phoque qui a besoin d'aide. Elle se demanda comment Annabeth pouvait jamais avoir gain de cause quand elle se disputait avec ce gars.

– Bon, concéda-t-elle avec un soupir.

Et elle tira son poignard de son fourreau.

– Tant que tu y es, dit Hedge, tu peux regarder les derniers résultats de base-ball ? Les Italiens sont nuls pour couvrir le base-ball.

– Pff...

Piper examina la lame de bronze. Elle se mit à scintiller, puis la jeune fille aperçut un loft plein de demi-dieux romains. Une douzaine d'entre eux étaient debout autour d'une table, écoutant Octave qui discourait en pointant du doigt vers une grande carte. Reyna faisait les cent pas le long des baies vitrées, qui donnaient sur Central Park – le célèbre parc au cœur de New York.

– C'est pas bon, marmonna Jason. Ils ont déjà établi une base avancée à Manhattan.

– Et on voit Long Island sur cette carte, dit Percy.

– Ils reconnaissent le terrain, devina Jason. Discutent des itinéraires d'invasion possibles.

Piper n'avait vraiment pas envie de regarder ça. Elle se concentra davantage. Une onde de lumière courut sur le bronze. Elle découvrit des ruines – quelques pans de mur qui s'écroulaient, une colonne isolée, un sol de pierre moussu, couvert de vignes mortes –, tout cela groupé sur un flanc de colline herbu et parsemé de pins.

– J'étais là tout à l'heure, dit Percy. C'est au vieux forum.

L'image se resserra. D'un côté du sol de pierre, une volée de marches avait été dégagée ; elle menait à une grille moderne fermée par un cadenas. Il y eut un nouveau zoom avant jusqu'à la porte, puis un travelling par un escalier en colimaçon et jusque dans une pièce sombre et cylindrique comme l'intérieur d'un silo à grains.

Piper laissa tomber le poignard.

– Qu'est-ce qu'il y a ? demanda Jason. Il nous montrait quelque chose.

Piper avait l'impression que le vaisseau avait repris la mer et tanguait sous ses pieds.

– On ne peut pas y aller, déclara-t-elle.

Percy fronça les sourcils.

– Piper, dit-il, Nico est en train de mourir. Il faut qu'on le trouve. Sans oublier que Rome va être détruite.

Piper n'arrivait plus à prononcer un mot. Elle avait si longtemps gardé pour elle cette vision de la pièce ronde qu'elle se trouvait maintenant incapable d'en parler. Elle avait l'horrible impression que ça ne changerait rien de l'expliquer à Jason et Percy. Elle ne pouvait pas empêcher ce qui allait se produire.

Elle ramassa le couteau. Le manche lui parut plus froid que d'habitude.

Piper se força à regarder la lame. Elle vit deux géants en armures de gladiateur assis dans d'énormes fauteuils de préteur. Les géants portaient un toast avec des verres à pied en or, comme s'ils venaient de remporter une victoire capitale. Entre eux deux trônait une grande amphore en bronze.

Nouveau zoom avant. À l'intérieur de l'amphore, Nico di Angelo était roulé en boule, immobile. Il ne restait plus un seul grain de grenade.

– On arrive trop tard, dit Jason.

– Non, répliqua Percy. Non, je refuse d'y croire. Peut-être qu'il s'est mis en catalepsie pour gagner du temps. Il faut qu'on se dépêche.

La surface de la lame s'obscurcit. Piper rangea le poignard dans son fourreau en essayant de contrôler le tremblement de ses mains. Elle espérait que Percy avait raison et que Nico était toujours vivant. Par ailleurs, elle ne comprenait pas le lien entre cette image et la vision de la pièce où ils se noyaient. Peut-être que les géants portaient un toast parce qu'ils étaient morts, Percy, Jason et elle.

– On devrait attendre les autres, dit-elle. Hazel, Frank et Léo ne devraient pas tarder.

– On ne peut pas attendre, insista Percy.

Gleeson Hedge grogna et lança :

– C'est juste deux géants. Je m'en occupe, les gars, si vous voulez.

– Euh, M'sieur Hedge, dit Jason, c'est vraiment gentil, mais on a besoin que vous gardiez le navire.

– En vous laissant faire tous les trucs marrants ? protesta l'entraîneur avec une grimace.

Percy serra le bras du satyre.

– Hazel et les autres ont besoin de vous à bord. À leur retour, ils auront besoin de votre autorité. Vous êtes leur roc.

– Ouais, renchérit Jason avec le plus grand sérieux. Léo dit toujours que vous êtes son roc. Vous pourrez les avertir que nous sommes partis au forum et virer de bord pour venir nous chercher avec le vaisseau.

Piper détacha Katoptris et le déposa entre les mains de Gleeson Hedge :

– Tenez.

Le satyre écarquilla les yeux. En principe, un demi-dieu ne se défaisait jamais de son arme, mais Piper en avait marre de ces visions horribles. Elle préférait affronter directement sa mort, sans autre avant-première.

– Vous pouvez nous suivre sur la lame, suggéra-t-elle. Et voir les résultats de base-ball.

Cela emporta le consentement d'Hedge. Il hocha gravement la tête, prêt à assurer sa part de la quête.

– D'accord, dit-il. Mais si jamais des géants s'amènent...

– N'hésitez pas à les réduire en bouillie, répondit Jason.

– Et des touristes casse-pieds ?

– Non, dirent-ils tous d'une même voix.

– Bon, OK. Mais tardez pas trop, sinon je vous attaque à coups de boulet.

42 PIPER

Trouver l'endroit fut facile. Percy les y conduisit directement ; c'était un flanc de colline à l'abandon, en surplomb du forum.

Y entrer fut facile aussi. Jason trancha le cadenas d'un coup de son épée d'or, et la grille en métal s'ouvrit en grinçant. Aucun mortel ne les remarqua. Aucune alarme ne se déclencha. Ils virent un escalier de pierre qui s'enfonçait dans le noir.

– J'y vais en premier, dit Jason.

– Non ! s'écria Piper.

Les deux garçons se tournèrent vers elle, intrigués.

– Qu'est-ce qu'il y a, Pip's ? demanda Jason. Tu avais déjà vu l'image sur le poignard, c'est ça ?

Elle hocha la tête, au bord des larmes.

– Je ne savais pas comment vous le dire. J'ai vu la pièce qui est en bas se remplir d'eau. Je nous ai vus tous les trois en train de nous noyer.

Jason et Percy froncèrent les sourcils.

– Je ne peux pas me noyer, affirma Percy – mais sur un ton de voix interrogateur.

– Peut-être que l'avenir a changé, spécula Jason. Dans l'image que tu nous as montrée tout à l'heure, il n'y avait pas d'eau.

Piper aurait bien aimé qu'il ait raison, mais son intuition lui disait qu'ils n'auraient pas cette chance.

– Écoutez, trancha Percy. Je vais aller voir en premier. Vous inquiétez pas. Je reviens tout de suite.

Sans laisser le temps à Piper d'objecter, Percy s'engouffra dans l'escalier.

Elle compta les secondes en silence en attendant qu'il remonte. Arrivée à trente-cinq, elle entendit ses pas ; il déboucha dans la pièce, l'air plus déconcerté que soulagé.

– La bonne nouvelle, dit-il, c'est qu'il n'y a pas d'eau en bas. La mauvaise, c'est que j'ai trouvé aucune sortie. Et, euh, la nouvelle bizarre... le mieux, c'est que vous veniez voir.

Ils descendirent prudemment, Percy en tête, Turbulence à la main. Piper suivait et Jason fermait la marche pour protéger leurs arrières. C'était un escalier en colimaçon très étroit, qui ne devait pas faire plus d'un mètre quatre-vingts de diamètre. Malgré le repérage de Percy, Piper était sur ses gardes et guettait les pièges. Elle s'attendait à une embuscade à chaque tournant. Or elle n'avait pas d'arme, rien que la corne d'abondance avec sa bandoulière de cuir sur son épaule. Si ça se gâtait, les garçons ne pourraient pas faire grand-chose avec leurs épées dans un espace aussi confiné. Peut-être que Piper pourrait cribler leurs agresseurs de jambons fumés.

Pendant qu'ils s'enfonçaient vers le sous-sol, Piper remarquait de vieux graffitis gravés sur les murs : des chiffres romains, des noms et des phrases en italien. Ce qui voulait dire que des gens étaient venus ici plus récemment que sous l'Empire romain, mais ça n'avait rien de particulièrement rassurant. S'il y avait des monstres en bas, ils devaient laisser les mortels tranquilles en attendant que de bons demi-dieux bien juteux se présentent.

Ils arrivèrent enfin.

– Attention à la dernière marche, dit Percy en se retournant.

Il sauta au fond de la pièce cylindrique, dont le sol se trouvait à un mètre cinquante de la dernière marche en question. Pourquoi l'escalier était-il conçu ainsi ? se demanda Piper, très perplexe. Peut-être qu'il avait été construit séparément de la pièce, à une autre époque.

Elle aurait voulu faire demi-tour et sortir de là, mais c'était impossible, avec Jason derrière, et de toute façon elle ne pouvait pas laisser Percy seul en bas. Elle sauta à son tour, suivie de Jason.

La pièce était exactement comme sur la lame de Katoptris, sauf qu'il n'y avait pas d'eau. Les murs arrondis étaient d'une teinte coquille d'œuf délavée et parsemés de taches de couleur, rares vestiges des fresques dont ils avaient jadis été couverts. Le plafond voûté était à plus de quinze mètres de haut.

Sur le fond de la pièce, du côté opposé à l'escalier, le mur était garni de neuf alcôves toutes creusées dans la paroi à un mètre cinquante du sol, assez grandes pour contenir une statue de taille humaine, mais toutes vides.

L'air était sec et froid. Comme l'avait dit Percy, il n'y avait aucune autre sortie.

– Bon, fit Percy en levant les sourcils. Voilà le truc bizarre. Regardez.

Il s'avança au milieu de la pièce.

Aussitôt, des nappes de lumière vert et bleu coulèrent sur les murs. Piper crut entendre un bruit de fontaine, mais ne vit pas d'eau.

Il n'y avait aucune source de lumière, à part les lames des épées de Percy et Jason.

– Vous sentez l'odeur de la mer ? demanda Percy.

Piper ne l'avait pas remarquée tout de suite parce qu'elle était à côté de Percy, qui sentait toujours les embruns. Mais il avait raison. L'odeur d'eau de mer et de tempête était de plus en plus prononcée, comme si un ouragan d'été approchait.

– C'est une illusion ? demanda-t-elle.

Soudainement, elle avait bizarrement soif.

– Je ne sais pas, dit Percy. J'ai l'impression qu'il devrait y avoir de l'eau ici, plein d'eau. Mais il n'y en a pas. Je n'ai jamais été dans un endroit pareil.

Jason s'approcha de la rangée d'alcôves. Il toucha la base de la niche la plus proche, qui était juste à la hauteur de ses yeux.

– Cette pierre est incrustée de coquillages, dit-il. C'est un nymphée.

Piper avait la bouche de plus en plus sèche, pas de doute.

– Un quoi ?

– On en a un au Camp Jupiter, expliqua Jason. Sur la Colline aux Temples. C'est un sanctuaire pour les nymphes.

Piper passa la main sur la base d'une autre alcôve. Jason avait raison, celle-ci aussi était incrustée de coquilles Saint-Jacques, de conques et de cauris, qui semblaient danser dans la lumière liquide. Ils étaient glacés au toucher.

Piper avait toujours pris les nymphes pour des esprits bienveillants – des créatures superficielles et frivoles, en général inoffensives. Elles et les enfants d'Aphrodite s'entendaient bien ; ils adoraient échanger des ragots et des trucs de beauté. Cet endroit, cependant, ne dégageait pas la même atmosphère que le lac de canoë-kayak à la Colonie des Sang-Mêlé ou les ruisseaux de forêt où Piper rencontrait habituellement des nymphes. Elle sentait ici quelque chose d'hostile, de surnaturel et de terriblement sec.

Jason recula et examina toute la rangée.

– Il y avait des sanctuaires de ce genre partout, dans l'ancienne Rome, dit-il. Les riches en faisaient construire devant leurs villas en l'honneur des nymphes, pour être sûrs d'avoir toujours de l'eau fraîche. Certains sanctuaires étaient aménagés autour de sources naturelles, mais pour la plupart ils étaient construits de toutes pièces.

– Alors, demanda Piper avec espoir, aucune vraie nymphe n'y vivait ?

– Pas sûr. L'endroit où nous sommes, par exemple, devait être un bassin avec une fontaine. Très souvent, quand le nymphée appartenait à un demi-dieu ou à une demi-déesse, ils invitaient des nymphes à venir s'installer. Si elles acceptaient, c'était censé porter chance.

– Pour le propriétaire, devina Percy. Seulement ça devait lier les nymphes à cette nouvelle fontaine, ce qui était sans doute très bien si elle était dans un joli jardin ensoleillé, abondamment alimentée en eau fraîche par les aqueducs...

– Mais celle-ci est en souterrain depuis des siècles, dit Piper. Enterrée et asséchée. Que sont devenues les nymphes ?

Le bruissement d'eau se mua en un chœur de sifflements qui faisaient penser à des serpents-fantômes. La lumière qui ondoyait sur les murs passa de bleu océan et vert à violet et jaunâtre. Au-dessus, les neuf alcôves se mirent à luire. Elles n'étaient plus vides.

Dans chacune d'elles se tenait une vieille femme ratatinée ; elles étaient toutes si ridées et desséchées que Piper pensa à des momies – à une différence près : les momies ne bougent pas, normalement. Celles-ci avaient les yeux violets, comme si l'eau bleu clair de leur source vitale s'y était concentrée et épaissie. Leurs jolies robes de soie étaient réduites à des haillons délavés. Leurs cheveux, jadis coiffés en boucles et décorés de bijoux, selon la mode des patriciennes – les aristocrates de la Rome antique –, étaient aujourd'hui ternes et rêches comme de l'étoupe. S'il existait des cannibales aquatiques, c'est à ces créatures qu'ils ressembleraient, songea Piper.

– Que sont devenues les nymphes ? dit la momie qui occupait la niche du milieu.

Elle était en pire état encore que les autres. Son dos était voûté comme l'anse d'une carafe. La peau de ses mains squelettiques était fine comme du papier de soie. Une couronne de lauriers en or cabossée luisait sur ses mèches poussiéreuses.

Elle posa son regard violet sur Piper.

– C'est une question très intéressante, ma chérie. Peut-être que les nymphes sont toujours là et qu'elles souffrent en attendant l'heure de la vengeance.

Piper se jura que dès qu'elle en aurait l'occasion, elle ferait fondre Katoptris et vendrait le bronze au poids. Ce stupide poignard ne lui montrait jamais l'histoire complète. Elle s'était vue se noyer, c'était vrai. Mais si elle avait su que neuf zombies de nymphes lyophilisées l'attendaient, elle ne serait jamais descendue dans ce caveau.

Elle envisagea de courir à l'escalier, mais quand elle tourna la tête, il avait disparu. Classique. Le mur était entièrement lisse, à présent. Piper soupçonna que ce n'était pas une simple illusion. De toute façon, elle ne pourrait jamais traverser la pièce sans que les nymphes ne lui tombent dessus.

Jason et Percy étaient tous les deux à ses côtés, l'épée à la main. Piper était contente qu'ils soient là, mais elle avait l'intuition que leurs armes ne serviraient à rien. Elle avait vu ce qui allait se passer dans ce caveau. Ces créatures allaient, d'une façon ou d'une autre, les tuer.

– Qui êtes-vous ? demanda Percy.

La nymphe du milieu tourna la tête.

– Ah... les noms ! Jadis nous avions des noms. J'étais Hagno, la première des neuf !

Piper songea que c'était d'une ironie cruelle, qu'une vieille bique pareille s'appelle « agneau », mais elle garda ce commentaire pour elle.

– Les neuf, répéta Jason. Les nymphes de ce sanctuaire. Il y avait toujours neuf alcôves.

– Bien sûr. (Hagno sourit méchamment.) Mais nous sommes les neuf d'origine, Jason Grace, les neuf nymphes qui ont aidé ton père à venir au monde.

Jason baissa son épée.

– Tu veux parler de Jupiter ? Vous étiez présentes à sa *naissance* ?

– On l'appelait Zeus, à l'époque, dit Hagno. Fallait l'entendre brailler, ce petit morveux. Nous avons aidé Rhéa à accoucher. Quand le bébé est arrivé, nous l'avons caché pour empêcher son père, Cronos, de le dévorer. Il avait de ces poumons, ce bébé ! Tu n'imagines pas le cirque pour couvrir le bruit, pour que Cronos ne le repère pas. Quand Zeus a grandi, on nous a promis de nous couvrir d'honneurs éternels. Seulement c'était en Grèce, dans l'ancien pays.

Les autres nymphes se mirent à geindre en griffant les parois de leurs alcôves. Elles avaient l'air prisonnières, comme si leurs pieds étaient collés à la base de pierre incrustée de coquillages.

– Quand Rome a pris le pouvoir, dit Hagno, on nous a invitées ici. Un fils de Jupiter nous a alléchées avec de belles promesses. « Une nouvelle maison, plus spacieuse et plus agréable ! Pas d'apport initial, dans un excellent quartier. Rome, la ville éternelle. »

– Éternelle ! sifflèrent les autres.

– Nous avons cédé à la tentation. Nous avons quitté nos modestes puits et sources du mont Lycée et nous sommes venues ici. Et pendant des siècles, nous avons mené la belle vie ! Des fêtes, des sacrifices en notre honneur, de nouvelles offrandes de robes et de bijoux chaque semaine. Tous les demi-dieux de Rome flirtaient avec nous et nous honoraient.

Les nymphes soupirèrent et gémirent de plus belle.

– Mais Rome n'était pas éternelle, ajouta Hagno avec amertume. Ils ont dévié les aqueducs et la villa de notre maître a été abandonnée, puis détruite. Ils nous ont oubliées, ensevelies sous la terre, mais nous ne pouvions pas partir. Nos sources vitales sont liées à cet endroit. Notre ancien maître n'est jamais venu nous libérer. Nous nous sommes flétries ici pendant des siècles, dans le noir, et nous avons soif... terriblement soif.

Les autres se mordirent les doigts.

Piper sentit sa propre gorge se serrer.

– Je suis triste pour vous, dit-elle en essayant d'activer son enjôlement. C'est abominable. Mais nous ne sommes pas vos ennemis. Si nous pouvons vous aider...

– Oh, quelle jolie voix ! s'exclama Hagno. Et quel ravissant visage. J'étais jeune comme toi, moi aussi. Ma voix était aussi apaisante qu'un ruisseau de montagne. Mais tu sais ce que devient l'esprit d'une nymphe quand elle est enfermée dans le noir, sans rien d'autre pour se nourrir que de la haine, sans rien d'autre pour se désaltérer que des pensées violentes ? Oui, ma chérie. Vous pouvez nous aider.

Percy leva la main.

– Euh... Je suis le fils de Poséidon. Je pourrais essayer de créer une nouvelle source d'eau.

– Ha ! fit Hagno.

– Ha ! Ha ! crièrent les huit autres en écho.

– Le fait est, fils de Poséidon, que je connais bien ton père, dit Hagno. Éphialtès et Otos avaient promis que tu viendrais.

Piper se raccrocha au bras de Jason.

– Les géants... Vous travaillez pour eux ?

– Ce sont nos voisins, répondit Hagno en souriant. Leurs salles sont juste en dessous d'ici, c'est là que l'eau de l'aqueduc a été détournée pour les jeux. Quand nous nous serons occupées de vous, quand vous nous aurez aidées... les jumeaux ont juré que nous ne souffrirons plus jamais.

Hagno se tourna vers Jason.

– Toi, fils de Jupiter, pour l'ignoble trahison de ton prédécesseur qui nous a amenées ici, tu vas devoir payer. Je connais les pouvoirs du dieu du Ciel. C'est moi qui l'ai élevé quand il était bébé ! À une époque, nous autres les nymphes, nous contrôlions la pluie au-dessus de nos sources et de nos puits. Quand j'en aurai fini avec toi, nous recouvrerons ce pouvoir. Et toi, Percy Jackson, fils du dieu de la Mer... de toi je prendrai de l'eau, une réserve d'eau infinie.

– Infinie ? (Les yeux de Percy passèrent rapidement d'une nymphe à l'autre.) Écoutez, euh... infinie je sais pas trop, mais je pourrais vous donner quelques jerrycans.

– Et toi, Piper McLean. (Les yeux violets d'Hagno s'éclairèrent.) Si jeune, si jolie et si habile de ta voix charmante. De toi, nous reprendrons notre beauté. Nous avons épargné notre dernière miette d'énergie vitale pour cet instant. Nous avons très soif. Et nous allons nous abreuver de vous trois !

Les neuf alcôves scintillèrent. Les nymphes disparurent, et des nappes d'eau se déversèrent de leurs niches – une eau noire et visqueuse comme du pétrole.

43 PIPER

Piper avait besoin d'un miracle, pas d'une histoire. Pourtant, dans cet instant de choc, debout dans l'eau noire qui montait à ses pieds, elle se souvint de la légende qu'Achéloüs avait évoquée : l'histoire du déluge.

Pas celle de Noé, mais la version cherokee que lui racontait son père, avec les fantômes dansants et le chien-squelette.

Quand elle était petite, elle aimait bien se nicher contre son père dans son grand fauteuil. Elle regardait la plage de Malibu par la fenêtre, en l'écoutant lui répéter l'histoire que Grand-Pa Tom lui racontait quand ils vivaient dans la réserve, dans l'Oklahoma.

– Ce type avait un chien, commençait toujours son père.

– Tu ne peux pas commencer une histoire comme ça ! protestait Piper. Tu dois dire : « Il était une fois... »

Son père riait.

– Mais c'est une histoire cherokee, tu sais. Elles vont droit au but. Bref, cet homme avait un chien. Tous les jours, l'homme emmenait le chien au bord du lac pour chercher de l'eau, et le chien aboyait furieusement devant le lac, comme s'il était fâché contre lui.

– Est-ce qu'il l'était ?

– Sois patiente, ma chérie. L'homme finit par être très agacé et il gronda son chien. « Vilain chien ! Arrête d'aboyer contre l'eau. Ce n'est que de l'eau ! » À sa grande surprise, le chien le regarda dans les yeux et se mit à parler.

– Notre chienne à nous sait dire « Merci », intervenait Piper. Et elle peut aboyer « Sors ! »

– À peu près, acquiesçait son père. Mais ce chien-là faisait des phrases entières. Et il dit : « Un jour, bientôt, les tempêtes vont venir. L'eau va monter et tout le monde va se noyer. Tu pourras te sauver, toi et ta famille, en construisant un radeau, mais il faut d'abord que tu me sacrifies. Il faut que tu me jettes à l'eau ! »

– C'est horrible ! s'exclamait Piper. Je ne noierai jamais mon chien !

– L'homme dit sans doute la même chose. Il crut que le chien mentait – du moins, après s'être remis du choc de l'entendre parler. Quand il protesta, le chien lui dit : « Si tu ne me crois pas, regarde la peau de mon cou. Je suis déjà mort. »

– C'est triste ! Pourquoi tu me racontes ça ?

– Parce que tu me l'as demandé, lui rappelait son père.

Le fait est que Piper était fascinée par cette histoire. Elle l'avait entendue des dizaines de fois, mais elle n'arrêtait pas d'y repenser.

– Bref, reprenait son père, l'homme attrapa le chien par la nuque et vit que sa peau et son pelage tombaient déjà en poussière. En dessous, il n'y avait que des os. Le chien était un chien-squelette.

– C'est dégoûtant.

– Je suis bien d'accord. Alors, les larmes aux yeux, l'homme dit au revoir à son agaçant chien-squelette et le jeta à l'eau, où il coula rapidement. L'homme construisit un radeau et quand vint le déluge, il survécut, lui et sa famille.

– Sans le chien.

– Oui. Sans le chien. Lorsque les pluies se calmèrent et que le radeau se reposa à terre, l'homme et sa famille étaient les seuls survivants. L'homme entendit des bruits qui provenaient de l'autre côté d'une colline, comme s'il y avait là-bas des milliers de gens qui riaient et dansaient, mais lorsqu'il courut au sommet, hélas, il ne vit rien, si ce n'est des os qui jonchaient le sol : les milliers de squelettes de tous les gens qui étaient morts dans le déluge. Il se rendit compte que c'étaient les fantômes des morts qui avaient dansé. C'était ça qu'il avait entendu.

Piper attendait.

– Et alors ?

– Et alors rien. C'est la fin.

– Tu peux pas finir comme ça ! Pourquoi les fantômes dansaient ?

– Je ne sais pas, disait son père. Ton Grand-Pa Tom n'a jamais ressenti le besoin de me l'expliquer. Peut-être que les fantômes étaient heureux qu'une famille s'en soit tirée. Peut-être qu'ils s'amusaient dans l'au-delà. Ce sont des fantômes. Qui peut savoir ?

Piper était toujours très insatisfaite de cette réponse. Elle se posait tant de questions sur cette histoire. La famille avait-elle un jour trouvé un autre chien ? Tous les chiens ne s'étaient pas noyés, c'était sûr, puisqu'elle-même avait une chienne.

L'histoire s'était gravée dans sa tête. Elle n'avait plus jamais regardé les chiens de la même façon ; elle se demandait toujours, quand elle en voyait un, si ça pouvait être un chien-squelette. Elle ne comprenait pas pourquoi la famille avait dû sacrifier son animal pour survivre. Se sacrifier pour sauver sa famille lui semblait un geste très noble, tout à fait le genre de choses dont les chiens sont capables.

Et maintenant, debout dans le nymphée de Rome, entourée par l'eau noire qui lui arrivait déjà à la taille, Piper se demandait pourquoi Achéloüs avait fait allusion à cette histoire.

Elle aurait bien aimé avoir un radeau, mais elle avait peur de recevoir plutôt le rôle du chien-squelette. Elle était déjà morte.

44 Piper

Le bassin se remplissait à une vitesse affolante. Piper, Jason et Percy tambourinèrent sur les murs, espérant trouver une sortie, en vain. Ils grimpèrent dans les alcôves pour gagner de la hauteur, mais avec l'eau qui s'en déversait, c'était comme essayer de tenir en équilibre au bord d'une cascade. Même perchée dans l'alcôve, Piper était immergée jusqu'aux genoux. L'eau était à deux mètres, deux mètres cinquante du sol, et elle montait vite.

– Je pourrais essayer la foudre, proposa Jason. Fracasser le toit pour faire une ouverture ?

– On risquerait de prendre la pièce sur la tête, dit Piper.

– Ou d'être électrocutés, ajouta Percy.

– On n'a pas tellement d'options, répondit Jason.

– Je vais explorer le fond, dit Percy. Si cet endroit a vraiment été conçu comme une fontaine, il y a forcément une évacuation. Vous, regardez s'il n'y a pas de sorties secrètes dans les niches. Peut-être qu'il y a des boutons cachés sous certains coquillages.

C'était une idée désespérée, mais Piper était soulagée d'avoir quelque chose à faire.

Percy sauta à l'eau. Jason et Piper passèrent de niche en niche. Ils eurent beau taper des pieds et des poings pour sonder les parois, tripoter les coquillages incrustés dans la pierre, ils ne trouvèrent rien.

Percy refit surface plus tôt que Piper ne l'aurait cru ; il hoquetait et battait des bras. Elle lui tendit la main et il faillit la faire tomber en se hissant.

– J'arrivais pas à respirer, dit-il d'une voix étranglée. L'eau... est pas normale. J'ai eu beaucoup de mal à remonter.

C'est la force vitale des nymphes, pensa Piper. Elle était tellement toxique et malveillante que même un fils du dieu de la Mer ne pouvait pas la contrôler.

Maintenant que l'eau montait tout autour d'elle, Piper sentait que ça l'affectait. Les muscles de ses jambes tremblaient comme si elle avait couru des kilomètres. La peau de ses mains était devenue sèche et flétrie, bien qu'elle soit au milieu d'une fontaine.

Les garçons bougeaient au ralenti. Jason était très pâle. Il semblait avoir du mal à tenir son épée. Percy était trempé et frissonnait. Ses cheveux n'étaient pas aussi foncés que d'habitude, comme si la couleur s'en retirait.

– Elles sont en train de pomper nos forces, dit Piper. Elles nous vident.

– Jason, hoqueta Percy, lance la foudre.

Jason leva son épée. Un grondement résonna dans la pièce, mais aucun éclair n'apparut. À la place, une averse miniature se forma en haut de la voûte. La pluie se mit à tomber, emplissant la fontaine encore plus vite, mais ce n'était pas une pluie normale. Les gouttes étaient aussi noires que l'eau du bassin, et piquaient la peau de Piper.

– C'était pas l'effet recherché, dit Jason.

L'eau leur arrivait au cou, maintenant. Piper sentait ses forces décroître. L'histoire des cannibales aquatiques de Grand-Pa Tom était vraie. Des nymphes malveillantes allaient lui ôter la vie.

– Nous allons survivre, murmura-t-elle pour elle-même, mais elle savait que l'enjôlement ne pouvait pas la sortir de là.

L'eau toxique n'allait pas tarder à couvrir leurs têtes. Ils seraient obligés de nager dans ce liquide qui avait déjà commencé à les paralyser.

Ils se noieraient, exactement comme dans les visions de Katoptris.

Percy se mit à repousser l'eau du revers de la main, comme s'il chassait un chien méchant.

– J'arrive pas... j'arrive pas à la contrôler !

« Tu devras d'abord me sacrifier. Tu devras me jeter à l'eau ! » avait dit le chien-squelette dans l'histoire.

Piper avait l'impression que quelqu'un l'avait attrapée par la peau du cou et que ses os étaient exposés. Elle serra sa corne d'abondance.

– Nous ne pouvons pas nous battre, déclara-t-elle. Si nous résistons, ça ne va faire que nous affaiblir.

– Qu'est-ce que tu veux dire ? cria Jason pour couvrir le bruit de la pluie.

Ils avaient de l'eau jusqu'au menton. Encore quelques centimètres et ils devraient nager. Mais la pièce n'était remplie qu'à mi-hauteur, pour l'instant. Piper espérait que ça leur laissait un peu de temps.

– La corne d'abondance, dit-elle. Il faut qu'on submerge les nymphes d'eau douce, qu'on leur en donne plus qu'elles ne peuvent en boire. Si on arrive à diluer le poison...

– Ta corne peut faire ça ? demanda Percy.

Il se débattait pour garder la tête hors de l'eau, ce qui était totalement nouveau pour lui et, visiblement, le terrifiait.

– Seulement si vous m'aidez, répondit Piper, qui commençait à comprendre comment la corne fonctionnait.

Ces bonnes choses qu'elle déversait ne venaient pas de nulle part. Si Piper avait pu ensevelir Hercule sous une pluie d'aliments, c'était seulement parce qu'elle s'était concentrée sur tout ce qu'elle avait partagé de positif avec Jason.

Pour créer suffisamment d'eau douce et propre afin de remplir la pièce, il fallait qu'elle puise encore plus profond dans ses émotions. Malheureusement, elle sentait son pouvoir de concentration lui échapper.

– J'ai besoin que vous mettiez toute votre énergie dans la corne d'abondance, dit-elle. Toi, Percy, pense à la mer.

– De l'eau salée ?

– Pas grave ! Du moment qu'elle est propre. Et toi, Jason, pense à des averses, pense à une pluie bien plus forte. Tous les deux, tenez la corne.

Ils se serrèrent les uns contre les autres quand l'eau les souleva du rebord de leurs alcôves. Piper essaya de se souvenir des règles de sécurité que son père lui avait apprises quand ils avaient commencé le surf. Pour porter secours à quelqu'un qui se noie, il faut lui passer un bras dans le dos et donner des coups de pieds vers l'avant, en se déplaçant en arrière, comme quand on nage sur le dos. Elle n'était pas sûre que ça puisse marcher avec deux personnes en même temps, mais elle passa un bras autour de chaque garçon et s'efforça de les maintenir à la surface, tandis qu'eux tenaient la corne.

Il ne se passa rien. La pluie tombait à verse, toujours noire et acide.

Piper avait les jambes en plomb. L'eau qui montait formait des tourbillons et menaçait de la happer. Elle sentait ses forces la quitter.

– Rien à faire ! hurla Jason en recrachant de l'eau.

– On n'y arrive pas, acquiesça Percy.

– Vous devez travailler ensemble, cria Piper en espérant ne pas se tromper. Pensez tous les deux à de l'eau propre, à une tempête d'eau propre. Ne retenez rien. Visualisez votre pouvoir et vos forces en train de vous quitter.

– Ça, c'est pas difficile ! dit Percy.

– Mais aidez-les à partir ! Offrez tout, comme... comme si vous étiez déjà morts et que votre seul but soit de sauver les nymphes. Il faut que ce soit un don... un sacrifice.

Ce mot les laissa sans réponse.

– Réessayons, dit alors Jason. Ensemble.

Cette fois-ci, Piper se concentra tout entière sur la corne d'abondance, elle aussi. Les nymphes voulaient sa jeunesse, sa vie, sa voix ? D'accord. Elle leur cédait tout de son plein gré. Elle imagina tous ses pouvoirs se déversant hors de son corps.

Je suis déjà morte, se dit-elle avec le même calme que le chien-squelette. *C'est le seul moyen.*

Un jet d'eau limpide fusa de la corne avec une telle force qu'il les plaqua tous les trois contre le mur. La pluie se changea en torrent blanc, si propre et si froid que Piper hoqueta.

– Ça marche ! cria Jason.

– Trop bien, dit Percy. On remplit la pièce encore plus vite !

Il avait raison. L'eau montait si rapidement qu'ils n'étaient plus qu'à un mètre du plafond. Piper aurait pu toucher les nuages de la mini-averse du bout des doigts.

– Ne vous arrêtez pas ! dit-elle. Il faut qu'on dilue le poison jusqu'à ce que les nymphes soient purifiées.

– Et si c'était impossible ? demanda Jason. Ça fait des milliers d'années qu'elles rancissent dans le mal.

– Ne retenez rien, dit Piper. Donnez tout. Même si nous sommes recouv...

Sa tête heurta le plafond. Les nuages se dissipèrent et fondirent dans l'eau. La corne d'abondance crachait toujours un torrent impétueux et limpide.

Piper attira Jason contre elle et l'embrassa.

– Je t'aime, dit-elle.

Les mots étaient sortis naturellement de ses lèvres, comme l'eau de la corne d'abondance. Elle ne put voir sa réaction car ils étaient maintenant immergés.

Piper retint sa respiration. Le courant grondait à ses oreilles. L'eau bouillonnait tout autour d'eux. La lumière continuait à s'infiltrer par nappes dans la pièce et Piper s'étonna de pouvoir la voir. L'eau était-elle en train de s'éclaircir ?

Ses poumons menaçaient d'exploser, mais elle dirigea le peu d'énergie qui lui restait vers la corne. L'eau coulait toujours, bien qu'il n'y ait plus de place pour la contenir. Les murs allaient-ils céder sous la pression ?

Les yeux de Piper se voilèrent.

Elle crut d'abord que le grondement dans ses oreilles venait des derniers battements de son cœur. Puis elle se rendit compte que la pièce tremblait. L'eau tourbillonna encore plus vite et Piper se sentit couler.

Dans un ultime sursaut, elle donna un coup de pied et se propulsa en hauteur. Elle émergea à la surface, haletante. La corne d'abondance s'était arrêtée et l'eau s'écoulait de la pièce presque aussi vite qu'elle s'y était amassée.

Avec un cri d'angoisse, Piper se rendit compte que Percy et Jason avaient encore la tête sous l'eau. Elle les hissa à la surface. Percy hoqueta et se mit tout de suite à agiter les bras, mais Jason était aussi inerte qu'une poupée de chiffon.

Piper s'accrocha à lui. Elle cria son nom, le secoua, le gifla. C'est à peine si elle remarqua que l'eau s'était entièrement retirée et les avait redéposés sur le sol humide.

– Jason !

Piper fouillait désespérément sa mémoire. Fallait-il le coucher sur le côté ? Lui donner des tapes dans le dos ?

– Piper, dit alors Percy, laisse-moi t'aider.

Il s'accroupit à côté d'elle et posa la main sur le front de Jason. Un violent jet d'eau sortit de la bouche de ce dernier. Il ouvrit les yeux d'un coup et un grondement de tonnerre projeta Percy et Piper en arrière.

Lorsqu'elle reprit ses esprits, Piper vit que Jason s'était redressé. Il était toujours pantelant, mais il retrouvait des couleurs.

– Excusez-moi, dit-il en crachotant. Je ne voulais pas...

Piper le serra dans ses bras. Elle l'aurait bien embrassé, mais elle ne voulait pas l'étouffer.

Percy sourit.

– Au cas où tu voudrais savoir, dit-il, c'est de l'eau propre que tu avais dans les poumons. Je n'ai eu aucun mal à la faire sortir.

– Merci, mec. (Jason serra mollement la main de Percy.) Mais je crois que la véritable héroïne, c'est Piper. Elle nous a tous sauvés.

– Oui, c'est vrai, dit une voix qui résonna dans la pièce.

Les alcôves s'illuminèrent. Neuf silhouettes apparurent, mais ce n'étaient plus celles de créatures laides et flétries. C'étaient de jeunes et jolies nymphes en robes bleues chatoyantes, aux chevelures brunes et brillantes retenues par des barrettes d'or et d'argent. Elles avaient les yeux de différentes nuances de bleu et de vert.

Piper, sidérée, vit huit des nymphes se dissoudre en nuages de vapeur et monter dans l'air. Seule demeura celle du milieu.

– Hagno ? demanda-t-elle.

La nymphe sourit.

– Oui, ma chérie. Je ne pensais pas qu'on pouvait trouver une telle abnégation chez des mortels. Encore moins chez des demi-dieux. Sans vouloir vous vexer.

Percy se leva.

– Comment voudrais-tu qu'on se vexe ? lança-t-il. Vous avez juste essayé de nous noyer et d'aspirer nos vies.

Hagno accusa le coup.

– Je suis désolée, dit-elle. Je n'étais pas moi-même. Mais vous m'avez rappelé le soleil, la pluie et les ruisseaux dans les prairies. Percy et Jason, grâce à vous, je me suis souvenue du ciel et de la mer. Je suis purifiée. Mais c'est surtout grâce à Piper. Elle a partagé quelque chose d'encore plus beau que l'eau limpide des rivières. (Hagno se tourna vers elle.) Tu es d'une nature généreuse, Piper. Et je suis un esprit de la nature, je sais de quoi je parle.

Hagno tendit le bras vers l'autre bout de la pièce. L'escalier qui menait dehors réapparut. Pile au-dessous, une ouverture circulaire se forma dans un scintillement, une sorte de tuyau d'égout, juste assez large pour s'y faufiler. Piper imagina que l'eau avait dû s'évacuer par là.

– Vous pouvez retourner à la surface, dit Hagno. Ou, si vous y tenez vraiment, vous pouvez longer la voie d'eau qui mène chez les géants. Mais décidez vite, parce que les deux portes vont disparaître dans les instants qui suivront mon départ. Ce tuyau rejoint l'ancien réseau d'aqueducs qui dessert ce nymphée, ainsi que l'hypogée dont les géants ont fait leur maison.

Percy se prit la tête entre les mains.

– S'il te plaît, dit-il, arrête avec les mots compliqués.

– Oh, « maison », ce n'est pas si compliqué comme mot, répondit Hagno en toute candeur. Je croyais que ça l'était, mais maintenant, vous nous avez libérées de cet endroit. Mes sœurs sont parties chercher de nouvelles maisons... un ruisseau de montagne, peut-être, ou un lac dans une prairie. Je vais les suivre. Je suis tellement impatiente de revoir les forêts et les prés, les rivières et les cours d'eau limpides.

– Euh, dit Percy d'une voix tendue, les choses ont changé, sur terre, au cours des derniers millénaires.

– Mais non, qu'est-ce que tu racontes ? protesta Hagno. Ça ne peut pas être bien grave. Pan ne permettrait jamais que la nature soit souillée. Je suis impatiente de le voir, d'ailleurs.

Percy parut sur le point de dire quelque chose, mais se ravisa.

– Bonne chance, Hagno, dit Piper. Et merci.

La nymphe sourit une dernière fois, puis s'évanouit dans l'air.

Le nymphée se nimba un bref instant d'une lumière plus douce, qui évoquait le halo d'une pleine lune. Piper sentit des effluves d'épices exotiques et de rosiers en fleurs. Elle entendit une musique lointaine et des voix heureuses qui parlaient et riaient. Elle comprit que lui parvenait l'écho des siècles de fêtes et de cérémonies qui s'étaient jadis tenues dans ce sanctuaire, comme si les souvenirs avaient été libérés en même temps que les nymphes.

– Qu'est-ce que c'est ? demanda Jason avec une pointe d'inquiétude.

Piper glissa la main dans la sienne.

– Ce sont les fantômes qui dansent. Venez, les garçons, il est temps d'aller trouver les géants.

45 PERCY

Percy en avait ras la tasse, de l'eau.

S'il le disait tout haut, il se ferait sans doute renvoyer de chez les scouts marins de Poséidon, mais tant pis.

Après avoir failli laisser sa peau dans le nymphée, il lui tardait de retrouver le plancher des vaches. Il aurait aimé être au sec et s'asseoir au soleil – de préférence avec Annabeth.

Malheureusement, il ne savait pas où était Annabeth. Frank, Hazel et Léo étaient portés disparus. Il fallait encore sauver Nico di Angelo, en espérant qu'il ne soit pas déjà mort. Et puis il y avait ce problème de géants qui voulaient détruire Rome, éveiller Gaïa et prendre le contrôle du monde.

Franchement, ces monstres et ces dieux avaient des milliers d'années. Ils ne pouvaient pas faire une pause de quelques décennies et laisser Percy vivre sa vie tranquille ? Apparemment, non.

Percy s'engagea en tête du groupe dans la conduite d'égout. Au bout d'une dizaine de mètres, il déboucha sur un tunnel plus large. Sur la gauche, à une certaine distance, il entendit des grincements et des crissements de machine mal huilée. Il n'avait aucune envie de savoir ce qui faisait ce bruit, aussi conclut-il que c'était la direction qu'ils devaient prendre.

Deux ou trois cents mètres plus loin, ils parvinrent à un tournant. Percy leva la main pour faire signe à Jason et à Piper d'attendre. Il risqua un coup d'œil de l'autre côté.

Le boyau donnait sur une vaste salle de six mètres sous plafond, soutenue par plusieurs rangées de piliers. C'était un espace semblable à celui que Percy avait vu dans ses rêves, un genre de parking souterrain, mais beaucoup plus encombré, maintenant.

Les grincements et crissements provenaient d'un système de gros rouages et de poulies qui levaient et abaissaient différentes portions du sol sans raison apparente. Des tranchées à l'air libre alimentaient en eau (super, encore de l'eau) des roues qui faisaient tourner certaines machines. D'autres étaient rattachées à d'immenses roues de hamster activées par des chiens des Enfers. Percy ne put s'empêcher de penser à Kitty O'Leary, qui aurait détesté être enfermée là-dedans.

Plusieurs cages d'animaux sauvages pendaient au plafond : un lion, des zèbres, toute une meute de hyènes et même une hydre à huit têtes. Des courroies de transmission en vieux bronze patiné et en cuir transportaient des piles d'armures et d'armes, un peu comme à l'entrepôt des Amazones à Seattle, sauf que ce lieu-ci semblait beaucoup plus ancien et moins bien organisé.

Léo adorerait, se dit Percy. L'espace entier faisait penser à une immense machine, effrayante et pleine de surprises.

– Qu'est-ce que c'est ? chuchota Piper.

Percy ne savait pas trop quoi répondre. Comme il ne voyait pas les géants, il fit signe à ses amis d'approcher.

À six ou sept mètres du seuil, un découpage en bois d'un gladiateur grandeur nature surgit du sol. Il roula en grinçant le long d'une courroie de transmission, fut happé par un crochet au bout d'une corde et disparut par une fente au plafond.

– C'est quoi ce délire ? dit Jason.

Ils entrèrent. Percy balaya la salle des yeux. Il y avait des milliers de choses à regarder, presque toutes en mouvement, mais l'avantage, quand on est un demi-dieu hyperactif, c'est qu'on est à l'aise dans le chaos. Il repéra une estrade à une centaine de mètres, avec deux immenses sièges de préteur vides et, au milieu, une amphore en bronze assez grande pour contenir une personne.

– Regardez, dit-il en pointant le doigt.

– C'est trop facile, se méfia Piper en fronçant les sourcils.

– Bien sûr, acquiesça Percy.

– Mais on n'a pas le choix, ajouta Jason. Il faut qu'on sauve Nico.

– Ouais.

Percy s'avança dans la pièce en se frayant un chemin entre les tapis roulants et les plates-formes mobiles.

Les chiens des Enfers les ignorèrent complètement ; ils étaient trop occupés à courir dans leurs roues, la langue pendante et les yeux rougeoyants comme des phares. Les animaux des autres cages les gratifièrent de regards las, comme pour dire : « Je te tuerais bien, mais ça me demanderait trop d'énergie. »

Percy essayait de repérer les pièges, mais tout, dans ce lieu, avait l'air d'un piège. Il se rappela combien de fois il avait failli se perdre dans le labyrinthe, quelques années plus tôt. Il regrettait vraiment qu'Hazel ne soit pas là ; son sens spécial des souterrains leur aurait été précieux – sans compter le fait, bien sûr, qu'elle aurait retrouvé son frère plus vite.

Ils enjambèrent une rigole et se faufilèrent sous une rangée de loups en cage. Ils étaient à mi-chemin de l'amphore en bronze quand le plafond s'ouvrit au-dessus de leurs têtes. Une plate-forme en descendit. Debout dans une pose d'acteur, une main levée, le menton haut, apparut Éphialtès, le géant aux cheveux violets.

Exactement comme dans les rêves de Percy, le Grand F était petit pour un géant – dans les deux mètres soixante – mais il avait essayé de compenser cela par une tenue tapageuse. Il avait troqué son armure de gladiateur pour une chemise hawaïenne que même Dionysos aurait trouvée vulgaire, avec son imprimé aux couleurs criardes qui montrait des héros à l'agonie, des scènes de torture et des lions dévorant des esclaves au Colisée. Il avait des pièces d'or et d'argent tressées dans les cheveux et un javelot de trois mètres attaché dans le dos, ce qui n'allait *pas du tout* avec la chemise. Il portait un jean blanc et à ses pieds, ou plutôt à ses têtes de serpents recourbées, des sandales en cuir. Les serpents se contorsionnaient et dardaient la langue dans tous les sens comme s'ils n'appréciaient pas de devoir soutenir le poids d'un géant.

Éphialtès sourit aux demi-dieux, l'air vraiment superheureux de les voir.

– Enfin ! tonna-t-il. Quelle joie ! Honnêtement, je ne pensais pas que vous survivriez aux nymphes, mais c'est tellement mieux que vous soyez là. Bien plus divertissant. Vous arrivez juste à temps pour la principale attraction !

Jason et Piper se serrèrent autour de Percy, qui se sentit un peu réconforté. Ce géant était peut-être plus petit qu'un grand nombre des monstres qu'il avait affrontés, mais il avait quelque chose qui lui donnait la chair de poule. Une lueur folle dansait dans son regard.

– Nous sommes là, dit Percy, ce qui lui parut d'une évidence navrante dès qu'il l'eut prononcé. Relâche notre ami.

– Bien sûr ! lança Éphialtès. Mais j'ai peur qu'il n'ait dépassé sa date limite de consommation. Otos, où es-tu ?

À un jet de pierre, le sol s'ouvrit et l'autre géant apparut sur une plate-forme.

– Otos, pour une fois ! s'exclama joyeusement son frère. Tu n'es pas habillé comme moi ! Tu... (L'horreur se peignit sur le visage d'Éphialtès.) *C'est quoi cette tenue ?!*

Otos avait l'air du danseur classique le plus énorme et le plus revêche que la planète ait jamais porté. Il s'était boudiné dans un justaucorps bleu ciel extrêmement moulant qui ne laissait, déplora Percy, rien à l'imagination. Il avait coupé le bout de ses chaussons de danse XXXL pour permettre aux serpents de sortir la tête. Une tiare de diamants (Percy décida d'être généreux et de lui accorder le statut de couronne royale) était plantée dans sa chevelure verte et entremêlée de pétards. Il avait l'air terriblement triste et mal à l'aise, néanmoins il parvint à esquisser une révérence, ce qui n'était pas dénué de mérite, avec des pieds en serpents et un immense javelot en travers du dos.

– Par les dieux et les Titans ! rugit Éphialtès. Le spectacle va commencer, t'as le cerveau en panne ou quoi ?

– Je ne voulais pas mettre la tenue de gladiateur, geignit Otos. Je persiste à penser que ce serait superbe d'avoir un petit ballet, tu sais, pendant que le monde s'écroulera. (Il leva les sourcils et toisa les demi-dieux avec espoir.) J'ai quelques autres costumes et...

– Non ! coupa sèchement Éphialtès et, pour une fois, Percy était d'accord avec lui.

Le géant aux cheveux violets se tourna vers Percy. Il esquissa un sourire douloureux, un peu comme s'il venait de mettre les doigts dans la prise.

– Il faut excuser mon frère, dit-il. Sa présence sur scène est lamentable et il a zéro classe.

– D'accord, fit Percy, gardant pour lui ses commentaires sur la chemise hawaïenne. Pour en revenir à notre ami...

– Ah, lui ! répondit Éphialtès avec une moue. On va le laisser finir son agonie en public, mais au niveau spectacle, il est nul. Il a passé des journées entières à dormir, roulé en boule. Tu vois un peu l'indigence visuelle ? Otos, renverse l'amphore.

Otos rejoignit l'estrade en s'arrêtant à deux ou trois reprises pour faire un plié. Il coucha l'amphore sur le côté, le couvercle sauta et Nico di Angelo roula par terre. Percy sentit son cœur se serrer quand il remarqua la pâleur mortelle de son visage et sa silhouette horriblement amaigrie. Était-il mort ou vivant ? Impossible à dire. Percy voulut courir auprès de lui mais Éphialtès lui barra le chemin.

– Il faut qu'on se dépêche, maintenant, dit le Grand F. On va vous donner vos indications scéniques. L'hypogée est prêt pour le spectacle !

Percy aurait volontiers tranché le géant en deux et quitté les lieux en vitesse, mais Otos se tenait dangereusement près de Nico. Or si un combat éclatait, Nico n'était pas en état de se défendre. Percy devait gagner du temps pour lui permettre de récupérer un minimum.

Jason brandit son *gladius* en or.

– Nous n'allons participer à aucun spectacle, dit-il. Et c'est quoi, un hypo... machin ?

– Hypogée ! Tu es un demi-dieu romain, non ? Tu devrais le savoir ! Remarque, si on fait bien notre boulot ici en sous-sol, il y a pas de raison que vous soyez au courant de l'existence de l'hypogée.

– Je connais ce mot, dit Piper. C'est un espace aménagé sous un colisée. C'est là que se trouvaient tous les éléments de décor et les machines qui servaient pour les effets spéciaux.

Éphialtès tapa des mains avec enthousiasme.

– Exactement ! Tu fais des études de théâtre, ma petite ?

– Euh... mon père est acteur.

– Merveilleux ! (Éphialtès se tourna vers son frère.) T'entends ça, Otos ?

– Acteur, marmonna l'autre géant. Tout le monde peut être acteur. Danser, c'est autre chose.

– Sois gentil ! le gronda Éphialtès. En tout cas, ma petite, tu as parfaitement raison, mais cet hypogée-ci est bien plus que des coulisses de colisée. Tu sais que jadis, des géants avaient été emprisonnés sous terre et que de temps à autre, ils causaient des tremblements de terre en essayant de s'évader ? Eh bien nous avons fait beaucoup mieux ! Otos et moi sommes enfermés sous Rome depuis des éternités et nous en avons profité pour construire notre propre hypogée. Maintenant nous sommes prêts à donner le plus grand spectacle que Rome ait jamais connu, et son dernier !

Aux pieds d'Otos, Nico tressaillit. Percy eut l'impression qu'une roue à hamster-chien des Enfers venait de se remettre en mouvement quelque part dans sa poitrine. Nico était en vie, c'était déjà ça. Il ne restait plus qu'à battre les géants, de préférence sans détruire Rome, et filer d'ici pour rechercher les autres.

– Bon ! lança Percy en espérant retenir l'attention du géant. Tu as parlé de nos indications scéniques ?

– Oui ! dit Éphialtès. Je sais que l'offre de prime précise bien que la fille Annabeth et toi devez être livrés vivants, dans la mesure du possible, mais, franchement, comme la fille est déjà fichue, j'espère que tu ne seras pas déçu qu'on s'écarte du plan initial.

Le goût immonde de l'eau des nymphes revint à la bouche de Percy.

– Déjà fichue ? demanda-t-il. Tu ne veux pas dire qu'elle est...

– Morte ? fit le géant. Non. Pas encore. Mais t'inquiète pas ! Parce qu'on tient tes autres amis, tu vois.

– Léo ? demanda Piper d'une voix étranglée. Hazel et Frank ?

– Ceux-là mêmes, confirma le géant. Donc, on pourra les prendre pour le sacrifice. On peut laisser mourir la môme d'Athéna, ce qui fera plaisir à Son Altesse. Et vous trois, on peut vous inclure dans le spectacle ! Gaïa sera un peu déçue, mais en fait c'est du gagnant-gagnant. Vos morts seront tellement plus divertissantes !

– Tu veux du divertissement ? gronda Jason. Je vais t'en donner, du divertissement.

Piper s'avança et, preuve de son talent, adressa aux géants un sourire charmant.

– J'ai une meilleure idée, leur dit-elle. Si vous nous relâchiez ? Ce serait un rebondissement parfaitement imprévu ! Du grand spectacle ! En plus ça montrerait au monde que vous êtes trop cool.

Nico tressaillit de nouveau. Otos lui jeta un coup d'œil et ses pieds en serpents dardèrent leurs langues dans sa direction.

– En plus, s'empressa d'ajouter Piper, on pourrait faire quelques pas de danse dans notre fuite. Des entrechats, peut-être ?

Otos en oublia Nico. Il s'approcha à pas lourds d'Éphialtès, en agitant le doigt.

– Tu vois ? Je te l'avais bien dit ! Ce serait géant !

L'espace d'une seconde, Percy crut que Piper emportait le morceau. Otos regardait son jumeau d'un œil implorant. Éphialtès se caressait le menton, l'air d'envisager cette possibilité.

Mais il finit par secouer négativement la tête.

– Nan... nan, je crois pas. Parce que tu vois, ma petite, je suis l'anti-Dionysos. J'ai une réputation à défendre. Dionysos s'imagine qu'il s'y connaît en festivités ? Il se trompe ! Ses événements sont ringards par rapport à ceux que je peux monter. Par exemple, le numéro qu'on avait tenté, la fois où on a empilé des montagnes pour grimper jusqu'à l'Olympe...

– Je t'avais dit que ça marcherait pas, marmonna Otos.

– Et la fois où mon frère s'est couvert de viande et qu'il a traversé une course d'obstacles de drakons...

– Tu avais dit que ça passerait en prime time sur Télé-Héphaïstos, intervint Otos. Personne ne m'a jamais vu.

– Eh bien ce spectacle sera encore meilleur ! promit Éphialtès. Les Romains ont toujours réclamé du pain et des cirques – de la nourriture et du divertissement ! Je vais leur offrir les deux quand on détruira leur ville. Regardez, voici un échantillon !

Quelque chose tomba du plafond et atterrit aux pieds de Percy : une boule de pain ronde, dans un sac en cellophane décoré d'étoiles de toutes les couleurs. En regardant de plus près, Percy la ramassa et vit que le haut de la miche était découpé et qu'il y avait des mini-sandwichs à l'intérieur.

– C'est un pain-surprise Picard ? demanda-t-il.

– Magnifique, non ? (Éphialtès avait les yeux pétillants d'excitation.) Tu peux le garder, j'ai l'intention d'en distribuer des millions au peuple de Rome quand je l'effacerai de la surface de la Terre.

– C'est sympa les pains-surprises, acquiesça Otos. Mais je trouve que les Romains devraient être obligés de danser pour y avoir droit.

Percy jeta un coup d'œil furtif à Nico, qui commençait tout juste à bouger. Percy voulait qu'il soit au moins assez conscient pour s'ôter du chemin quand la bagarre s'engagerait. Et il avait besoin de soutirer davantage d'informations aux géants sur Annabeth et sur l'endroit où les autres étaient enfermés.

– Vous auriez peut-être intérêt à amener nos autres amis ici, suggéra-t-il. Vous savez, pour les morts spectaculaires... plus on est de fous, plus on rigole, non ?

– Hum. (Éphialtès tripota un bouton de sa chemise hawaïenne.) Non. C'est vraiment trop tard pour changer les chorés. Mais t'inquiète pas ! Les cirques seront superbes ! Ah, je te parle pas de cirques modernes, note bien. Pour ceux-là il faut des clowns et je déteste les clowns.

– Tout le monde déteste les clowns, renchérit Otos. Même les clowns détestent les autres clowns.

– Exactement ! dit Éphialtès. Mais nous avons prévu des numéros bien meilleurs ! Tous les trois, vous allez mourir dans d'atroces souffrances, suspendus en hauteur pour que tous les dieux et les demi-dieux puissent vous voir. Et ce n'est que la cérémonie d'ouverture ! Jadis, les jeux duraient des jours, voire des semaines. Notre spectacle – la destruction de Rome – va durer un mois entier, jusqu'au réveil de Gaïa.

– Attends, intervint Jason. Un mois et Gaïa s'éveille ?

– Oui, oui, fit Éphialtès en balayant la question d'un geste. Le 1er août est paraît-il la meilleure date pour anéantir l'humanité, une histoire de ce genre. Mais peu importe ! Dans sa sagesse infinie, la Terre Nourricière a accepté que Rome soit la première à être détruite, lentement et de façon spectaculaire. Je trouve ça très bien vu.

– En somme… (Percy n'en revenait pas : il discutait de la fin du monde en tenant un pain-surprise à moitié décongelé dans ses mains.) En somme, vous êtes juste la première partie du show de Gaïa.

Éphialtès s'assombrit.

– Ça n'a rien d'une première partie, demi-dieu ! Nous allons lâcher des bêtes sauvages et des monstres dans les rues. Notre service d'effets spéciaux provoquera des incendies et des tremblements de terre. Il y aura des gouffres et des volcans qui se formeront partout, au hasard ! Un raz-de-marée de fantômes.

– Ça va pas marcher, les fantômes, dit Otos. D'après nos groupes de discussion, l'impact sera faible.

– Ils verront bien ! rétorqua Éphialtès. Cet hypogée peut tout faire !

D'un pas rageur, le géant gagna une grande table couverte d'un drap. Il tira ce dernier, découvrant une série de manettes et de boutons presque aussi compliquée que la table de commande de Léo sur l'*Argo II*.

– Vous voyez ce bouton ? dit-il. Il éjecte une douzaine de loups enragés dans le forum. Celui-là fait surgir des automates gladiateurs pour attaquer les touristes à la fontaine de Trevi. Celui-là fait sortir le Tibre de ses berges, ce qui nous permettra de donner une bataille navale en pleine piazza Navona ! Percy Jackson, toi qui es un fils de Poséidon, tu devrais apprécier !

– Euh... je persiste à penser que l'idée de nous relâcher est meilleure, dit Percy.

– Il a raison, tenta de nouveau Piper. Sinon on tombe dans le vieux schéma de la confrontation. On vous attaque. Vous nous attaquez. On ruine vos plans. Vous savez, dernièrement, nous avons battu beaucoup de géants. Je trouverais ça vraiment dommage que ça dérape.

Éphialtès hocha la tête d'un air pensif.

– Tu as raison, finit-il par dire, et Piper eut un cillement imperceptible.

– Vraiment ? fit-elle.

– On ne peut pas se permettre le moindre flou, acquiesça le géant. Tout doit être parfaitement calé. Mais ne vous inquiétez pas. C'est moi qui ai chorégraphié vos morts. Vous allez adorer.

Nico se mit à ramper en gémissant. Percy aurait aimé qu'il rampe plus vite et gémisse moins. Il fut tenté de lui lancer son pain-surprise.

Jason changea son épée de main et dit :

– Et si nous refusons de participer à votre spectacle ?

– Écoute, vous ne pouvez pas nous tuer, répondit Éphialtès en souriant, comme si l'idée même était ridicule. Vous n'avez pas de dieu avec vous – et sans dieu, inutile d'espérer nous vaincre. Donc, vraiment, ce serait bien plus raisonnable de mourir dans d'atroces souffrances. Je suis désolé, mais le spectacle avant tout.

Percy se rendit compte que ce géant était cent fois pire que Phorcys, le dieu de la Mer qu'ils avaient rencontré à Atlanta. Éphialtès n'était pas vraiment un anti-Dionysos, c'était un Dionysos défoncé à l'EPO. Certes, Dionysos était le dieu de la fête sans limite, mais pour Éphialtès, s'amuser signifiait détruire et tuer.

Percy regarda ses amis.

– Je supporte plus la chemise de ce mec, dit-il.

– On passe à l'attaque ? proposa Piper en attrapant sa corne d'abondance.

– J'ai jamais aimé les pains-surprises, ajouta Jason.

Là-dessus, à tous les trois, ils chargèrent.

46 Percy

Dès la première seconde, ça tourna mal. Les géants se volatilisèrent en un double nuage de fumée, pour se rematérialiser au milieu de la pièce, chacun dans un endroit différent. Percy s'élança vers Éphialtès, mais des fentes s'ouvrirent à ses pieds et des murs de métal en jaillirent des deux côtés et le coupèrent de ses amis.

Les murs se refermèrent sur lui comme un étau. Il se propulsa en hauteur et agrippa le bas de la cage de l'hydre. Ce faisant, il aperçut brièvement Piper, qui avait l'air de jouer à la marelle entre des fosses pleines de flammes pour se rapprocher de Nico, encore sonné, sans arme et traqué par deux léopards.

Pendant ce temps, Jason attaquait Otos, lequel attrapait son javelot avec un gros soupir – il aurait préféré danser *Le Lac des cygnes*, plutôt que de tuer un demi-dieu de plus.

Percy enregistra tout ça en une fraction de seconde, mais il ne pouvait pas y faire grand-chose. L'hydre tenta de lui mordre les doigts, et il se balança et lâcha prise. Il tomba dans un bosquet d'arbres en contreplaqué peint, surgi de nulle part. Quand il voulut se remettre à courir, les arbres changèrent de place pour lui barrer le chemin, aussi les faucha-t-il tous d'un coup, d'un revers de son épée Turbulence.

– Magnifique ! s'exclama Éphialtès, debout à son tableau de bord, à une vingtaine de mètres de Percy. Profitons-en pour faire une répétition générale ! J'envoie l'hydre sur les marches espagnoles ?

Il tira sur une manette et Percy jeta un coup d'œil derrière lui. La cage à laquelle il était pendu un instant plus tôt montait vers une ouverture au plafond. Elle allait y disparaître en quelques secondes. Si Percy attaquait le géant, l'hydre ravagerait la ville.

Furieux, Percy projeta Turbulence comme un boomerang. Elle n'était pas faite pour ça, mais la lame de bronze céleste trancha quand même les chaînes qui retenaient la cage de l'hydre. Elle tomba au sol, la porte s'ouvrit et le monstre en jaillit – pile devant Percy.

– Oh, t'es vraiment un rabat-joie, Jackson ! lui lança Éphialtès. Très bien. Bats-toi ici, tu l'auras voulu, mais tu vas avoir une mort beaucoup moins sympa, sans les acclamations de la foule.

Percy s'avança pour affronter le monstre – et se rendit compte qu'il venait d'envoyer son arme en l'air. Mauvais calcul...

Il roula sur le côté au moment où les huit têtes de l'hydre crachaient de l'acide d'un même jet ; le sol, à l'endroit qu'il venait de quitter, se transforma en flaque de pierre fondue et fumante. Percy détestait viscéralement les hydres. C'était peut-être tant mieux qu'il ait perdu son épée car, instinctivement, il aurait été tenté de lui trancher des têtes, or, pour chaque tête perdue, l'hydre en avait deux qui repoussaient.

La dernière fois qu'il avait affronté ce genre de créature, il avait été sauvé par un cuirassé armé de canons en bronze qui l'avait réduite en confettis. Cette stratégie n'était pas envisageable, cette fois-ci. Quoique ?

L'hydre attaqua. Percy plongea derrière une roue pour hamster en bronze format géant. Il balaya la pièce du regard, à la recherche des boîtes qu'il avait vues dans son rêve. Il avait un vague souvenir de lance-roquettes.

Piper, sur l'estrade, montait la garde devant Nico. Elle tourna sa corne d'abondance vers les léopards qui approchaient à pas feutrés et décocha un rôti au-dessus de leurs têtes. Il devait sentir bon, car les deux fauves bondirent dans sa direction.

À une trentaine de mètres sur la droite de Piper, Jason se battait contre Otos, glaive contre javelot. Otos avait perdu sa tiare de diamants et semblait contrarié. Il aurait sans doute pu embrocher Jason à plusieurs reprises s'il n'avait tenu à effectuer une pirouette avant chaque assaut, ce qui le ralentissait.

Pendant ce temps, Éphialtès, hilare, pianotait sur son tableau de bord – poussant les courroies de transmission à la vitesse maximale, ouvrant au hasard des cages d'animaux.

L'hydre repassa à l'attaque en contournant la roue pour hamster. Percy bascula derrière un pilier, attrapa un sac-poubelle plein de pains-surprises et le lança vers le monstre. L'hydre cracha de l'acide, ce qui était une erreur : le sac et les emballages fondirent à mi-vol. Le pain absorba alors l'acide comme la mousse d'un extincteur et s'écrasa sur l'hydre en la recouvrant d'une pâte poisseuse, fumante, toxique et riche en calories.

Pendant que le monstre titubait en agitant les têtes et en plissant les yeux, Percy cherchait désespérément autour de lui. Il ne trouva pas les lance-roquettes mais il aperçut, contre le mur du fond, un drôle d'appareil qui ressemblait à un chevalet et comportait plusieurs rangées de lance-missiles. Il identifia un bazooka, un lance-grenades et une chandelle romaine géante, plus une bonne dizaine d'autres armes de pointe. Apparemment, elles étaient toutes reliées, braquées dans la même direction et activées par une manette en bronze unique, sur le côté. En haut du chevalet, écrits avec des œillets de toutes les couleurs, s'étalaient les mots : « JOYEUSE DESTRUCTION, ROME ! »

Percy fonça vers l'engin. L'hydre se lança à ses trousses en sifflant.

– Je sais ! s'écria Éphialtès avec entrain. On va commencer par des explosions le long de la Via Labicana ! On peut pas faire attendre le public indéfiniment.

Percy se faufila derrière le chevalet et l'orienta sur Éphialtès. Il n'avait pas le sens des machines de Léo, mais il savait braquer une arme.

L'hydre, qui se ruait vers lui, entra dans sa ligne de tir et lui cacha le géant. Percy tira sur la manette en espérant faire d'une pierre deux coups. Et il ne se passa rien.

Les huit têtes de l'hydre surgirent au-dessus de lui, prêtes à le réduire en flaque visqueuse. Percy tira de nouveau sur la manette. Cette fois-ci, le chevalet vibra et les armes commencèrent à siffler.

– Abritez-vous ! hurla Percy – en espérant que ses amis comprendraient.

Percy bondit sur le côté alors que le chevalet faisait feu, déclenchant une pétarade digne d'une explosion dans une usine de poudre à canon. L'hydre se volatilisa instantanément. Malheureusement, le recul renversa le chevalet, qui continua à projeter des armes dans toute la pièce. Un gros morceau de plafond se détacha et écrasa une roue à eau. D'autres cages tombèrent de leurs chaînes, libérant deux zèbres et une meute de hyènes. Une grenade explosa au-dessus de la tête d'Éphialtès, mais elle le fit seulement tomber à la renverse. Le tableau de bord, quant à lui, semblait parfaitement intact.

De l'autre côté de la pièce, des sacs de sable pleuvaient autour de Piper et de Nico. Piper tira le garçon par le bras pour le mettre à l'abri, mais elle reçut un sac sur l'épaule et tomba.

– Piper ! cria Jason.

Il s'élança vers elle en oubliant Otos, qui en profita pour pointer son javelot sur son dos.

– Attention ! hurla Percy.

Jason avait des réflexes rapides. Il se jeta au sol au moment même où Otos lançait. Et quand la pointe arriva au-dessus de sa tête, d'un geste de la main, il leva une rafale de vent qui en changea la trajectoire : le javelot traversa la pièce et embrocha Éphialtès, qui se relevait à peine, par le flanc.

– Otos ! (Éphialtès s'éloigna du tableau de bord en titubant, serrant le javelot à deux mains. Il commençait déjà à s'effriter.) Tu veux bien arrêter de me tuer, s'il te plaît !

– C'est pas ma faute !

Otos avait à peine dit ces mots que l'engin de Percy décocha une dernière sphère de feu romain. La boule mortifère rose fluo (rose, évidemment !) toucha le plafond au-dessus d'Otos et explosa en une magnifique pluie lumineuse. Des étincelles multicolores voletèrent avec grâce autour du géant. Puis un morceau de plafond de trois mètres se décrocha et l'écrasa comme une crêpe.

Jason courut auprès de Piper. Elle étouffa un cri quand il lui toucha le bras. Son épaule faisait un angle anormal, mais elle marmonna : « Ça va, j'ai rien. » À côté d'elle, Nico se redressa et regarda autour de lui, l'air stupéfait, comme s'il était en train de se rendre compte qu'il avait manqué une bataille.

Hélas, les géants n'avaient pas dit leur dernier mot. Éphialtès se reformait déjà ; sa tête et ses épaules émergeaient du tas de poussière de monstre. Il dégagea les bras, puis tourna un regard furieux vers Percy.

À l'autre bout de la pièce, le monceau de gravats remua et Otos en fit irruption. Il avait la tête cabossée, les pétards avaient tous explosé dans ses cheveux et ses tresses fumaient.

Son justaucorps était en lambeaux, ce qui était sans doute la seule façon dont il pouvait lui aller encore plus mal.

– Percy ! cria Jason. Les commandes !

Percy sortit de sa torpeur. Il trouva Turbulence de retour dans sa poche, retira le capuchon et courut vers le tableau de bord. D'un seul revers de sa lame, il décapita toutes les commandes.

– Non ! hurla Éphialtès. Tu as coulé le spectacle !

Percy se retourna trop lentement. Éphialtès asséna son javelot de côté comme une batte de base-ball et le frappa en pleine poitrine. Il tomba à genoux, et la douleur enflamma ses entrailles.

Jason courut à sa rescousse, mais Otos le talonnait. Percy se releva avec effort et les deux garçons se retrouvèrent épaule contre épaule. Là-bas, près de l'estrade, Piper gisait au sol, incapable de se relever, et Nico était encore cotonneux.

Les géants se reconstituaient et recouvraient leurs forces de minute en minute. Percy ne pouvait pas en dire autant.

Éphialtès eut un sourire contrit.

– Fatigué, Percy Jackson ? s'enquit-il. Je vous l'ai dit, vous ne pouvez pas nous tuer, alors j'ai peur qu'on soit dans une impasse, là. Oh, attends... non ! Parce que nous, on peut vous tuer !

– Ah ! grommela Otos en ramassant son javelot. C'est la première chose sensée que tu dis de la journée, frérot.

Là-dessus, les géants pointèrent leurs armes et s'apprêtèrent à réduire Percy et Jason en kebabs de demi-dieu.

– On n'a pas dit notre dernier mot, grommela Jason. On va vous couper en morceaux comme Jupiter l'a fait à Saturne.

– Exactement, renchérit Percy. Vous êtes morts, tous les deux. Et tant pis si on n'a pas de dieu à nos côtés.

– Ben voilà qui est dommage, dit une nouvelle voix.

Sur leur droite, une autre plate-forme descendait du plafond. Un homme s'y tenait, nonchalamment appuyé sur un bâton couronné d'une pomme de pin ; il portait une chemise pourpre, un short kaki et des sandales avec des chaussettes blanches. Il leva son chapeau à large bord et des flammes violettes dansèrent dans ses yeux.

– Je serais très agacé d'être venu pour rien.

47 Percy

Percy n'avait jamais imaginé que Monsieur D. puisse avoir une influence apaisante, pourtant tout se tut d'un coup. Les machines s'arrêtèrent dans un dernier grincement. Les bêtes sauvages cessèrent de gronder.

Les deux léopards approchèrent – en se pourléchant encore les babines du rôti de Piper – et frottèrent affectueusement le museau contre les jambes du dieu. Monsieur D. leur gratta les oreilles.

– Franchement, Éphialtès, dit-il d'un ton sévère. Tuer des demi-dieux passe encore, mais employer des léopards pour ton spectacle ? Tu dépasses les bornes.

Le géant émit un couinement.

– C'est... c'est... c'est impossible. D... D...

– C'est Bacchus, en fait, mon vieil ami, dit le dieu. Et bien sûr que c'est possible. On m'a prévenu qu'il y avait une fête.

Il n'avait pas changé depuis le Kansas, mais Percy n'arrivait toujours pas à se remettre des différences entre Bacchus et son ancien pas-très-ami Monsieur D.

Bacchus était plus mince et plus dur, et il avait moins de ventre. Ses cheveux étaient plus longs, sa démarche plus vive, et son regard beaucoup plus courroucé. Il parvenait même à rendre menaçant un bâton coiffé d'une pomme de pin.

Le javelot d'Éphialtès trembla dans sa main.

– Vous... vous les dieux, vous êtes condamnés ! Disparais, au nom de Gaïa !

– Hum.

Bacchus n'eut pas l'air impressionné pour deux sous. Il se mit à déambuler entre les accessoires, les estrades et les effets spéciaux démolis.

– Ringard, lâcha-t-il en agitant la main vers un gladiateur en bois peint. (Puis il se pencha sur une machine qui ressemblait à un rouleau à pâtisserie géant hérissé de couteaux.) Moche. Ennuyeux. Et ce truc-là... (Il examina l'engin lance-missiles, qui fumait encore.) Moche, ringard et ennuyeux. Franchement, Éphialtès, tu n'as aucune classe.

– Aucune CLASSE ? (Le géant s'empourpra.) J'ai des tonnes de classe. Je suis la classe *personnifiée*. Je... je...

– Mon frère respire la classe, intervint Otos.

– Merci ! s'écria Éphialtès.

Bacchus avança d'un pas, et les géants reculèrent.

– Vous avez rétréci, les gars ? demanda le dieu.

– Oh, ça vole bas, grommela Éphialtès. Mais je suis bien assez grand pour t'anéantir, Bacchus ! Vous les dieux, vous vous cachez toujours derrière vos héros mortels, vous confiez le sort de votre Olympe à des zigotos pareils.

Il agita une main dédaigneuse vers Percy.

Jason leva son glaive.

– Seigneur Bacchus, dit-il, on les tue, ces géants, ou quoi ?

– J'espère bien que oui, répondit Bacchus. Continue, je t'en prie.

Percy le regarda avec stupeur.

– Vous n'êtes pas venu nous prêter main-forte ?

Bacchus haussa les épaules.

– J'ai apprécié votre sacrifice en mer. Un bateau plein de Coca light. Très joli. Même si personnellement, je suis plutôt Pepsi.

– Et six millions en or et en pierres précieuses, marmonna Percy.

– Oui, en convint Bacchus. Mais ce n'était pas nécessaire, vu que pour les groupes de demi-dieux de cinq ou plus, le pourboire est compris.

– Pardon ?

– Peu importe, dit Bacchus. En tout cas, vous avez attiré mon attention et je suis là. Maintenant il faut que je voie si vous méritez mon aide. Allez-y, battez-vous. Si je suis impressionné, je me joindrai à vous pour le bouquet final.

– On en a embroché un et on a fait tomber le toit sur l'autre, fit remarquer Percy. Qu'est-ce qu'il vous faut de plus pour être impressionné ?

– Ah, bonne question ! (Bacchus tapota son thyrse. Puis il eut un sourire qui éveilla la méfiance de Percy.) Vous avez peut-être besoin d'inspiration ? Le décor est loin d'être au point. Tu appelles ça un spectacle, Éphialtès ? Je vais te montrer comment on fait.

Le dieu s'évanouit dans un nuage pourpre. Piper et Nico disparurent.

– Pip's ! hurla Jason. Bacchus, où est-ce que...

Le sol tout entier trembla et se mit à monter. Le plafond s'ouvrit en plusieurs panneaux et le soleil entra à flots. L'air scintilla comme un mirage. Percy entendit la rumeur d'une foule au-dessus de lui.

L'hypogée s'élevait au milieu d'une forêt de colonnes de pierre patinée, au centre d'un colisée en ruines.

Le cœur de Percy fit un bond dans sa poitrine. Ce n'était pas n'importe quel colisée. C'était le Colisée avec un C majuscule. Les machines à effets spéciaux des géants avaient travaillé à double régime pour garnir de planches les vieilles poutres abîmées et redonner un sol à l'arène. Les gradins s'étaient autoréparés et ils étaient à présent d'une blancheur étincelante, sous le soleil vif de l'après-midi. Un immense dais rouge et or avait été dressé pour créer de l'ombre. La tribune impériale était drapée de soie pourpre et bordée d'étendards et d'aigles en or. Le tonnerre d'applaudissements provenait de milliers de fantômes pourpres et scintillants : les Lares de Rome, rappelés pour une ultime séance.

Des orifices s'ouvrirent au sol et aspergèrent l'arène de sable. D'immenses accessoires sortirent de terre : des montagnes de plâtre grandes comme des parkings, des colonnes en pierre et, curieusement, des animaux de ferme en plastique grandeur nature. Un petit lac se forma sur un côté. Le sol de l'arène se quadrilla de fossés, au cas où d'aucuns soient d'humeur à lancer un combat de tranchée. Percy et Jason se retrouvèrent face aux géants jumeaux.

– Voilà ce qui s'appelle un spectacle ! tonna Bacchus.

Il trônait dans la tribune impériale en toge pourpre, une couronne de laurier d'or sur la tête. Nico et Piper étaient assis à sa gauche, et une nymphe en uniforme d'infirmière soignait l'épaule de la jeune fille. À la droite du dieu, un satyre accroupi lui tendait des raisins et des chips. Le dieu leva une cannette de Pepsi light et la foule se tut respectueusement.

Percy le fusilla du regard et demanda :

– Vous allez rester assis là-haut et voilà ?

– Le demi-dieu a raison ! s'écria Éphialtès. Viens te battre en personne, trouillard ! Euh, sans les demi-dieux.

Bacchus se fendit d'un sourire nonchalant.

– Junon m'a dit qu'elle avait constitué une équipe de demi-dieux valeureux. J'aimerais bien voir ça. Divertissez-moi, héros de l'Olympe. Donnez-moi une raison d'en faire plus. Il y a des avantages à être un dieu.

Sur ces mots, il fit sauter la capsule de sa cannette et la foule l'acclama.

48 PERCY

Percy n'en était pas à son premier combat, loin de là. Il s'était même déjà battu dans une arène, à deux reprises, mais il n'avait jamais rien connu de semblable à ceci. Dans l'immense Colisée, sous les acclamations de milliers de fantômes et le regard du dieu Bacchus, face aux géants jumeaux qui le dominaient du haut de leurs deux mètres cinquante, Percy se faisait l'effet d'un insignifiant vermisseau. Par ailleurs, il était très, très en colère.

Se battre contre des géants, d'accord. Mais que Bacchus en fasse un divertissement ?

Percy se souvint de ce que lui avait dit Luke Castellan des années auparavant, alors qu'il revenait de sa toute première quête : « Ne t'es-tu pas rendu compte à quel point tout cela était vain ? Tous ces numéros d'héroïsme où nous sommes les pions des dieux... »

Maintenant, Percy avait presque le même âge que Luke à cette époque. Et maintenant, il comprenait pourquoi Luke était devenu aussi venimeux. Au cours des cinq dernières années, Percy avait été trop souvent le pion d'un dieu ou d'un autre. Comme si les Olympiens se relayaient pour l'utiliser dans leurs combines.

Les dieux valaient peut-être mieux que les Titans, ou que

les géants, ou que Gaïa, mais ça ne les rendait pas bons ni sages pour autant. Et ça ne donnait pas davantage envie à Percy de se battre dans cette arène à la gomme.

Malheureusement, il n'avait pas le choix. S'il voulait sauver ses amis, il devait vaincre les deux géants. Il devait survivre et retrouver Annabeth.

Éphialtès et Otos lui facilitèrent la décision. À eux deux, les géants soulevèrent une fausse montagne aussi grande que l'appartement de Percy à New York et la lancèrent vers Jason et lui.

Les demi-dieux partirent en flèche et plongèrent dans la tranchée la plus proche. La montagne se fracassa au-dessus de leurs têtes et ils reçurent une pluie d'éclats de plâtre – rien de mortel, mais ça piquait un maximum.

La foule applaudit et réclama du sang à grands cris. « Le combat ! Le combat ! »

– Je prends Otos de nouveau ? cria Jason pour couvrir le bruit. Ou tu préfères qu'on change ?

Percy essaya de réfléchir. Spontanément, il aurait opté pour deux duels séparés – un géant chacun – mais ça ne s'était pas si bien passé que ça la dernière fois. Il lui vint à l'esprit qu'ils devaient changer de stratégie.

Tout au long de ce voyage, Percy s'était senti responsable de mener et de protéger ses amis. Il était sûr que Jason aussi. Ils avaient travaillé en petits groupes dans l'espoir de diminuer les risques. Ils avaient également combattu individuellement et chaque demi-dieu et demi-déesse avait donné tout ce qu'il ou elle avait. Mais ce n'était pas un hasard si Héra avait décidé qu'ils seraient sept dans l'équipe. Toutes les fois où Percy et Jason avaient conjugué leurs efforts – pour lever la tempête à Fort Sumter, pour échapper aux Colonnes d'Hercule et même pour remplir le nymphée –, Percy s'était senti plus confiant, plus à même de résoudre les problèmes, comme si après avoir été un Cyclope toute sa vie, il s'était réveillé soudain avec deux yeux.

– On va attaquer ensemble, dit-il. Otos en premier parce que c'est le plus faible. On l'élimine vite fait et on passe à Éphialtès. Le bronze et l'or ensemble, peut-être que ça ralentira leur reformation.

Jason eut un sourire en coin, comme s'il venait de se rendre compte qu'il allait connaître une mort indigne.

– Oui, pourquoi pas ? dit-il. Mais Éphialtès ne va pas attendre gentiment qu'on tue son frère. Sauf si...

– Il y a une bonne brise, aujourd'hui, suggéra Percy. Et il y a des canalisations sous le sol de cette arène.

Jason comprit tout de suite. Il rit et Percy sentit une étincelle d'amitié. Ce gars avait la même façon de voir que lui sur beaucoup de choses.

– On compte jusqu'à trois ? dit Jason.

– Pourquoi attendre ?

Ils sortirent de la tranchée et chargèrent. Comme l'avait soupçonné Percy, les jumeaux avaient soulevé une autre montagne de plâtre et guettaient le moment propice pour la lancer. Dès qu'ils virent les demi-dieux, ils la hissèrent au-dessus de leurs têtes – et c'est alors que Percy fit exploser une conduite d'eau à leurs pieds. Le sol trembla. Jason envoya une rafale de vent contre la poitrine d'Éphialtès. Le géant aux cheveux pourpres tomba en arrière et Otos en perdit sa prise sur la montagne, qui s'effondra sur son frère. Seuls les pieds en serpents d'Éphialtès dépassèrent, agitant leurs têtes en tous sens comme s'ils se demandaient où était passé le reste de leur corps.

Un rugissement d'enthousiasme monta de la foule, mais Percy soupçonna qu'Éphialtès était seulement sonné. Au mieux, ils avaient quelques secondes devant eux.

– Hé, Otos ! cria-t-il. Ton *Casse-noisette* casse pas des briques !

– Argh !!

Otos empoigna son javelot et le lança, mais il était trop furieux pour bien viser. Jason le fit dévier au-dessus de la tête de Percy et piquer dans le lac.

Les demi-dieux reculèrent vers l'eau en criant des insultes sur la danse classique – ce qui n'était pas un mince exploit, vu le peu de connaissances de Percy dans ce domaine.

Otos fonça vers eux les mains nues avant de sembler se rendre compte que : *a)* il était mains nues, et *b)* foncer vers un grand plan d'eau pour attaquer un fils de Poséidon n'était pas forcément une bonne idée.

Il tenta de s'arrêter, trop tard. Les demi-dieux s'écartèrent chacun d'un côté et Jason fit appel au vent, combiné à l'élan du géant, pour le pousser dans l'eau. Quand Otos refit surface en crachotant, Percy et Jason passèrent à l'attaque ensemble. Ils se jetèrent sur lui et lui plantèrent leurs deux lames dans le crâne simultanément.

Le pauvre Otos n'eut même pas le temps de faire une dernière pirouette. Il explosa à la surface du lac comme un énorme sachet de purée en flocons.

Sous l'impulsion de Percy, le lac entier se transforma en tourbillon. L'essence d'Otos essaya de se reformer mais dès que la tête du géant émergea de l'eau, Jason déclencha la foudre et le réduisit de nouveau en poussière.

Jusque-là tout allait bien, mais ils n'allaient pas pouvoir jouer à ce jeu indéfiniment. Le combat en sous-sol avait fatigué Percy ; de plus, le coup de manche de javelot qu'il avait reçu en plein ventre lui faisait encore mal. Il sentait ses forces baisser, or il leur restait un géant à affronter.

Comme pour confirmer ses craintes, la montagne de plâtre explosa derrière eux. Éphialtès surgit des décombres en rugissant de rage.

Percy et Jason campèrent sur leurs positions et le regardèrent avancer à pas lourds vers eux, javelot à la main. Apparemment, se faire aplatir par une fausse montagne avait boosté son énergie. Une étincelle meurtrière dansait dans son regard. Le soleil faisait des reflets dans ses cheveux entremêlés de pièces de monnaie. Même ses pieds-serpents, qui montraient les crocs et sifflaient, étaient en colère.

Jason invoqua de nouveau la foudre, mais Éphialtès intercepta l'éclair avec son javelot et le fit dévier sur une vache en plastique, qui fondit sur pied. Le géant renversa une colonne de pierres qui lui barrait le chemin comme si c'était une pile de cubes.

Percy s'efforçait de maintenir le tourbillon actif pour empêcher Otos de venir en renfort à son jumeau, mais quand Éphialtès arriva devant eux, il dut reporter toute son attention sur lui.

À eux deux ils repoussèrent l'assaut du géant. Ils se mirent à bondir tout autour d'Éphialtès dans une tornade d'or et de bronze, en faisant pleuvoir les coups d'épée et de glaive, mais Éphialtès les parait systématiquement.

– Je ne céderai pas ! tonna-t-il. Vous avez saboté mon spectacle, mais Gaïa détruira quand même votre monde !

Percy trancha le javelot du géant en deux d'un coup d'épée, mais celui-ci, imperturbable, fit tournoyer la moitié de hampe qu'il lui restait au ras du sol et faucha Percy, qui tomba brutalement sur son bras. Turbulence lui échappa et roula par terre.

Jason essaya de reprendre l'avantage. Il se força un chemin à l'intérieur de la garde du géant et visa son cœur, mais là encore, Éphialtès para le coup. Il fit courir la pointe de son javelot brisé sur la poitrine de Jason, changeant son tee-shirt pourpre en gilet ouvert. Jason recula en titubant et jeta un coup d'œil au trait de sang qui barrait son sternum. Le géant l'envoya au sol d'un coup de pied en pleine poitrine.

Dans la tribune de l'empereur, Piper poussa un cri, mais sa voix se perdit dans les clameurs de la foule. Bacchus suivait le combat avec un sourire amusé, tout en grignotant des chips.

Éphialtès se dressait au-dessus de Percy et de Jason, brandissant une moitié de javelot au-dessus de chacun. Percy avait le bras engourdi. Le *gladius* de Jason avait roulé loin de lui, sur le sol de l'arène. Leur plan avait échoué.

Percy leva les yeux ; il toisait Bacchus en se demandant quelle ultime malédiction il adresserait à ce dieu du Vin si inutile, quand il aperçut une masse dans le ciel, au-dessus du Colisée – un grand ovale sombre qui descendait à vive allure.

Dans le lac, Otos hurla pour avertir son frère, mais sa bouche à moitié démolie ne put produire qu'un vague « Euh-meuh-ah ! ».

– T'inquiète pas, frérot ! répondit Éphialtès sans quitter les demi-dieux du regard. Je vais les faire souffrir !

L'*Argo II* pivota dans le ciel pour présenter son flanc de bâbord et un jet de feu vert fusa de la baliste.

– Regarde plutôt derrière toi ! lança Percy.

Jason et lui roulèrent sur le côté tandis qu'Éphialtès tournait la tête et hurlait de stupeur.

Percy plongea dans une tranchée à l'instant où l'explosion secoua le Colisée.

Lorsqu'il en ressortit, l'*Argo II* se préparait à atterrir. Jason pointa la tête derrière un cheval en plastique dont il avait fait son abri antiaérien. Éphialtès gisait à terre et gémissait, à moitié carbonisé. Autour de lui, le sable s'était changé en plaque de verre sous la chaleur du feu grec. Dans le lac, Otos s'agitait en un vain effort pour se reconstituer, mais à partir des bras, il n'était qu'une flaque de porridge brûlé.

Percy rejoignit Jason en titubant et lui donna une tape amicale sur l'épaule. L'assemblée de fantômes leur fit une ovation debout, tandis que l'*Argo II* déployait son train arrière et se posait sur l'arène. Léo se tenait à la barre, Hazel et Frank tout souriants à côté de lui. Gleeson Hedge dansait autour de la plate-forme de tir en agitant le poing et en criant : « Ça c'est du sérieux ! »

Percy se tourna vers la tribune impériale.

– Alors ? hurla-t-il à l'attention de Bacchus. Était-ce assez divertissant pour vous, espèce de petit...

– Pas la peine de sortir les grands mots. (Soudain, le dieu était debout à côté de lui dans l'arène. Il chassa d'une pichenette des miettes de chips de sa toge pourpre.) J'ai décidé que vous étiez de dignes partenaires pour ce combat.

– Des partenaires ? protesta Jason. Mais vous n'avez rien fait !

Bacchus s'approcha du lac. L'eau s'en vida instantanément, ne laissant qu'un monticule de vase à tête d'Otos. Le dieu descendit dans le fond asséché et tourna le regard vers la foule. Il leva son thyrse.

Les fantômes se mirent à huer et beugler en agitant le pouce vers le sol. Percy n'avait jamais su si ça signifiait « laissez-le vivre » ou « à mort ». Il avait entendu les deux versions.

Bacchus choisit l'option la plus divertissante. Il asséna son bâton à pomme de pin sur la tête d'Otos, et le tas de porridge géant acheva de se désintégrer.

L'hystérie s'empara de la foule. Bacchus sortit du lac et se dirigea d'un pas fanfaron vers Éphialtès, qui gisait toujours par terre, chaud-fumant, bras et jambes écartés.

De nouveau, Bacchus leva son thyrse.

– VAS-Y ! rugit la foule.

– VAS-Y PAS ! supplia Éphialtès.

Bacchus donna un petit coup sur le nez d'Éphialtès, et le géant tomba en cendres.

Les fantômes applaudirent et lancèrent des spectres de confettis tandis que Bacchus faisait le tour du stade en levant triomphalement les bras, savourant l'adoration de la foule. Il se tourna vers les demi-dieux en souriant :

– Voilà, mes amis, ce qui s'appelle du spectacle ! dit-il. Et bien sûr que j'ai fait quelque chose. J'ai tué deux géants !

Quand les camarades de Percy débarquèrent de l'*Argo II*, l'assemblée de fantômes disparut avec un dernier scintillement. Piper et Nico descendirent de la tribune impériale qui, déjà, se fondait en brume, tout comme les autres rénovations magiques du Colisée. En dehors du sol de l'arène qui demeura ferme, le stade semblait maintenant ne pas avoir vu de bon combat de géants depuis des éternités.

– Ben on s'est bien amusés, dit Bacchus. Je vous donne ma permission de continuer votre voyage.

– Votre permission ? lança Percy d'un ton hargneux.

– Oui, rétorqua Bacchus, qui leva un sourcil. Même si ton voyage à toi risque d'être un peu plus difficile que tu ne le penses, fils de Neptune.

– Poséidon, corrigea instinctivement Percy. Qu'est-ce que vous voulez dire par « mon » voyage ?

– Essayez donc le parking qui est derrière le Vittoriano, dit Bacchus. C'est le meilleur endroit pour se forcer un passage. Ah, et bonne chance pour cette autre petite affaire.

Sur ces mots, le dieu s'évanouit en un nuage de brume qui dégageait une légère odeur de jus de raisin. Jason courut vers Piper et Nico.

Gleeson Hedge arriva en trottinant, suivi d'Hazel, Frank et Léo.

– C'était Dionysos ? demanda l'entraîneur. J'adore ce type !

– Vous êtes vivants ! s'écria Percy en s'adressant aux autres. Les géants prétendaient que vous étiez prisonniers. Qu'est-ce qui vous est arrivé ?

– Oh, fit Léo en haussant les épaules. Encore un brillant plan de Léo Valdez. Tu n'imagines pas ce qu'on peut faire avec une sphère d'Archimède, une fille qui sent ce qu'il y a dans le sol et une fouine.

– C'était moi la fouine, ajouta Frank d'un ton lugubre.

– En gros, expliqua Léo, j'ai activé une roue hydraulique avec l'outil d'Archimède – qui va être absolument énorme quand je l'aurai installé à bord, soit dit en passant. Hazel a détecté l'endroit le plus facile à forer pour rejoindre la surface. On a creusé un tunnel assez large pour une fouine et Frank est sorti avec un transmetteur élémentaire que j'ai improvisé. Après, il suffisait de s'introduire dans les chaînes par satellite préférées de M'sieur Hedge et de lui dire de venir nous sauver avec le navire. Une fois qu'il nous a récupérés, ça a été facile de vous trouver, grâce aux jeux de lumière divins sur le Colisée.

Percy comprit environ dix pour cent de l'histoire de Léo, mais il s'en contenta car il avait une question plus pressante.

– Où est Annabeth ?

Léo grimaça.

– Ouais, ça... on pense qu'elle a des ennuis. Blessée, une jambe cassée, peut-être – en tout cas d'après la vision que nous a donnée Gaïa. Notre prochain arrêt, c'est pour la sauver.

Deux secondes plus tôt, Percy était au bord de l'évanouissement. Là, une nouvelle montée d'adrénaline le parcourut de la tête aux pieds. Il eut envie d'étrangler Léo et de lui demander pourquoi l'*Argo II* n'était pas parti au secours d'Annabeth d'abord, mais il se rendit compte que ça aurait été un peu ingrat.

– Parle-moi de la vision, se contenta-t-il de dire. Raconte-moi tout.

Le sol trembla, commença à disparaître, et le sable à couler dans les fosses de l'hypogée, sous l'arène.

– On parlera à bord, dit Hazel. On a intérêt à décoller tant que c'est encore possible.

Ils s'élevèrent au-dessus du Colisée et mirent cap sur le sud en survolant les toits de Rome.

Tout autour de la piazza del Colosseo, la circulation s'était immobilisée. Une foule de mortels s'était amassée, probablement intriguée par les sons et les lumières étranges venus des vieilles ruines. D'après ce que voyait Percy, aucun des plans spectaculaires des géants pour détruire la ville n'avait marché. Rome était égale à elle-même. Personne n'eut l'air de remarquer l'immense trirème grecque qui grimpait dans le ciel.

Les demi-dieux se rassemblèrent autour du gouvernail. Jason banda l'épaule luxée de Piper, tandis qu'Hazel, assise à la poupe avec Nico, lui faisait manger de l'ambroisie. Le fils d'Hadès parvenait à peine à lever la tête. Il parlait d'une voix si basse qu'Hazel devait se pencher pour l'entendre.

Frank et Léo racontèrent ce qui s'était passé dans la pièce aux sphères d'Archimède, puis les visions que Gaïa leur avait montrées sur le miroir de bronze. Ils décidèrent rapidement que leur meilleure piste pour retrouver Annabeth était le conseil énigmatique de Bacchus : le Vittoriano – même si personne ne savait ce que c'était. Frank se mit à pianoter sur l'ordinateur du gouvernail, pendant que Léo tapotait fébrilement sur ses commandes en marmonnant : « Le Vittoriano, le Vittoriano. » Gleeson Hedge essaya d'aider en se battant avec un plan de Rome à l'envers.

Percy s'accroupit devant Piper et Jason.

– Comment va ton épaule ?

– Ça va se remettre, répondit Piper en souriant. Vous avez assuré, tous les deux.

Jason donna un coup de coude à Percy.

– On fait une équipe plutôt pas mal, toi et moi, dit-il.

– Mieux que se battre en duel dans un champ de blé du Kansas, acquiesça Percy.

– Le voilà ! s'écria Léo en pointant du doigt vers le moniteur. Frank, t'es trop fort ! Je mets le cap.

Frank rentra la tête dans les épaules.

– J'ai juste lu le nom sur l'écran, dit-il. Un touriste chinois l'a marqué sur Google Map.

Léo regarda les autres en souriant :

– Le mec il lit le chinois.

– Juste un peu, répondit Frank.

– C'est pas cool, ça ?

– Dites, intervint alors Hazel. Je suis désolée d'interrompre votre séance de louanges, mais il faut que vous entendiez Nico.

Elle aida son frère à se lever. Il avait toujours été pâle, mais à présent sa peau ressemblait à du lait en poudre. Ses yeux noirs et très cernés rappelèrent à Percy des photos qu'il avait vues de prisonniers de guerre à leur libération, et Percy songea que Nico, de fait, était exactement dans cette situation.

– Merci, dit le fils d'Hadès d'une voix rauque, et ses yeux firent nerveusement le tour du groupe. J'avais perdu espoir.

Durant la semaine qui s'était écoulée, Percy avait imaginé toutes sortes de paroles cinglantes à cracher à Nico quand il le reverrait, mais il semblait si fragile et si triste que Percy ne put trouver beaucoup de colère en lui.

– Tu as toujours su pour les deux camps, lui dit-il seulement. Tu aurais pu me dire qui j'étais dès le premier jour de mon arrivée au Camp Jupiter, mais tu ne l'as pas fait.

Nico s'affaissa contre la barre.

– Percy, je suis désolé. J'ai découvert le Camp Jupiter l'année dernière. C'est mon père qui m'a emmené, je savais pas trop pourquoi. Il m'a expliqué que les dieux tenaient les camps séparés depuis des siècles et que je n'avais pas le droit d'en parler à qui que ce soit. Le moment n'était pas venu. Mais il a dit que c'était important que moi, je sois au courant.

Une quinte de toux le plia en deux. Hazel le tint par les épaules le temps qu'il soit capable de se redresser.

– Je... j'ai cru que papa voulait dire à cause d'Hazel, reprit Nico. Que j'aurais besoin d'un endroit sûr où l'emmener. Mais maintenant, je crois qu'il voulait que je connaisse l'existence des deux camps pour que je comprenne l'importance de votre quête et que je cherche les Portes de la Mort.

Il y eut de l'électricité dans l'air – littéralement, car Jason s'était mis à lancer des étincelles.

– Est-ce que tu as trouvé les Portes ? demanda Percy.

Nico hocha la tête.

– Quel imbécile j'ai été, dit-il. Je croyais que je pouvais aller n'importe où aux Enfers, mais je suis tombé droit dans le piège de Gaïa. Autant essayer de sortir d'un trou noir.

– Euh... (Frank se mordilla la lèvre.) De quel genre de trou noir tu parles ?

Nico voulut continuer, mais ce qu'il avait à dire devait être trop terrifiant. Il se tourna vers Hazel.

Elle posa la main sur le bras de son frère.

– Nico m'a dit que les Portes de la Mort avaient deux côtés, un dans le monde mortel, l'autre aux Enfers. Le côté mortel du portail se trouve en Grèce. Il est solidement gardé par les forces de Gaïa. C'est par là qu'ils ont remonté Nico dans le monde supérieur. Ensuite ils l'ont emmené à Rome.

Piper devait être tendue, car sa corne d'abondance cracha un cheeseburger.

– Où en Grèce est cette porte, exactement ? demanda-t-elle.

Nico reprit bruyamment son souffle.

– À la Maison d'Hadès, dit-il. C'est un temple souterrain en Épire. Je peux vous le montrer sur une carte, mais le côté mortel du portail n'est pas le problème. Aux Enfers, les Portes de la Mort sont... sont dans...

Percy sentit comme deux mains glacées courir dans son dos. *Un trou noir.* Une partie des Enfers dont nul ne peut s'échapper, où même Nico di Angelo ne pouvait aller. Pourquoi Percy n'y avait-il pas pensé plus tôt ? Lui-même s'était trouvé une fois au bord de cet endroit. Il en faisait encore des cauchemars.

– Le Tartare, devina-t-il. La partie la plus profonde des Enfers.

Nico fit oui de la tête.

– Ils m'ont enfoncé dans la fosse, Percy. Les choses que j'ai vues là-dedans...

La voix de Nico se brisa.

Hazel pinça les lèvres et expliqua :

– Aucun mortel n'est jamais allé dans le Tartare. En tout cas, aucun n'en est jamais revenu vivant. C'est la prison de haute sécurité d'Hadès, l'endroit où sont enfermés les anciens Titans et les autres ennemis des dieux. C'est là que vont tous les monstres quand ils meurent sur terre. C'est... enfin, personne ne sait ce que c'est exactement.

Ses yeux se portèrent sur son frère. Elle n'eut pas besoin de prononcer à voix haute le reste de sa pensée : *Personne sauf Nico.*

Hazel tendit à Nico son épée noire.

Il s'y appuya comme un vieillard sur sa canne.

– Maintenant, je comprends pourquoi Hadès n'a pas pu refermer les Portes, dit-il. Même les dieux n'entrent pas dans le Tartare. Même le dieu de la Mort, Thanatos en personne, n'en approcherait pour rien au monde.

Léo pointa le nez par-dessus le gouvernail.

– Alors laisse-moi deviner, dit-il. On va devoir y aller.

Nico secoua la tête.

– C'est impossible, répondit-il. Même moi qui suis le fils d'Hadès, j'y ai survécu de justesse. Les forces de Gaïa m'ont terrassé immédiatement. Elles sont d'une telle puissance, là-bas... aucun demi-dieu n'aurait sa chance. J'ai failli perdre la raison.

Les yeux de Nico étaient comme du verre brisé. Percy se demanda avec tristesse si quelque chose, en lui, s'était cassé pour toujours.

– Alors on ira en Épire, déclara Percy. Et on fermera seulement ce côté du portail.

– Si seulement c'était si simple, dit Nico. Il faut actionner les Portes des deux côtés en même temps pour les fermer. C'est comme un double verrouillage. Peut-être... et encore... peut-être qu'à vous sept, vous pourriez surmonter les forces de Gaïa du côté mortel, à la Maison d'Hadès. Mais si vous n'avez pas une équipe qui se bat en parallèle du côté du Tartare, une équipe assez puissante pour vaincre une légion de monstres sur son propre territoire...

– Il doit bien y avoir un moyen, dit Jason.

Personne ne trouva de suggestions brillantes à faire.

Percy eut l'impression que son estomac tombait d'un cran. Puis il se rendit compte que c'était le vaisseau qui descendait vers un bâtiment qui ressemblait à un grand palais.

Annabeth. Les nouvelles de Nico étaient si terribles que Percy avait momentanément oublié qu'elle était toujours en danger, et il se sentit terriblement coupable.

– On s'attaquera à la question du Tartare plus tard, dit-il. C'est ça, le Vittoriano ?

Léo hocha la tête.

– Bacchus a parlé du parking qui est derrière, non ? ajouta-t-il. Ben le voilà. Qu'est-ce qu'on fait ?

Percy se souvint de son rêve de la grotte obscure et de la voix cruelle et bourdonnante du monstre que les autres appelaient Son Altesse. Il se souvint du visage défait d'Annabeth quand elle était rentrée de Fort Sumter, après sa rencontre avec les araignées. Il avait commencé à soupçonner ce qui pouvait se trouver au fond de ce sanctuaire... la mère de toutes les araignées. S'il devinait juste, et si Annabeth était prise au piège de cette créature, seule, avec une jambe cassée... À ce stade, que sa quête soit censée se faire en solitaire ou non, Percy n'en avait plus rien à faire.

– Il faut qu'on la sorte de là, dit-il.

– Ben, ouais, acquiesça Léo. Mais si...

Il avait l'air de vouloir dire : « Mais si on arrive trop tard ? » Sagement, il changea d'approche et remarqua :

– Il y a un parking qui nous barre le chemin.

Percy regarda l'entraîneur.

– Bacchus a parlé de se « forcer un passage », dit-il. M'sieur Hedge, il vous reste des munitions pour cette baliste ?

Le visage du satyre se fendit d'un sourire de bouc sauvage et il répondit :

– J'ai bien cru que tu ne demanderais jamais.

49 ANNABETH

Annabeth avait atteint son summum de terreur.

Elle avait été attaquée par des fantômes misogynes. Elle s'était cassé la cheville. Elle avait été poursuivie par une armée d'araignées au-dessus d'un gouffre. À présent, avec sa cheville, enveloppée dans du plastique à bulles et des planches, qui la faisait terriblement souffrir, et sans autre arme que son poignard, elle affrontait Arachné – un monstre mi-femme, mi-araignée qui avait l'intention de la tuer puis de faire une tapisserie pour narrer sa mort.

Au cours des dernières heures, Annabeth avait frissonné, gémi et refoulé tant de larmes que son corps finit tout simplement par renoncer à avoir peur. Comme si son esprit disait : « OK. Je suis désolé, mais je ne peux pas être plus terrifié que ça. »

Alors, à la place, Annabeth se mit à réfléchir.

La créature monstrueuse avait entrepris de descendre du sommet de la statue couverte de toiles d'araignée. Elle se déplaçait de fil en fil, poussant des sifflements de plaisir, et ses quatre yeux luisaient dans le noir. Soit elle n'était pas pressée, soit elle était lente.

Annabeth espéra qu'elle était lente.

Pourtant, ça ne changerait rien. Annabeth n'était pas en

état de courir et ses chances de l'emporter dans un combat lui paraissaient minces : Arachné devait faire quelques centaines de kilos. Avec ses pattes hérissées de pointes, elle était parfaitement équipée pour capturer et tuer ses proies. Sans compter qu'elle avait sans doute d'autres pouvoirs horribles, par exemple une morsure venimeuse ou une capacité à se balancer sur la toile tel un Spider-Man de l'Antiquité grecque.

Non. Le combat n'était pas la solution.

Il restait la triche et les méninges.

Selon les anciennes légendes, c'était l'orgueil d'Arachné qui lui avait valu tous ses ennuis. Elle s'était vantée de faire des tapisseries plus belles qu'Athéna, ce qui avait amené à la création de la première émission de téléréalité punitive du mont Olympe : *Alors comme ça, tu crois que tu tisses mieux qu'une déesse ?* Arachné avait été battue à plates coutures.

Annabeth en connaissait un rayon sur l'orgueil. C'était son défaut fatal, à elle aussi. Elle devait souvent se rappeler qu'elle ne pouvait pas tout faire à elle seule. Qu'elle n'était pas toujours la personne la plus apte à réussir la tâche. Quelquefois, elle se polarisait tellement qu'elle ne voyait plus les besoins des autres, et cela valait même pour Percy. On pouvait facilement la détourner de tout le reste en la faisant parler de ses projets préférés.

Maintenant, pouvait-elle user de cette faiblesse contre l'araignée ? Peut-être que si elle gagnait du temps... Cela dit, à quoi ça l'avancerait ? Ses amis ne pourraient jamais la rejoindre, même s'ils savaient où aller. Inutile d'attendre la cavalerie. Il n'empêche, gagner du temps, c'était mieux que mourir.

Annabeth s'efforça de garder un visage impassible, ce qui n'était pas facile avec une cheville cassée. Elle s'approcha clopin-clopant de la tapisserie la plus proche, une vue de la Rome ancienne.

– Quelle merveille, murmura-t-elle. Parle-moi de cette tapisserie.

Arachné retroussa les lèvres, découvrant ses mandibules.

– Qu'est-ce que ça peut te faire ? Tu es sur le point de mourir.

– Oui, bien sûr, fit Annabeth. Mais la façon dont tu as rendu la lumière est remarquable. As-tu utilisé de véritables fils d'or pour les rayons du soleil ?

De fait, la tapisserie était d'une beauté à couper le souffle. Annabeth n'avait pas besoin de se forcer pour l'admirer.

Arachné s'autorisa un sourire suffisant.

– Non, petite. Ce n'est pas de l'or. J'ai mélangé les couleurs en contrastant un jaune vif avec des teintes plus foncées. C'est ce qui donne cet effet tridimensionnel.

– Magnifique.

L'esprit d'Annabeth travaillait sur deux niveaux en parallèle : l'un pour entretenir la conversation, l'autre cherchant désespérément un plan de survie. Rien ne lui venait. Arachné ne s'était fait battre qu'une seule fois dans sa vie, par Athéna en personne – dans un concours de tissage où la déesse avait dû faire appel à tout son talent artistique et à sa magie.

– Et..., dit-elle, tu as vu ce panorama toi-même ?

Arachné siffla et une mousse peu ragoûtante écuma à sa bouche.

– Tu essaies de retarder ta mort. Ça ne marchera pas.

– Non, pas du tout, insista Annabeth. C'est juste tellement dommage que personne ne puisse voir ces superbes tapisseries. Leur place est dans un musée ou...

– Ou quoi ? demanda Arachné.

Une idée folle jaillit de l'esprit d'Annabeth, parfaitement formée, telle Athéna sortant de la caboche de Zeus. Mais arriverait-elle à la concrétiser ?

– Rien. (Elle poussa un soupir triste.) Une idée idiote. Oh, tant pis.

Arachné descendit le long de la statue en trottinant et se posa sur le bouclier de la déesse de pierre. Même à cette distance, Annabeth sentait l'odeur pestilentielle de l'araignée – imaginez un étalage entier de gâteaux abandonnés dans une pâtisserie privée de réfrigération depuis un mois.

– Quoi ? insista l'araignée. Quelle idée idiote ?

Annabeth dut se faire violence pour ne pas reculer. Cheville cassée ou non, tous les nerfs de son corps vibraient sous la peur et lui disaient de s'éloigner de l'araignée géante perchée au-dessus d'elle.

– Oh, rien... c'est juste que j'ai été chargée de dessiner les nouveaux plans du mont Olympe, dit-elle. Tu sais, après la guerre des Titans. J'ai fini le plus gros du chantier, mais nous avons besoin de nombreuses pièces d'art public de qualité. Pour la salle des trônes des dieux, notamment... Je me disais que tes œuvres y seraient parfaitement en valeur. Les Olympiens pourraient enfin prendre la mesure de ton talent. Tu vois, c'était juste une idée idiote.

Les poils d'Arachné tremblèrent sur son abdomen. Ses quatre yeux pétillèrent comme s'ils étaient animés chacun d'une idée différente, et qu'elle essayait de rassembler les fils pour en faire une toile cohérente.

– Tu dessines les nouveaux plans du mont Olympe, dit-elle. Mes œuvres... dans la salle des trônes.

– Oui, et à d'autres endroits aussi, renchérit Annabeth. Le grand pavillon aurait bien besoin de quelques-unes de tes tapisseries. Tiens, celle au paysage grec – les neuf Muses l'adoreraient. Et je suis sûre que les autres dieux s'arracheraient tes œuvres, qu'ils se disputeraient pour les avoir dans leurs palais. Je suppose qu'à part Athéna, aucun dieu n'a jamais vu ton travail ?

Arachné claqua des mandibules.

– Tu parles ! Au temps jadis, Athéna a déchiré mes plus belles pièces. Tu comprends, mes tapisseries dépeignaient les dieux sans les flatter, si je puis dire. Athéna n'a pas apprécié.

– C'est assez hypocrite, enchaîna Annabeth, dans la mesure où les dieux passent leur temps à se balancer des piques. Je crois que le truc, ce serait de les monter les uns contre les autres. Arès, par exemple, adorerait voir une tapisserie qui se moquerait de ma mère ; il a toujours eu une dent contre elle.

Arachné inclina la tête dans un angle qui semblait impossible.

– Tu travaillerais contre ta propre mère ?

– Je te dis juste ce qui plairait à Arès. Et Zeus serait ravi de voir Poséidon ridiculisé. Oh, je suis sûre que si les Olympiens voyaient tes œuvres, ils se rendraient compte que tu es phénoménale et je me retrouverais à arbitrer la surenchère. Quant à travailler contre ma mère, qu'est-ce qui me retiendrait ? Elle m'a envoyée à ma mort, ici, vrai ou faux ? Et la dernière fois que je l'ai vue à New York, elle m'a quasiment reniée.

Annabeth raconta l'histoire. Elle exprima son amertume et sa peine, et son récit devait avoir l'accent de la sincérité car l'araignée l'écouta sans l'attaquer.

– C'est dans la nature d'Athéna, siffla Arachné. Elle rejette même sa propre fille. La déesse ne permettra jamais que mes tapisseries soient exposées dans les palais des dieux. Elle a toujours été jalouse de moi.

– Mais imagine que tu puisses enfin te venger.

– En te tuant !

– Sans doute. (Annabeth se gratta la tête.) Ou bien... en me laissant devenir ton agente. Je pourrais montrer tes œuvres au mont Olympe. Je pourrais organiser une exposition pour les autres dieux. Les Olympiens pourraient enfin voir de leurs propres yeux que c'est ton travail le meilleur.

– Alors tu le reconnais ! s'écria Arachné. Une fille d'Athéna reconnaît que je suis meilleure ! Ah, quelle douce musique à mes oreilles...

– Mais ça ne t'avance pas à grand-chose, fit remarquer Annabeth. Si je meurs ici, tu continueras à vivre dans le noir. Gaïa détruira les dieux et ils ne sauront jamais que tu étais la meilleure tisseuse.

L'araignée siffla.

Annabeth eut peur que sa mère ne surgisse soudain et ne la punisse en lui infligeant une malédiction terrible. La première leçon qu'apprenait tout enfant d'Athéna se résumait à : maman est la plus forte en tout et il ne faut jamais, au grand jamais, suggérer le contraire.

Mais il ne se passa rien. Peut-être qu'Athéna comprenait qu'Annabeth disait toutes ces choses pour sauver sa vie. Autre possibilité, la déesse était en si piteux état, déchirée comme elle l'était entre ses personnalités grecque et romaine, qu'elle ne s'en apercevait même pas.

– Non, ça n'ira pas, grommela Arachné. Je ne peux pas permettre ça.

– Bon...

Annabeth changea de position en essayant de ménager sa cheville blessée. Une nouvelle fissure se forma sur le sol et elle recula en boitillant.

– Attention ! lança Arachné. Les fondations de ce sanctuaire sont rongées depuis des siècles !

Annabeth sentit son cœur se serrer.

– Rongées ?

– Tu n'imagines pas la quantité de haine qui bouillonne en dessous de nous, dit l'araignée. Les pensées hargneuses de la *multitude* de monstres qui essaient de parvenir à l'Athéna Parthénos pour la détruire. Un faux pas et tu tombes dans le vide – en chute libre jusqu'au Tartare ! Et crois-moi, à la différence des Portes de la Mort, ton voyage serait un aller simple, avec une chute très dure ! Mais je ne te laisserai pas mourir avant que tu m'aies expliqué ton projet pour mon travail artistique.

Annabeth avait un goût de rouille dans la bouche. « En chute libre jusqu'au Tartare ? »

Elle essaya de rester concentrée, mais c'était difficile en entendant le sol grincer et craquer, les gravats dégringoler dans le vide.

– Oui, le projet, dit Annabeth. Euh... comme je te le disais, j'adorerais emporter tes tapisseries au mont Olympe et les accrocher partout. Tu enverrais ton talent en pleine face à Athéna pour l'éternité. Mais la seule façon dont je pourrais le faire... Non. C'est trop compliqué. Autant que tu me tues tout de suite, c'est plus simple.

– Non ! s'écria Arachné. Je refuse. La perspective de te tuer ne me donne plus aucun plaisir. Il faut que j'aie mes œuvres au mont Olympe ! Que dois-je faire ?

Annabeth secoua la tête.

– Désolée, j'aurais mieux fait de me taire. Pousse-moi donc dans le Tartare.

– Je refuse !

– Ne sois pas ridicule. Tue-moi !

– Tu n'as pas d'ordres à me donner ! Dis-moi ce que je dois faire ! Sinon... sinon...

– Tu me tues ?

– Oui ! Non ! (L'araignée se prit la tête entre les pattes avant.) Il faut que j'expose mes œuvres au mont Olympe !

Annabeth essaya de contenir son excitation. Son plan pouvait peut-être marcher, en fin de compte... mais il lui restait à convaincre Arachné de faire une chose impossible. Elle se souvint du conseil que lui avait donné Frank Zhang : inutile de compliquer.

– Je pourrais peut-être faire jouer mes relations, concéda-t-elle, tisser du réseau...

– J'excelle à tisser ! l'interrompit Arachné. Je suis une araignée !

– Oui, mais si on veut que tes œuvres soient exposées au mont Olympe, il faut organiser une présélection en bonne et due forme. Il faudrait que je trouve une accroche, que je soumette une proposition, que je constitue un portfolio. Euh... as-tu des photos ?

– Des photos ?

– Un beau portrait en noir et blanc, tirage brillant... Oh, peu importe. Le plus important, c'est l'œuvre présentée à la présélection. Ces tapisseries sont excellentes. Mais les dieux vont exiger quelque chose de véritablement exceptionnel, quelque chose qui montre ton talent dans son *extrême*.

Arachné dégarnit les mandibules.

– Es-tu en train d'insinuer que ce ne sont pas mes meilleures œuvres ? Tu me lances un défi ?

– Oh non ! (Annabeth rit.) Moi, me mesurer à toi ? Je suis pas folle. Tu es bien trop forte. Non, ce serait seulement un défi *à toi-même*, pour voir si tu as la trempe nécessaire pour exposer au mont Olympe.

– Bien sûr que oui !

– J'en suis convaincue moi aussi. Seulement la présélection, tu sais... C'est une formalité incontournable. Je crains que ce ne soit très difficile. Tu es sûre que tu ne préfères pas me tuer ?

– Arrête de dire ça ! cria Arachné. Qu'est-ce que je dois faire ?

– Je vais te montrer.

Annabeth ouvrit son sac à dos, en sortit l'ordinateur portable de Dédale et l'alluma. Le logo en forme de delta brilla dans l'obscurité.

– Qu'est-ce que c'est ? demanda Arachné. Un modèle de métier à tisser ?

– Dans un sens, oui. Ça sert à tisser des idées. Il y a un schéma de l'œuvre qu'il te faudrait bâtir.

Les doigts d'Annabeth tremblaient sur le clavier. Arachné s'était penchée pour regarder par-dessus son épaule et la jeune fille ne put s'empêcher de penser que l'araignée pouvait comme un rien lui planter ses fines dents pointues dans le cou.

Elle lança son programme d'imagerie 3D. Son dernier diagramme était encore là – la clé de voûte du plan d'Annabeth, inspiré par la plus improbable des muses : Frank Zhang.

Annabeth procéda à quelques rapides calculs. Elle augmenta les dimensions du modèle, puis montra à Arachné comment il pouvait être réalisé : des brins de textile tissés en bandes, puis tressés de façon à former un long cylindre.

La lumière dorée dégagée par l'écran éclairait la face de l'araignée.

– Tu veux que je fasse ça ? Mais c'est rien ! C'est tout petit et d'une simplicité enfantine !

– La taille réelle serait bien supérieure, fit remarquer Annabeth. As-tu vu ces mesures ? Il faut que ce soit suffisamment grand pour impressionner les dieux, bien sûr. Ça a peut-être l'air simple, mais c'est une structure qui offre des possibilités étonnantes. La soie de ton fil serait le matériau idéal : souple et doux, mais résistant comme l'acier.

– Je vois... (Arachné fronça les sourcils.) Mais ce n'est même pas une tapisserie.

– Tout le défi est là. Ça te demande une prise de risque : sortir de ton terrain habituel. C'est une œuvre comme celle-ci que recherchent les dieux, une *sculpture abstraite*. Elle serait placée dans le hall de la salle des trônes de l'Olympe et tous les visiteurs la verraient. Tu serais célèbre pour l'éternité !

Arachné émit un raclement de gorge mécontent. Annabeth se rendait bien compte qu'elle ne mordait pas à l'hameçon. Ses mains se couvrirent d'une sueur froide.

– Il faudrait une énorme quantité de fil, se plaignit l'araignée. Plus que je ne pourrais en produire en une année entière.

C'était ce qu'attendait Annabeth. Elle avait calculé la masse et la taille en partant de là.

– Il te faudrait déballer la statue et réutiliser cette soie, dit-elle.

Arachné allait objecter, mais Annabeth agita négligemment la main vers l'Athéna Parthénos, comme pour suggérer que ce n'était rien du tout.

– Qu'est-ce qui compte le plus ? Recouvrir cette vieille statue ou prouver que tes œuvres sont les plus belles ? Évidemment, il faudrait faire extrêmement attention. Il faudrait laisser suffisamment de toiles pour tenir la pièce. Et si tu penses que c'est trop difficile...

– Je n'ai pas dit ça !

– D'accord. Seulement... Athéna a dit un jour qu'aucune tisseuse ne pourrait créer cette structure tressée, même pas elle. Alors si tu ne te sens pas capable de...

– Athéna a dit ça ?

– Ben, oui.

– C'est ridicule ! Je peux le faire !

– Superbe ! Mais il faudrait t'y mettre tout de suite, avant que les Olympiens choisissent un autre artiste pour leurs installations.

Arachné grogna.

– Si tu cherches à m'embobiner, ma petite...

– Tu me retiens en otage, lui rappela Annabeth. C'est pas comme si je pouvais partir d'ici. Quand tu auras achevé cette sculpture, tu seras la première à dire que c'est la plus spectaculaire de toutes tes créations. Sinon, j'accepterai de mourir avec plaisir.

Arachné hésita. Ses pattes hérissées de piquants étaient si près qu'elle aurait pu empaler Annabeth d'un simple geste.

– Très bien ! dit alors l'araignée. Un dernier défi. Cette fois-ci contre moi-même !

Arachné escalada sa toile et entreprit de dégager l'Athéna Parthénos.

50 ANNABETH

Annabeth perdit la notion du temps.

Elle sentait que l'ambroisie qu'elle avait mangée commençait à guérir sa cheville, mais la douleur était encore si vive que les élancements lui montaient jusqu'au cou. Sur tous les murs, de petites araignées grouillaient dans l'ombre comme si elles attendaient les ordres de leur maîtresse. Par milliers, elles bruissaient sous les tapisseries, ce qui faisait onduler les paysages tissés comme sous une brise.

Assise sur le sol qui s'effritait, Annabeth essayait de conserver ses forces. Pendant qu'Arachné ne la regardait pas, elle tenta d'avoir du réseau sur le portable de Dédale, mais bien sûr sans succès. Cela ne lui laissait rien d'autre à faire que d'observer, avec effroi et stupeur, Arachné qui travaillait en jouant de ses huit pattes à une vitesse hypnotique et, peu à peu, défaisait le cocon de soie de la statue.

Avec ses vêtements dorés et son visage d'ivoire lumineux, l'Athéna Parthénos était encore plus effrayante qu'Arachné. Elle baissait sévèrement les yeux, l'air de dire : « Apportez-moi de la bonne bouffe ou je me fâche. » Annabeth n'eut pas de mal à imaginer ce que pouvaient ressentir les Grecs de l'Antiquité en entrant dans le Parthénon et en voyant cette gigantesque déesse avec son bouclier, sa lance et son python, tenant de l'autre main Niké, l'esprit ailé de la victoire. Il y avait de quoi en faire trembler plus d'un dans son *chiton*.

Plus que ça, la statue irradiait le pouvoir. À mesure qu'Athéna apparaissait, l'air se réchauffait autour d'elle. Sa peau d'ivoire rayonnait de vitalité. Dans toute la pièce, les petites araignées, visiblement inquiètes, amorçaient un repli vers le corridor.

Annabeth devina que les toiles d'Arachné avaient étouffé le pouvoir magique de la statue. À présent dégagée, l'Athéna Parthénos emplissait l'espace de son énergie magique. Des siècles de prières avaient été prononcées par des mortels en sa présence, des siècles d'offrandes brûlées pour elle. La statue était pénétrée du pouvoir d'Athéna.

Arachné ne semblait s'apercevoir de rien. Elle marmonnait toute seule en comptant les mètres de fil de soie et en calculant le nombre de fils qu'exigeait son projet. Chaque fois qu'elle hésitait, Annabeth l'encourageait et lui rappelait quel merveilleux écrin le mont Olympe offrirait à ses tapisseries.

La statue devint si chaude et si vive qu'Annabeth distingua de nouveaux détails dans le sanctuaire : les éléments de maçonnerie romains, qui avaient sans doute été jadis d'une blancheur étincelante, les os noircis des précédentes victimes – et repas – d'Arachné pris dans la toile, les énormes câbles de soie qui reliaient le sol au plafond. Annabeth voyait aussi à quel point les dalles de marbre, sous ses pieds, étaient fragiles. Elles étaient couvertes d'un fin quadrillage tissé, comme un filet retenant un miroir fracassé. Chaque fois que l'Athéna Parthénos bougeait, ne serait-ce qu'un tout petit peu, de nouvelles fissures s'ouvraient sur le sol. À certains endroits, il y avait des trous gros comme des bouches d'égout. Annabeth regrettait presque l'obscurité. Même si son plan marchait et qu'elle réussissait à vaincre Arachné, elle se demandait comment elle pourrait bien sortir vivante de cette cave.

– Tant de soie, marmonna Arachné. Je pourrais faire vingt tapisseries.

– Continue ! l'encouragea Annabeth. Tu progresses si bien !

L'araignée poursuivit son travail. Au bout d'un temps qui parut une éternité à Annabeth, une montagne de soie luisante s'était formée aux pieds de la statue. Les murs du sanctuaire étaient toujours couverts de toile, et les câbles d'étaiement intacts. Mais l'Athéna Parthénos était libre.

S'il te plaît, réveille-toi, supplia Annabeth à l'adresse de la statue. *Mère, aide-moi.*

Il ne se passa rien, alors que les fissures semblaient se répandre sur le sol à une vitesse croissante. D'après Arachné, cela faisait des siècles que les pensées malveillantes des monstres rongeaient les fondations du sanctuaire. Si c'était vrai, maintenant que l'Athéna Parthénos était dégagée, elle risquait d'attirer encore plus fortement l'attention des monstres du Tartare.

– Le schéma, dit-elle. Tu devrais te dépêcher.

Elle leva l'ordinateur pour permettre à Arachné de voir l'écran, mais l'araignée lui lança vertement :

– Je l'ai en tête, ma petite. Je suis une artiste, j'ai l'œil pour les détails.

– Bien sûr. Mais nous devrions nous dépêcher.

– Pourquoi ?

– Mais... pour présenter ton travail au monde !

– Hum. Qu'à cela ne tienne.

Arachné se mit à tisser. C'était un lent travail que de transformer de longs fils de soie en bandes de tissu. Les parois de la cave tremblaient. Les fissures aux pieds d'Annabeth s'élargissaient.

Si Arachné s'en apercevait, cela ne semblait pas l'inquiéter. Annabeth caressa l'idée de pousser l'araignée dans la fosse, mais elle y renonça. Il n'y avait pas de trou assez grand.

En plus, si le sol cédait, Arachné pourrait sans doute s'accrocher à ses fils de soie et s'en sortir, tandis qu'Annabeth et la statue seraient précipitées dans le Tartare.

Lentement, Arachné acheva les longues bandes de soie et les tressa. Elle avait un savoir-faire exceptionnel. Malgré elle, Annabeth en était impressionnée. Elle fut effleurée par un nouveau doute au sujet de sa mère. Et si Arachné était bel et bien meilleure tisseuse qu'Athéna ?

Mais la question n'était pas la compétence d'Arachné. C'était pour son orgueil et son manque de respect qu'elle avait été punie. On pouvait avoir tout le talent du monde, ça ne donnait pas le droit d'offenser les dieux. Les Olympiens vous rappelaient qu'il y avait toujours quelqu'un au-dessus de vous et qu'on n'avait donc pas intérêt à attraper la grosse tête. Tout de même... être transformée en araignée géante immortelle pour avoir fait preuve de vantardise, c'était raide.

Arachné accéléra la cadence et, bientôt, la structure tressée fut terminée. Aux pieds de la statue reposait un cylindre en fils de soie d'un mètre cinquante de diamètre pour trois mètres de long. La surface brillait comme de la nacre, mais Annabeth n'y voyait aucune beauté. Pour elle, c'était purement fonctionnel : c'était un piège. Sa seule beauté serait son efficacité.

Arachné lui adressa un sourire vorace.

– Ça y est ! s'écria-t-elle. Maintenant, ma récompense ! Montre-moi que tu peux tenir tes promesses.

Annabeth inspecta le piège. Elle en fit le tour en fronçant les sourcils, examina le tissage sous tous les angles. Ensuite, en faisant attention à sa cheville cassée, elle se mit à quatre pattes et se faufila à l'intérieur du cylindre. Elle avait calculé de tête les mesures. Si elle s'était trompée, son plan était condamné à l'échec. Mais elle put avancer dans le tunnel de soie sans en toucher les parois. Le tissage était collant, mais à un degré supportable. Annabeth ressortit par l'autre bout et secoua la tête.

– Il y a un défaut, déclara-t-elle.

– Quoi ?! protesta Arachné. Impossible ! J'ai suivi tes directives et...

– À l'intérieur. Entre voir par toi-même. C'est juste au milieu. Un défaut dans le tissage.

Arachné écumait. Annabeth eut peur d'avoir poussé trop loin et que l'araignée la croque. Elle irait rejoindre les tas d'os dans les toiles d'araignée.

Au lieu de quoi, Arachné tapa des huit pattes avec irritation.

– Mon travail est toujours *impeccable* !

– Oh, c'est un tout petit défaut, tu peux sans doute le réparer. Mais je ne veux montrer aux dieux que le meilleur de ton travail. Écoute, entre donc vérifier par toi-même. Si tu parviens à le réparer, nous montrerons l'œuvre aux Olympiens. Tu seras l'artiste la plus célèbre de tous les temps. Ils renverront sans doute les neuf Muses et t'engageront pour superviser tous les arts à leur place. La déesse Arachné... oui, ça ne m'étonnerait pas.

– La déesse... (Arachné en avait la voix qui s'étranglait.) Oui, oui. Je vais réparer ce défaut.

Elle engagea la tête dans le tunnel.

– Où est-ce ?

– Pile au milieu, dit Annabeth d'un ton pressant. Avance. Mais c'est peut-être un peu serré pour toi.

– T'inquiète donc pas ! lança Arachné, agacée – et elle se tortilla pour s'enfoncer davantage.

Comme l'avait espéré Annabeth, l'abdomen de l'araignée entrait, mais tout juste. Les bandes de soie tressées s'écartaient sous sa pression. Arachné put s'avancer jusqu'à ses filières.

– Je ne vois pas de défaut ! annonça-t-elle.

– Vraiment ? demanda Annabeth. C'est bizarre. Ressors et je vais vérifier.

L'instant de vérité. Arachné essaya de reculer en se dandinant. Le tunnel tissé se contracta autour d'elle et la retint solidement. Elle tenta de sortir par l'avant, mais le piège s'était déjà refermé sur son abdomen. Elle ne pouvait pas s'extraire par là non plus.

– Qu'est-ce que c'est que ce truc ? s'écria-t-elle. Je suis coincée !

– Ah, dit Annabeth. J'ai oublié de te dire. Cette œuvre d'art s'appelle *Le Piège à doigts chinois*. Enfin, c'est une variation plus grande sur ce thème. Je vais l'appeler *Le Piège à araignées chinois*.

– Trahison !

Arachné se mit à gigoter et à taper des huit pattes, mais elle avait beau s'agiter, le piège la tenait étroitement prisonnière.

– C'était une question de survie, rectifia Annabeth. Tu allais me tuer de toute façon, que je t'aide ou non, je me trompe ?

– Ben bien sûr ! Tu es une enfant d'Athéna. (Le silence se fit dans le piège.) Je veux dire... non, évidemment ! Je tiens mes promesses.

– Hum. (Annabeth, voyant le cylindre tressé remuer à nouveau, recula.) En principe, ces pièges sont en bambou tressé, mais la soie d'araignée est encore plus résistante. Tu es solidement ligotée dans ton fil, et il est impossible à déchirer – même pour toi.

– Argh !

Arachné roula sur elle-même, et le cylindre avec, mais Annabeth s'écarta. Même avec une cheville cassée, elle pouvait éviter un piège à doigts géant.

– Je vais te tuer ! promit Arachné. Je veux dire, non... Je serai très gentille avec toi si tu me fais sortir.

– À ta place, je ne gaspillerais pas mon énergie. (Annabeth respira à fond ; c'était la première fois qu'elle se détendait un peu depuis des heures.) Je vais appeler mes amis.

– Tu… tu vas les appeler pour mes œuvres ? demanda Arachné avec espoir.

Annabeth balaya la cave du regard. Il devait y avoir un moyen d'envoyer un message-Iris à l'*Argo II*. Il lui restait un peu d'eau dans sa bouteille, mais comment créer assez de brume et de lumière pour provoquer un arc-en-ciel dans une grotte obscure ?

Arachné se remit à rouler.

– Tu appelles tes amis pour me tuer ! hurla-t-elle. Je refuse de mourir ! Pas comme ça !

– Calme-toi, dit Annabeth. Nous te laisserons la vie sauve. Tout ce que nous voulons, c'est la statue.

– La statue ?

– Oui. (Annabeth aurait dû s'en tenir là, mais sa peur se muait en colère et en rancune.) Tu sais, l'œuvre que je vais exposer au meilleur emplacement du mont Olympe ? Ce ne sera pas la tienne. C'est l'Athéna Parthénos qui doit trôner là, bien en vue, au cœur du domaine des dieux.

– Non ! Non ! C'est horrible !

– Oh, ça ne se fera pas tout de suite, poursuivit Annabeth. Nous allons d'abord emporter la statue en Grèce avec nous. Une prophétie nous a dit qu'elle avait le pouvoir de nous aider à vaincre les géants. Ensuite… eh bien nous ne pourrons pas la remettre à sa place au Parthénon, ça ferait naître trop de questions. Elle sera plus en sécurité au mont Olympe. Elle unira les enfants d'Athéna et amènera la paix entre les Romains et les Grecs. Merci de l'avoir protégée pendant tous ces siècles. Tu as rendu un immense service à Athéna.

Arachné rugit furieusement et tapa de plus belle. Un brin de soie fusa d'une de ses filières et alla s'accrocher à une tapisserie du mur d'en face. Arachné contracta l'abdomen et se mit à lacérer aveuglément le tissage. Elle continua à rouler sur elle-même en projetant des brins de soie au hasard ; sur son passage, elle renversait des braseros de feu magique et arrachait des dalles du sol. La cave trembla. Des tapisseries s'enflammèrent.

– Arrête ! (Annabeth s'écartait en boitillant pour éviter les fils de soie de l'araignée.) Tu vas démolir la caverne et nous tuer toutes les deux !

– Plutôt ça que de te laisser gagner ! cria Arachné. Mes enfants ! Aidez-moi !

Ah, super. Annabeth avait espéré que l'aura magique de la statue tiendrait les petites araignées à l'écart, mais Arachné les appelait toujours à sa rescousse. Annabeth envisagea de tuer la femme-araignée pour faire taire ses hurlements. Elle pouvait facilement se servir de son poignard, maintenant. Mais elle hésitait à tuer un monstre, quel qu'il soit, quand il était ainsi sans défense, et ça valait pour Arachné. En plus, si elle donnait un coup de couteau dans la soie tressée, le piège risquait de se défaire. Et Arachné parviendrait peut-être à se libérer avant qu'Annabeth ne l'ait achevée.

Toutes ces pensées lui venaient à l'esprit trop tard. Les araignées affluèrent dans la pièce. La statue d'Athéna brilla d'un éclat redoublé. Il était visible que les araignées n'avaient pas envie d'approcher, mais elles se poussaient lentement de l'avant, comme si elles rassemblaient leur courage. Leur mère les appelait au secours. Tôt ou tard, elles déferleraient à l'intérieur et engloutiraient Annabeth.

– Arachné ! hurla-t-elle. Arrête ! Je vais...

Arachné arriva à se retourner dans sa prison et pointa l'abdomen dans la direction de la voix d'Annabeth. Un brin de soie frappa la jeune fille en pleine poitrine, avec la force d'un gant de poids lourd.

Annabeth tomba et une douleur fulgurante irradia dans toute sa jambe. Elle attaqua la soie à coups de poignard désespérés, tandis qu'Arachné l'attirait vers ses filières claquantes.

Annabeth parvint enfin à trancher le brin de soie et à s'éloigner en se traînant au sol, mais les petites araignées se refermaient sur elle.

Elle se rendit compte que tous ses efforts n'avaient pas suffi. Elle ne sortirait pas d'ici. Les enfants d'Arachné la tueraient au pied de la statue de sa mère.

Percy, pensa-t-elle, *je regrette.*

À ce moment-là, toute la pièce grinça et trembla, et le plafond explosa sous une déflagration de lumière vive.

51 ANNABETH

Annabeth avait vu des choses bizarres, dans sa vie, mais elle n'avait jamais vu pleuvoir des voitures.

Quand le plafond de la grotte s'écroula, elle fut aveuglée par la lumière du soleil. Elle entrevit brièvement l'*Argo II*, au-dessus de l'ouverture. Ils avaient dû se servir des balistes pour percer un trou dans le sol.

Des plaques d'asphalte grosses comme des portes de parking dégringolèrent, ainsi que six ou sept voitures italiennes. L'une d'elles aurait écrasé l'Athéna Parthénos si l'aura lumineuse de la statue n'avait pas agi comme un champ de force : la voiture rebondit en changeant de trajectoire. Malheureusement, elle tombait maintenant droit sur Annabeth.

Laquelle sauta sur le côté en tordant son pied blessé. La douleur fut si intense qu'elle faillit s'évanouir, mais elle roula sur le dos à temps pour voir une Fiat 500 rutilante s'écraser sur le piège de soie d'Arachné, défoncer le sol de la grotte et disparaître dans le vide en entraînant avec elle *Le Piège à araignées chinois*.

Arachné hurla dans sa chute comme un train de marchandises emballé, mais ses cris eurent vite fait de s'éteindre. Tout autour d'Annabeth, des gravats pleuvaient et criblaient le sol de trous.

L'Athéna Parthénos demeurait intacte, alors que le sol de marbre, sous le piédestal de la statue, était entièrement lézardé. Annabeth était couverte de toiles d'araignée. Elle retira les brins de soie attachés à ses bras et à ses jambes comme les ficelles d'une marionnette, mais, à sa propre stupeur, elle n'avait été touchée par aucun débris. Elle voulait croire que la statue l'avait protégée, tout en soupçonnant que c'était juste de la chance.

L'armée d'araignées avait disparu. Soit elles s'étaient repliées dans l'obscurité, soit elles étaient tombées dans le gouffre. Touchées par la lumière du jour qui inondait la caverne, les tapisseries d'Arachné pendues aux murs tombèrent en poussière, ce qu'Annabeth trouva insupportable à regarder, surtout celle d'elle avec Percy.

Mais plus rien n'eut d'importance quand elle entendit la voix du jeune homme l'appeler d'en haut :

– Annabeth !

– Je suis là ! sanglota-t-elle.

Toute sa terreur l'abandonna dans un grand gémissement. L'*Argo II* descendit et elle aperçut Percy penché au bastingage. Son sourire valait toutes les tapisseries qu'elle avait jamais vues.

La pièce tremblait toujours mais Annabeth parvint à se lever. Le sol sembla se stabiliser un instant. Le sac à dos d'Annabeth avait disparu, ainsi que l'ordinateur de Dédale. Son poignard en bronze, qu'elle avait depuis ses sept ans, était tout aussi introuvable – il avait dû tomber dans la fosse. Mais Annabeth s'en fichait. Elle était en vie.

Elle se rapprocha à petits pas du trou béant ouvert par la Fiat 500. Des rochers déchiquetés s'enfonçaient à perte de vue dans l'obscurité. Il y avait çà et là de petites corniches, mais Annabeth ne vit rien sur aucune d'elles, à part des fils de soie d'araignée accrochés aux bords comme des guirlandes de Noël.

Annabeth se demanda si Arachné avait dit la vérité en

parlant du gouffre. L'araignée avait-elle dégringolé jusqu'au Tartare ? Elle essaya d'éprouver de la satisfaction à cette pensée, mais en fait ça l'attristait. Arachné avait véritablement créé de très belles pièces. Elle avait déjà souffert des éternités. Maintenant ses tapisseries étaient tombées en poussière. Finir dans le Tartare, après tout cela, semblait trop cruel.

Annabeth se rendit vaguement compte que l'*Argo II* s'immobilisait dans l'air à une douzaine de mètres du sol. Une échelle de corde en descendit, mais la jeune fille restait prostrée, les yeux rivés sur l'obscurité. Et, soudain, Percy se matérialisa à ses côtés et glissa la main dans la sienne.

Il l'écarta doucement du gouffre et la prit dans ses bras. Elle enfonça le visage dans sa poitrine et éclata en sanglots.

– Ça va, souffla Percy. On est ensemble.

Il ne dit pas « tu es saine et sauve » ou « nous sommes en vie. » Après tout ce qu'ils avaient vécu cette année-là, il savait que le plus important, c'était qu'ils soient ensemble. Elle ne l'en aima que davantage.

Leurs amis les entourèrent. Nico di Angelo était parmi eux, mais Annabeth avait les pensées si confuses que ça ne l'étonna pas plus que ça. En fait, ça lui parut normal qu'il soit là, avec eux tous.

– Ta jambe. (Piper s'accroupit et examina l'attelle en plastique à bulles.) Oh, Annabeth, qu'est-ce qui s'est passé ?

Annabeth se mit à raconter. C'était difficile de parler, mais, petit à petit, les mots lui vinrent plus facilement. Percy ne lâchait pas sa main et cela aussi l'aidait à reprendre confiance. Quand elle acheva son récit, ses amis restèrent bouche bée de stupeur.

– Par les dieux de l'Olympe, finit par dire Jason. Tu as fait tout ça toute seule. Avec une cheville cassée.

– Enfin... une *partie* avec une cheville cassée.

Percy sourit.

– Tu as convaincu Arachné de tisser son propre piège ?

dit-il. Je savais que tu étais forte, mais, par Héra, Annabeth, tu as réussi ! Des générations d'enfants d'Athéna ont essayé et ils ont tous échoué. Tu as trouvé l'Athéna Parthénos !

Tous les regards se tournèrent vers la statue.

– Qu'est-ce qu'on en fait ? demanda Frank. Elle est immense.

– On va devoir l'emporter en Grèce avec nous, dit Annabeth. La statue est puissante. Elle détient quelque chose qui nous aidera à arrêter les géants.

– *Le fléau des géants est pâle et d'or*, cita Hazel. *Conquis par la douleur d'une prison de tissage.* (Elle regarda Annabeth avec admiration.) C'était la prison d'Arachné. Tu l'as amenée à la tisser par ruse.

Avec beaucoup de douleur, songea Annabeth.

Léo leva les mains. Il fit un cadre de ses doigts devant l'Athéna Parthénos comme s'il prenait des mesures.

– Ben, il faudra peut-être faire des aménagements, mais je crois qu'on peut la faire entrer par les doubles portes de l'écurie. Si elle dépasse, je devrais peut-être envelopper les pieds d'un drapeau, un truc de ce genre.

Annabeth frissonna. Elle eut une vision de l'Athéna Parthénos dépassant de leur trirème, avec un panneau en travers du piédestal : CHARGEMENT ENCOMBRANT.

Puis elle se rappela les autres vers de la prophétie : *Des jumeaux mouchent le souffle de l'ange, qui détient la clé de la mort sans fin.*

– Et vous ? demanda-t-elle. Qu'est-ce qui s'est passé avec les géants ?

Percy lui raconta comment ils avaient sauvé Nico, puis l'apparition de Bacchus et le combat au Colisée contre les jumeaux. Nico parla peu. Le pauvre avait l'air d'avoir erré six semaines dans un désert. Percy expliqua ce que Nico avait découvert sur les Portes de la Mort, qu'il fallait fermer des deux côtés en même temps. Malgré la lumière du soleil qui entrait à flots, les nouvelles relatées par Percy semblaient replonger la caverne dans l'obscurité.

– Donc, dit Annabeth, le côté mortel est en Épire. Ça, au moins, c'est un lieu qu'on peut atteindre.

Nico fit la grimace.

– Mais le problème, répondit-il, c'est l'autre côté. Le Tartare.

Le mot résonna dans la caverne. Derrière eux, la fosse exhala une bouffée d'air froid. C'est alors qu'Annabeth en eut la certitude : le gouffre s'enfonçait bel et bien jusqu'aux Enfers.

Percy dut le sentir lui aussi. Il l'écarta un peu plus du bord. Elle avait des fils d'araignée pendus à ses bras et à ses jambes, comme une traîne de mariée. Elle aurait aimé avoir son poignard pour s'en débarrasser. Elle allait demander à Percy de lui rendre ce service avec Turbulence, quand il dit :

– Bacchus m'a annoncé que mon voyage allait être plus difficile que je ne m'y attendais. Je vois pas bien pourquoi...

La pièce gronda. L'Athéna Parthénos bascula sur le côté. Sa tête fut retenue par un des câbles d'étaiement d'Arachné, mais le sol de marbre sous son piédestal s'effritait.

Une sensation de nausée souleva l'estomac d'Annabeth. Si la statue tombait dans le gouffre, tout son travail serait réduit à néant. Et leur quête échouerait.

– Attachez-la ! cria-t-elle.

Ses amis comprirent tout de suite.

– Zhang ! lança Léo. Emmène-moi au gouvernail, vite ! Hedge est seul là-haut.

Frank se transforma en aigle géant et tous deux partirent en flèche vers le vaisseau.

Jason prit Piper dans ses bras et se tourna vers Percy :

– Je reviens vous chercher dans une seconde, dit-il, et il décolla dans une rafale.

– Le sol ne va pas tenir ! avertit Hazel. Venez, il faut qu'on aille à l'échelle.

Des volutes de poussière et des toiles d'araignée s'échappaient du sol par des trous. Les câbles d'étaiement en soie de l'araignée tremblaient comme des cordes de guitare géantes et claquaient un à un. Hazel s'élança vers le bas de l'échelle de corde et fit signe à Nico de la suivre, mais il n'était pas en état de courir.

Percy serra la main d'Annabeth plus fort.

– Ça va aller, marmonna-t-il.

Elle leva la tête et vit des cordages munis de grappins descendre de l'*Argo II* et s'enrouler autour de la statue. L'un d'eux prit Athéna par le cou comme un nœud coulant. Léo, à la barre, criait des ordres, tandis que Jason et Frank couraient frénétiquement d'un cordage à l'autre en s'efforçant de les fixer.

Nico parvenait enfin à l'échelle de corde quand une douleur aiguë irradia dans la jambe blessée d'Annabeth. Elle tituba en hoquetant.

– Qu'est-ce qu'il y a ? demanda Percy.

Elle essaya de se rapprocher de l'échelle. Pourquoi reculait-elle à la place ? Ses jambes la lâchèrent, comme fauchées sous elle, et Annabeth s'étala à plat ventre.

– Sa cheville ! cria Hazel depuis l'échelle. Faut couper !

Annabeth avait l'esprit engourdi par la douleur. Couper sa cheville ?

Visiblement, Percy ne comprenait pas non plus ce que voulait dire Hazel. Alors Annabeth se sentit tirée en arrière et entraînée vers le gouffre. Percy bondit. Il l'attrapa par le bras, mais fut happé lui aussi par l'élan.

– Aidez-les ! hurla Hazel.

Annabeth aperçut Nico qui boitillait vers eux, Hazel qui tirait son épée de cavalerie empêtrée dans l'échelle de corde. Leurs autres amis se démenaient encore pour attacher la statue, et le cri d'Hazel se perdit dans les leurs et dans le grondement de la caverne.

Annabeth toucha le bord de la fosse en sanglotant. Ses

jambes basculèrent à l'intérieur. Trop tard, elle comprit ce qui se passait : elle était prise dans le fil de soie. Elle aurait dû le trancher immédiatement. Elle avait cru que c'étaient seulement des brins épars, mais comme le sol était entièrement couvert de toiles d'araignée, elle n'avait pas remarqué qu'un des fils était enroulé autour de sa cheville par un bout et s'enfonçait par l'autre dans le gouffre. Il était relié à quelque chose de lourd, dans la profondeur du gouffre obscur, quelque chose qui voulait la happer.

– Non, marmonna Percy avec une lueur de compréhension dans le regard. Mon épée...

Mais il ne pouvait pas atteindre Turbulence sans lâcher le bras d'Annabeth, or Annabeth n'avait plus de force. Elle glissa par-dessus bord, et Percy tomba avec elle.

Elle heurta quelque chose dans sa chute et dut s'évanouir un bref instant sous la douleur. Quand elle rouvrit les yeux, elle se rendit compte qu'elle avait à moitié basculé dans le gouffre et qu'elle pendait au-dessus du vide. Percy était arrivé à se rattraper d'une main à une corniche, à quatre ou cinq mètres de la surface ; de l'autre main, il tenait le poignet d'Annabeth, mais la traction qui s'exerçait sur sa jambe était beaucoup trop forte.

« Tu ne t'en sortiras pas », dit une voix qui montait des profondeurs obscures. « Je vais au Tartare, et tu vas venir toi aussi. »

Annabeth ne savait pas si elle avait véritablement entendu la voix d'Arachné, ou si c'était juste dans sa tête.

La fosse trembla. Percy était le seul maillon qui l'empêchait de tomber, et lui-même se tenait de justesse à une corniche de la taille d'une étagère.

Nico se pencha au bord du gouffre et y plongea la main, mais il était beaucoup trop haut. Hazel appelait les autres à la rescousse en hurlant, mais même s'ils l'entendaient dans tout ce vacarme, ils n'arriveraient jamais à temps.

Annabeth avait l'horrible impression que sa jambe allait

se détacher de son corps. La douleur teintait tout en rouge. La force des Enfers la tirait, telle une gravité obscure. Elle n'avait pas la force d'y résister. Elle savait qu'elle était tombée à une trop grande profondeur pour qu'ils puissent la sauver.

– Percy, lâche-moi, dit-elle d'une voix rauque. Tu ne peux pas me hisser.

Percy était blême sous l'effort. Elle vit dans ses yeux qu'il savait que c'était sans espoir.

– Jamais, répondit-il. (Il leva la tête vers Nico, cinq mètres plus haut.) De l'autre côté, Nico ! On vous retrouvera là-bas. Tu comprends ?

Nico écarquilla les yeux.

– Mais...

– Emmène-les là-bas ! cria Percy. Promets-le-moi !

– Je... je le ferai.

En contrebas, la voix ricana dans l'obscurité. « Des sacrifices. De splendides sacrifices pour éveiller la déesse. »

Percy resserra son étreinte sur le poignet d'Annabeth. Il avait le visage émacié, griffé et couvert de sang, les cheveux pleins de toiles d'araignée, mais lorsque leurs regards se trouvèrent, Annabeth se dit qu'elle ne l'avait jamais vu aussi beau.

– Nous restons ensemble, promit-il. Je ne te laisserai plus partir. Plus jamais.

Alors seulement, elle comprit ce qui allait arriver. « Un aller simple, avec une chute très dure. »

– Du moment qu'on est ensemble, répondit-elle.

Elle entendait Nico et Hazel qui appelaient encore au secours. Elle vit la lumière du soleil au-dessus d'elle, tout là-haut, si loin – peut-être les derniers rayons de soleil de sa vie.

Percy lâcha la minuscule corniche et, ensemble, main dans la main, Annabeth et lui tombèrent dans les ténèbres sans fin.

52 Léo

Léo était sous le choc.

Tout s'était passé tellement vite. Ils avaient fini d'attacher l'Athéna Parthénos avec les grappins à l'instant même où le sol cédait et où les derniers câbles en soie d'araignée craquaient. Frank et Jason avaient foncé chercher les autres, pour ne trouver qu'Hazel et Nico pendus à l'échelle de corde. Percy et Annabeth avaient disparu. Le gouffre menant au Tartare était enseveli sous plusieurs tonnes de gravats. Léo sortit l'*Argo II* de la caverne quelques secondes avant qu'elle n'implose en avalant les vestiges du parking.

À présent, l'*Argo II* était posé sur une colline qui dominait la ville. Jason, Hazel et Frank étaient repartis sur le site de la catastrophe dans l'espoir de creuser dans les décombres et de trouver un moyen de sauver Annabeth et Percy, mais ils étaient revenus très abattus. La caverne avait littéralement disparu. Les lieux grouillaient de policiers et d'équipes de secours. Aucun mortel n'avait été blessé, mais les Italiens allaient longtemps se gratter la tête en se demandant comment un cratère avait pu s'ouvrir au beau milieu d'un parking et avaler une douzaine de voitures en parfait état.

Sonnés par le chagrin, Léo et les autres avaient précautionneusement hissé la statue dans la soute en se servant des treuils hydrauliques du navire et avec l'aide de Frank Zhang, éléphant à temps partiel. La statue tenait tout juste, mais Léo n'avait pas la moindre idée de ce qu'ils allaient en faire.

Gleeson Hedge, leur chaperon, était trop malheureux pour les aider. Les larmes aux yeux, il ne cessait d'arpenter le pont en tirant sa barbichette, en se tapant la tête et en marmonnant : « J'aurais dû les sauver ! J'aurais dû faire sauter d'autres trucs ! »

Léo finit par lui dire de descendre s'occuper des préparatifs d'appareillage. Il ne faisait pas avancer les choses en s'autofustigeant.

Les six demi-dieux se rassemblèrent sur le pont arrière et regardèrent la lointaine colonne de poussière qui s'élevait encore du site de l'implosion.

Léo posa les mains sur la sphère d'Archimède, qui se trouvait maintenant sur le gouvernail, prête à être installée. Il aurait dû être exalté. C'était la plus grande découverte de sa vie – plus grande encore que celle du Bunker 9. S'il parvenait à déchiffrer les parchemins d'Archimède, il pourrait faire des choses absolument stupéfiantes. Il n'osait l'espérer, mais peut-être même qu'il pourrait construire un nouveau disque pour un certain dragon de ses amis.

Il n'empêche, le prix était trop élevé.

Il lui semblait presque entendre les railleries de Némésis. « Je te l'avais bien dit, qu'on pouvait faire affaire, Léo Valdez. »

Il avait ouvert le *fortune cookie*. Il avait reçu le code d'accès de la sphère et sauvé Frank et Hazel. Mais le sacrifice avait été Percy et Annabeth. Léo en était convaincu.

– C'est ma faute, dit-il d'une voix malheureuse.

Les autres le dévisagèrent avec perplexité. Seule Hazel, qui avait été avec lui au Grand Lac Salé, parut comprendre.

– Non, affirma-t-elle. C'est la faute de Gaïa. Tu n'y es pour rien.

Léo aurait bien aimé la croire, mais il en était incapable. Ils avaient commencé le voyage par l'énorme gaffe de Léo, qui avait bombardé la Nouvelle-Rome. Ils l'achevaient à l'ancienne Rome, où Léo avait brisé un *fortune cookie* et sacrifié plus qu'un œil.

– Léo, écoute-moi, dit Hazel en lui agrippant la main. Je t'interdis de te sentir responsable de ce qui s'est passé. Je ne le supporterai pas. Pas après... après que Sammy...

Elle s'étrangla, mais Léo savait ce qu'elle voulait dire. Son *bisabuelo* s'était toujours reproché la disparition d'Hazel. Sammy avait eu une belle vie, mais il avait cru jusqu'à la tombe qu'il avait monnayé un diamant maudit et causé la perte de la fille qu'il aimait.

Léo ne voulait pas faire souffrir Hazel de nouveau, mais là, c'était différent. « Le véritable succès se paie de sacrifice. » Léo avait décidé de briser le *fortune cookie*. Annabeth et Percy étaient tombés dans le Tartare. Ça ne pouvait pas être une coïncidence.

Nico di Angelo s'approcha d'eux en traînant les pieds, s'aidant de son épée noire comme d'une canne.

– Léo, ils ne sont pas morts, dit-il. S'ils l'étaient, je le sentirais.

– Comment peux-tu en être sûr ? demanda Léo. Si cette fosse mène vraiment... enfin, tu sais... comment pourrais-tu les percevoir à une telle distance ?

Nico et Hazel échangèrent un regard, comparant peut-être ce que leur disaient leurs radars détecteurs de mort d'enfants d'Hadès/Pluton. Léo frissonna. Hazel ne lui avait jamais fait l'effet d'une fille des Enfers, mais Nico di Angelo... ce gars lui donnait la chair de poule.

– On ne peut pas en être sûrs à cent pour cent, admit Hazel. Mais je crois que Nico a raison. Percy et Annabeth sont encore en vie. En tout cas, jusqu'à présent.

Jason donna un coup de poing sur le bastingage.

– J'aurais dû faire attention, dit-il. J'aurais pu piquer dans le gouffre et les repêcher.

– Moi aussi, intervint Frank d'une voix épaisse – le grand nounours paraissait au bord des larmes.

Piper posa la main dans le dos de Jason.

– Ce n'est pas votre faute, dit-elle. Ni à l'un, ni à l'autre. Vous essayiez de sauver la statue.

– Elle a raison, insista Nico. De toute façon, même si la fosse n'avait pas été ensevelie, vous n'auriez pas pu piquer dedans sans être avalés. Je suis le seul à être entré pour de bon dans le Tartare. Je ne peux pas vous dire la puissance de ce lieu. Dès que vous en approchez, il vous aspire irrésistiblement. Je n'ai rien pu faire.

Frank renifla et dit :

– Alors Percy et Annabeth ne pourront rien faire non plus ?

Nico tripota sa bague à tête de mort en argent.

– Percy est le demi-dieu le plus puissant que j'aie jamais rencontré, répondit-il. Sans vouloir vous vexer, les gars, mais c'est vrai. Si quelqu'un peut survivre, c'est lui, surtout s'il a Annabeth avec lui. Ils vont trouver le moyen de sortir du Tartare.

Jason se retourna.

– De rejoindre les Portes de la Mort, tu veux dire. Mais tu nous as dit qu'elles étaient gardées par les troupes les plus puissantes de Gaïa. Comment veux-tu que deux demi-dieux arrivent à... ?

– Je ne sais pas, admit Nico. Mais Percy m'a demandé de vous conduire en Épire, du côté mortel des Portes. Il compte nous retrouver là-bas. Si nous arrivons à survivre à la Maison d'Hadès et à nous frayer un chemin entre les rangs de Gaïa, alors peut-être que nous pourrons travailler avec Percy et Annabeth et verrouiller les Portes de la Mort des deux côtés.

– Et ramener Annabeth et Percy sains et saufs ? demanda Léo.

– Peut-être.

Léo n'apprécia pas la façon dont Nico disait cela, comme s'il gardait certains de ses doutes pour lui. En plus, Léo s'y connaissait en portes et en serrures. Si les Portes de la Mort devaient être verrouillées des deux côtés à la fois, comment pouvaient-ils le faire sans qu'une personne reste piégée aux Enfers ?

Nico prit une grande inspiration.

– Je ne sais pas comment ils vont s'y prendre, mais Percy et Annabeth trouveront un moyen, dit-il. Ils parcourront le Tartare et trouveront les Portes de la Mort. Et nous, à ce moment-là, nous devrons être prêts.

– Ce ne sera pas facile, prévint Hazel. Gaïa fera tout son possible pour nous empêcher d'arriver en Épire.

– Ça nous changera pas, soupira Jason.

Piper hocha la tête et ajouta :

– On n'a pas le choix. Nous devons verrouiller les Portes de la Mort avant de pouvoir empêcher les géants d'éveiller Gaïa. Sinon ses armées ne mourront jamais. Et il faut qu'on se dépêche. Les Romains sont à New York. Ils vont bientôt marcher sur la Colonie des Sang-Mêlé.

– On a un mois, maximum, renchérit Jason. Éphialtès a dit que Gaïa s'éveillerait dans un mois, jour pour jour.

Léo se redressa et annonça :

– C'est jouable.

Tous les yeux se tournèrent vers lui.

– La sphère d'Archimède va me permettre d'améliorer le vaisseau, dit-il en espérant qu'il avait raison. Je vais étudier les anciens manuscrits qu'on a récupérés. Il doit y avoir un tas de nouvelles armes que je pourrai fabriquer. On va attaquer les armées de Gaïa avec tout un nouvel arsenal et ça va faire mal.

À la poupe du navire, Festus grinça des mâchoires et lança un jet de vapeur combatif.

Jason força un sourire et donna une petite tape à l'épaule à Léo.

– Ça ressemble à un plan, Amiral, dit-il. Tu veux établir le cap ?

Ils le taquinaient en l'appelant « Amiral », mais pour une fois, Léo accepta le titre. C'était son vaisseau. Il n'avait pas fait tout ce chemin pour s'avouer battu maintenant.

Ils trouveraient cette Maison d'Hadès. Ils prendraient les Portes de la Mort. Et, par les dieux, s'il fallait que Léo invente un bras de préhension assez long pour repêcher Percy et Annabeth dans le Tartare, eh bien c'est ce qu'il ferait.

Némésis voulait qu'il se venge de Gaïa ? Qu'à cela ne tienne, il s'exécuterait avec plaisir. Gaïa allait regretter d'avoir cherché des poux à Léo Valdez.

– Ouais. (Léo regarda une dernière fois la ville de Rome, qui s'embrasait sous les feux du soleil couchant.) Festus, dit-il, lève les voiles. Nous avons des amis à sauver.

Glossaire

AΘE : Alpha, thêta, epsilon. En grec, c'est l'abréviation de : « des Athéniens », ou « les enfants d'Athéna ».

Achéloüs : Un *potamos*, ou divinité fluviale.

Alcyonée : L'aîné des géants nés de Gaïa, conçu pour combattre Pluton.

Amazones : Peuple de guerrières.

Aphrodite : Déesse grecque de l'Amour et de la Beauté. Elle était mariée à Héphaïstos mais aimait Arès, le dieu de la Guerre. Forme romaine : Vénus.

Arachné : Tisseuse qui prétendait avoir un talent supérieur à celui d'Athéna. Irritée, la déesse détruisit ses tapisseries et son métier à tisser. Arachné se pendit et Athéna la ramena à la vie sous la forme d'une araignée.

Archimède : Mathématicien, physicien, ingénieur et astronome grec, qui vécut entre 287 et 212 avant J.-C. Il est considéré comme l'un des plus grands savants de l'Antiquité gréco-romaine.

Arès : Dieu grec de la Guerre, fils de Zeus et d'Héra, demi-frère d'Athéna. Forme romaine : Mars.

Argentum : Argent.

Argo II : Le fantastique vaisseau construit par Léo, qui peut voyager par air et par mer. Il a pour figure de proue la tête du dragon de bronze Festus. Il doit son nom à l'*Argo*, le navire à bord duquel Jason et les Argonautes, un groupe de héros grecs, étaient partis à la recherche de la Toison d'or.

Athéna : Déesse grecque de la Sagesse. Forme romaine : Minerve.

Athéna Parthénos : Statue géante d'Athéna et la plus célèbre statue grecque de tous les temps.

Augure : Présage, signe annonciateur d'un événement ; pratique de la divination de l'avenir.

Aurum : Or.

Bacchus : Dieu romain du Vin et de la Fête. Forme grecque : Dionysos.

Baliste, ou baliste-scorpion : Machine de guerre de siège romaine permettant de propulser de grands projectiles vers des cibles lointaines.

Bellone : Déesse romaine de la Guerre.

Bronze céleste : Métal rare, mortel pour les monstres.

Brume : Force magique qui masque certaines choses aux yeux des mortels.

Calendes de juillet : Le 1er juillet, jour sacré pour Junon.

Camp Jupiter : Centre d'entraînement des demi-dieux romains, situé en Californie, entre les collines d'Oakland et celles de Berkeley.

Centaure : Créature mi-humaine, mi-cheval.

Centurion : Officier de l'armée romaine.

Cérès : Déesse romaine de l'Agriculture. Forme grecque : Déméter.

Chioné : Déesse grecque de la Neige, fille de Borée.

Chiton : Vêtement grec : tunique de lin ou de laine retenue aux épaules par des broches et à la taille par une ceinture.

Chrysaor : Frère de Pégase, fils de Poséidon et de Méduse, connu sous le surnom de « Glaive d'Or ».

Circé : Enchanteresse grecque. Elle a jadis transformé les marins d'Ulysse en cochons.

Colisée : Amphithéâtre de forme ovale bâti au temps de la Rome antique et qui se trouve au centre de la ville. Le Colisée, qui pouvait asseoir 50 000 spectateurs, servait à des combats de gladiateurs et à des jeux et spectacles publics tels que des reconstitutions de batailles navales et terrestres célèbres, des chasses, des exécutions et des pièces de théâtre.

Colonie des Sang-Mêlé : Centre d'entraînement des demi-dieux grecs, situé à Long Island, dans l'État de New York.

Corne d'abondance : Grand récipient en forme de corne débordant de choses à manger et d'autres richesses. La corne d'abondance fut créée quand Héraclès (forme romaine : Hercule) se battit avec le dieu du fleuve Achéloüs et lui arracha une corne.

Cyclope : Membre d'une race de géants primitifs ayant un seul œil au milieu du front.

Dédale : Dans la mythologie grecque, un artisan talentueux qui avait conçu le Labyrinthe, en Crète, où le Minotaure (moitié homme, moitié dieu) était tenu prisonnier.

Déjanire : Deuxième femme d'Héraclès. Elle était si belle qu'Héraclès et Achéloüs voulaient tous les deux l'épouser et se disputèrent sa main. Le centaure Nessos amena ensuite par la ruse Déjanire à tuer Héraclès en lui faisant tremper la tunique du héros dans ce qu'elle prenait pour un philtre d'amour, mais qui était en réalité le sang empoisonné de Nessos.

Déméter : Déesse grecque de l'Agriculture, fille des Titans Rhéa et Cronos. Forme romaine : Cérès.

Denarus (plur. denarii) : La pièce de monnaie romaine la plus courante.

Dionysos : Dieu grec du Vin et de la Fête, fils de Zeus. Forme romaine : Bacchus.

Drachme : Pièce d'argent de la Grèce antique.

Drakon : Serpent géant.

Eidolon : Esprit possesseur.

Élysée : Dernière demeure des âmes héroïques ou vertueuses aux Enfers.

Enjôlement : Bénédiction accordée par Aphrodite à ses enfants, qui leur permet de convaincre en usant de leur voix.

Éphialtès et Otos : Jumeaux géants, fils de Gaïa.

Épaulière : Pièce d'armure couvrant l'épaule et le haut du bras.

Épire : Région qui se trouve actuellement à cheval sur le nord-ouest de la Grèce et le sud de l'Albanie.

Eurysthée : Petit-fils de Persée qui, par la faveur d'Athéna, se vit octroyer le royaume de Mycènes, que Zeus avait destiné à Héraclès.

Faune : Dieu sylvestre romain, mi-homme, mi-bouc. Forme grecque : satyre.

Fer stygien : Tout comme le bronze céleste et l'or impérial, métal magique mortel pour les monstres.

Feu grec : Arme incendiaire utilisée dans les batailles navales car il continue de brûler dans l'eau.

Fontaine de Trevi : Fontaine située dans le quartier de Trevi, à Rome. Avec ses 26 mètres de haut et 20 mètres de large, c'est la plus grande fontaine baroque de la ville et l'une des plus célèbres fontaines du monde.

Fortuna : Déesse romaine de la Fortune et de la Chance. Forme grecque : Tyché.

Forum : Le forum romain était le cœur de la Rome antique. C'était une place où les Romains concluaient des affaires, tenaient des procès et célébraient des offices religieux.

Gaïa : Déesse de la Terre ; mère des Titans, des géants, des Cyclopes et d'autres monstres. Terra pour les Romains.

Gladius : Glaive.

Gorgones : Trois sœurs monstrueuses dont la chevelure se composait de serpents vivants et venimeux. Les yeux de Méduse, la plus célèbre des trois, pétrifiaient ceux qui la regardaient.

Hadès : Dieu grec de la Mort et des Richesses matérielles. Forme romaine : Pluton.

Hagno : Nymphe dont on dit qu'elle a élevé Zeus. En Arcadie, sur le mont Lycée, se trouvait un puits qui lui était consacré et portait son nom.

Harpie : Créature ailée féminine, aux gestes vifs et rapides.

Hébé : Déesse grecque de la Jeunesse ; fille de Zeus et d'Héra, mariée à Héraclès. Forme romaine : Juventas.

Héphaïstos : Dieu grec du Feu, des Artisanats et des Forgerons ; fils de Zeus et d'Héra, marié à Aphrodite. Forme romaine : Vulcain.

Héra : Déesse grecque du Mariage ; épouse et sœur de Zeus. Forme romaine : Junon.

Héraclès : Équivalent romain d'Hercule ; fils de Zeus et d'Alcmène, le plus fort de tous les mortels.

Hippocampes : Créatures dotées d'un buste et d'une tête de cheval et, à partir de la taille, d'un corps de poisson recouvert d'écailles argentées, aux nageoires arc-en-ciel. Ils tiraient le char de Poséidon et l'écume de mer naissait de leurs mouvements.

Hippodrome : Stade grec pour les courses de chevaux et de chars.

Hypogée : Salle souterraine située sous un colisée pour loger les éléments de décor et les machines à effets spéciaux.

Ichtyocentaure : Un centaure-poisson ayant les jambes avant d'un cheval, un torse et une tête d'humain et une queue de poisson. On le dépeint parfois avec des cornes en forme de pinces de homard.

Invidia : Déesse romaine de la Vengeance. Forme grecque : Némésis.

Iris : Déesse de l'Arc-en-ciel.

Junon : Déesse romaine des Femmes, du Mariage et de la Fertilité ; épouse et sœur de Jupiter ; mère de Mars. Forme grecque : Héra.

Jupiter : Dieu romain des Dieux, également nommé Jupiter Optimus Maximus (le meilleur et le plus grand). Forme grecque : Zeus.

Juventas : Déesse romaine de la Jeunesse. Forme grecque : Hébé.

***Karpoi* (sing. *karpos*)** : Esprits des céréales.

Katoptris : Poignard de Piper, qui avait jadis appartenu à Hélène de Troie.

Kéto : Déesse grecque des Monstres marins et des grandes créatures de mer telles que les requins et les baleines. Fille de Gaïa et sœur-épouse de Phorcys, dieu des Périls en mer.

Lare : Esprit ancestral, protecteur du foyer.

Livres sibyllins : Recueils de prophéties en vers grecs rimés. Tarquin le Superbe, un roi de Rome, les acheta à une prophétesse du nom de Sibylle et les consultait en périodes de grand danger.

Lupa : Louve romaine sacrée qui allaita les jumeaux abandonnés Romulus et Rémus.

Maison d'Hadès : Temple souterrain dans la région de l'Épire, en Grèce, dédié à Hadès et Perséphone, et parfois appelé « nécromanteion » ou « oracle de mort ». Les Anciens croyaient qu'il marquait une des entrées du monde des Enfers et les pèlerins s'y rendaient pour communier avec les morts.

Maison du Loup : Une maison en ruines, à l'origine construite pour l'écrivain Jack London, dans les environs de Sonoma en Californie. C'est là que Percy Jackson a été formé comme demi-dieu romain par Lupa.

Marcus Agrippa : Homme d'État et général romain ; ministre de la Défense d'Octave et responsable de la plupart de ses victoires militaires. Il fit construire le Panthéon pour honorer tous les dieux de la Rome antique.

Mare Nostrum : « Notre mer » en latin. C'était le nom romain de la Méditerranée.

Mars : Dieu romain de la Guerre, également nommé Mars Ultor. Protecteur de l'Empire ; père divin de Romulus et Rémus. Forme grecque : Arès.

Minerve : Déesse romaine de la Sagesse. Forme grecque : Athéna.

Minotaure : Monstre ayant une tête de taureau sur un corps d'homme.

Mithras : À l'origine, un dieu perse du Soleil. Mithras fut adoré par les guerriers romains qui voyaient en lui un gardien des armes et un protecteur des soldats.

Narcisse : Jeune chasseur grec connu pour sa beauté. Il était d'un orgueil incommensurable et méprisait ceux qui l'aimaient. Némésis s'en aperçut et l'attira au bord d'un étang, où il aperçut son reflet dans l'eau et en tomba amoureux. Incapable de se détacher de la beauté de sa propre image, Narcisse mourut.

Nebulae : Nymphes des nuages.

Némésis : Déesse grecque de la Vengeance. Forme romaine : Invidia.

Neptune : Dieu romain de la Mer. Forme grecque : Poséidon.

Néréides : Esprits féminins de la mer, au nombre de cinquante ; protectrices des marins et des pêcheurs, gardiennes des richesses de la mer.

Nessos : Centaure rusé qui amena Déjanire à tuer Héraclès.

Niké : Déesse grecque de la Force, de la Vitesse et de la Victoire. Forme romaine : Victoria.

Nouvelle-Rome : Ville voisine du Camp Jupiter où les demi-dieux peuvent vivre ensemble en paix, sans intrusion ni de mortels ni de monstres.

Nymphe : Divinité féminine qui anime la nature.

Nymphée : Sanctuaire dédié aux nymphes.

Oiseaux du lac Stymphale, ou stymphalides : Dans la mythologie grecque, oiseaux mangeurs d'hommes dotés de becs en bronze et de plumes métalliques pointues qu'ils pouvaient lancer à leurs victimes ; sacrés pour Arès, le dieu de la Guerre.

Ombres : Esprits.

Or impérial : Métal rare, mortel pour les monstres ; consacré au Panthéon ; son existence était un secret jalousement gardé par les empereurs.

Panthéon : Temple érigé à Rome à la demande de Marcus Agrippa pour honorer tous les dieux de la Rome antique, puis reconstruit par l'empereur Hadrien entre 118 et 125 apr. J.-C.

Pater : Père en latin ; également le nom d'un ancien dieu romain des Enfers, assimilé par la suite à Pluton.

Pégase : Dans la mythologie grecque, un cheval ailé divin engendré par Poséidon en sa qualité de dieu des Chevaux et mis au monde par la gorgone Méduse ; frère de Chrysaor.

Perséphone : Reine grecque des Enfers, épouse d'Hadès, fille de Zeus et de Déméter. Forme romaine : Proserpine.

Phorcys : Dans la mythologie grecque, dieu primitif des Périls en mer, fils de Gaïa, frère-mari de Kéto.

Piazza Navona : À Rome, place construite à l'emplacement du stade de Domitien, où les Romains de l'Antiquité assistaient à des jeux de compétition.

Pluton : Dieu romain de la Mort et de la Richesse. Équivalent grec : Hadès.

Polybotès : Géant, fils de Gaïa, la Terre Nourricière.

Pomerium : La frontière entourant la Nouvelle-Rome et, jadis, la limite de la ville de Rome.

Porphyrion : Roi des géants dans les mythologies grecque et romaine.

Portes de la Mort : Passage secret qui, ouvert, permet aux âmes d'aller des Enfers au monde des mortels.

Poséidon : Dieu grec de la Mer, fils des Titans Cronos et Rhéa, frère de Zeus et d'Hadès. Forme romaine : Neptune.

Préteur : Magistrat romain nommé par suffrage et commandant de l'armée.

Priam : Roi de Troie pendant la guerre de Troie.

Proserpine : Reine romaine des Enfers. Forme grecque : Perséphone.

Rhéa Silvia : Prêtresse et mère des jumeaux Romulus et Rémus, qui fondèrent Rome.

Romulus et Rémus : Fils jumeaux de Mars et de la vestale Rhéa Sylvia, qui furent jetés dans le Tibre par leur père humain, Amulius. Ils furent sauvés et élevés par une louve, et, à l'âge adulte, fondèrent Rome.

Saturne : Dieu romain de l'Agriculture, fils d'Uranus et de Gaïa, père de Jupiter. Équivalent grec : Cronos.

Satyre : Divinité grecque de la forêt, moitié homme, moitié bouc. Équivalent romain : faune.

Scolopendre : Gigantesque monstre marin grec aux narines poilues, avec une queue d'écrevisse plate et des pattes palmées tout le long de son corps.

Spartus : Guerrier-squelette.

Spatha : Armée de cavalerie.

SPQR – Senatus Populusque Romanus : « Le Sénat et le Peuple de Rome » ; la formule se rapporte au gouvernement de la République romaine et sert d'emblème officiel de Rome.

Tartare : Mari de Gaïa ; esprit de l'abîme ; père des géants. Désigne également la région du monde la plus basse.

Telchines : Mystérieux démons de mer et forgerons natifs des îles de Kaos et Rhodes ; enfants de Thalassa et de Pontos, ils avaient des nageoires à la place des mains et des têtes de chien, et on les appelait des enfants-poissons.

Terminus : Dieu romain des Frontières et des Jalons.

Thanatos : Dieu grec de la Mort. Équivalent romain : Letus.

Thyrse : L'arme de Bacchus, un bâton coiffé d'une pomme de pin, entouré de lierre.

Tiberius : Empereur romain qui régna de l'an 14 à l'an 37 apr. J.-C. Ce fut l'un des plus grands généraux de Rome, mais il resta dans les mémoires comme un souverain maussade et reclus qui n'avait jamais véritablement souhaité être empereur.

Tibre : Le plus long fleuve d'Italie. Rome fut fondée sur ses rives. Dans la Rome antique, les criminels exécutés étaient jetés dans le Tibre.

Titans : Groupe de puissantes divinités grecques, descendantes de Gaïa et d'Ouranos, qui régnèrent durant l'Âge d'or et furent renversées par une nouvelle génération de dieux, les Olympiens.

Trirème : Ancien vaisseau de guerre grec ou romain, équipé de trois rangées de rames de chaque côté.

Turbulence : Nom de l'épée de Percy Jackson (*Anaklusmos* en grec).

Tyché : Déesse grecque de la Chance ; fille d'Hermès et d'Aphrodite. Forme romaine : Fortuna.

Vénus : Déesse romaine de l'Amour et de la Beauté. Elle était mariée à Vulcain mais aimait Mars, le dieu de la Guerre. Forme grecque : Aphrodite.

Vestales : Prêtresses romaines de Vesta, déesse du Foyer. Les vestales étaient libérées de l'obligation sociale habituelle de se marier et d'avoir des enfants ; elles faisaient vœu de chasteté pour se consacrer à l'étude et à l'observance des rites.

Via Labicana : Ancienne route, en Italie, qui partait du sud-est de Rome.

Victoria : Déesse romaine de la Force, de la Vitesse et de la Victoire. Forme grecque : Niké.

Vulcain : Dieu romain du Feu, des Artisanats et des Forgerons ; fils de Jupiter et de Junon, marié à Vénus. Forme grecque : Héphaïstos.

Zeus : Dieu grec du Ciel et roi des dieux. Forme romaine : Jupiter.

Remerciements

Mes vifs remerciements à Seán Hemingway, conservateur du département des antiquités grecques et romaines du Metropolitan Museum of Art de New York, qui m'a aidé à remonter à la source de la Marque d'Athéna.

RICK RIORDAN

L'AVENTURE
CONTINUERA EN 2014

HÉROS DE L'OLYMPE

LA MAISON D'HADÈS

* * * *

D'autres livres

Rafael ÀBALOS, *Grimpow, l'élu des Templiers*
Rafael ÀBALOS, *Grimpow, le chemin invisible*
Rafael ÀBALOS, *Gótico*
Rafael ÀBALOS, *Poliedrum*
Rafael ÀBALOS, *Poliedrum, la prophétie du héros*
Nina BLAZON, *Jade, fille de l'eau*
Stephen COLE, *Code Aztec*
Fabrice COLIN, *La Malédiction d'Old Haven*
Fabrice COLIN, *Le Maître des dragons*
Fabrice COLIN, *Bal de Givre à New York*
Neil GAIMAN, *Coraline*
Neil GAIMAN, *L'Étrange Vie de Nobody Owens*
Neil GAIMAN, *Odd et les géants de glace*
Rachel HAWKINS, *Hex Hall*
Rachel HAWKINS, *Hex Hall, le Maléfice*
Rachel HAWKINS, *Hex Hall, le Sacrifice*
Jackson PEARCE, *Sisters Red*
Angie SAGE, *Magyk, Livre Un*
Angie SAGE, *Magyk, Livre Deux : Le Grand Vol*
Angie SAGE, *Magyk, Livre Trois : La Reine maudite*
Angie SAGE, *Magyk, Livre Quatre : La Quête*
Angie SAGE, *Magyk, Livre Cinq : Le Sortilège*
Angie SAGE, *Magyk, Livre Six : La Ténèbre*
Angie SAGE, *Magyk Book*
Jonathan STROUD, *La Trilogie de Bartiméus I. L'Amulette de Samarcande*
Jonathan STROUD, *La Trilogie de Bartiméus II. L'OEil du golem*
Jonathan STROUD, *La Trilogie de Bartiméus III. La Porte de Ptolémée*
Jonathan STROUD, *L'Anneau de Salomon*
Jonathan STROUD, *Les Héros de la vallée*
Ulrike SCHWEIKERT, *Nosferas*

www.wiz.fr
Logo Wiz : Cédric Gatillon

Composition Nord Compo
Impression Imprimerie Lebonfon Inc. en février 2013
Éditions Albin Michel
22, rue Huyghens 75014 Paris
ISBN : 978-2-226-24721-6
ISSN : 1637-0236
N° d'édition : 19605/01. N° d'impression :
Dépôt légal : mars 2013
Loi n° 49-956 du 16 juillet 1949 sur les publications destinées à la jeunesse.
Imprimé au Canada.